DE LA MÊME AUTEURE

Le Chardon et le Tartan, Libre Expression, 1997

Le Talisman, Libre Expression, 1997

Le Voyage, Libre Expression, 1998

Les Tambours de l'automne, Libre Expression, 1998

La Croix de feu, partie 1, Libre Expression, 2002

La Croix de feu, partie 2, Libre Expression, 2002

Un tourbillon de neige et de cendres, partie 1, Libre Expression, 2006

Un tourbillon de neige et de cendres, partie 2, Libre Expression, 2006

Une affaire privée, Lord John, tome 1, Libre Expression, 2008

La Confrérie de l'épée, Lord John, tome 2, Libre Expression, 2008

DIANA GABALDON

L'Écho des cœurs lointains

PARTIE I
LE PRIX DE L'INDÉPENDANCE

ROMAN
Traduit de l'anglais (États-Unis)
par Philippe Safavi

Libre Expression
Une compagnie de Quebecor Media

Catalogage avant publication de Bibliothèque et Archives nationales du Québec
et Bibliothèque et Archives Canada

Gabaldon, Diana

    L'écho des cœurs lointains

    Traduction de : An echo in the bone.
    Suite de : Un tourbillon de neige et de cendres.
    L'ouvrage complet comprendra 2 v.
    Sommaire : ptie. 1. Le prix de l'indépendance.
    ISBN 978-2-7648-0505-3 (v. 1)

    I. Safavi, Philippe. II. Titre. III. Titre: Le prix de l'indépendance.

PS3557.A22E2414 2010   813'.54   C2010-942219-8

Titre original : *An Echo In The Bone*
Traduction française : Philippe Safavi
Révision linguistique : Annie Goulet
Correction d'épreuves : Corinne Danheux
Couverture : Nik Keevil, www.keevildesign.co.uk
Grille graphique intérieure : Axel Pérez de León
Mise en pages : Louise Durocher
Photo de l'auteure : Barbara Schnell

Titre original : An Echo in the Bone
© 2009 Diana Gabaldon
Publié avec l'accord de l'auteur, BAROR INTERNATIONAL, INC., Armonk, New York, USA
© Presses de la Cité, un département de Place des éditeurs, 2010 pour la traduction française
© Les Éditions Libre Expression, 2010 pour l'édition française au Canada

Les Éditions Libre Expression
Groupe Librex inc.
Une compagnie de Quebecor Media
La Tourelle
1055, boul. René-Lévesque Est
Bureau 800
Montréal (Québec) H2L 4S5
Tél. : 514 849-5259
Téléc. : 514 849-1388
www.edlibreexpression.com

Dépôt légal – Bibliothèque et Archives nationales du Québec et Bibliothèque et Archives
Canada, 2010

ISBN 978-2-7648-0505-3

Distribution au Canada
Messageries ADP
2315, rue de la Province
Longueuil (Québec) J4G 1G4
Tél. : 450 640-1234
Sans frais : 1 800 771-3022
www.messageries-adp.com

À tous mes chiens :
Penny Louise
Tipper John
John
Flip
Archie et Ed
Tippy
Spots
Emily
Ajax
Molly
Gus
Homer et JJ.

Un tourbillon de neige et de cendres

Tome 6

Résumé

Partie 1

En 1772, à l'aube de la Révolution américaine, le brûlot de la rébellion flambe déjà : à Boston, des cadavres gisent dans les rues, et dans l'arrière-pays de la Caroline du Nord, des cabanes s'embrasent dans les ténèbres de la forêt. Au-dessus de la maison de Fraser's Ridge, où vivent Jamie et sa famille, une ombre grandit…

Partie 2

Claire et Jamie s'efforcent de leur mieux de protéger leurs terres et leurs gens. Il ne leur reste que quatre ans avant la parution de leur nécrologie dans une gazette locale, quatre ans pour louvoyer entre la politique et l'histoire et tenter de changer le cours de leur destin. Pour une fois, Jamie Fraser espère que sa famille s'est trompée au sujet de l'avenir.

Prologue

Le corps est incroyablement malléable. L'esprit, plus encore. Pourtant, il y a des lieux dont on ne revient pas. Tu crois, *a nighean* ? C'est vrai que le corps peut facilement être mutilé, et l'esprit dénaturé… mais il y a une part en l'homme qui ne peut jamais être détruite.

Première partie

DES REMOUS DANS L'EAU

1

Parfois, ils sont bel et bien morts

Wilmington, colonie de Caroline du Nord, juillet 1776

William ne voyait plus la tête du pirate. Non loin sur le quai, un groupe de badauds en discutait justement, se demandant si elle réapparaîtrait. L'un d'eux, un métis déguenillé, déclara avec conviction :

— Cette fois, il est parti pour de bon. Si un alligator ne lui fait pas son affaire, la mer s'en chargera.

Son voisin, un rustre probablement venu de l'arrière-pays, cessa de mâchouiller sa chique un instant et cracha dans l'eau.

— Nan… tiendra bien encore un jour. Même deux, qui sait ? C'est à cause de tous ces tendons qui retiennent la tête. En se desséchant au soleil, ça devient dur comme fer. J'ai souvent vu ça sur les carcasses de chevreuil.

William vit Mme MacKenzie lancer un bref regard vers le port puis détourner les yeux. La trouvant très pâle, il se déplaça discrètement de quelques centimètres afin de lui cacher la vue du groupe d'hommes et de l'eau brunâtre derrière eux. La marée étant haute, il était normal que l'homme ligoté au pieu ne soit plus visible, mais le pieu lui-même l'était toujours, sévère rappel du prix à payer pour une vie de crimes. Condamné à mort, le pirate avait été attaché au milieu de la laisse quelques jours plus tôt pour y être noyé par la marée. Depuis, toute la ville ne parlait plus que du temps que mettrait son cadavre en décomposition à être emporté par le courant.

— Jem !

M. MacKenzie se précipita devant William à la poursuite de son fils. Aussi roux que sa mère, le garçonnet s'était rapproché des badauds pour écouter leurs bavardages. Se retenant d'une main à une bitte d'amarrage, il était à présent dangereusement penché au-dessus de l'eau pour tenter d'apercevoir les restes du supplicié.

M. MacKenzie attrapa son fils par le col et le hissa dans ses bras. L'enfant se débattit, tordant le cou vers les eaux boueuses du port.

— Je veux voir le walligateur manger le pirate, papa !

Les hommes s'esclaffèrent. MacKenzie lui-même esquissa un sourire qui s'effaça dès qu'il aperçut la mine défaite de sa femme. Celle-ci paraissait de plus en plus mal en point. Il la rejoignit en un clin d'œil et, basculant son fils sur son autre hanche, glissa une main sous son bras.

— Nous ferions mieux de vous laisser, lieutenant Ransom... Pardon, je voulais dire lord Ellesmere... Vous avez sûrement à faire.

En effet, William devait retrouver son père pour le dîner. Mais comme il lui avait donné rendez-vous dans la taverne se trouvant juste en face du quai, il ne pouvait pas le rater. Il s'empressa de le leur expliquer et insista pour qu'ils s'attardent encore un peu. Il trouvait leur compagnie fort agréable, surtout celle de Mme MacKenzie. La jeune femme avait retrouvé un peu de couleurs. Elle sourit d'un air navré et tapota le bonnet du nourrisson dans ses bras.

— Je suis désolée, nous devons vraiment rentrer.

Elle regarda son fils, qui gigotait toujours pour être reposé à terre, et ne put s'empêcher de jeter un dernier coup d'œil au port et au sinistre pieu émergent. Puis elle se tourna résolument vers William.

— La petite se réveille. Elle va avoir faim. J'ai été ravie de vous rencontrer, je regrette que nous n'ayons pas eu le temps de discuter plus longtemps.

Elle prit un air sincère et effleura son bras, ce qui lui procura une agréable sensation dans le creux du ventre.

Les badauds, dont aucun ne paraissait pourtant avoir un sou en poche, pariaient à présent sur l'éventuelle réapparition du pirate.

— Deux contre un qu'il est toujours là quand la mer se retire.

— Cinq contre un qu'il est là mais sans la tête. Me fiche de tes tendons, Lem ; sa tête ne tenait plus qu'à un fil à la dernière marée. La prochaine l'emportera à coup sûr.

S'efforçant de couvrir leurs voix, William se lança dans des salutations alambiquées et, dans un élan de galanterie, alla jusqu'à baiser la main de Mme MacKenzie. Dans la foulée, il baisa également celle du bébé, ce qui ne manqua pas de provoquer l'hilarité générale. M. MacKenzie le regarda bizarrement mais ne sembla pas en prendre ombrage. Il lui serra la main avec une vigueur toute républicaine puis, histoire de montrer qu'il avait le sens de l'humour lui aussi, enjoignit à son fils de tendre la sienne à son tour. Intrigué par son épée d'apparat, l'enfant demanda à l'officier :

— T'as déjà trucidé quelqu'un ?

— Non, pas encore, répondit William avec un sourire.

— Mon grand-père, lui, il a zigouillé deux douzaines d'hommes !

— Jemmy ! s'écrièrent ses deux parents d'une seule voix.

Le garçonnet haussa les épaules jusqu'aux oreilles.

— Ben quoi ? C'est vrai !

William s'efforça de garder son sérieux.

— Je suis sûr que ton grand-père est très courageux et sanguinaire. Ce sont des hommes comme lui dont le roi a besoin.

— Mon grand-père dit que le roi, il peut aller se faire voir chez les Grecs.

— JEMMY !

M. MacKenzie plaqua une main sur la bouche de son fils tandis que sa femme tançait le petit effronté :

— Tu sais très bien que ton grand-père n'a jamais dit une chose pareille !

L'enfant hocha la tête et son père retira sa main.

— Non, c'est grand-mère qui l'a dit.

— C'est déjà plus probable, marmonna MacKenzie, tâchant de ne pas rire. Quoi qu'il en soit, on ne parle pas comme ça devant un militaire. Les soldats sont au service du roi.

— Ah, fit Jemmy, qui se désintéressait déjà de la question. Il étirait à nouveau le cou vers le port.

— C'est quand qu'elle descend, la marée ?

— Pas avant des heures, répondit fermement MacKenzie. Tu seras couché depuis longtemps.

Mme MacKenzie sourit à William d'un air contrit, l'embarras faisant rosir ses joues d'une manière charmante, puis la famille prit congé un peu précipitamment, laissant William partagé entre l'envie de rire et le regret de les voir partir.

— Hé, Ransom !

Pivotant sur ses talons, il découvrit Harry Dobson et Colin Osborn, deux seconds lieutenants de son régiment. Ils avaient dû s'enfuir dans le but d'aller tester les maisons closes de Wilmington... ou ce qui passait pour tel.

Dobson indiqua du menton la petite famille qui s'éloignait.

— Qui c'était ?

— M. et Mme MacKenzie, des amis de mon père.

— Ah ! Elle est mariée...

Dobson lorgna la jeune femme en fronçant les lèvres.

— Voilà qui corse l'affaire mais, après tout, l'enjeu n'en est que plus intéressant.

— L'enjeu ?

William lui lança un regard torve.

— Je ne sais pas si tu l'as remarqué, mais son mari est trois fois plus grand que toi.

Osborn s'esclaffa.

— Et elle, elle fait deux fois sa taille ! Elle t'écraserait, Dobby !

Dobson se drapa dans sa dignité.

— Qui vous dit que j'ai l'intention d'être dessous ?

Osborn riait tant qu'il était rouge vif. Les trois hommes observaient toujours la petite famille, qui avait presque disparu au bout de la rue.

— Mais qu'est-ce que cette obsession pour les géantes ? demanda William. Cette femme est presque aussi grande que moi !

— C'est ça, enfonce le clou ! s'indigna Osborn.

Même s'il dépassait le mètre cinquante de Dobson, Osborn mesurait une tête de moins que William. Il voulut décocher un coup de pied dans le tibia de ce dernier, qui l'esquiva et rétorqua avec une calotte. Osborn l'évita de justesse et le poussa contre Dobson.

— Messsssieurs !

Le ton sifflant du sergent Cutter les arrêta net. Ils avaient beau être tous les trois plus gradés que lui, aucun ne se serait hasardé à le lui faire remarquer. Le bataillon tout entier était terrorisé par ce petit bout d'homme plus vieux que le monde. Il ne mesurait guère plus que Dobson, mais son corps compact semblait contenir toute la furie d'un volcan au bord de l'éruption.

— Sergent !

Le lieutenant William Ransom, comte d'Ellesmere et le plus âgé du groupe, se redressa, le dos raide et le menton plaqué contre sa cravate. Osborn et Dobson l'imitèrent aussitôt, tremblant dans leurs bottes.

Cutter décrivit des allées et venues devant eux à la manière d'un guépard traquant sa proie. On l'imaginait aisément se léchant les babines d'avance, sa queue cinglant l'air. Attendre son attaque était presque pire que de le sentir enfoncer ses crocs dans votre postérieur.

— Où sont passées vos troupes, hein ? Messsssieurs ?

Osborn et Dobson commencèrent aussitôt à balbutier des explications confuses mais, pour une fois, le lieutenant Ransom était en règle.

— Mes hommes sont de garde devant le palais du gouverneur, sergent. Ils sont sous les ordres du lieutenant Colson. J'ai obtenu une permission pour dîner avec mon père.

Il ajouta nonchalamment :

— C'est sir Peter qui me l'a accordée.

Cela arrêta net Cutter dans son élan vengeur. Sir Peter Packer était un nom qui en imposait mais, à la surprise de William, ce n'était pas lui qui avait provoqué cet effet. Cutter le dévisagea en plissant les yeux :

— Votre père ? C'est bien lord John Grey, n'est-ce pas ?

— Euh… en effet, répondit William sur ses gardes. Vous… le connaissez ?

Avant que Cutter n'ait pu répondre, la porte d'une taverne voisine s'ouvrit et le père de William en émergea. William sourit béatement devant cette apparition tombant à point nommé mais se ressaisit dès qu'il croisa le regard d'acier du sergent.

— Qu'est-ce que c'est que ce rictus de primate que vous me faites ? gronda Cutter.

Il fut interrompu par la main de lord John se posant sur son épaule, un geste d'une familiarité qu'aucun des trois jeunes lieutenants n'aurait osée pour tout l'or du monde.

— Cutter ! s'exclama chaleureusement lord John. Dès que j'ai entendu cette voix suave, je me suis dit : « Diable ! Ce ne peut être que le sergent Aloysius Cutter ! Personne d'autre sur terre ne parvient à parler comme un bouledogue qui aurait avalé un chat et survécu ! »

Aloysius ? Les trois jeunes officiers échangèrent un regard narquois. William contint son fou rire en constatant que son père s'était tourné vers lui.

— William ! Toujours aussi ponctuel ! Pardonne mon retard ; j'ai été retenu.

Avant que William n'ait pu répliquer ou lui présenter ses camarades, lord John entraîna le sergent Cutter dans une longue évocation du bon vieux temps passé ensemble dans les plaines d'Abraham sous le commandement du général Wolfe.

Les trois jeunes gens en profitèrent pour se détendre légèrement, ce qui, dans le cas de Dobson, se traduisit par un retour au fil interrompu de ses pensées.

— Tu as bien dit que la poupée rousse était une amie de ton père ? chuchota-t-il à William. Tu ne pourrais pas lui soutirer des informations sur où elle loge ?

— Crétin ! siffla Osborn entre ses dents. Elle n'est même pas jolie. Elle a le nez aussi long que... Willie !

— J'ai pas levé les yeux jusqu'à son visage. J'avais ses nichons sous le nez, ça me suffisait amplement...

— Andouille !

— Chut !

Osborn écrasa le pied de Dobson pour le faire taire, car lord John se tournait à nouveau vers eux.

— Tu ne me présentes pas tes amis, William ?

William s'exécuta les joues en feu, car il était bien placé pour savoir que son père, en dépit d'un ancien accident d'artillerie, avait l'ouïe fine. Intimidés, Dobson et Osborn s'inclinèrent respectueusement. Jusque-là, ils n'avaient pas réalisé de qui leur camarade était le fils. William en fut à la fois fier et inquiet. Tout le bataillon serait mis au courant avant le dîner du lendemain. Naturellement, sir Peter le savait déjà, mais quand même...

Il rassembla ses esprits en constatant que lord John prenait congé en leurs deux noms. Il retourna son salut au sergent Cutter et hâta le pas pour rattraper son père, abandonnant Dobby et Osborn à leur triste sort.

— Je t'ai aperçu discutant avec M. et Mme MacKenzie, déclara lord John. Ils vont bien, j'espère.

Il lança un regard vers le quai, mais le couple avait disparu depuis longtemps.

— Apparemment, oui.

Willie n'avait certainement pas l'intention de lui demander où ils logeaient, mais il était encore sous le charme de la jeune femme. Il n'aurait su dire si elle était jolie ou pas. Il avait surtout été frappé par ses yeux, d'un merveilleux bleu nuit et bordés de longs cils auburn. Ils s'étaient fixés sur lui avec une intensité flatteuse qui lui avait réchauffé le cœur. Certes, elle était d'une taille absurde mais... Hé, à quoi pensait-il donc ? Une femme mariée... mère de famille ! Rousse, de surcroît !

Sachant à quel point sa propre famille nourrissait des sentiments politiques étonnamment pervers et contradictoires, il demanda prudemment :

— Tu… euh… les connais depuis longtemps ?

— Un certain temps. Elle est la fille de l'un de mes plus vieux amis, M. James Fraser. Tu te souviens peut-être de lui…

William fouilla sa mémoire. Son père avait des milliers d'amis, comment aurait-il pu… ?

— Ah ! fit-il soudain. Je cherchais parmi tes amis en Angleterre. Ce ne serait pas ce M. Fraser auquel nous avons rendu visite dans les montages il y a bien longtemps ? La fois où tu avais contracté… la rougeole ?

Cela avait été une expérience traumatisante pour l'enfant qu'il était. Il avait effectué tout le voyage dans les montagnes dans un état de profond abattement, ayant perdu sa mère un mois plus tôt. Quand lord John était tombé malade, il s'était convaincu qu'il allait l'abandonner à son tour, le laissant seul au milieu de la nature sauvage. La peur, l'angoisse et le chagrin avaient tant accaparé son esprit qu'il ne conservait que quelques souvenirs confus de leur visite. Il se rappelait vaguement que M. Fraser l'avait emmené pêcher et l'avait traité avec bienveillance.

Lord John esquissa un petit sourire sarcastique.

— C'est bien lui. Je suis touché, Willie. J'aurais cru que ta propre mésaventure lors de cette visite t'aurait davantage marqué que mes petits ennuis de santé.

— Ma mésaven… ?

La scène remonta soudain à la surface, accompagnée d'une bouffée de chaleur plus étouffante que l'air moite de l'été.

— Merci, père. J'étais parvenu à effacer cet épisode humiliant de ma mémoire… jusqu'à cet instant !

Lord John pleurait de rire. Il sortit un mouchoir et s'essuya le coin des yeux.

— Navré, Willie. C'est plus fort que moi. Ce fut… ce fut… Mon Dieu ! Je n'oublierai jamais ta tête quand on t'a repêché des latrines !

William se raidit.

— C'était un accident !

Au moins, la fille de Fraser n'avait pas assisté à cette humiliation suprême.

— Oui, je sais bien, mais…

Son père pressa le mouchoir contre ses lèvres, ses épaules agitées de soubresauts.

— Préviens-moi quand tu auras fini de ricaner à mes dépens, fit sèchement William. Au fait, puis-je savoir où l'on va ?

Ils étaient arrivés au bout du quai et son père, toujours aussi hilare, le conduisait vers une petite rue tranquille bordée d'arbres loin des tavernes et des auberges du port. Faisant un effort visible pour se ressaisir, il annonça :

— Nous dînons avec le capitaine Richardson.

Il toussa, se moucha puis rangea son mouchoir avant de préciser :

— Chez un certain M. Bell.

M. Bell habitait dans une maison proprette blanchie à la chaux, cossue mais sans ostentation. Le capitaine Richardson lui fit à peu près la même impression : d'âge moyen, soigné, portant un costume bien taillé sans suivre une mode particulière, avec un visage qu'il n'aurait pas reconnu dans la rue deux minutes après l'avoir vu.

En revanche, il fut nettement plus impressionné par les deux demoiselles Bell, notamment la plus jeune, Miriam, dont les boucles couleur miel pointaient sous son bonnet et dont les grands yeux ronds ne le quittèrent pas durant tout le dîner. Elle était assise trop loin de lui pour qu'ils puissent engager la conversation, mais le langage de ce regard était suffisamment éloquent pour lui faire comprendre que la fascination était réciproque. Pouvait-il espérer que, si l'occasion d'un entretien plus intime se présentait… ? Un léger sourire, un modeste battement de paupières suivi d'un coup d'œil discret vers la porte entrouverte donnant sur la véranda… Plus tard, quand elle irait prendre l'air. Il sourit en retour.

— Tu le crois vraiment, William ? lui demanda son père.

À son ton insistant, il était clair qu'il posait la question pour la deuxième fois.

— Euh… oui, absolument.

Puis, se disant qu'après tout il s'agissait de son père et non de son commandant, il demanda :

— Si je crois quoi ?

Lord John lui lança un regard signifiant qu'il aurait levé les yeux au ciel s'ils n'avaient pas été en public mais répéta patiemment :

— M. Bell demandait si sir Peter avait l'intention de rester longtemps à Wilmington.

M. Bell, qui présidait le dîner, inclina poliment la tête, mais non sans avoir préalablement lancé un regard suspicieux vers Miriam. William en déduisit qu'il ferait mieux de revenir le lendemain, quand le maître de maison serait occupé ailleurs à ses affaires. Il répondit aimablement :

— Non, monsieur, je pencherais plutôt pour le contraire. J'ai cru comprendre que le gros des troubles se produisait dans l'arrière-pays. Je suppose que l'on va nous y envoyer mater les rebelles au plus tôt.

M. Bell parut satisfait. De coin de l'œil, William vit Miriam faire une charmante moue boudeuse en apprenant son départ imminent.

— Bien, bien ! déclara M. Bell, jovial. Des centaines de loyalistes se presseront certainement pour rejoindre vos rangs.

— Sans aucun doute, monsieur.

Il était peu probable que M. Bell serait parmi eux. William l'imaginait mal marchant au pas. En outre, l'assistance de hordes de provinciaux sans entraînement et armés de pelles serait plus un fardeau qu'un renfort, ce qu'il se garda de dire.

Alors qu'il essayait de voir Miriam sans la regarder directement, il surprit un bref échange de coups d'œil entre son père et le capitaine Richardson. Il fut intrigué. Quand, plus tôt, John lui avait annoncé qu'ils dînaient avec le capitaine, il en avait naturellement déduit que le but de la soirée était de s'entretenir avec lui. Pourquoi ?

Puis son regard croisa celui de Mlle Lillian Bell, assise juste en face de lui, à côté de lord John, et il cessa aussitôt de penser à Richardson. Plus grande que sa sœur, avec une taille plus fine et des yeux noirs... elle était vraiment jolie ; comment ne l'avait-il pas encore remarqué ?

Néanmoins, quand Mme Bell et ses filles se levèrent de table et que les hommes se retirèrent sur la véranda après le dîner, il ne fut pas surpris d'être entraîné à l'écart par le capitaine Richardson pendant que son père occupait M. Bell avec une discussion animée sur le prix du goudron. Papa pouvait parler de n'importe quoi avec n'importe qui.

Une fois échangées les amabilités d'usage, le capitaine Richardson annonça :

— J'ai une proposition à vous faire, lieutenant.

— Je vous écoute, capitaine.

Sa curiosité était piquée. Richardson était capitaine de cavalerie légère mais, comme il l'avait expliqué au cours du dîner, il était actuellement détaché de son régiment. Détaché pour faire quoi ?

— J'ignore au juste ce que vous a dit votre père de ma mission.

— Absolument rien, capitaine.

— Ah ! Je suis chargé de collecter des renseignements dans l'État du Sud. Naturellement, ce n'est pas moi qui dirige ces opérations... (il esquissa un sourire modeste)... juste une petite partie.

William sentit qu'il allait devoir faire preuve de diplomatie.

— Je... euh... j'apprécie la grande utilité de ces activités, capitaine. Mais... pour ma part, je... comment dirais-je ?

— L'espionnage ne vous intéresse pas, l'aida Richardson. Non, naturellement. La plupart de ceux qui se considèrent comme des soldats jugent cette tâche indigne d'eux.

Son ton acerbe en disait long.

— Je ne voulais pas vous offenser, capitaine.

— Je ne le prends pas mal. Cela dit, je ne cherche pas à vous recruter comme espion – c'est un métier délicat et qui n'est pas sans danger –, mais plutôt comme messager. Si, en chemin, vous aviez l'occasion de glaner quelques informations utiles, ce serait une contribution bienvenue… et fort appréciée.

William sentit le feu monter à ses joues. Cet homme insinuait-il qu'il n'était capable ni de délicatesse ni d'audace ? Il parvint néanmoins à maîtriser son agacement, répondant simplement :

— Vraiment ?

Le capitaine lui expliqua qu'ayant déjà collecté des renseignements importants sur la situation dans les Carolines, il souhaitait les faire parvenir au commandant de l'État du Nord, le général Howe, qui se trouvait actuellement à Halifax.

— Naturellement, j'enverrai plus d'un messager, précisat-il. L'acheminement par voie de mer sera plus rapide, mais je souhaite qu'au moins l'un de mes hommes voyage par la route, tant par mesure de sécurité que pour effectuer des observations *en route*[1]. Votre père m'a longuement vanté vos compétences…

Y avait-il une pointe de sarcasme dans cette voix, qui était aussi râpeuse que du papier de verre ?

— … J'ai également cru comprendre que vous connaissiez fort bien la Caroline du Nord et la Virginie. Voilà qui nous serait très précieux. Je ne voudrais pas que mon messager se perde dans le fameux Dismal Swamp et ne réapparaisse plus jamais !

— Ha ha ! s'esclaffa poliment William en comprenant qu'il s'agissait d'une plaisanterie.

De toute évidence, le capitaine Richardson n'avait jamais mis les pieds près du Great Dismal, contrairement à William, qui ne voyait pas pourquoi un homme sain d'esprit s'aventurerait dans cet immense et dangereux marécage, hormis pour chasser.

Il nourrissait de sérieux doutes quant à la proposition de Richardson mais, tout en se répétant qu'il ne pouvait envisager de quitter ses hommes et son régiment, il se voyait déjà

---

1. En français dans le texte (*N.d.T.*).

24

en héros solitaire, parcourant de vastes étendues sauvages, bravant le danger et les tempêtes pour acheminer des informations capitales.

Cependant, le plus important était sans doute de savoir ce qui l'attendrait au bout de son voyage.

Richardson anticipa sa question :

— Une fois dans le Nord, vous pourriez éventuellement rejoindre l'équipe du général Howe.

Ah ! Voilà la carotte ! Elle était belle et bien croquante. Il était conscient que Richardson entendait par là : « Si le général Howe veut bien de vous. » Néanmoins, il avait foi en ses propres capacités et ne doutait pas de pouvoir se rendre utile.

Il n'était en Caroline du Nord que depuis quelques jours, mais cela lui suffisait pour évaluer assez précisément les différentes possibilités d'avancement qu'offraient les États du Nord et du Sud. L'ensemble de l'armée continentale se trouvait avec Washington dans le Nord. La rébellion dans le Sud semblait n'être constituée que de quelques poches séditieuses de pionniers et de milices improvisées... rien de bien méchant. Quant aux statuts respectifs de sir Peter et du général Howe en tant que commandants...

Espérant que sa voix ne trahissait pas trop son enthousiasme, il déclara :

— J'aimerais réfléchir à votre proposition, capitaine. Puis-je vous donner ma réponse demain ?

— Mais certainement. Je suppose que vous voudrez en discuter avec votre père. Ne vous gênez pas.

Puis le capitaine changea de sujet. Quelques instants plus tard, lord John et M. Bell les rejoignirent et la conversation prit un tour général.

William ne les écoutait que d'une oreille distraite, son attention étant accaparée par deux silhouettes blanches et élancées qui flottaient tels des spectres entre les buissons de l'autre côté du jardin. Deux têtes coiffées de bonnets qui se rapprochaient puis s'écartaient. De temps à autre, l'une d'elles se tournait brièvement vers la véranda, semblant le guetter.

— Quant à ses tenues, elles sont le pur fruit du hasard, murmura son père en secouant la tête.

— Pardon?

— Peu importe, répondit lord John avec un sourire.

Il se tourna vers le capitaine Richardson, qui venait de faire une observation sur le climat.

Des lucioles scintillaient dans le jardin, voletant telles de minuscules étincelles vertes dans la végétation luxuriante et humide. William était ravi d'en voir à nouveau. En Angleterre, elles lui avaient manqué, tout comme cette singulière moiteur de l'air du Sud qui moulait sa chemise en lin contre son torse et faisait battre le sang dans le bout de ses doigts. L'espace d'un instant, le chant des grillons partout autour de lui étouffa tous les autres bruits, hormis celui de son pouls.

— Messieurs, le café est servi.

La voix chaude de l'esclave des Bell creva sa petite bulle et il suivit les autres hommes à l'intérieur après un dernier bref regard vers le jardin. Les silhouettes blanches avaient disparu, mais l'air chaud et doux semblait toujours chargé de promesses.

Une heure plus tard, il rentra à pied vers son cantonnement, l'esprit agréablement embrouillé, son père marchant en silence à ses côtés.

À la fin de la soirée, Mlle Lillian Bell lui avait accordé un baiser parmi les lucioles, chaste et fugace mais sur les lèvres. En dépit des odeurs tenaces provenant du port, il flottait autour de lui des effluves de café et de fraises mûres.

Lord John lança sur un ton léger:

— Le capitaine Richardson m'a parlé de sa proposition. Es-tu intéressé?

— Je ne sais pas, répondit William, tout aussi détaché. Mes hommes me manqueraient, bien sûr, mais...

Mme Bell l'avait invité à venir prendre le thé un peu plus tard dans la semaine.

— La vie militaire n'est pas pour les sédentaires, poursuivit son père. Je t'avais prévenu.

William acquiesça vaguement.

Son père ajouta nonchalamment :

— Cela pourrait t'ouvrir des portes, assurément, bien que cette mission ne soit pas sans dangers.

William émit un petit rire moqueur.

— Que pourrait-il bien m'arriver entre Wilmington et New York, où m'attendra un bateau ? Il y a une route presque de bout en bout !

— Empruntée par un nombre considérable de continentaux, souligna lord John. Si mes nouvelles sont exactes, pratiquement toute l'armée du général Washington se trouve de ce côté-ci de Philadelphie.

William haussa les épaules.

— Richardson m'a choisi parce que je connais bien la région. Je peux très bien m'orienter en coupant à travers champs.

— Tu en es sûr ? Cela fait près de quatre ans que tu n'as pas mis les pieds en Virginie.

Son scepticisme agaça William.

— Quoi ? Tu me crois incapable de trouver mon chemin ?

— Loin de là, répliqua lord John, toujours dubitatif. Je dis simplement que cette offre présente certains risques et qu'ils ne sont pas moindres. Je ne voudrais pas que tu t'engages sans avoir mûrement réfléchi.

— J'y ai déjà réfléchi, rétorqua William, piqué. Je vais accepter.

Lord avança de quelques pas en hochant la tête puis déclara doucement :

— C'est ton choix, Willie. Mais je te serais personnellement très reconnaissant d'être prudent.

L'agacement de William s'envola aussitôt.

— Bien sûr, marmonna-t-il.

Ils marchèrent en silence sous l'épaisse frondaison des érables et des pacaniers, si près l'un de l'autre que leurs épaules se frôlaient parfois.

William abandonna son père devant l'auberge mais ne rentra pas directement dans ses quartiers. Trop énervé pour dormir, il se promena le long du quai.

La mer se retirait. L'odeur d'algues et de poissons morts s'était accentuée bien que la laisse fût encore recouverte d'une nappe d'eau lisse que faisait miroiter le quart de lune.

Il lui fallut un certain temps pour repérer le pieu. Il crut d'abord qu'il avait disparu, mais non… il était toujours là, une mince ligne sombre se détachant sur le scintillement de l'eau. Nu. Il n'était plus droit mais penchait dangereusement, comme sur le point de tomber. Un bout de corde y était encore attaché, flottant tel un nœud de pendu sur la marée descendante. William ressentit un trouble viscéral. La marée à elle seule n'avait pu emporter tout le corps. Certains affirmaient qu'il y avait des alligators dans les parages, bien qu'il n'en eût jamais vu lui-même. Il baissa malgré lui les yeux vers ses pieds, comme si l'un de ces reptiles allait soudain surgir de l'eau, et réprima un léger frisson.

Il chassa ces pensées sinistres et tourna les talons, prenant la direction de son cantonnement. Il ne partirait pas avant un jour ou deux. Peut-être aurait-il l'occasion de revoir les yeux bleus de Mme MacKenzie avant son départ.

✳

Lord John s'attarda un moment sous le porche de l'auberge, observant son fils jusqu'à ce qu'il disparaisse dans les ténèbres sous les arbres. Il était inquiet. L'affaire avait été conclue un peu trop rapidement à son goût, mais il avait confiance en les capacités de William. En outre, si la mission comportait certains risques, ces derniers étaient inhérents à la vie de soldat. Néanmoins, certaines situations étaient plus risquées que d'autres.

Il hésita, écoutant le brouhaha des conversations dans la taverne. Il avait eu son lot de compagnie pour la soirée, et l'idée de se retourner dans son lit, dans sa chambre au plafond bas qui avait emprisonné la chaleur de la journée, le convainquit de marcher jusqu'à ce que l'épuisement physique lui garantisse le sommeil.

Il prit la direction opposée à celle qu'avait suivie William. La chaleur n'était pas la seule cause de son énervement. Il se connaissait suffisamment pour savoir que même la réussite apparente de son plan n'apaiserait pas son esprit. Il continuerait à le ronger comme un chien son os, cherchant ses points faibles, des manières de l'améliorer. Après tout, William ne partirait pas sur-le-champ. Il lui restait un peu de temps pour le peaufiner, y apporter des modifications, si c'était nécessaire.

Le général Howe, par exemple. Était-il vraiment le meilleur choix ? Peut-être que Clinton... Non. Henry Clinton était une vieille peau tatillonne, incapable de lever le petit doigt sans avoir reçu des ordres en trois exemplaires.

Les frères Howe, l'un général, l'autre amiral, étaient notoirement frustes, ayant tous deux l'allure, les manières et l'odeur de porcs en rut. Cependant, ils n'étaient pas stupides, et encore moins timorés ! Willie était parfaitement capable de survivre à un comportement grossier et à un langage ordurier. Un commandant qui crachait par terre (il avait même craché sur lord John un jour, bien que ce fût purement accidentel, le vent ayant tourné à un moment inopportun) était sans doute plus facile à supporter pour un jeune subalterne que les excentricités d'autres hauts gradés de sa connaissance.

Cela étant, même le membre le plus farfelu de la confrérie de l'épée était préférable à un diplomate. Il se demanda quel terme de vénerie appliquer à un groupe de diplomates. Si les écrivains formaient la confrérie de la plume et qu'on appelait une harpaille une troupe de biches et de jeunes cerfs... une saignée de diplomates, peut-être ? Les frères du stylet ? Non, c'était bien trop direct. Un dormitif de diplomates, c'était déjà plus exact. La confrérie de l'ennui ? Cependant, ceux qui n'étaient pas ennuyeux pouvaient parfois se montrer dangereux.

Sir George Germain appartenait à cette dernière catégorie : à la fois ennuyeux *et* dangereux.

Grey erra dans les rues un bon moment encore dans l'espoir de s'épuiser avant de retrouver sa chambre exiguë et oppressante. Le ciel était bas et lourd, des éclairs de chaleur illuminant l'horizon. Il aurait dû déjà être à Albany, qui était aussi humide et infestée d'insectes, mais où il faisait un peu plus frais, notamment grâce à la proximité des forêts profondes des Adirondacks.

Néanmoins, il ne regrettait pas son détour précipité par Wilmington. Le cas de Willie était réglé, ce qui était le principal. Quant à sa sœur, Brianna... Il s'arrêta net et ferma les yeux, revivant ce déchirant moment de transcendance quand, plus tôt dans l'après-midi, il les avait vus ensemble. Ce devait être leur seule et unique rencontre. Le souffle court, il avait observé les deux grands jeunes gens, leurs beaux traits hardis si semblables... et si semblables à ceux de l'homme qui se tenait immobile à ses côtés mais qui, contrairement à lui, inspirait de profondes goulées d'air comme s'il craignait de ne plus jamais pouvoir respirer.

Grey massa distraitement son annulaire gauche, ne s'étant pas encore habitué à le trouver nu. Jamie Fraser et lui avaient fait leur possible pour assurer la sécurité de ceux qu'ils aimaient et, en dépit de sa mélancolie, qu'ils soient unis par ce même sens de leurs responsabilités était réconfortant.

Reverrait-il un jour Brianna Fraser MacKenzie? Elle l'avait assuré du contraire et en avait paru autant attristée que lui.

— Que Dieu te protège, mon enfant, murmura-t-il.

Il se tourna à nouveau vers le port. Elle lui manquerait beaucoup mais, comme dans le cas de Willie, le soulagement de la savoir bientôt loin de Wilmington et hors de danger supplantait sa peine.

En avançant sur le quai, il lança malgré lui un regard vers la mer et poussa un profond soupir d'aise en apercevant le pieu penché et nu. Il n'avait pas compris les raisons du geste de Brianna, mais il connaissait son frère et son père depuis suffisamment longtemps pour ne pas se méprendre sur l'entêtement qu'il avait lu dans ses yeux félins. Il lui avait donc procuré la barque qu'elle avait demandée et était resté sur la jetée, la gorge nouée, prêt à créer une diversion si nécessaire pendant que son mari ramait vers le pirate supplicié.

Il avait vu une multitude d'hommes mourir, généralement contre leur volonté et parfois avec résignation. Il n'en avait jamais vu un partir avec une telle gratitude dans le regard. Grey connaissait à peine Roger MacKenzie, mais il le soupçonnait d'être un homme remarquable, non seulement pour avoir survécu à son union avec une créature aussi fabuleuse et dangereuse mais également pour lui avoir donné des enfants.

Il reprit lentement le chemin de l'auberge. Il pouvait tranquillement attendre deux semaines avant de répondre à la lettre de Germain, qu'il avait habilement subtilisée au courrier diplomatique quand il avait lu le nom de William sur l'enveloppe. Il n'aurait plus alors qu'à lui annoncer sans mentir que, hélas, lord Ellesmere se trouvait quelque part entre la Caroline du Nord et New York, et qu'il ne pouvait être informé qu'il avait été rappelé en Angleterre ; Grey, néanmoins, était convaincu que son fils regretterait profondément d'avoir manqué cette occasion de rejoindre l'état-major de sir George… lorsqu'il apprendrait la nouvelle d'ici quelques mois. Quel dommage !

Il se mit à siffloter *Lilluburelo* et mit le cap vers l'auberge d'un pas plus guilleret.

Il fit une halte dans la taverne pour demander qu'on lui monte une bouteille de vin. La serveuse lui répondit que le « monsieur » en avait déjà monté une.

— Et deux verres, ajouta-t-elle avec un grand sourire. C'est donc qu'il n'a pas l'intention de la boire tout seul.

Grey sentit un mille-pattes lui grimper le long de la colonne vertébrale.

— Je vous demande pardon ? Vous voulez dire qu'il y a quelqu'un dans ma chambre ?

— Oui, milord. Il a dit qu'il était un de vos vieux amis… Attendez voir… il m'a bien donné son nom…

Elle plissa le front un instant.

— Bow-Shaw, qu'il a dit, ou quelque chose comme ça. Ça sonnait français. D'ailleurs, lui-même avait l'air plutôt français. Voulez-vous que je vous monte également de quoi manger ?

— Non, merci.

Il grimpa les marches quatre à quatre en se demandant s'il n'avait rien laissé de compromettant dans sa chambre.

Un Français nommé Bow-Shaw… *Beauchamp*. Le nom retentit dans sa tête comme un coup de tonnerre. Il s'arrêta un instant au milieu de l'escalier, puis reprit son ascension, plus lentement.

Ce ne pouvait pas être… Mais qui d'autre ? Après avoir quitté le service actif des années plus tôt, il avait entamé une carrière diplomatique en tant que membre de la Black Chamber d'Angleterre, cette trouble organisation d'agents chargés d'intercepter et de décoder les courriers diplomatiques, ainsi que des messages nettement plus officieux échangés entre les gouvernements d'Europe. Toutes les nations possédaient leur «chambre noire», et il n'était pas inhabituel que les membres de l'une connaissent leurs confrères étrangers sans les avoir jamais rencontrés mais par leurs signatures, leurs initiales, leurs annotations non signées en marge des missives.

Beauchamp avait été l'un des agents français les plus actifs. Grey avait croisé sa piste à plusieurs reprises au fil des ans, même s'il avait quitté la Chambre noire depuis longtemps. S'il connaissait Beauchamp de nom, il était fort probable que ce dernier le connaisse également… mais leur association invisible remontait à des années. Ils ne s'étaient jamais vus, et que cette rencontre se produise *ici*… Il palpa la poche secrète de sa veste et sentit le bruissement rassurant du papier.

Une fois sur le palier, il hésita. Toutefois, il était absurde d'être furtif dans la mesure où il était clairement attendu. Il remonta le couloir d'un pas ferme et tourna la poignée de sa porte, la porcelaine lisse et fraîche dans sa paume.

Une bouffée de chaleur balaya son visage, et il retint son souffle malgré lui. Ce fut aussi bien, car cela l'empêcha de proférer le juron qui lui était monté aux lèvres.

Le gentleman assis dans l'unique fauteuil de la chambre avait effectivement l'«air français» : vêtu d'un costume impeccablement taillé rehaussé d'une cascade de dentelle d'un blanc neigeux au col et aux manchettes ; ses souliers ornés de boucles en argent assorties à ses tempes grises.

Grey referma lentement la porte derrière lui.

— Monsieur Beauchamp ?

Sa chemise moite adhérait à sa peau et il sentait son pouls battre dans ses propres tempes.

— Je crains que vous ne me preniez au dépourvu.

Perseverance Wainwright esquissa un sourire.

— Je suis content de te voir, John.

✳

Grey se mordit la langue pour éviter toute parole regrettable… ce qui excluait à peu près tout ce qu'il pouvait dire, à l'exception de :

— Bonsoir.

Il arqua un sourcil intrigué.

— *Monsieur* Beauchamp ?

Percy fit mine de se lever, mais Grey l'arrêta d'un geste et se tourna pour approcher un tabouret, espérant gagner ainsi quelques secondes pour se ressaisir. N'y parvenant pas, il s'accorda quelques instants supplémentaires en allant ouvrir la fenêtre et en prenant quelques goulées d'air chaud. Puis il se tourna enfin vers son invité et demanda avec une nonchalance feinte :

— Comment est-ce arrivé ? Je veux dire « Beauchamp ». Ou est-ce simplement un *nom de guerre*[2] ?

Percy sortit un mouchoir en dentelle de sa manche et se tamponna délicatement le front. (Grey remarqua qu'il commençait à se dégarnir.)

— Pas du tout. J'ai épousé une des sœurs du baron Amandine. Beauchamp est leur patronyme. Je l'ai adopté. Il m'a ouvert certaines portes dans les milieux politiques. De là…

Il esquissa un geste gracieux qui englobait sa carrière dans les renseignements… et nul doute ailleurs.

---

2. En français dans le texte (*N.d.T.*).

— Mes félicitations pour ton mariage, dit Grey sans cacher l'ironie dans sa voix. Avec qui dors-tu, le baron ou sa sœur ?

Percy parut amusé.

— Les deux, parfois.

— En même temps ?

Le sourire s'élargit. Il avait encore de bonnes dents quoique légèrement tachées par le vin.

— Cela arrive. Cela dit, Cécile, mon épouse, préfère les attentions de sa cousine Lucienne, et moi celles de notre sous-jardinier. Un charmant garçon du nom d'Émile. Il me fait penser à toi quand tu étais jeune. Mince, blond, musclé et brutal.

Grey eut envie de rire malgré lui.

— Tout cela me paraît très français, dit-il. Tu dois t'y sentir comme un poisson dans l'eau. Que me veux-tu ?

— Il s'agit plutôt de ce que *tu* voudras.

Percy n'avait pas encore entamé la bouteille de vin. Il versa lentement le liquide rouge sombre en poursuivant :

— Ou plutôt… de ce que voudra l'Angleterre.

Il tendit son verre à Grey avec un sourire.

— Car on peut difficilement séparer ses propres intérêts de ceux de son pays, n'est-ce pas ? D'ailleurs, je dois t'avouer qu'à mes yeux tu as toujours personnifié l'Angleterre, John.

Grey aurait aimé lui interdire de l'appeler par son prénom, mais cela n'aurait fait que raviver le souvenir de leur intimité d'autrefois, ce que cherchait Percy. Préférant se taire, il but une gorgée de vin. Il était bon. Il se demanda si c'était lui qui le payait… et si oui, comment.

— Ce que veut l'Angleterre ? répéta-t-il. Et à ton avis, que veut-elle ?

Percy but une gorgée et la garda quelques instants en bouche, la savourant.

— Ce n'est pas vraiment un secret, mon cher, n'est-ce pas ?

Grey soupira en le dévisageant.

— Tu as lu cette « Déclaration d'indépendance » publiée par le prétendu Congrès continental ? demanda Percy.

Il se retourna et, ouvrant une sacoche en cuir qu'il avait jetée sur le dossier du fauteuil, en extirpa une liasse de papiers pliés qu'il tendit à Grey.

Grey n'avait pas encore lu le document en question bien qu'il en eût beaucoup entendu parler. Il n'avait été imprimé que deux semaines plus tôt, à Philadelphie, mais des copies s'étaient déjà répandues comme du chiendent à travers les colonies.

Il déplia les feuillets et lut le premier en diagonale.

— « *Le roi est un tyran* » ?

Il s'esclaffa devant l'outrance de certains des sentiments les plus radicaux exprimés dans la déclaration. Il replia les feuilles et les jeta sur la table.

— Si je suis l'Angleterre, je présume que tu incarnes la France, du moins dans cette conversation ?

— Disons que je représente certains de ses intérêts, ainsi que ceux du Canada.

Une alarme retentit dans la tête de Grey. Il s'était battu au Canada sous les ordres du général Wolfe. Au cours de cette guerre, la France avait perdu une bonne partie de ses territoires nord-américains, mais elle restait férocement accrochée aux régions du Nord, de la vallée de l'Ohio au Québec. Suffisamment près pour créer des problèmes à présent ? Il en doutait, mais il la croyait capable de tout. Tout comme Percy.

Ce dernier agita ses longs doigts vers les papiers.

— De toute évidence, l'Angleterre veut mettre rapidement un terme à ces inepties. L'armée continentale, comme ils l'appellent, est une association bancale d'hommes divisés et sans expérience. Et si je pouvais te fournir des informations susceptibles de… saper l'allégeance de l'un des officiers les plus haut gradés de Washington ?

Grey fit une moue sceptique.

— Quand bien même ce serait le cas, en quoi cela favoriserait-il la France… ou tes propres intérêts ? Car je suppose qu'ils ne sont pas tout à fait les mêmes…

— Je vois que le temps n'a pas émoussé ton cynisme naturel, John. Je ne sais pas si je te l'ai déjà dit, mais cela a toujours été ton trait de caractère le moins attirant.

Le regard de Grey se durcit et Percy soupira.

— Soit. Des terres. Le Territoire du Nord-Ouest, nous voulons le récupérer.

Grey émit un petit rire.

— Ben voyons !

Le territoire en question, une vaste étendue au nord-ouest de la vallée de l'Ohio, avait été cédé à l'Angleterre par la France à l'issue de la guerre franco-indienne. Les Britanniques ne l'avaient toutefois pas occupé en raison de la résistance armée des indigènes et des négociations en cours pour établir des traités avec ces derniers. Les colons n'étaient pas ravis de cette situation. Grey, qui avait rencontré certains des indigènes en question, estimait la position du gouvernement britannique à la fois raisonnable et honorable.

— Les négociants français entretiennent de nombreux liens avec les aborigènes de cette région, ce qui n'est pas votre cas.

— Les marchands de fourrures constituant certains des… intérêts… que tu représentes ?

Percy sourit.

— Ce ne sont pas les intérêts principaux, mais ils en font partie.

Grey ne se donna pas la peine de lui demander pourquoi il s'adressait à lui, un ancien diplomate sans influence particulière. Percy connaissait la puissance de sa famille et de ses relations et « monsieur Beauchamp » en savait encore beaucoup plus sur ses liens actuels grâce au réseau d'informations qui alimentait les différentes chambres noires d'Europe. Naturellement, Grey ne pouvait prendre la moindre décision sur la question, mais il pouvait soumettre discrètement l'offre à ceux qui le pourraient.

Chaque poil de son corps était hérissé telle une antenne d'insecte… guettant le danger.

— Naturellement, il nous faudrait plus qu'une suggestion, dit-il avec détachement. Le nom de l'officier en question, par exemple.

— Je ne suis pas autorisé à le divulguer pour le moment. Mais une fois ouvertes des négociations sincères…

Grey se demandait déjà à qui il allait transmettre cette offre. Certainement pas à sir George Germain. Au bureau de lord North ? Toutefois, cela pouvait attendre.

— Et toi, quel profit en tireras-tu ? demanda-t-il sèchement.

Il connaissait suffisamment Percy Wainwright pour savoir qu'un aspect de l'affaire lui rapporterait quelque chose.

— Ah, ça…

Percy but une petite gorgée puis abaissa son verre et fixa Grey d'un regard limpide.

— C'est très simple, en fait. On m'a chargé de retrouver un homme. Tu ne connaîtrais pas un Écossais du nom de James Fraser ?

Grey sentit le pied de sa coupe craquer. Il ne la lâcha pas pour autant et but lentement, remerciant le ciel, d'une part de n'avoir jamais mentionné à Percy le nom de Jamie Fraser, de l'autre que ce dernier ait quitté Wilmington l'après-midi même.

— Non, répondit-il calmement. Que lui veux-tu, à ce M. Fraser ?

Percy haussa les épaules puis sourit.

— Juste lui poser une question ou deux.

La paume entaillée de Grey saignait. Tenant précautionneusement son verre, il but le reste de son vin. Percy était silencieux, buvant avec lui.

— Mes condoléances pour la disparition de ta femme, dit-il doucement. Je sais qu'elle…

— Tu ne sais rien, gronda Grey.

Il déposa la coupe brisée sur la table. Elle roula d'un côté puis de l'autre, la lie s'étalant sur le verre.

— Rien du tout, insista-t-il. Ni sur elle ni sur moi.

Percy haussa les épaules avec une indifférence toute française, l'air de dire « comme tu voudras ». Pourtant ses yeux (ils étaient toujours aussi beaux – maudit soit-il –, sombres et doux) le fixaient avec une compassion qui paraissait sincère.

Grey soupira. Elle l'était sans doute. Il ne pourrait plus jamais faire confiance à Percy, mais s'il lui avait causé du mal autrefois, cela avait été par faiblesse, non par malice, ni même par froideur d'âme.

— Que veux-tu ? répéta-t-il.

— Ton fils… commença Percy.

Il n'eut pas le temps d'en dire plus. Grey bondit sur lui et lui agrippa l'épaule, suffisamment fort pour le faire gémir et se raidir. Grey se pencha sur lui, le regardant dans le blanc des yeux, si près que le souffle de Wainwright – pardon, de Beauchamp – balayait sa joue et qu'il sentait son eau de Cologne. Il tachait de sang la veste de Percy. Il déclara très lentement :

— La dernière fois que je t'ai vu, j'ai été à deux doigts de te mettre une balle dans le crâne. Ne me donne pas de raisons de regretter ma retenue.

Il le lâcha et se redressa.

— Ne t'approche pas de mon fils. Ne t'approche pas de moi. Et si tu veux un conseil, retourne en France, et vite !

Tournant les talons, il sortit en claquant la porte derrière lui. Ce ne fut qu'une fois dans la rue qu'il se souvint qu'il avait laissé Percy dans sa propre chambre.

— Qu'il aille au diable ! marmonna-t-il.

Il partit d'un pas ferme voir le sergent Cutter afin de lui quémander un cantonnement pour la nuit. Le lendemain matin, il s'assurerait que les Fraser et William étaient tous hors de danger, loin de Wilmington.

————◀o▶————

2

Et parfois, ils ne le sont pas

Lallybroch, Inverness-shire, Écosse, septembre 1980

— « *Nous sommes en vie* », répéta Brianna MacKenzie d'une voix tremblante.

Elle releva les yeux vers Roger en pressant la feuille de papier contre son cœur. Son visage ruisselait de larmes, mais une lueur radieuse illuminait ses yeux bleus.

— En vie !

— Laisse-moi voir.

Le cœur de Roger battait si fort qu'il s'entendit à peine parler. Il tendit la main et elle lui remit la feuille à contrecœur, venant aussitôt se coller contre lui, s'accrochant à son bras, incapable de quitter le vieux papier du regard.

Roger se rendit compte que ses mains tremblaient, agitant le papier et rendant encore plus difficile la lecture de l'écriture affalée dont l'encre était fanée.

31 décembre 1776
Ma chère fille,
Comme tu pourras le constater si tu reçois cette lettre, nous sommes toujours en vie…

Sa vue se brouilla et il essuya ses yeux du revers de la main tout en sachant que cela n'avait pas d'importance, car ils étaient morts à présent, Jamie Fraser et sa femme, Claire. Néanmoins, ces mots sur le papier lui procuraient une telle joie qu'ils auraient pu se tenir tous les deux devant lui, lui souriant.

Ils étaient bien présents tous les deux. La lettre avait été commencée par Jamie, mais la seconde page portait l'écriture nette et inclinée de Claire.

La main de ton père n'en supportera pas davantage. C'est une sacrée longue histoire. Il a coupé du bois toute la journée et peut à peine déplier les doigts… mais il tenait à t'écrire lui-même que nous n'avons pas (pas encore…) été réduits en cendres. Cela dit, cela peut nous arriver d'un moment à l'autre : nous sommes entassés à quatorze dans la vieille cabane et je t'écris ceci recroquevillée sur le bord de la cheminée, la vieille Grannie MacLeod ronflant sur une paillasse à mes pieds afin que, si elle menaçait soudain de passer l'arme à gauche, je puisse lui verser d'urgence du whisky dans le gosier.

— Mon Dieu, soupira-t-il. Je peux pratiquement l'entendre parler !

— Moi aussi.

Elle essuya ses yeux, riant et reniflant.

— Lis encore. Que font-ils dans notre cabane ? Qu'est-il arrivé à la Grande Maison ?

Roger parcourut la page du bout du doigt jusqu'à trouver le bon passage, puis reprit sa lecture à voix haute :

— « *Tu te souviens de ce crétin de Donner ?* »

Ce nom lui donna aussitôt la chair de poule. Donner était un voyageur dans le temps et l'un des individus les plus ineptes qu'il ait jamais rencontrés, ce qui ne le rendait pas moins dangereux.

Eh bien, il s'est surpassé en rassemblant une bande de voyous à Brownsville pour nous dévaliser après les avoir convaincus que nous cachions un trésor en pierres précieuses. Sauf que nous n'en avions plus, naturellement.

Et pour cause, puisque Brianna, Jemmy, Amanda et lui avaient pris les dernières gemmes restantes afin de traverser les pierres en sécurité.

Ils nous ont pris en otages et ont saccagé la maison, les chiens ! Ils ont cassé, entre autres, la bonbonne d'éther dans mon infirmerie. Les vapeurs ont bien failli tous nous tuer sur le coup...

Roger parcourut rapidement le reste de la lettre, Brianna lisant par-dessus son épaule tout en poussant de petits cris d'alarme et de consternation. Quand il eut fini, il reposa la feuille et se tourna vers elle, tout retourné.

— C'était donc toi !

Il savait qu'il aurait mieux fait de se taire, mais c'était plus fort que lui. Il s'étranglait de rire.

Les traits de Brianna oscillaient entre l'horreur, l'indignation et, oui, une hilarité nerveuse aussi incontrôlable que la sienne.

— Comment ça ? Pas du tout. C'était l'éther de maman. N'importe quelle étincelle aurait provoqué l'explosion.

— Sauf que ce n'était pas n'importe quelle étincelle. Ton cousin Ian a craqué une de tes allumettes.

— Alors dans ce cas, c'était la faute de Ian !

— Non, c'était la tienne et celle de ta mère. Vous, les femmes de science... Le XVIIIe siècle a de la chance d'avoir survécu à vos expériences.

Elle se braqua légèrement.

— En tout cas, rien de tout ça ne serait arrivé sans ce débile de Donner !

— En effet, concéda Roger. Mais il était lui aussi un perturbateur venu du futur, non ? Même s'il n'était ni femme ni très scientifique.

— Hmph.

Elle reprit la lettre, la manipulant très délicatement mais ne pouvant se retenir de la lisser entre ses doigts. Elle baissa les yeux, les paupières rougies.

— Quoi qu'il en soit, lui, il n'a pas survécu au dix-huitième siècle, n'est-ce pas ?

Roger la dévisagea incrédule.

— Ne me dis pas que tu as de la peine pour lui !

— Non… pas vraiment pour lui. Mais quand même… c'est l'idée de mourir comme ça. Seul. Si loin de chez soi.

Ce n'était pas à Donner qu'elle pensait. Il glissa un bras autour de sa taille et appuya sa tête contre la sienne. Elle sentait le shampoing Prell et le chou frisé. Elle revenait du potager. Les lettres sur la page s'estompaient ou s'accentuaient au rythme des plongeons de la plume dans l'encrier, mais elles étaient néanmoins nettes et bien formées ; c'était une écriture de médecin.

— Elle n'est pas seule, murmura-t-il.

Du bout de l'index, il décrivit un cercle autour du post-scriptum rajouté par Jamie.

— Ils ne le sont ni l'un ni l'autre. Et qu'ils aient un toit au-dessus de leur tête ou pas, ils sont chez eux.

✳

Je reposai ma lettre, décidant de la terminer plus tard. Je la rédigeais par petits bouts depuis quelques jours. Après tout, ce n'était pas comme s'il fallait se presser pour qu'elle parte avec le prochain courrier. Cette idée me fit sourire. Je repliai soigneusement les feuilles de papier et les plaçai dans ma nouvelle sacoche de travail. J'essuyai ma plume, la rangeai puis massai mes doigts endoloris, savourant encore quelques instants l'agréable sensation de proximité qu'écrire me procurait. Manier une plume m'était beaucoup plus facile qu'à Jamie, mais la chair et le sang avaient leurs limites. La journée avait été très longue.

Toutes les quelques minutes, je lançais un regard vers la paillasse de l'autre côté de la cheminée. Elle n'avait toujours pas bougé. J'entendais son souffle, un gargouillement sifflant se produisant à intervalles si longs que, chaque fois, je la croyais morte. Mais non, elle était toujours avec nous et, selon mes estimations, le resterait encore un moment. J'espérais seulement qu'elle partirait avant que ma petite réserve de laudanum soit épuisée.

J'ignorais son âge. Elle paraissait avoir cent ans mais était peut-être plus jeune que moi. Ses deux petits-fils, des adolescents, l'avaient déposée deux jours plus tôt. Ils étaient descendus des hauteurs avec l'intention de conduire leur grand-mère chez des parents à Cross Creek avant de se rendre à Wilmington pour rejoindre une milice. En chemin, la vieille femme s'était sentie « pas du tout dans son assiette », pour reprendre leurs termes. Ayant entendu dire qu'une sorcière vivait non loin, à Fraser's Ridge, il me l'avait amenée.

« Grand-mère » MacLeod (les garçons n'avaient pas pensé à me donner son prénom et elle n'était pas en état de se présenter non plus) se trouvait en phase terminale d'un cancer quelconque. Je le voyais à son teint gris. Elle était décharnée, ses traits tordus dans une grimace de douleur même quand elle dormait.

Le feu était en train de s'éteindre. Il était temps de l'attiser et d'ajouter une bûche. Toutefois, la tête de Jamie reposait sur mon genou. Pouvais-je atteindre la pile de bois sans le réveiller ? Je posai doucement une main sur son épaule pour ne pas perdre l'équilibre et tendis l'autre, parvenant tout juste à saisir une bûchette de pin du bout des doigts. Je la délogeai tout en me mordant la lèvre inférieure, puis, en me penchant, parvins à la pousser dans l'âtre, écrasant les charbons ardents et soulevant un nuage d'étincelles.

Jamie remua et marmonna quelques paroles inintelligibles mais, dès que je me fus redressée, il soupira, se recala contre moi et se rendormit aussitôt.

Je lançai un regard vers la porte, tendant l'oreille. Je ne percevais rien hormis le bruissement du vent dans les arbres. D'un autre côté, je ne devais pas m'attendre à entendre quoi que ce soit puisque c'était le petit Ian que je guettais.

Jamie et lui se relayaient pour monter la garde, se cachant parmi les arbres au-dessus des ruines calcinées de la Grande Maison. Ian y était depuis plus de deux heures. Il était temps pour lui de rentrer pour manger et se réchauffer devant le feu.

Trois jours plus tôt, au petit déjeuner, il avait annoncé, perplexe :

— Quelqu'un a essayé de tuer la truie blanche.

— Quoi ?

Je lui tendis un bol de porridge couronné d'une noix de beurre fondant et d'un filet de miel. Fort heureusement, mes tonnelets et mes rayons de miel avaient été entreposés dans la resserre avant l'incendie.

— Tu en es sûr ?

Il acquiesça, humant son bol d'un air béat.

— Oui, ma tante. Elle a une entaille dans le flanc.

Considérant sans doute que je prenais à cœur le bien-être de la truie autant que celui de tout habitant de Fraser's Ridge, il ajouta sur un ton rassurant :

— Elle n'est pas profonde et est en train de cicatriser.

— Ah, tant mieux.

Dans le cas contraire, je n'aurais pas pu faire grand-chose. Il m'était déjà arrivé de soigner des chevaux, des vaches, des chèvres, des hermines, même une poule refusant de pondre, mais je ne me serais approchée de cette truie pour rien au monde.

À l'évocation de ce monstre, Amy Higgins se signa.

— C'était probablement un ours, déclara-t-elle. Aucune autre créature n'oserait s'en prendre à elle. Aidan, écoute bien ce que dit M. Ian ! Ne t'éloigne pas de la cabane et surveille toujours ton petit frère quand vous êtes dehors.

Aidan répondit d'un air absent :

— Les ours dorment, en hiver, maman.

Son attention était entièrement concentrée sur la toupie en bois que lui avait confectionnée Bobby, son nouveau beau-père. Il ne parvenait pas à la faire tourner correctement. Il la fixa d'un regard torve, la posa délicatement sur la table, saisit une extrémité de la ficelle, retint son souffle puis tira d'un coup sec. La toupie fusa à travers la table, percuta la cruche à miel avec un *crac* puis ricocha en direction du pot de lait.

Ian la rattrapa au vol *in extremis*. Sans cesser de mastiquer son morceau de toast, il fit signe à Aidan de lui donner la ficelle, l'enroula autour de la tige et, d'un geste expert du poignet, envoya la toupie virevolter au milieu de la table.

Aidan l'observa, bouche bée, puis plongea sous la table pour la récupérer lorsqu'elle tomba.

Ian parvint non sans mal à déglutir son morceau de toast puis reprit :

— Ce n'était pas un animal. L'entaille était nette. Quelqu'un l'a attaquée avec un couteau ou une épée.

Jamie releva les yeux du toast calciné qu'il examinait.

— Tu as retrouvé le cadavre de l'agresseur ?

Ian sourit.

— Non, si elle l'a tué, elle l'a dévoré. Je n'ai trouvé aucun reste.

— Les porcs mangent comme des cochons, c'est bien connu, observa Jamie.

Il goûta du bout des lèvres un coin du pain, fit la grimace, puis le mangea quand même.

— Vous pensez que c'est un Indien ? demanda Bobby.

Le petit Orrie gesticulait pour descendre de ses genoux. Bobby le déposa à son endroit favori sous la table.

Jamie et Ian échangèrent un regard qui déclencha une petite alarme en moi.

— Non, répondit Ian. Les Cherokees qui vivent dans la région la connaissent et aucun ne s'aventurerait dans ses parages. Ils croient que c'est un démon.

— Et les Indiens nomades descendant du Nord chassent avec des flèches et des tomahawks, acheva Jamie.

Amy paraissait sceptique.

— Vous êtes sûrs que ce n'était pas une panthère ? Elles chassent en hiver.

— C'est vrai, répondit Jamie. Hier, j'ai vu des traces de pattes près de Green Spring.

Il se pencha et lança sous la table à l'intention des deux garçons qui s'y trouvaient :

— Vous m'avez entendu ? Faites très attention !

Se redressant, il poursuivit :

— Non. Je crois qu'on peut faire confiance à Ian pour distinguer des coups de griffes d'une entaille laissée par une lame.

Il sourit à son neveu qui, par respect, se retint de lever les yeux au ciel. Il se contenta de hocher la tête en fixant d'un air dubitatif la panière remplie de toasts brûlés.

Personne ne suggéra qu'un des habitants de Fraser's Ridge ou de Brownsville ait pu chasser la truie. Les presbytériens du coin ne partageaient aucune des convictions des Cherokees sauf une : la truie a une nature démoniaque.

Personnellement, je n'étais pas loin de leur donner raison. La créature avait survécu à l'incendie de la Grande Maison sans une égratignure, émergeant de sa tanière sous les fondations à travers une avalanche de décombres calcinés suivie de sa dernière portée de porcelets.

Je méditais sur cette vision tandis que j'attendais le retour de Ian. Prise d'une soudaine inspiration, je m'exclamai :

— Moby Dick !

Rollo se redressa avec un « Wouf ! » surpris, me lança un regard jaune puis reposa la tête entre ses pattes avec un soupir.

Jamie s'étira en grognant, se frotta le visage et me regarda en clignant des yeux.

— Dick qui ?

— Non, je viens juste de comprendre à qui cette truie blanche me faisait penser. C'est une longue histoire qui parle d'une baleine. Je te la raconterai demain.

— Si je survis jusque-là.

Il bâilla à s'en décrocher la mâchoire avant de demander :

— Où est le whisky ? À moins que tu n'en aies besoin pour cette pauvre femme…

Il pointa le menton vers Grannie MacLeod, enroulée dans sa couverture.

— Pas encore. Tiens !

Je fouillai dans le panier sous ma chaise et en extirpai une bouteille. Il la déboucha et but au goulot, les couleurs remontant progressivement à ses joues. Entre ses journées passées à chasser ou à couper du bois et ses gardes nocturnes dans la forêt glacée, sa vitalité légendaire commençait à s'émousser.

— Combien de temps cela va-t-il encore durer ? chuchotai-je.

Je ne voulais pas réveiller les Higgins, qui dormaient dans la petite chambre. Outre Bobby, Amy et les deux petits garçons, nous hébergions les deux belles-sœurs d'Amy, de son premier mariage. Elles étaient venues pour ses noces, qui s'étaient tenues quelques jours plus tôt, accompagnées de cinq enfants de moins de dix ans. Ils dormaient tous dans la petite chambre. Le départ des fils MacLeod avait légèrement soulagé la congestion de la petite cabane mais, avec Jamie, Ian, son chien Rollo, la vieille MacLeod et moi, sans parler des biens que nous avions pu sauver de l'incendie, empilés contre les murs, je commençais à sentir monter la crise de claustrophobie. Il n'y avait rien d'étonnant à ce que Jamie et Ian patrouillassent la nuit dans les bois. C'était autant pour respirer que par conviction que quelqu'un rôdait.

— Plus longtemps, m'assura-t-il. Si nous ne voyons rien cette nuit, nous...

Il s'interrompit en tournant brusquement la tête vers la porte.

Je n'avais rien entendu, mais je vis le loquet se lever et, un instant plus tard, une bourrasque s'engouffra dans la pièce, glissant ses doigts glacés sous mes jupes et soulevant un nuage d'étincelles hors la cheminée.

Je m'emparai rapidement d'un chiffon et les écrasai avant qu'elles n'enflamment la chevelure ou la paillasse de Grannie MacLeod. Le temps que j'aie repris le contrôle de la situation, Jamie avait glissé son pistolet, sa giberne et sa corne de poudre sous sa ceinture et parlait à voix basse avec Ian près de la porte. Ce dernier avait les joues rougies par le froid et paraissait excité. Rollo s'était levé lui aussi. Il flairait les jambes de son maître en agitant la queue, paré pour une nouvelle aventure. Ian lui gratta le sommet du crâne.

— Toi, tu restes ici, *a cù. Sheas.*

Rollo émit un grondement dépité et tenta de se frayer un passage vers la porte, mais Ian lui barra la route d'un genou. Jamie enfila son manteau, se pencha vers moi et m'embrassa rapidement.

— Verrouille la porte, *a nighean*, me chuchota-t-il. Ne laisse entrer personne à part Ian et moi.

— Mais que… commençai-je.

Ils étaient déjà partis.

✳

La nuit était froide et pure. Jamie inspira profondément et sentit l'air glacé le pénétrer et le dépouiller de la chaleur de son épouse, de la fumée odorante de son âtre. Des cristaux de glace s'incrustèrent dans ses poumons, lui piquant le sang. Il y avait peu de vent, mais il soufflait de l'est, portant l'odeur âcre des cendres de la Grande Maison… ainsi qu'un vague relent qu'il crut identifier comme celui du sang.

Il interrogea son neveu d'une inclinaison de la tête. Ian acquiesça, son profil se détachant sur le ciel lavande.

— Il y a un porc mort de l'autre côté du potager de tante Claire, chuchota-t-il.

— Ah. Mais ce n'est pas la truie blanche, n'est-ce pas ?

Cette pensée le perturba un instant. Il se demanda s'il aurait de la peine pour la créature ou s'il danserait sur son cadavre.

— Non, ce n'est pas cette vieille futée. Un jeune, peut-être de la portée de l'année dernière. Quelqu'un l'a abattu et découpé mais n'a emporté qu'une partie de la hanche. Il l'a ensuite découpée en morceaux qu'il a éparpillés tout le long du sentier.

Jamie tressaillit.

— Quoi ?

— Ce n'est pas tout, mon oncle. Le porc a été tué et découpé avec une hache.

Le sang de Jamie se glaça.

— Seigneur ! murmura-t-il.

Ce n'était pas tant le choc que l'acceptation malgré lui d'une situation qu'il pressentait depuis longtemps.

— C'est donc lui.

— Oui.

Ils s'en étaient doutés tous les deux bien qu'ils n'en eussent jamais parlé. Sans se consulter, ils s'éloignèrent de la cabane et s'enfoncèrent entre les arbres.

Jamie inspira profondément puis poussa un long soupir qui se condensa dans l'obscurité. Il avait espéré sans trop y croire que ce vieux têtu prendrait son or et sa femme puis quitterait Fraser's Ridge. Mais Arch Bug était un Grant par le sang, et le clan Grant avait l'esprit vengeur.

Une cinquantaine d'années plus tôt, les Fraser de Glenhelm avaient surpris Arch Bug sur leurs terres. Ils lui avaient laissé le choix : perdre un œil ou les deux premiers doigts de sa main droite. Il s'était habitué à ses doigts amputés, abandonnant l'arc et les flèches, qu'il ne pouvait plus tirer, pour la hache, qu'il maniait et lançait en dépit de son âge avec une adresse égale à celle d'un Mohawk.

En revanche, ce qu'il n'avait jamais digéré, c'était la perte de la cause Stuart et la disparition de l'or jacobite, envoyé trop tard de France, récupéré (ou volé, selon le point de vue) par Hector Cameron. Ce dernier en avait apporté un tiers en Caroline du Nord, où il avait à nouveau été volé (ou récupéré) à la veuve de Cameron par Arch Bug.

Il n'avait jamais pu se faire à Jamie Fraser non plus.

— Tu penses qu'il est dangereux ? demanda Ian.

Cachés par les arbres, ils contournaient la grande clairière où s'était dressée la Grande Maison. Il n'en restait que la cheminée et un grand pan de mur dont la masse noire dessinait une silhouette sinistre sur la neige sale.

— Je ne crois pas. S'il nous avait voulu du mal, pourquoi aurait-il attendu jusqu'à maintenant ?

Néanmoins, il remercia intérieurement le ciel que sa fille et ses petits-enfants soient en sécurité au loin. Il y avait des menaces plus graves qu'un cochon mort et il savait Arch Bug capable d'aller beaucoup plus loin.

Ian suggéra :

— Il était peut-être parti installer sa femme en lieu sûr et n'est de retour qu'à présent ?

C'était concevable. S'il existait un être au monde qu'Arch aimait plus que tout, c'était son épouse Murdina, sa compagne et amie depuis plus de cinquante ans.

— Peut-être, répondit Jamie.

Cependant… au cours des semaines qui s'étaient écoulées depuis le départ des Bug, il s'était senti observé plus d'une fois. Il avait parfois entendu dans la forêt un silence qui n'était pas celui des arbres ni des rochers.

Il ne demanda pas à Ian s'il avait cherché les traces du tueur à la hache. S'il y en avait, il les aurait trouvées. Toutefois, il n'était pas tombé de neige depuis une semaine et les plaques au sol avaient été piétinées d'innombrables fois. Il leva les yeux vers le ciel. Il neigerait à nouveau sous peu.

Il se fraya un passage vers un petit rocher dominant la clairière, avançant précautionneusement sur la glace. La neige fondait durant la journée mais gelait la nuit, formant des stalactites scintillantes sous les avant-toits de la cabane et sur les branches des arbres, illuminant la forêt d'une lueur bleutée à l'aube, puis gouttant en larmes d'or et de diamant au lever du soleil. Pour le moment, elles étaient incolores, tintant comme du verre quand sa manche effleurait les brindilles d'un buisson. Il s'arrêta au sommet du rocher et s'accroupit, observant la clairière.

La certitude qu'Arch Bug rôdait dans les parages avait déclenché dans son esprit un enchaînement de déductions à demi conscientes dont la conclusion lui apparaissait à présent clairement. Il se tourna vers Ian.

— Je ne vois que deux raisons pour lesquelles il serait revenu : pour me nuire ou pour chercher l'or. Tout l'or.

Après avoir découvert la traîtrise des Bug, il leur avait donné un peu d'or et les avait chassés. Un demi-lingot de l'or français, assez pour permettre à un couple âgé de vivre modestement mais confortablement jusqu'à la fin de ses jours. Mais Arch Bug n'était pas un homme modeste. Il avait autrefois été le sellier des Grant de Grant et, s'il était parvenu à ravaler sa fierté pendant un temps, il n'était pas dans la nature de la fierté de rester enfouie.

— Tout l'or… répéta Ian, intrigué. Cela signifierait qu'il l'a caché par ici… mais dans un endroit où il lui était difficile de le récupérer quand tu l'as forcé à partir.

En bas, dans la clairière, Jamie pouvait voir le sentier escarpé qui partait derrière ce qui avait été la Grande Maison et menait au potager de sa femme. Des palissades qui avaient protégé ce dernier de l'appétit des chevreuils, il ne restait que quelques planches se détachant sur les plaques de neige. Un jour, si Dieu le permettait, il aménagerait à Claire un nouveau jardin.

— Si son but n'avait été que de faire du mal, il aurait déjà saisi sa chance.

Il distinguait la dépouille du porc, une forme sombre sur le sentier au centre d'une mare de sang.

Il repoussa une soudaine vision de Malva Christie et se força à réfléchir. Il répéta avec plus d'assurance:

— Oui, il l'a caché ici. S'il avait tout le trésor, il aurait déguerpi depuis longtemps. Il est resté là, attendant de pouvoir le récupérer discrètement. N'y étant pas parvenu, il essaie autre chose.

— Oui, mais quoi?

Ian fit un signe du menton vers la forme sur le sentier avant de poursuivre:

— J'ai pensé qu'il s'agissait peut-être d'un piège, mais ce n'en est pas un. J'ai vérifié.

— Un leurre, peut-être?

S'il pouvait sentir le sang, il en allait de même de n'importe quel prédateur. Au moment même où cette idée lui traversait l'esprit, il aperçut un mouvement près du porc et posa une main sur le bras de Ian.

Il y eut un autre mouvement bref et hésitant, puis une petite forme sinueuse s'approcha furtivement de la dépouille et se tapit derrière elle.

— Un renard, dirent-ils en chœur.

Ils se mirent à rire en silence, puis Ian reprit sur un ton dubitatif:

— Il y a bien cette panthère dans la forêt, près de Green Spring. J'ai vu ses traces hier. Cherche-t-il à l'attirer dans la clairière avec le cochon, en espérant qu'on sortira pour la chasser et profiter du fait qu'on soit occupés pour atteindre l'or ?

Jamie fit une moue sceptique et regarda vers la cabane. Certes, une panthère attirerait les hommes au-dehors, mais pas les femmes ni les enfants. Et où aurait-il caché l'or dans un espace aussi bondé ? Son regard s'arrêta sur le bâtiment long et bas qui abritait le four de Brianna. Il était assez éloigné de la cabane et personne ne l'avait utilisé depuis qu'elle était partie. Cela aurait été... mais non. Arch avait volé l'or chez Jocasta Cameron, un lingot après l'autre, le transportant en secret sur Fraser's Ridge, et il avait commencé longtemps avant le départ de Brianna. Mais peut-être que...

Ian se raidit et Jamie tourna brusquement la tête pour voir ce qu'il avait aperçu. Il ne distinguait rien mais entendit le bruit qui avait attiré l'attention de son neveu. Un grognement profond, un bruissement, un craquement. Quelque chose remua parmi les poutres noircies de la maison et, soudain, il vit la lumière !

Jamie agrippa le bras de son neveu avec une telle force que celui-ci gémit.

— Bon Dieu ! Il l'a caché sous la Grande Maison !

La truie blanche émergea de sa tanière sous les ruines, une énorme tache crémeuse dans la nuit. Elle s'arrêta, pointant le groin d'un côté et de l'autre, humant l'air, puis elle se remit en marche d'un pas décidé, imposante menace gravissant la colline.

Jamie eut envie de rire devant l'ingéniosité d'Arch Bug.

Il avait déposé son or sous les fondations de la Grande Maison, y ajoutant de nouveaux lingots chaque fois que la truie sortait pour vaquer à ses occupations. Personne n'aurait songé à fureter dans le repaire du monstre. Elle était la gardienne idéale. Il avait probablement eu l'intention de récupérer le magot de la même manière. Peu à peu, lingot par lingot.

Mais la maison avait brûlé et la charpente s'était effondrée sur les fondations. L'or n'aurait plus été accessible qu'au prix de gros travaux, ce qui ne pouvait manquer d'attirer l'attention. Il avait donc patiemment attendu que les hommes aient déblayé la plus grande partie des décombres et éparpillé de la suie et du charbon dans toute la clairière pour enfin tenter d'atteindre ce qu'il avait caché dessous sans se faire repérer.

Toutefois, on était en hiver. Si elle n'hibernait pas comme les ours, la truie restait calfeutrée dans son nid douillet... à moins qu'il n'y ait de quoi manger dans les parages.

Ian lâcha une exclamation de dégoût en entendant les craquements d'os et les bruits de bave s'élevant du sentier.

— Les porcs ne sont pas de fins gourmets, murmura Jamie. Si c'est mort, ça se mange.

— Oui, mais c'est probablement un de ses propres petits !

— S'il lui arrive de dévorer ses petits quand ils sont vivants, elle ne va pas cracher dessus quand ils sont morts.

— Chut !

Il se tut aussitôt et se tourna vers la masse noire qui avait été autrefois la plus belle maison du comté. Une silhouette sombre venait d'apparaître de derrière la resserre, avançant précautionneusement sur le sentier glissant. La truie, tout occupée à son festin macabre, ne lui prêta pas attention. L'intrus semblait drapé dans une houppelande sombre et porter une sorte de sac.

✳

Je ne verrouillai pas la porte tout de suite mais sortis prendre une bouffée d'air frais, enfermant Rollo derrière moi. Jamie et Ian avaient disparu entre les arbres en quelques secondes. Je lançai un regard inquiet autour de moi dans la clairière et scrutai la lisière de troncs sombres qui la bordaient mais ne vis rien d'inhabituel. Pas le moindre mouvement ; la nuit était silencieuse. Qu'avait trouvé Ian ? Des empreintes suspectes ? Cela aurait expliqué son empressement. Il ne tarderait pas à neiger.

La lune était cachée. Le ciel était d'un gris-rose profond. Le sol, bien que piétiné et boueux, était encore couvert de vieille neige. Elle irradiait une étrange lueur laiteuse dans laquelle les objets semblaient flotter comme s'ils étaient peints sur du verre, immatériels et imprécis. Les vestiges calcinés de la Grande Maison se dressaient à l'autre bout de la clairière. De là où je me tenais, ils ne formaient qu'une tache floue, comme si un géant avait pressé à cet endroit son pouce couvert de suie. Je sentais l'air lourd chargé de neige, entendais son imminence dans le murmure étouffé des pins.

À leur arrivée avec leur grand-mère, les fils MacLeod nous avaient raconté qu'ils avaient eu beaucoup de mal à franchir les hauts cols. La prochaine grosse tempête nous isolerait du reste du monde jusqu'en mars, voire jusqu'en avril.

Cela me rappela ma patiente. Je lançai un dernier regard à la ronde puis posai la main sur le loquet. Rollo grattait à la porte en gémissant. Je dus l'écarter rudement du genou pour entrer.

— Assis, le chien ! Ne sois pas si inquiet, ils ne tarderont pas à revenir.

Il émit un couinement anxieux du fond de la gorge, me poussant les jambes du bout du museau, voulant sortir.

— Non !

Je le repoussai pour verrouiller la porte. La clenche retomba avec un bruit lourd rassurant et je me tournai vers la cheminée en me frottant les mains. Rollo renversa la tête en arrière et poussa un long hurlement grave et lugubre qui hérissa les poils à l'arrière de ma nuque.

— Que se passe-t-il ? Vas-tu te taire ?

Le bruit avait réveillé un des petits enfants dans la chambre. Je l'entendis pleurer, puis il y eut des bruissements de draps et les murmures d'une mère à demi endormie. Je m'agenouillai rapidement et fermai le museau de Rollo avant qu'il ne hurle à nouveau.

— Chuuuuut !

Je me retournai pour voir s'il avait également réveillé Grannie MacLeod. Elle était immobile, le teint cireux et les yeux fermés. J'attendis, comptant machinalement les secondes jusqu'à son prochain souffle.

… six… sept…

— Eh merde !

Je me signai hâtivement et m'approchai d'elle à genoux. Un examen de plus près ne m'apprit rien que je ne savais déjà. Discrète jusqu'au bout, elle avait profité d'un moment d'inattention de ma part pour mourir en douce.

Rollo ne tenait pas en place. Il ne hurlait plus mais était nerveux. Je posai une main sur la poitrine décharnée de la vieille femme. Il ne s'agissait plus d'établir un diagnostic ni d'apporter un réconfort. Juste… la nécessaire acceptation du décès d'une femme dont je ne connaissais même pas le prénom.

— Repose en paix, murmurai-je.

Je me redressai sur les talons et réfléchis à ce qu'il convenait de faire.

Le protocole des Highlands exigeait qu'une porte soit ouverte dès qu'une mort survenait afin que l'âme du défunt puisse sortir. Je me passai le dos de la main sur les lèvres. L'âme avait-elle eu le temps de filer quand j'avais ouvert la porte en entrant ? Probablement pas.

On aurait pu croire que, dans un climat aussi inhospitalier que celui de l'Écosse, une certaine marge de manœuvre météorologique était autorisée, mais je savais que ce n'était pas le cas. Qu'il pleuve, qu'il neige, qu'il grêle ou qu'il vente, les Highlanders laissaient *toujours* une porte ouverte pendant des heures, autant pour libérer l'âme que par peur que l'esprit, ne trouvant pas la sortie, décide de s'installer définitivement dans la maison pour la hanter. La plupart des fermes étaient trop petites pour rendre une telle cohabitation supportable.

Le petit Orrie s'était réveillé à son tour. Je l'entendais fredonner joyeusement une chanson composée du prénom de son beau-père.

— Booooo… bi. Booooo… bi. BOOOOO… biiiii.

Il y eut un rire étouffé, puis la voix endormie de Bobby.

— Qu'est-ce qu'il y a, mon petit ? Tu as besoin d'aller sur le pot, *acooshla* ?

Je souris en entendant ce terme d'affection gaélique – *a chuisle* – (« le sang de mon cœur »), déformé par l'accent du Dorset de Bobby. Les gémissements nerveux de Rollo me rappelèrent à l'ordre. Je devais agir.

Si, quand ils se lèveraient dans quelques heures, la tribu Higgins découvrait un cadavre étendu sur le plancher, ils seraient profondément perturbés, offensés par cette entorse aux convenances et angoissés à l'idée d'être hantés par l'esprit d'une parfaite inconnue. C'était de très mauvais augure pour les jeunes mariés et la nouvelle année. Parallèlement, la présence de la morte agitait Rollo, et la crainte qu'il les extirpe de leur lit d'un moment à l'autre m'agitait moi.

— Bon ! Toi, le chien, viens ici.

Il y avait toujours des pièces de harnais à réparer suspendues à une patère près de la porte. Je démêlai un morceau de rêne suffisamment long et en confectionnai un lasso que je passai autour du cou du chien. Il était ravi de sortir, me tirant tandis que j'ouvrais la porte. Il déchanta toutefois quand je le traînai dans l'appentis qui nous servait de garde-manger, où j'attachai sa laisse improvisée à une étagère avant de retourner dans la cabane pour chercher Grannie MacLeod.

Avant de sortir à nouveau, je regardai soigneusement à l'extérieur, songeant à la mise en garde de Jamie. La nuit était aussi paisible qu'une église. Même les arbres se taisaient.

La pauvre femme ne devait pas peser quarante kilos. Ses clavicules saillaient sous sa peau et ses doigts paraissaient aussi friables que des brindilles desséchées. Mais soulever quarante kilos de poids mort était tout de même au-dessus de mes forces. Je dépliai la couverture dans laquelle elle était enveloppée et la tirai à l'extérieur comme sur un traîneau tout en murmurant des excuses et des prières confuses.

En dépit du froid, j'étais hors d'haleine et en nage lorsque j'entrai dans le garde-manger. Je marmonnai :

— Au moins, ton âme a eu tout le temps nécessaire pour décamper.

Je m'agenouillai à ses côtés pour remettre de l'ordre dans son linceul de fortune.

— … et puis, tu ne vas quand même pas hanter un garde-manger, hein ?

Ses paupières n'étaient pas complètement fermées. Elles laissaient entrevoir une fine ligne de blanc, comme si elle avait tenté d'ouvrir les yeux pour voir le monde une dernière fois avant de mourir… ou peut-être en quête d'un visage familier.

— Bénédicité… murmurai-je en lui fermant les yeux.

Je me demandai si, un jour, un inconnu en ferait autant pour moi. Ce serait probablement le cas. À moins que…

Jamie m'avait annoncé qu'il voulait rentrer en Écosse, récupérer sa presse puis revenir pour se battre. Une petite voix lâche dans ma tête disait : *Et si… si nous ne revenions pas ? Si nous allions à Lallybroch et y restions ?*

Tout en songeant à cette perspective, avec ses visions idylliques de nous deux entourés d'une famille, vivant en paix, vieillissant tranquillement sans la peur constante de perturbations, de famine et de violence… je savais que cela n'arriverait jamais.

J'ignorais si Thomas Wolfe avait vu juste quand, dans l'*Ange exilé*, il parlait de l'impossibilité du retour au bercail (mais d'un autre côté, pensai-je avec une pointe d'amertume, je n'avais pas de « bercail » dans lequel revenir)… Cependant, je connaissais Jamie. Idéologie à part – et il n'en était pas dépourvu, même si la sienne était d'une nature très pragmatique –, c'était avant tout un homme décent à qui il fallait un travail décent. Pas juste une activité ; pas juste de quoi gagner sa vie. Un vrai travail. Je connaissais la différence.

En outre, si je ne doutais pas que la famille de Jamie le recevrait à bras ouverts, j'étais moins sûre du type d'accueil qu'on me réserverait. Certes, ils n'iraient pas jusqu'à faire venir un prêtre pour m'exorciser… Le fait était que Jamie n'était plus le laird de Lallybroch et ne le serait plus jamais.

Tout en faisant la toilette de la morte avec un linge humide, je citai dans un murmure :

— « *Il ne revient pas habiter sa maison, et sa demeure ne le connaît plus.* »

Je nettoyai ses parties intimes. Elles étaient étonnamment peu flétries ; peut-être m'étais-je trompée sur son âge. Elle n'avait rien avalé depuis des jours ; même le relâchement musculaire de la mort n'avait pu effacer son air crispé... mais tout le monde méritait d'être couché propre dans sa tombe. Je m'interrompis. Pourrions-nous l'enterrer ? Ou devions-nous la laisser reposer paisiblement sous les bocaux de confiture de myrtilles et les sacs de haricots secs jusqu'au printemps ?

Je remis de l'ordre dans ses vêtements, soufflant fort par la bouche afin d'évaluer la température à la buée que j'émettais. Nous n'avions eu pour le moment qu'une seule grosse chute de neige et les grandes gelées ne se produisaient généralement que vers la seconde quinzaine de janvier. Si le sol n'était pas encore trop dur, nous pourrions peut-être l'ensevelir... à condition que les hommes acceptent de déblayer la neige.

Rollo s'était couché, résigné, et m'observait travailler. Soudain, il redressa la tête, pointant les oreilles.

— Quoi ? fis-je, surprise.

Je pivotai sur mes genoux vers la porte ouverte de l'appentis.

— Que se passe-t-il ?

✳

— On l'arrête tout de suite ? murmura Ian.

D'un coup d'épaule, il délogea l'arc qu'il portait en bandoulière et le fit glisser en silence dans sa main.

— Non. Attendons d'abord qu'il l'ait trouvé.

Jamie parlait lentement, essayant de décider ce qu'il convenait de faire de cet homme réapparu si soudainement dans sa vie.

Le tuer ? Non. Par leur traîtrise, sa femme et lui avaient causé beaucoup de tort, mais ils ne s'en étaient jamais pris à sa famille, du moins pas au début. Arch Bug était-il vraiment un voleur ? Après tout, sa tante Jocasta n'avait pas plus de droits sur l'or que lui, peut-être même en avait-elle moins.

Il posa la main sur sa ceinture avec un soupir, effleurant son coutelas et son pistolet. Il ne pouvait laisser Bug filer avec le trésor. Il ne pouvait non plus se contenter de le chasser tout en sachant qu'il reviendrait à la charge tôt ou tard. Mais que diable faire de lui une fois qu'ils l'auraient coincé ? Ce serait comme d'enfermer un serpent dans un sac. Toutefois, il n'y avait pas d'autre solution que de le capturer. Il serait toujours temps plus tard de décider que faire avec le sac. Peut-être parviendraient-ils à un accord…

La silhouette avait rejoint les ruines noires et escaladait tant bien que mal les gravats et les poutres calcinées. Le vent soulevait et gonflait sa cape noire.

La neige se mit à tomber en silence, les gros flocons semblant soudain se matérialiser, virevoltant dans l'air. Ils effleuraient son visage et s'accrochaient à ses cils. Il les essuya et fit signe à Ian.

— Passe par-derrière, chuchota-t-il. S'il s'enfuit, envoie-lui une flèche sous le nez pour l'arrêter. Et ne t'en approche pas, compris ?

Ian chuchota en retour :

— C'est toi qui ferais bien de garder tes distances, mon oncle. Si tu l'as à portée de pistolet, c'est qu'il peut te fendre le crâne avec sa hache. Et je ne tiens pas à être celui qui l'annoncera à tante Claire.

Jamie se mit à rire et le poussa du coude. Il chargea et amorça son arme, puis marcha d'un pas ferme vers les décombres de sa maison.

Il avait vu Arch décapiter une dinde d'un lancer de hache à six mètres, et il était vrai que la plupart des pistolets étaient peu précis à une distance moindre. Mais après tout, il n'avait pas l'intention de lui tirer dessus. Il avança en tenant son arme bien en évidence devant lui.

— Arch !

La silhouette lui tournait le dos, penchée sur les gravats qu'elle fouillait. En l'entendant, elle se raidit sans pour autant se relever.

— Arch Bug ! cria encore Jamie. Approche ! Il faut qu'on parle !

La silhouette se redressa brusquement, pivota, et une flamme illumina la nuit. Au même instant, une douleur vive lui traversa la cuisse et il chancela.

Il était surtout surpris. Il n'avait encore jamais vu Arch Bug utiliser une arme à feu et était impressionné qu'il puisse si bien viser de la main gauche...

Il tomba un genou dans la neige mais, alors même qu'il pointait son arme, deux détails le frappèrent : la silhouette noire pointait un second pistolet vers lui... mais pas de la main gauche. Ce qui signifiait...

— Bon sang ! Ian...

Trop tard. Ian l'avait vu tomber et avait lui aussi aperçu le second pistolet. Jamie n'entendit pas la flèche fendre l'air. Elle apparut comme par magie, plantée dans le dos de l'intrus. Celui-ci sursauta, se raidit puis tomba comme une masse. Avant même qu'il n'ait touché terre, Jamie courait vers lui en boitant, sa jambe se tordant à chaque pas.

— Mon Dieu, non ! Mon Dieu, non !

Sa voix semblait appartenir à un autre.

Un cri désemparé s'éleva dans la nuit. Puis Rollo passa en trombe devant lui. Qui l'avait laissé sortir ? Un coup de feu retentit dans la forêt. Ian hurla, quelque part non loin, rappelant son chien, mais Jamie n'avait pas le temps de les chercher du regard. Il glissait sur la neige fraîche, trébuchait contre les pierres noircies. Sa jambe était glacée et brûlante à la fois, mais peu importait. *Mon Dieu, non, faites que...*

Il rejoignit la silhouette étendue et se laissa tomber à ses côtés. Il savait déjà. Il l'avait compris dès l'instant où il s'était rendu compte que le pistolet était tenu de la main droite. Avec ses doigts amputés, Arch n'aurait pu tirer. *Mais non, Seigneur, non...*

Il la retourna, sentant le petit corps rondelet aussi mou et lourd que la dépouille d'une biche fraîchement abattue. Il écarta les pans de la houppelande et passa doucement une main impuissante sur le visage rond et doux de Murdina Bug. Elle semblait respirer... peut-être. Ses doigts touchèrent la pointe de la flèche. Elle avait traversé sa gorge, ce qui expliquait le gargouillis de sa respiration. Sa main était trempée d'un liquide chaud.

Elle articula d'une voix rauque :

— Arch ? Je veux Arch.

Puis elle mourut.

3

Une vie pour une vie

Je conduisis Jamie dans l'appentis. Il faisait sombre et froid, surtout pour un homme sans culottes, mais je ne voulais pas risquer de réveiller les Higgins. Surtout pas maintenant. Ils jailliraient de leur tanière telle une volée de cailles paniquées et je paniquais moi-même à l'idée de devoir les calmer. Il serait déjà suffisamment pénible de leur expliquer ce qu'il s'était passé une fois le jour levé.

Faute d'une meilleure idée, Jamie et Ian avaient étendu Mme Bug dans le garde-manger aux côtés de Grannie MacLeod. Elle était couchée sous la première étagère, sa cape rabattue sur son visage. Je voyais dépasser ses bottes usées et ses bas à rayures. J'eus une soudaine vision de la méchante sorcière de l'Ouest dans *Le Magicien d'Oz* et dus plaquer une main sur ma bouche avant d'être prise d'un fou rire hystérique.

Jamie tourna la tête vers moi, mais son regard était ailleurs. La lueur de la chandelle qu'il tenait à la main creusait ses traits hagards.

— Hein? fit-il vaguement.

— Non, rien, répondis-je d'une voix chevrotante. Rien du tout. Assieds-toi.

Je déposai le tabouret et ma trousse médicale, lui pris la chandelle et le broc d'eau chaude des mains et me mis au travail. Je m'efforçai de ne penser à rien hormis à la tâche qui m'attendait. Pas aux pieds de Murdina. Et surtout pas à Arch Bug.

Jamie avait drapé une couverture autour de ses épaules, mais ses jambes étaient nues. Je sentis ses poils se hérisser quand j'approchai ma main. Le bas de sa chemise était maculé de sang à demi séché et collait à ses cuisses ; il n'émit aucun son quand je détachai le tissu et écartai ses genoux.

Jusque-là, il s'était mû tel un homme dans un mauvais rêve mais, en sentant la flamme s'approcher de ses bourses, il tressaillit et plaça une main protectrice devant son sexe.

— Fais attention avec cette bougie, *Sassenach*, veux-tu ?

Constatant qu'il n'avait pas tort, je lui rendis la chandelle et, après l'avoir brièvement mis en garde contre les coulées de cire chaude, repris mon examen.

La plaie saignait toujours mais était bénigne. J'imbibai un linge d'eau chaude et me mis à l'œuvre. Sa peau était glacée et le froid ambiant atténuait même les relents les plus âcres du garde-manger, mais je pouvais quand même sentir son odeur musquée habituelle mêlée à celle du sang et de la sueur froide.

L'entaille profonde dans le haut de sa cuisse faisait une dizaine de centimètres, mais elle était propre.

Je m'efforçai de prendre un ton léger.

— Un spécial John Wayne !

Jamie, qui fixait la flamme de la chandelle, baissa les yeux vers moi.

— Pardon ?

— Ce n'est rien de grave. La balle t'a juste égratigné. Tu auras sans doute mal en marchant pendant quelques jours, mais notre héros survivra pour mener demain un nouveau combat.

En fait, la balle était passée entre ses jambes, creusant un profond sillon dans l'intérieur de sa cuisse près de son artère fémorale et de ses testicules. Deux centimètres à droite, il était mort ; deux centimètres plus haut…

— Tu ne m'es pas d'un grand réconfort, *Sassenach*.

Toutefois, un fantôme de sourire traversa son regard.

— Non, convins-je. Mais un petit peu quand même ?

— Un petit peu, concéda-t-il.

Il effleura mon visage. Sa main glacée tremblait. De la cire chaude coula sur les phalanges de son autre main, mais il ne sembla pas le remarquer. Je lui repris doucement le bougeoir et le déposai sur une étagère.

Le chagrin et la culpabilité qui émanaient de lui me parvenaient par vagues et je m'efforçai de les repousser. Je ne l'aurais pas aidé en cédant à mon tour à l'énormité de la situation. De fait, je ne savais pas quoi faire pour le réconforter.

Il déclara d'une voix si faible que je l'entendis à peine :

— Seigneur, pourquoi ne l'ai-je pas laissé prendre l'or ? Qu'est-ce que cela pouvait faire, après tout ?

Il frappa son genou du poing.

— Mais bon sang ! Pourquoi ne l'ai-je pas laissé faire ?

Je posai une main sur son épaule.

— Tu ne savais ni qui c'était ni ce qu'on voulait faire, répondis-je doucement. C'était un accident.

Ses muscles étaient tendus, crispés par l'angoisse. Les miens aussi. Ma gorge était nouée par le déni. *Non, ce ne peut pas être vrai, ce n'est pas arrivé…* Mais j'avais du travail à faire. J'affronterais l'inévitable plus tard.

Il avait mis une main devant son visage et agitait lentement la tête d'avant en arrière. Nous n'échangeâmes plus un mot jusqu'à ce que j'eusse fini de nettoyer sa plaie et de la bander. Puis il me demanda :

— Tu peux faire quelque chose pour Ian ?

Je me relevai. Il ôta sa main et me dévisagea, ses traits affaissés par la fatigue et le chagrin mais à nouveau calmes.

— Il…

Il déglutit et regarda la porte ouverte.

— Il est mal en point, *Sassenach*.

Je lançai un coup d'œil vers la bouteille de whisky que j'avais apportée. Elle était aux trois quarts vide. Il suivit la direction de mon regard.

— Ça ne lui suffira pas.

— Alors bois-le.

Il fit non de la tête, mais je lui mis la bouteille dans la main et repliai ses doigts autour d'elle.

— C'est un ordre. Tu es en état de choc.

Il résista, mais je tins bon, serrant fermement la main autour de la sienne.

— Jamie... je sais. *Je sais.* Mais tu ne peux pas te laisser aller, pas maintenant.

Il me fixa un moment, puis acquiesça, et les muscles de son bras se relâchèrent, acceptant parce qu'il n'avait pas le choix. Mes propres doigts étaient raides, engourdis par l'eau et l'air glacés mais néanmoins plus chauds que les siens. Je pris sa main libre dans les miennes et la pressai fort. Je m'efforçai de sourire, bien que mon expression me parût figée et forcée.

— Tu sais, il y a une raison pour laquelle le héros ne meurt jamais. Dans la pire des situations, il faut bien quelqu'un pour décider de ce qu'il faut faire. Rentre te réchauffer dans la cabane.

Je lançai un regard vers le ciel, où la neige tourbillonnait de plus belle.

— Je vais... aller chercher Ian.

✳

Où pouvait-il être ? Il n'avait pas pu aller bien loin, vu le temps. Compte tenu de son état d'esprit quand Jamie et lui étaient revenus avec le cadavre de Mme Bug, il aurait fort bien pu marcher droit dans la forêt sans se soucier d'où il allait ni de ce qui pourrait lui arriver... mais Rollo était avec lui. Jamais il n'entraînerait son chien dans un tel blizzard.

Car c'était bien un blizzard qui s'annonçait. Je remontai péniblement la colline vers les dépendances en abritant ma lanterne sous un pan de ma cape. Je me demandai soudain si Arch Bug ne s'était pas réfugié dans la beurrerie ou le fumoir. Et... oh, Seigneur ! Était-il au courant ? Je m'arrêtai net, laissant les épais flocons se poser tel un voile sur ma tête et mes épaules.

Encore sous le choc, je ne m'étais même pas demandé si Arch savait que sa femme était morte. Jamie l'avait appelé dès qu'il avait compris leur méprise, criant son nom sans obtenir de réponse. Peut-être Arch avait-il craint un piège ? À moins qu'il n'ait simplement pris la fuite en voyant Jamie et Ian, présumant qu'ils ne feraient aucun mal à sa femme. Auquel cas…

Je jurai entre mes dents. Je ne pouvais rien faire pour lui, mais peut-être pouvais-je aider Ian. J'essuyai mon visage sur ma manche et repris ma route, lentement, la lueur de ma lanterne engloutie par les tourbillons de neige. Si je tombais sur Arch… ? Mes doigts se crispèrent sur la poignée de la lanterne. Je serais obligée de le lui dire, de le conduire à la cabane pour qu'il la voie. Oh, Seigneur ! Si je revenais avec Arch, Jamie et Ian parviendraient-ils à le retenir assez long-temps pour que je sorte Mme Bug du garde-manger et la rende plus présentable ? Je n'avais pas eu le temps d'extraire la flèche en travers de sa gorge ni de lui faire ne fût-ce qu'un brin de toilette. J'enfonçai mes ongles dans la chair de ma paume, essayant de me ressaisir.

— Pitié ! Faites que je ne tombe pas sur lui ! marmonnai-je. Faites que je ne tombe pas sur lui !

La beurrerie, le fumoir et le séchoir à maïs étaient tous déserts – Dieu merci ! Personne n'aurait pu se cacher dans le poulailler sans que les poules ne fassent un esclandre. Or, elles étaient silencieuses, attendant en dormant que passe la tempête. Le poulailler me fit penser à Mme Bug. Je la revis éparpillant les grains de maïs retenus dans son tablier, par-lant aux stupides volatiles d'une voix chantante. Elle leur avait donné à toutes un prénom. Je me fichais de savoir si nous dînions d'Isobeal ou d'Alasdair mais, l'espace d'un ins-tant, le fait que plus personne ne saurait les distinguer les unes des autres ni ne se réjouirait de ce qu'Elspeth ait eu dix poussins me fendit le cœur.

Je trouvai enfin Ian dans la grange, une forme sombre recroquevillée sur la paille aux pieds de Clarence, notre mule, dont les oreilles se dressèrent en m'apercevant. Ravie de voir la compagnie s'agrandir, elle se mit à braire de joie tandis que les chèvres bêlaient de panique en me prenant pour un loup.

Surpris, les chevaux hennirent et s'ébrouèrent. Rollo, roulé en boule dans la paille près de son maître, émit un aboiement sec, manifestant son mécontentement devant un tel raffut.

Je secouai ma cape et accrochai la lanterne à un clou près de la porte.

— Mais c'est vraiment l'arche de Noé, ici ! observai-je. Il ne manque plus qu'un couple d'éléphants. Tais-toi, Clarence !

Ian se tourna vers moi, mais je pouvais voir à son regard vide qu'il ne m'avait pas entendue.

Je m'accroupis près de lui et posai une main sur sa joue. Elle était froide et hérissée d'une jeune barbe.

— Ce n'était pas ta faute, lui dis-je doucement.

— Je sais.

Il marqua un temps d'arrêt avant d'ajouter :

— Mais je ne vois pas comment continuer à vivre après ça.

Il n'avait pas parlé sur un ton tragique ; paraissait simplement perplexe. Rollo lui lécha la main, et Ian enfonça les doigts dans la fourrure épaisse de son cou comme pour y puiser un soutien.

Il me regarda, l'air désemparé.

— Que puis-je faire, ma tante ? Rien, n'est-ce pas ? Je ne peux défaire ce que j'ai fait, ni remonter dans le temps. Pourtant, je n'arrête pas de chercher un moyen... un moyen de réparer les choses. Mais il n'y a... rien.

Je m'assis à ses côtés, passai un bras autour de ses épaules et attirai sa tête contre moi. Il se laissa faire à contrecœur. Je sentais son corps parcouru de frissons d'épuisement et de chagrin.

— Je l'aimais, dit-il d'une voix à peine audible. Elle était comme une grand-mère pour moi. Et je...

— Elle t'aimait aussi, chuchotai-je. Elle aurait compris.

J'avais désespérément refoulé mes propres émotions afin de pouvoir accomplir mon travail. Mais à présent... Ian avait raison, il n'y avait rien à faire. Par pur désespoir, les larmes commencèrent à couler sur mon visage. La douleur et le choc étaient trop forts, je ne pouvais plus les contenir.

Peut-être fut-ce parce qu'il sentit mes larmes sur sa peau, ou le tremblement de mes épaules, mais Ian se lâcha à son tour et se mit à sangloter dans mes bras.

J'aurais voulu de tout mon cœur qu'il ne fût encore qu'un enfant, que ce torrent de larmes emporte son sentiment de culpabilité en le laissant purifié, en paix. Mais il était bien au-delà de réactions aussi simples. Je ne pouvais que le serrer contre moi, lui caresser le dos et lui murmurer d'impuissantes paroles de réconfort. Clarence lui manifesta son soutien à son tour, lui soufflant sur le sommet du crâne et mâchouillant d'un air concentré une mèche de ses cheveux. Ian s'écarta brusquement et donna une tape sur le museau de la mule.

— Hé, toi! Laisse-moi tranquille!

Il s'étrangla, se mit à rire malgré lui, pleura encore un peu puis se redressa et s'essuya le nez sur sa manche. Il resta immobile quelques instants, rassemblant ses esprits. Je me tus et attendis.

Puis il commença, d'une voix rauque mais maîtrisée:

— Quand j'ai tué cet homme, à Édimbourg… oncle Jamie m'a emmené me confesser, puis il m'a appris la prière qu'on récite quand on a provoqué la mort de quelqu'un. C'est pour recommander son âme à Dieu. Vous voulez bien la dire avec moi, tante Claire?

Cela faisait bien longtemps que je n'avais entendu le *Guide cette âme*, et plus encore que je ne l'avais récité. Je marmonnai maladroitement les paroles tandis que Ian, lui, les débitait sans l'ombre d'une hésitation, à un point tel que je me demandais combien de fois il les avait dites au cours des dernières années.

Les mots paraissaient faibles et dérisoires, se perdant dans les bruissements de la paille et la mastication des animaux. Néanmoins, de les prononcer me procura un léger réconfort. Peut-être le fait d'en appeler à un être supérieur vous donne-t-il la sensation que cet être supérieur existe réellement… et il faut bien qu'il y en ait un quand vous n'êtes pas à la hauteur de la situation. Je ne l'étais certainement pas.

Ian resta assis un moment les yeux fermés. Enfin, il les rouvrit et me dévisagea d'un regard chargé d'un savoir sombre. Son visage était très pâle sous le chaume de ses joues. Il déclara doucement :

— Et puis, oncle Jamie m'a dit : « Il te faudra vivre avec. »

Il se passa une main sur le visage avant d'ajouter :

— Mais je ne crois pas pouvoir y arriver.

Cette simple déclaration me fit froid dans le dos. Je n'avais plus de larmes. J'avais l'impression de regarder au fond d'un gouffre noir et sans fond, ne pouvant en détourner les yeux.

Je pris une profonde inspiration, cherchant quelque chose à dire. Je sortis un mouchoir de ma poche et le lui tendis.

— Tu respires, Ian ?

— Oui, enfin, je crois.

— Alors c'est tout ce que tu as à faire pour le moment.

Je me relevai, secouai mes jupes et lui tendis la main.

— Viens. Rentrons à la cabane avant d'être coincés ici par la neige.

Celle-ci s'était encore épaissie. Une rafale souffla la chandelle de ma lanterne. Peu importait. J'aurais pu retrouver mon chemin jusqu'à la cabane les yeux fermés. Ian passa devant moi sans un mot, ouvrant un passage dans le tapis poudreux, la tête baissée pour se protéger de la tempête, les épaules voûtées.

J'espérais que la prière l'avait soulagé, du moins un peu, et me demandai si les Iroquois avaient des moyens plus efficaces que ceux de l'Église catholique pour surmonter une mort injuste.

Puis je me rendis compte que je savais déjà exactement ce que feraient les Iroquois dans une telle situation. Ian aussi ; il l'avait fait. Je serrai ma cape un peu plus autour de mon cou, ayant l'impression d'avoir avalé un gros cube de glace.

———◀○▶———

4

Pas demain la veille

Après de longues discussions, nous sortîmes les deux corps et les déposâmes délicatement sur le bord du porche en bois. Il n'y avait tout simplement pas de place à l'intérieur pour les garder et, compte tenu des circonstances…

Jamie avait mis un terme au débat en déclarant :

— On ne peut pas laisser le vieil Arch dans le doute plus longtemps. Si le corps est bien en vue, il viendra peut-être, ou peut-être pas, mais au moins il saura que sa femme est morte.

Bobby avait lancé un regard inquiet vers la forêt.

— En effet, il saura. Et que pensez-vous qu'il fera ?

Jamie avait réfléchi un instant.

— Il la pleurera. Demain matin, nous verrons ce qu'il convient de faire.

Ce ne fut pas une veillée très orthodoxe, mais nous y apportâmes tout le décorum que nos humbles moyens permettaient. Amy donna à Mme Bug son propre linceul, qu'elle avait confectionné après son premier mariage ; quant à Grannie MacLeod, elle fut enveloppée dans ma chemise de rechange et quelques tabliers hâtivement cousus ensemble dans un semblant de respectabilité. Elles étaient étendues chacune d'un côté du porche, pieds contre pieds, avec une petite soucoupe remplie de sel et une tranche de pain sur la poitrine, bien qu'il n'y eût aucun « mangeur de péchés » dans le coin. J'avais rempli un petit pot en terre cuite de charbons ardents et l'avais déposé près des corps. Nous convînmes de les veiller toute la nuit à tour de rôle, le porche ne pouvant abriter plus de deux ou trois personnes à la fois.

— « *La lune qui jouait sur la neige récente donnait à chaque objet le lustre de midi…* » récitai-je dans un murmure.

Effectivement, la tempête était passée et la lune aux trois quarts pleine diffusait une lueur pure et froide dans laquelle chaque arbre croulant sous la neige se détachait, austère et délicat, comme sur une estampe japonaise. Au loin, les poutres noires de la Grande Maison formaient un jeu de jonchet cachant ce qu'il pouvait y avoir sous les ruines.

Jamie et moi prîmes le premier tour de garde. Jamie l'avait annoncé d'emblée sans que cela ne soulevât la moindre objection. Même si personne n'en parlait, l'image d'Arch Bug rôdant seul dans la forêt était dans tous les esprits.

Je demandai à Jamie à voix basse :

— Tu crois qu'il est là ?

J'indiquai les arbres sombres, paisibles dans leurs propres linceuls.

— Si c'était toi qui étais étendue ici, *a nighean*, je serais à tes côtés, mort ou vivant. Viens t'asseoir.

Je m'assis auprès de lui, le pot de charbons entre nos jambes. Après quelques minutes de silence, je soupirai :

— Les pauvres. On est si loin de l'Écosse !

— C'est vrai, dit-il en prenant ma main.

Ses doigts étaient aussi glacés que les miens, mais leur taille et leur force étaient réconfortantes.

— Elles ne seront pas enterrées avec ceux de leur sang, mais elles ne seront quand même pas parmi des étrangers.

— En effet.

Si les petits-fils de Grannie MacLeod revenaient un jour, ils trouveraient au moins sa tombe et sauraient qu'elle avait été traitée avec tendresse. Mme Bug n'ayant pas de parents à part Arch, personne ne viendrait se recueillir sur la sienne, mais elle reposerait parmi des gens qui l'avaient connue et aimée. Et Arch ? S'il avait encore de la famille en Écosse, il n'en avait jamais parlé. Son épouse avait été tout pour lui, et lui tout pour elle.

71

— Tu… euh… tu ne crois pas que, une fois qu'Arch saura, il tentera de mettre fin à ses jours ?

— Non, répondit fermement Jamie. Ce n'est pas dans sa nature.

D'un côté, j'étais soulagée. Mais une autre partie moins noble et compatissante de moi ne pouvait s'empêcher de se demander comment réagirait un homme au tempérament aussi impétueux qu'Arch après avoir reçu ce coup mortel, privé de la femme qui avait été son ancre et son havre durant toutes ces années.

Se laisserait-il porter par les vents jusqu'à ce qu'ils le fracassent sur un écueil et le coulent ? Nouerait-il sa vie à l'ancre illusoire de la rage et ferait-il de la vengeance son nouveau compas ? J'avais vu le poids de la culpabilité dans le regard de Jamie et de Ian. Celle d'Arch n'était-elle pas plus lourde encore ? Un homme pouvait-il supporter un tel fardeau ? Ou devait-il la retourner contre les autres pour une simple question de survie ?

Jamie ne m'avait pas dit ce qu'il en pensait, mais je remarquai qu'il avait glissé son coutelas et son pistolet sous sa ceinture, ce dernier chargé et amorcé. Je sentais une odeur de poudre noire sous le parfum résineux des épinettes et des pins. Naturellement, ce pouvait être à cause des loups et des renards.

Nous restâmes assis en silence un long moment, observant le rougeoiement changeant des charbons et son reflet sur les plis des linceuls.

— Penses-tu qu'on devrait prier ? chuchotai-je.

— Je n'ai pas cessé de prier depuis que c'est arrivé, *Sassenach*.

— Je comprends ce que tu veux dire.

La prière fébrile que l'irréparable ne fût pas survenu, puis la prière désespérée appelant à l'aide ; le besoin d'agir quand, en fait, il n'y avait plus rien à faire. Et, naturellement, la première pour le repos des défunts. Grannie MacLeod, au moins, avait su que son heure était venue et s'y était préparée. Mme Bug, elle, avait dû être terriblement surprise de se retrouver brusquement morte. L'espace d'un instant déconcertant, je l'imaginai se tenant dans la neige devant le porche, les poings sur ses larges hanches, les lèvres froncées dans une moue agacée d'avoir été si grossièrement désincarnée.

— Ce fut un choc pour nous tous, m'excusai-je à son ombre.

— Ça, tu peux le dire !

Jamie glissa une main sous sa cape et en extirpa sa flasque. Il la déboucha, se pencha en avant et versa délicatement quelques gouttes de whisky sur la tête des deux mortes. Puis il la leva et leur porta à chacune un toast, d'abord à Grannie MacLeod, puis à Mme Bug.

— Murdina, épouse d'Archibald, vous fûtes une excellente cuisinière. Toute ma vie, je me souviendrai de vos biscuits, et je penserai à vous chaque matin en mangeant mon porridge.

Partagée entre le rire et les larmes, je déclarai d'une voix tremblante :

— Amen !

J'acceptai la flasque et bus une gorgée. Le whisky brûla ma gorge nouée et me fit tousser.

— Je connais la recette de ses *pickles*. Je vais la transcrire, il ne faut pas la perdre.

L'idée d'écrire me rappela soudain la lettre inachevée dans mon panier à ouvrage. Jamie perçut mon sursaut et se tourna vers moi d'un air interrogateur. Je m'éclaircis la gorge.

— Je pensai simplement à cette lettre que je suis en train d'écrire à Bree et Roger. Ils savent que la maison a brûlé, mais il faudrait les prévenir que nous sommes en vie… en supposant qu'ils la liront un jour.

Conscients des conditions précaires de l'époque et du peu de fiabilité de la préservation des documents historiques, Jamie et Roger avaient mis au point différents stratagèmes pour se transmettre des renseignements, allant de la publication de messages codés dans divers journaux à un plan plus sophistiqué impliquant l'Église écossaise et la Banque d'Angleterre. Ces derniers dépendaient naturellement de l'arrivée saine et sauve, plus ou moins à la bonne date, de la famille

MacKenzie de l'autre côté des pierres. Pour ma propre paix d'esprit, j'étais obligée de présumer que c'était le cas.

— Je ne veux pas la terminer en leur racontant... ça.

J'indiquai les deux corps à nos pieds.

— Ils aimaient beaucoup Mme Bug, et Bree se ferait un sang d'encre pour Ian.

— Oui, tu as raison, répondit Jamie, songeur. En outre, je suis sûr que Roger Mac aurait tôt fait de lire entre les lignes et de comprendre notre problème avec Arch. Savoir et ne rien pouvoir faire... Oui, ils seraient très inquiets. Jusqu'à ce qu'ils trouvent une autre lettre leur annonçant ce qui est advenu... et Dieu seul sait combien de temps s'écoulera avant que tout ceci soit terminé !

— Et s'ils ne trouvent pas la prochaine lettre...

Ou si nous ne survivons pas assez longtemps pour l'écrire, ajoutai-je en pensée.

— Oui, il vaut mieux ne pas le leur dire. Pas pour le moment.

Je me rapprochai de lui, posai la tête sur son épaule, et il glissa un bras autour de ma taille. Nous restâmes silencieux un moment, notre trouble et notre chagrin atténués par des images mentales de Bree, de Roger et des enfants.

J'entendais des bruits derrière moi dans la cabane. Après le premier choc qui avait réduit tout le monde au silence, la vie courante reprenait ses droits. On ne pouvait faire taire les enfants bien longtemps. Ils étaient excités d'être debout à une heure si tardive. J'entendais leurs voix haut perchées réclamant à manger, s'élevant au-dessus des bruits de cuisine. Il y aurait des gâteaux à l'orge et des pâtés en croûte pour la prochaine garde. Mme Bug aurait été contente. Une soudaine volute d'étincelles s'échappa de la cheminée et retomba autour du porche en pluie d'étoiles filantes, scintillant contre la nuit noire et la neige fraîche.

Jamie émit un soupir d'aise devant le spectacle et me serra un peu plus fort contre lui.

— Ce que tu disais tout à l'heure, *Sassenach*... au sujet de la neige jouant sur la neige récente... c'est un poème, n'est-ce pas ?

— Oui. Ce n'était sans doute pas très approprié vu les circonstances. C'est un poème de Noël comique intitulé *Une visite de saint Nicolas.*

Cela le fit sourire.

— Je ne sais pas s'il existe un texte approprié pour une veillée, *Sassenach*. Donne à ceux qui veillent le mort suffisamment à boire et ils te chanteront *Chevaliers de la Table ronde* pendant que les petits danseront la ronde dans la cour au clair de lune.

Je n'imaginais que trop clairement la scène. Pour ce qui était de la boisson, nous n'étions pas en reste. Il y avait un baquet de bière fraîchement brassée dans le garde-manger, et Bobby était allé chercher notre fût de whisky de secours caché dans la grange. Je soulevai la main de Jamie et déposai un baiser sur ses doigts froids. L'hébétude provoquée par le drame commençait à s'estomper, peu à peu dissipée par les pulsations vitales derrière nous. La cabane était une petite île vibrante de vie et flottant dans la nuit noir et blanc.

Jamie sembla avoir lu dans mes pensées.

— « *Aucun homme n'est une île, un tout, complet en soi* », récita-t-il doucement.

— Oui, c'est déjà nettement plus approprié, dis-je un peu cyniquement. Un peu trop, même.

— Que veux-tu dire ?

— « *N'envoie jamais demander pour qui sonne le glas : c'est pour toi qu'il sonne.* » Je ne peux jamais entendre *Aucun homme n'est une île* sans penser à la fin de la citation.

— Mmphm. Tu connais le texte au complet ?

Sans attendre ma réponse, il se pencha en avant, remua les braises avec une brindille et poursuivit :

— Ce n'est pas vraiment un poème. En tout cas, son auteur ne l'entendait pas comme ça.

— Ah bon ? Qu'a-t-il voulu écrire, alors ?

— C'est une méditation… à mi-chemin entre un sermon et une prière. John Donne l'a écrite dans ses *Méditations en temps de crise*. On peut difficilement faire plus à propos, n'est-ce pas ?

— En effet, pour ce qui est de la crise, nous nageons en plein dedans. Que dit-il d'autres dans ses méditations ?

— Mmm...

Il me serra davantage contre lui et posa sa tête contre la mienne.

— Laisse-moi essayer de me souvenir. Je ne me rappelle pas de tout, mais certains passages m'ont marqué.

Je l'entendais respirer lentement, se concentrant.

— « *Toute l'humanité n'a qu'un auteur et tient en un volume. Quand un homme meurt, un chapitre n'est pas arraché du livre mais est traduit dans un meilleur langage ; et tous les chapitres doivent être ainsi traduits.* » Viennent ensuite des passages dont je ne me souviens plus, mais il y en a un que j'aime particulièrement : « *La cloche sonne pour celui qui l'entend ainsi... et bien qu'elle ne retentisse que par intermittence, dès cette minute où elle a sonné pour lui, il est uni à Dieu.* »

Je pris quelques instants pour y réfléchir avant de conclure :

— Mmm... effectivement, c'est moins poétique mais plus... chargé d'espoir ?

Je le sentis sourire.

— Oui, je l'ai toujours pensé ainsi.

— D'où le tiens-tu ?

— John Grey m'avait prêté un recueil d'écrits de Donne quand j'étais prisonnier à Helwater. Ce texte y figurait.

— Mouais... c'est un homme très cultivé.

Je ressentais toujours une pointe de dépit au souvenir de cette partie, non négligeable, de la vie de Jamie que John Grey avait partagée et pas moi. Mais, malgré moi, j'étais heureuse qu'il ait eu un ami durant ces difficiles épreuves. Je me demandai soudain combien de fois il avait entendu ce glas sonner ?

Je pris la flasque et bus une gorgée de whisky pour me dénouer la gorge. Des odeurs d'oignons frits et de viande mijotant filtraient sous la porte, et mon estomac émit un gargouillis inconvenant. Jamie ne parut pas le remarquer. Il fixait un point au loin vers l'ouest, où la masse de la montagne était cachée par les nuages.

— Les petits MacLeod ont dit qu'en descendant ils avaient de la neige jusqu'aux hanches. S'il est tombé une douzaine de pouces de neige fraîche ici, cela signifie qu'il en est tombé près d'une verge dans les hauts cols. Nous n'irons nulle part avant le dégel du printemps, *Sassenach*.

Il baissa les yeux vers les deux cadavres en ajoutant :

— Cela nous laisse amplement le temps de leur graver des stèles décentes.

— Tu as donc toujours l'intention de rentrer en Écosse ?

Il me l'avait annoncé juste après l'incendie de la Grande Maison mais n'en avait pas reparlé depuis. J'ignorais s'il s'agissait d'un projet mûrement réfléchi ou d'une réaction spontanée à ce que nous venions de vivre.

— Oui. On ne peut pas rester ici, répondit-il avec une note de regret dans la voix. Dès le retour du printemps, l'arrière-pays sera de nouveau en ébullition. Nous avons déjà senti l'odeur de roussi de trop près, *Sassenach*. Je ne tiens pas à finir rôti comme un porc.

Il avait raison. Nous pouvions construire une autre maison, mais il était peu probable que nous puissions y vivre en paix. Jamie était, ou avait été, colonel de milice. C'était une charge dont il ne pouvait se désister, à moins d'être absent ou empêché physiquement. La rébellion était loin de faire l'unanimité dans les montagnes. Je connaissais un certain nombre de gens qui avaient été battus, harcelés, chassés dans la forêt ou les marécages, voire purement et simplement assassinés pour avoir exprimé des sentiments politiques peu avisés.

L'hiver nous empêchait de partir, mais il mettait également un frein aux activités des milices… ou des bandes de brigands, les deux se rejoignant parfois. Cette pensée me fit frissonner.

— Tu as froid, tu ne veux pas rentrer, *a nighean* ? Je peux très bien monter la garde tout seul.

— C'est ça. Et quand on viendra t'apporter des gâteaux et du miel on te trouvera étendu à côté de ces deux vieilles femmes avec une hache plantée dans le crâne ! Merci, je vais très bien.

Je bus une autre gorgée de whisky et lui tendis la flasque, reprenant :

— Nous ne sommes pas obligés de retourner en Écosse. Nous pourrions aller à New Bern. Tu t'associerais avec Fergus et travaillerais dans l'imprimerie.

Il m'avait expliqué qu'il voulait rentrer à Édimbourg pour y chercher son ancienne presse, puis revenir participer aux combats armé de plomb sous forme de caractères d'imprimerie plutôt que de balles de mousquet. Restait à savoir laquelle de ces deux méthodes était la moins dangereuse.

Jamie me sourit, ses yeux en amande formant deux triangles.

— Tu crois vraiment que ta présence empêcherait Arch Bug de me couper en deux si c'est ce qu'il a en tête ? Non, Fergus a le droit de s'exposer au danger si tel est son désir. Mais je n'ai pas celui de l'entraîner, lui et sa famille, dans mes propres aventures.

— Ce qui me dit tout ce que j'ai besoin de savoir sur le genre de textes que tu comptes imprimer. Et ma présence n'empêchera peut-être pas Arch de t'attaquer mais, au moins, je pourrais crier « Attention ! » si je le vois s'approcher subrepticement par-derrière.

— Je prie de t'avoir toujours à mes côtés pour surveiller mes arrières, *Sassenach*, m'assura-t-il gravement. Tu sais sans doute déjà quel est mon projet.

— Oui, soupirai-je. Parfois, j'ai le vain espoir de me tromper à ton sujet… mais ce n'est jamais le cas.

Il éclata de rire.

— Effectivement. Pourtant, tu es toujours ici, non ?

Il me porta un toast en levant la flasque puis but une gorgée.

— Il est bon de savoir que quelqu'un me regrettera quand je serai tombé.

— Ne crois pas que le fait que tu aies utilisé « quand » plutôt que « si » m'ait échappé, rétorquai-je.

— Cela a toujours été « quand », *Sassenach*, dit-il doucement. « *Tous les chapitres doivent être ainsi traduits* », pas vrai ?

Je pris une profonde inspiration et observai mon souffle se condenser en une volute blanche.

— J'espère sincèrement n'avoir jamais à le faire mais, si cela arrive un jour... voudrais-tu être enterré ici ? Ou ramené en Écosse ?

Je songeai à la stèle conjugale en granit dans le cimetière de l'église de St. Kilda, avec son nom dessus... et le mien. J'avais failli faire un arrêt cardiaque en la voyant et je n'étais pas sûre d'avoir pardonné ce coup-là à Frank, même s'il avait produit l'effet escompté.

— J'aurai de la chance si je suis enterré un jour, *Sassenach*. Je finirai plus probablement noyé, brûlé ou abandonné sur un champ de bataille. Ne t'inquiète pas pour cela. Si tu dois un jour disposer de ma dépouille, laisse-moi pourrir sur place, mangé par les corbeaux.

— J'en prends note.

— Dis-moi, *Sassenach*, cela t'ennuie-t-il de retourner en Écosse ?

J'hésitai. Tout en sachant qu'il ne finirait pas sous cette stèle particulière, je ne pouvais me défaire de l'impression qu'il mourrait un jour sur sa terre natale.

— Non, les montagnes me manqueront et, oui, cela m'ennuiera de te voir virer au vert et rendre tripes et boyaux sur le bateau, sans parler de tout ce qui pourrait nous arriver en route vers ledit bateau mais... mis à part Édimbourg et ta presse, tu comptes te rendre à Lallybroch, n'est-ce pas ?

Il acquiesça en fixant les charbons rougeoyants. Ces derniers projetaient une lueur chaude sur l'arc roux de ses sourcils et une ligne d'or sur l'arête de son long nez droit.

— J'ai promis, répondit-il simplement. J'ai dit que je ramènerais le petit Ian à sa mère. Ensuite... il fera mieux de partir.

Je hochai la tête en silence. Trois mille milles d'océan ne suffiraient peut-être pas à Ian pour échapper à ses souvenirs, mais cela ne pourrait lui faire du mal. Peut-être que la joie de retrouver ses parents, ses frères, ses sœurs, les Highlands... l'aiderait à panser ses plaies.

Jamie toussa puis se frotta les lèvres du dos de la main.

— Il y a encore une chose, reprit-il un peu timidement. Une autre promesse, si l'on peut dire.

— Laquelle ?

Il se tourna vers moi et me dévisagea gravement.

— Je me suis promis de ne jamais me retrouver devant mon fils avec un fusil entre nous.

Je pris une profonde inspiration et me plongeai dans la contemplation des femmes dans leur linceul. Au bout de quelques minutes, cherchant à alléger l'atmosphère, je demandai, en plaisantant à moitié :

— Et moi, tu ne m'as pas demandé ce que je voulais que tu fasses de mon corps ?

Ses doigts se crispèrent si fort autour de miens que je laissai échapper un petit cri. Il ne me regarda pas et répondit à voix basse en fixant le tapis blanc devant nous :

— Non. Et je ne te le demanderai jamais. Je ne peux pas t'imaginer morte, Claire. Tout ce que tu voudras, mais pas ça. Je ne peux pas.

Il se leva brusquement. Un craquement de bois, le vacarme d'un plat en étain s'écrasant sur le plancher et des exclamations consternées à l'intérieur de la cabane m'épargnèrent le besoin de répondre. Jamie me tendit la main pour m'aider à me lever au moment où la porte s'ouvrait, nous inondant de lumière.

✳

Quand l'aube se leva, claire et limpide, le tapis de neige fraîche n'avait guère plus d'une douzaine de pouces d'épaisseur. À midi, les stalactites sous les avant-toits commencèrent à perdre prise, tombant telles des dagues dans un cliquetis intermittent et étouffé. Jamie et Ian étaient montés avec des pelles jusqu'à notre petit cimetière, plus haut dans la montagne, afin de vérifier si la terre était encore suffisamment molle pour creuser deux tombes convenables. Au petit déjeuner, je leur avais demandé :

— Vous ne voulez pas emmener Aidan et un ou deux autres petits avec vous ? Cela leur éviterait d'être dans nos pattes.

Jamie avait accepté d'un hochement de tête, non sans m'avoir lancé un regard noir. Il avait fort bien compris ma vraie motivation. Si Arch ne savait pas encore que sa femme était morte, il ne tarderait pas à le comprendre en voyant une nouvelle tombe.

Profitant du raffut que faisaient les garçons en se préparant, leurs mères en emballant le repas à emporter et les plus petits qui jouaient dans la chambre à l'arrière, Jamie me glissa :

— Le mieux serait qu'il sorte de sa tanière et vienne me parler.

— Certes, et la présence des garçons ne l'empêchera pas de le faire. En revanche, s'il a décidé de *ne pas* discuter…

Ian m'avait raconté avoir entendu une détonation au cours des événements de la veille. Arch Bug n'était pas un bon tireur et hésiterait sans doute à ouvrir le feu sur un groupe comprenant de jeunes enfants.

Jamie avait acquiescé puis avait ordonné à Aidan d'aller chercher ses deux cousins les plus âgés.

Bobby et la mule Clarence étaient partis avec les fossoyeurs. Un peu plus haut dans la montagne, sur le site où Jamie avait déclaré que se dresserait un jour notre nouvelle maison, il y avait une réserve de planches en pin fraîchement sciées. Si des tombes pouvaient être creusées, Bobby en rapporterait quelques-unes pour confectionner des cercueils.

De là où je me tenais sous le porche, j'aperçus Clarence lourdement chargée descendant le versant avec la grâce d'une ballerine, ses longues oreilles pointant de chaque côté comme un balancier. Bobby marchait à ses côtés, rattrapant de temps à autre une planche menaçant de tomber. Même de loin, on distinguait le « M » marqué au fer sur sa joue, une cicatrice blême sur son teint rougi par le froid. Il m'aperçut et agita une main en souriant.

Je lui retournai son salut et rentrai dans la maison pour annoncer aux femmes que les funérailles auraient bien lieu.

*

Le lendemain matin, nous parcourûmes le sentier sinueux qui menait au petit cimetière. Les deux vieilles dames, compagnes improbables dans la mort, étaient couchées dans leurs cercueils sur un traîneau tiré par Clarence et Puddin', une des mules des femmes McCallum.

Nous n'étions pas vraiment sur notre trente et un. Personne n'avait d'habit du dimanche, à l'exception d'Amy McCallum Higgins, qui portait son fichu de mariage en dentelle en signe de respect. Toutefois, nous étions presque propres. Les adultes arboraient une mine grave et attentive. Très attentive.

En observant le traîneau qui avançait lentement en grinçant devant nous, Aidan demanda à sa mère :

— Qui sera la nouvelle gardienne, maman ? Laquelle est morte la première ?

Légèrement prise de court, Amy répondit :

— Ma foi... je ne sais pas.

Elle fronça les sourcils, réfléchissant, puis se tourna vers moi.

— Vous le savez, vous, madame Fraser ?

Sa question m'atteignit comme un caillou dans le ventre, et je clignai des yeux. Je savais, bien sûr, mais... Je me retins non sans effort de lancer un regard vers les arbres qui bordaient le sentier. J'ignorais où était Arch Bug mais ne doutais pas qu'il était dans les parages. S'il se trouvait assez près pour entendre cette conversation...

Dans les Highlands, la légende voulait que la dernière personne enterrée dans un cimetière en devienne la gardienne, protégeant les autres morts du mal jusqu'à ce qu'un nouveau défunt vienne prendre la relève et la libère. Seulement alors pouvait-elle monter au ciel. Je ne pensais pas qu'Arch serait ravi de savoir son épouse coincée sur terre pour garder les tombes de presbytériens et de pécheresses comme Malva Christie.

J'eus un pincement au cœur au souvenir de Malva, qui devait être, maintenant que j'y pensais, l'actuelle gardienne du cimetière. « Devait être », car, si d'autres habitants de Fraser's Ridge étaient morts après elle, elle était la dernière à avoir été enterrée dans le cimetière. Son frère Allan reposait non loin, légèrement en retrait dans la forêt, dans une tombe secrète et anonyme. Quant à son père…

Je toussotai dans mon poing fermé, m'éclaircis la gorge puis répondis :

— Oh, ce doit être Mme MacLeod. Elle était décédée quand nous sommes revenus à la cabane avec Mme Bug.

Ce qui était techniquement vrai. Il me sembla préférable d'omettre le fait qu'elle était déjà morte quand j'avais quitté la cabane.

J'avais parlé en regardant Amy. Quand je me tournai à nouveau vers le sentier, il était là, juste devant moi. Arch Bug, avec sa vieille cape noire, sa tête blanche, nue et penchée en avant, suivant lentement le traîneau dans la neige tel un corbeau marchant dans un champ.

Il se tourna vers moi et demanda d'une voix posée et courtoise :

— Voulez-vous bien chanter, madame Fraser ? J'aimerais qu'elle soit accompagnée dans sa dernière demeure comme il se doit.

— Je… euh… oui, bien sûr.

Prise de panique, je cherchais désespérément quelque chose d'approprié. Je me sentais incapable de composer un vrai *caithris*, une lamentation funèbre, sans parler de pousser les gémissements en bonne et due forme qui auraient ponctué un enterrement de première classe dans les Highlands.

J'optai en hâte pour un psaume en gaélique que m'avait appris Roger, *Is e Dia fein a's buachaill dhomh*. C'était un chant à antienne où chaque vers énoncé par le premier chantre était repris par la congrégation. Il était simple et, en dépit de ma voix qui se perdait dans l'immensité des montagnes, les autres parvinrent à me suivre. Le temps d'arriver au cimetière, nous avions atteint un volume et une ferveur respectables.

Le traîneau s'arrêta à la lisière de la clairière bordée de pins. Les quelques croix en bois et cairns en pierre, à demi enfouis sous la neige, contrastaient violemment avec les deux fosses brunes creusées au centre. En les apercevant, tous cessèrent de chanter abruptement, comme sous l'effet d'une douche froide.

Un soleil pâle brillait entre les arbres. Une bande de sittelles conversait dans les arbres avec une gaieté incongrue. Jamie, qui avait guidé les mules, ne s'était pas encore retourné vers Arch. Quand il le fit, il indiqua l'un des cercueils et demanda à voix basse :

— Veux-tu voir ton épouse une dernière fois ?

Ce ne fut que lorsque Arch hocha la tête et s'approcha du traîneau que je me rendis compte que les hommes avaient cloué le cercueil de Mme MacLeod mais pas celui de Mme Bug. Bobby et Ian soulevèrent le couvercle de ce dernier, les yeux baissés vers le sol.

Arch avait dénoué sa natte en signe de deuil. Je n'avais encore jamais vu ses cheveux libres. Fins et d'un blanc pur, ils oscillèrent devant son visage tel un rideau de fumée quand il se pencha et écarta délicatement le linceul du visage de Murdina.

Je retins mon souffle. J'avais extrait la flèche (une tâche peu ragoûtante) et soigneusement bandé son cou avant de la coiffer. Elle était présentable mais paraissait être quelqu'un d'autre. Je ne l'avais jamais vue sans son bonnet, et le bandage propre qui lui couvrait toute la gorge lui donnait l'allure austère et guindée d'un pasteur presbytérien. Je vis Arch tiquer et sa gorge se nouer. Il se ressaisit presque aussitôt, mais les sillons qui couraient de ses narines à son menton étaient creusés comme des rigoles dans de la terre glaise. Il ouvrait et fermait les mains, encore et encore, comme s'il cherchait à agripper quelque chose qui n'était pas là.

Il contempla l'intérieur du cercueil un long moment puis ouvrit son *sporran* et en sortit un petit objet brillant. Quand il écarta sa cape, je remarquai que sa ceinture était vide. Il était venu sans armes.

Il se pencha et tenta maladroitement de fixer l'objet en question sur le linceul avec sa main handicapée. En vain. Il marmonna en gaélique dans sa barbe puis, se redressant, me lança un regard au bord de la panique. Je m'approchai aussitôt pour l'aider.

C'était une broche, un ravissant bijou en forme d'hirondelle en vol. Elle était en or et paraissait flambant neuve. J'écartai le linceul et l'agrafai au fichu de Mme Bug. Je ne l'avais encore jamais vue, ni sur elle ni ailleurs, et il me vint soudain à l'esprit qu'Arch avait dû la réaliser avec l'or volé à Jocasta Cameron ; peut-être quand il avait commencé à subtiliser les lingots un par un, peut-être plus tard. Une promesse faite à sa femme pour l'assurer que leurs années de privations et de dépendance étaient derrière eux. C'était effectivement le cas. Je me tournai vers Arch et attendis qu'il me fasse signe. Puis je rabattis doucement le linceul sur le visage froid de sa femme.

Je tendis machinalement la main vers Arch, mais il s'écarta et recula d'un pas, observant, impassible, Bobby qui clouait le couvercle du cercueil. Il releva ensuite les yeux, et son regard passa lentement sur Jamie, puis sur Ian.

Mes mâchoires se crispèrent. En revenant me placer à côté de Jamie, j'aperçus ses traits décomposés par le poids de la culpabilité. Il n'était pas le seul, Arch en était écrasé, lui aussi. Ne se rendaient-ils pas compte, l'un comme l'autre, que Murdina Bug avait sa part de responsabilité, elle aussi ? Si elle n'avait pas tiré sur Jamie… Mais les gens ne se comportent pas toujours rationnellement, ni bien, et le fait qu'une personne ait contribué directement à sa propre perte atténuait-il la tragédie ?

Je vis la grosse pierre qui marquait la tombe de Malva et de son fils. On n'en apercevait que la pointe perçant la neige ; ronde, humide et sombre tel le sommet du crâne d'un bébé en train de naître.

Sentant se relâcher légèrement la tension qui m'oppressait depuis deux jours, je déclarai en moi-même :

Repose en paix. Tu es libre de partir à présent.

Grannie MacLeod étant morte la première, le poste de gardienne revenait à Mme Bug. Compte tenu de sa personnalité, elle serait sans doute ravie de prendre le commandement des opérations, caquetant avec les âmes résidantes et veillant sur elles comme sur ses chères poules, chassant les mauvais esprits avec sa langue acérée et à coups de saucisses.

Ces images me permirent de supporter la lecture d'un bref passage de la Bible, les prières, les larmes (des femmes et des enfants, dont la plupart ne savaient pas pourquoi ils pleuraient), la descente du traîneau des cercueils et la récitation plutôt cacophonique du *Notre Père*. Roger, avec sa manière de présider aux obsèques avec un calme et une compassion sincères, me manquait beaucoup. Il aurait su quoi dire en prononçant l'oraison funèbre de Murdina Bug. En l'occurrence, personne ne prit la parole après la prière, chacun se balançant d'un pied sur l'autre dans un silence gêné. Nous nous tenions dans la neige, et les jupes des femmes étaient mouillées jusqu'aux genoux.

Je vis Jamie hausser les épaules comme si sa veste était trop étriquée. Il lança un regard vers le traîneau, où deux pelles attendaient sous une couverture mais, avant qu'il n'ait pu donner l'ordre à Bobby et à Ian de procéder à la mise en terre, son neveu prit une profonde inspiration et s'avança d'un pas.

Il se plaça près du cercueil de Mme Bug, face à son veuf, et hésita, ayant visiblement l'intention de parler. Pendant un long moment, Arch garda les yeux baissés vers le fond de la fosse sans lui prêter attention, puis il releva un visage impassible, attendant.

Ian déglutit péniblement.

— C'est… c'est par ma main que cette femme exceptionnelle a trouvé la mort. Je ne l'ai pas tuée par malice, ni intentionnellement. Cela m'afflige profondément, mais je n'en suis pas moins responsable.

Sentant le désarroi de son maître, Rollo se mit à gémir, mais Ian posa une main sur sa tête, le calmant aussitôt. Il décrocha ensuite son coutelas de sa ceinture et le posa sur le cercueil devant Arch Bug. Puis il se redressa et le regarda dans le blanc des yeux.

— Un jour où l'on vous avait fait un grand tort, vous avez prêté allégeance à mon oncle et offert une vie pour une vie afin de sauver cette femme. Je vous fais aujourd'hui la même promesse.

Il pinça les lèvres, le regard sombre et grave, puis ajouta :

— Peut-être n'étiez-vous pas sincère alors, mais je le suis.

Je me rendis compte que je ne respirais plus. J'inspirai profondément. Était-ce une idée de Jamie ? Visiblement, Ian pensait ce qu'il disait. Il y avait peu de chances qu'Arch le prenne au mot et lui tranche la gorge devant une douzaine de témoins, aussi assoiffé de vengeance fût-il. Toutefois, s'il déclinait publiquement son offre, cela ouvrait la voie à un accord moins formel et sanglant, ce qui soulagerait Ian d'une partie de son fardeau. *Maudits Highlanders*, pensai-je en regardant Jamie non sans admiration.

Je sentais des décharges électriques le parcourir toutes les quelques secondes, chacune réfrénée. Il n'interviendrait pas dans la tentative de rédemption de son neveu, mais il ne pouvait non plus le laisser se sacrifier si Arch optait pour le sang. Apparemment, il l'en considérait capable. En lançant un regard vers Arch, je fus plutôt de son avis.

Le vieillard dévisagea longuement Ian, ses épais sourcils hérissés de longs poils gris et frisés. Les yeux dessous étaient aussi gris, et froids comme l'acier.

— C'est trop facile, mon garçon, déclara-il d'une voix grinçante.

Il baissa les yeux vers Rollo, debout près de son maître, les oreilles dressées et le regard méfiant.

— Me donneras-tu la vie de ton chien ?

Le masque de Ian se brisa l'espace d'un instant, le choc et l'horreur le faisant soudain paraître très jeune. Il se ressaisit rapidement, mais sa voix craqua quand il répondit :

— Non. Il n'a rien fait. C'est… c'est mon crime, pas le sien.

Arch sourit, à peine un mouvement de lèvres qui ne se refléta pas dans son regard.

— Tu vois… De toute façon, ce n'est qu'une bête infestée de puces. Pas une épouse.

Il avait à peine murmuré le mot « épouse ». Il s'éclaircit la gorge et regarda fixement Ian, puis Jamie, puis moi.

Mon sang déjà glacé se figea.

— Pas une épouse, répéta-t-il.

Lentement, il dévisagea à nouveau chaque homme, Jamie, puis Ian. Il s'arrêta sur ce dernier un instant qui parut durer une éternité. Puis il déclara calmement :

— Le jour où tu auras quelque chose qui vaudra la peine d'être pris, mon garçon, on se reverra.

Il tourna les talons et marcha en direction des arbres.

5

Petit guide moral à l'intention des voyageurs dans le temps

Il y avait une lampe électrique sur son bureau mais, le soir venu, Roger préférait écrire à la chandelle. Il sortit une allumette de sa boîte et la gratta doucement. Après avoir lu la lettre de Claire, il ne pourrait probablement plus jamais en tenir une entre ses doigts sans penser à l'incendie de la Grande Maison. Comme il aurait voulu y être ce jour-là !

La flamme se rétracta quand il l'approcha de la mèche, et la cire translucide de la bougie revêtit, l'espace d'un instant, une légère lueur bleutée. Il lança un regard vers Mandy, assise sur le canapé, occupée à chanter une chanson à ses peluches. Elle avait pris son bain et il était chargé de la surveiller pendant que Jem prenait le sien. L'observant du coin de l'œil, Roger s'assit derrière son bureau et ouvrit son cahier.

Il l'avait commencé en partie comme une plaisanterie… et en partie parce qu'il n'avait rien trouvé d'autre pour lutter contre cette peur qui le paralysait.

Brianna lui avait déclaré :

— Si tu peux apprendre à un enfant à ne pas traverser seul la rue, tu peux sûrement lui apprendre à rester à l'écart de tout ce qui ressemble à des menhirs.

Même s'il en était convenu, il nourrissait secrètement de profondes réserves. Pour ce qui était des enfants en bas âge, peut-être ; on pouvait les conditionner de sorte qu'ils n'enfonçassent pas des fourchettes dans des prises électriques. Mais à mesure qu'ils approchaient de l'adolescence, qu'ils développaient un appétit insatiable pour la découverte de soi et de toute chose inconnue… Il ne se rappelait que trop bien sa propre adolescence. Dites à un garçon de douze ans de ne pas enfoncer de fourchette dans une prise et il ira fouiller dans le tiroir à argenterie dès que vous aurez le dos tourné. Les filles étaient peut-être différentes, mais il en doutait.

Sur le canapé, Amanda s'était à présent couchée sur le dos, les jambes en l'air, un gros nounours miteux en équilibre sur ses pieds et auquel elle chantait *Frère Jacques*. Elle avait été trop jeune lors de sa traversée pour s'en souvenir. Ce n'était pas le cas de Jem. Il se réveillait parfois en sursaut au milieu de la nuit, les yeux écarquillés et fixant le vide, incapable de décrire son cauchemar. Dieu merci, cela n'arrivait pas souvent.

Lui-même ne pouvait se souvenir de leur dernière traversée sans avoir froid dans le dos. Il avait serré Jemmy contre lui et s'était élancé dans… Seigneur, il n'y avait pas de mot pour le décrire, car l'humanité dans son ensemble ne l'avait jamais vécu, et encore heureux ! Il ne voyait rien à quoi il aurait pu le comparer.

Aucun des sens ne répondait plus… Parallèlement, ils étaient tous si éveillés que cet état d'hypersensibilité aurait été fatal s'il avait duré une seconde de plus. C'était un néant assourdissant dont le son vous déchirait, s'insinuait dans votre sang, cherchait à séparer chacune de vos cellules. Une cécité absolue, ou plutôt un aveuglement, comme lorsqu'on regarde droit vers le soleil. Et l'impact de… corps ? De fantômes ? D'êtres invisibles vous effleurant comme les ailes de papillons de nuit ou vous percutant, vous traversant dans un enchevêtrement d'os. Et cette impression constante de hurler.

Y avait-il une odeur ? Il réfléchit, essayant de se souvenir. Mais oui, bien sûr… En outre, étrangement, c'était une odeur qu'il pouvait décrire : celle de l'air brûlé par un éclair… de l'ozone.

Incroyablement soulagé de détenir enfin une petite référence au monde normal, il écrivit :

On sent une puissante odeur d'ozone.

Son soulagement disparut presque aussitôt quand il se replongea dans les souvenirs.

Il avait eu l'impression que seule sa propre volonté les avait empêchés d'être arrachés l'un à l'autre, que seule une détermination aveugle à survivre lui avait évité d'être lui-même mis en pièces. D'avoir su à quoi s'attendre ne lui avait été d'aucun secours. Ce dernier passage avait été différent des précédents... et bien pire.

Il savait qu'il ne fallait pas les regarder... ces fantômes – si c'était bien de cela qu'il s'agissait. « Regarder » n'était pas le mot juste... leur prêter attention ? Là encore, il n'existait pas de terme approprié. Il poussa un soupir exaspéré.

— *Sonnez les matines, sonnez les matines...*

Il chanta doucement avec elle :

— *Ding, dang, dong. Ding, dang, dong...*

Il tapota le bout de son stylo contre le papier, réfléchissant. Puis il se pencha à nouveau sur le cahier et tenta d'expliquer sa première tentative, la fois où il avait presque... à quelques instants près ? à quelques millimètres près ? à un degré de séparation infiniment petit près... rencontré son père et sa propre annihilation.

Il écrivit lentement :

Je ne pense pas que l'on puisse croiser sa propre ligne de vie.

Bree et Claire, deux femmes à l'esprit scientifique, lui avaient assuré que deux objets ne pouvaient exister dans un même espace, qu'il s'agît de particules subatomiques ou d'éléphants. Cela expliquait sans doute pourquoi l'on ne pouvait exister deux fois dans un même temps.

Ce devait être ce phénomène qui avait failli lui coûter la vie lors de sa première tentative. En s'avançant entre les menhirs, il avait pensé à son père. Il l'avait visualisé tel qu'il s'en souvenait, et donc tel qu'il était quand lui-même était déjà de ce monde.

Il tapota à nouveau le stylo contre le papier, ne parvenant pas à se résoudre à décrire cette rencontre. Capitulant, il revint à la première page du cahier, où il avait esquissé un semblant de sommaire.

Guide pratique pour les voyageurs dans le temps
I. Phénomènes physiques
A. Sites connus. (Courants telluriques ? Flux magiques ?)
B. Patrimoine génétique
C. Mortalité
D. Influence et propriétés des gemmes
E. Sang ?

Il avait rayé cette dernière tête de chapitre mais hésita. Était-il obligé de dire tout ce qu'il savait, croyait ou soupçonnait ? Selon Claire, l'idée qu'un sacrifice fût nécessaire ou utile était absurde, une superstition païenne sans fondement. Elle avait peut-être raison ; après tout, c'était elle, la scientifique. Mais il se souvenait encore avec un certain malaise de la nuit où Geillis Duncan avait traversé les pierres.

La longue chevelure blonde tournoyant dans le vent, le feu de joie projetant son ombre dansante sur un menhir. L'odeur écœurante d'essence se mêlant à celle de la chair grillée, et le tronc d'arbre qui n'en était pas un gisant calciné au centre du cercle de pierres. Geillis Duncan était allée trop loin.

Claire lui avait fait observer :

— Dans les vieux contes de fées, il est toujours question de « deux cents ans ».

Les vrais contes de fées, ceux qui racontaient l'histoire de gens enlevés par des fées, « entraînés à travers les pierres sur des collines aux fées ». Ces histoires commençaient souvent par « C'était il y a deux cents ans ». Ou alors, des gens se retrouvaient au même endroit mais deux siècles plus tard. Deux siècles…

Chaque fois que Claire, Bree et lui-même avaient franchi le cercle de pierres, ils avaient parcouru la même distance : deux cent deux ans. Ce qui correspondait plus ou moins aux deux siècles des contes anciens. Mais Geillis Duncan était allée trop loin en arrière.

Avec une profonde réticence, il réécrivit lentement *Sang* et ajouta entre parenthèses : (*Feu ?*). Toutefois, il n'ajouta rien en dessous. Pas tout de suite. Plus tard.

Pour se rassurer, il lança un regard vers l'étagère où se trouvait la lettre, coincée sous le petit serpent sculpté en cerisier. « *Nous sommes en vie…* »

Il eut soudain envie d'aller chercher le petit coffret en bois qui renfermait les autres, de les ouvrir et de les lire. Par curiosité certes, mais il y avait autre chose… le besoin de les toucher, de les presser contre son cœur et son visage, d'effacer l'espace et le temps qui les séparaient de Claire et de Jamie.

Il repoussa cette impulsion. Ils avaient décidé… enfin, Brianna avait décidé… Après tout, il s'agissait de ses parents. Parcourant le contenu du coffret de ses longs doigts fins, elle avait déclaré :

— Je ne veux pas toutes les lire d'un coup. Après que j'aurai terminé, ce sera comme si… comme s'ils étaient définitivement partis.

Il comprenait. Tant qu'il restait au moins une lettre à lire, ils étaient vivants. En dépit de sa curiosité d'écrivain, il partageait son sentiment. En outre…

Les parents de Brianna n'avaient pas écrit ces lettres comme on tient un journal destiné à une postérité imaginaire. Elles s'adressaient spécifiquement à Brianna et à lui. Elles pouvaient donc contenir des informations troublantes ; ses beaux-parents avaient un don pour ce genre de révélations.

Malgré lui, il se leva, alla chercher la lettre. Il voulait lire à nouveau le post-scriptum pour s'assurer qu'il n'avait pas rêvé.

Il avait bien lu. Le mot « sang » résonnant encore à ses oreilles, il se cala contre le dossier de sa chaise. *Un gentilhomme italien…* Il ne pouvait s'agir que de Charles Stuart. Après avoir fixé le vide devant lui quelques instants, il se rendit compte que Mandy avait entre-temps attaqué *Vive le vent*. Il s'extirpa de sa torpeur méditative, tourna quelques pages et se remit à écrire :

II. Moralité
A. Meurtre et mort injustifiée
Naturellement, nous considérons que donner la mort pour toute autre raison que la légitime défense, l'assistance à autrui

ou le recours légitime à la force en temps de guerre est totalement inadmissible.

Il se relut plusieurs fois, marmonna :
— Quelle pédanterie !
Il arracha la page et la froissa en boule.
Abandonnant un instant Mandy qui gazouillait « *Viiiii le vent ! Viiii le vent d'hiiiiver !* », il traversa le couloir avec son cahier et entra dans le bureau de Brianna.
— De quel droit pomperais-je l'air des gens avec ma morale ?
Elle releva le nez d'une planche montrant les différents composants d'une turbine hydroélectrique mais, à son regard vide, il était clair qu'elle était encore trop absorbée pour comprendre qui lui parlait et ce qu'on lui disait. Il y était habitué et attendit avec une légère impatience que son esprit se détache de la turbine et se concentre sur lui.
— Pomper qui ? demanda-t-elle en plissant le front. À qui veux-tu faire la morale ?
— Et bien… (il lui montra le cahier). Aux enfants, je suppose.
— Il est parfaitement normal d'apprendre la morale à ses enfants. Tu es leur père, c'est ton boulot.
— Ah… fit-il, légèrement décontenancé. Oui, mais… j'ai fait un bon nombre de choses que je leur dis de ne pas faire.
Le sang. Effectivement, c'était peut-être une forme de protection. Ou peut-être pas.
Elle arqua un de ses épais sourcils roux.
— Tu n'as jamais entendu parler d'hypocrisie salutaire ? Je croyais qu'ils vous apprenaient ça au séminaire. Après tout, l'enseignement de la morale ne relève-t-il pas aussi des fonctions du pasteur ?
Elle le fixa de son regard bleu et attendit. Il prit une profonde inspiration. On pouvait toujours faire confiance à Bree pour prendre le taureau par les cornes. Après leur retour, elle n'avait pas dit un mot au sujet de sa quasi-ordination ; elle ne lui avait pas demandé ce qu'il comptait

faire de sa vocation. Pas la moindre allusion durant toute l'année qu'ils avaient passée aux États-Unis, pendant l'opération de Mandy, pendant les mois de travaux pour restaurer Lallybroch après qu'ils l'avaient eu rachetée. Elle avait attendu qu'il lui ouvre la porte. Après ça, bien sûr, elle était entrée au pas de charge, l'avait renversé par terre et avait planté un pied sur sa poitrine.

— Oui, répondit-il. En effet.

Elle lui sourit.

— Parfait, alors où est le problème ?

Il sentit sa gorge se nouer.

— Bree… si je le savais, je te le dirais.

Elle se leva et posa une main sur son bras mais, avant que l'un ou l'autre n'ait pu en dire plus, des petits pieds nus coururent dans le couloir et la voix de Jemmy retentit dans le bureau de Roger :

— Papa ?

— Ici, mon grand !

Brianna se dirigeait déjà vers la porte. La suivant, Roger trouva son fils vêtu de son pyjama Superman, ses cheveux mouillés hérissés sur le crâne, se tenant devant son bureau et examinant la lettre d'un air intrigué.

— Qu'est-ce que c'est ? demanda-t-il.

Mandy se précipita et escalada la chaise pour mieux voir en répétant :

— Quessesset ?

Brianna répondit du tac au tac :

— Une lettre de votre grand-père.

Elle posa une main sur la lettre, cachant une grande partie du post-scriptum, et pointa l'index vers un paragraphe.

— Il vous embrasse. C'est écrit là, vous voyez ?

Un sourire radieux illumina le visage de Jem.

— Il avait bien dit qu'il n'oublierait pas, dit-il ravi.

— Bisou, bisou, grand-papa ! s'exclama Mandy.

Elle se pencha en avant, faisant retomber sa masse de boucles noires sur son visage, et planta un *smack* sonore sur le papier.

Partagée entre l'horreur et le rire, Brianna saisit rapidement la feuille et essuya la bave. Heureusement, bien qu'ancien, le papier était solide. Elle le tendit à Roger et déclara comme si de rien n'était :

— Bien ! Quelle histoire va-t-on lire, ce soir ?

— Des zistoires avec des zaminaux ! s'écria Mandy.

— Des a-ni-maux, la corrigea son frère.

— D'accord ! répondit-elle sans s'offusquer. Moi d'abord !

Elle s'élança dans le couloir tel un bolide, talonnée de près par son frère. Brianna prit trois secondes pour attraper Roger par les deux oreilles et l'embrasser fermement sur la bouche avant de le lâcher et d'emboîter le pas à sa progéniture.

Rasséréné, il se rassit, écoutant le rituel du brossage de dents à l'étage. Avec un soupir, il rangea son cahier dans un tiroir. Il n'y avait rien d'urgent, après tout. Il s'écoulerait des années avant qu'il soit utile. Des années et des années.

Il replia soigneusement la lettre et, se dressant sur la pointe des pieds, la déposa sur la plus haute étagère de la bibliothèque. Il replaça le petit serpent par-dessus. Il moucha ensuite la bougie et sortit rejoindre sa famille.

✳

Post-scriptum : Je vois qu'on me laisse le dernier mot, un privilège rare pour un homme qui cohabite avec huit femmes (la dernière fois que je les ai comptées). Nous projetons de quitter les montagnes dès que le climat nous le permettra. Nous partirons pour l'Écosse afin d'y chercher ma presse d'imprimerie, que nous rapporterons avec nous. Voyager ces temps-ci est particulièrement difficile, et j'ignore quand ou même si j'aurai l'occasion de vous écrire à nouveau (je ne sais pas non plus si vous lirez un jour cette lettre, mais je préfère partir du principe que ce sera le cas).

Je voulais vous parler de la disposition d'un bien autrefois confié aux Cameron au nom d'un gentilhomme italien. Il me paraît peu sage de l'emporter avec nous et je l'ai donc placé en lieu sûr. Jem connaît l'endroit. S'il vous arrivait d'en avoir besoin, dites-lui que l'Espagnol le protège. Dans l'éventualité où vous le récupéreriez, assurez-vous de le faire bénir par un prêtre. Il a été souillé de sang.

Il m'arrive parfois de souhaiter pouvoir connaître l'avenir ; mais, le plus souvent, je remercie le ciel d'en être incapable. Néanmoins, je verrai toujours vos visages. Embrassez les enfants pour moi.

Votre père qui vous aime,

J. F.

✳

Une fois les enfants débarbouillés, brossés, couchés, bordés et embrassés, les parents se retrouvèrent dans la bibliothèque devant un verre de whisky et la lettre.

— « *Un gentilhomme italien* » ?

Bree regarda Roger en arquant un sourcil, une attitude qui lui rappelait tellement Jamie Fraser qu'il baissa involontairement les yeux vers la lettre.

— Veut-il parler de…

— Charles Édouard Stuart, il ne peut s'agir que de lui.

Elle prit la lettre et relut le post-scriptum pour la énième fois.

— Dans ce cas, le bien en question…

— Il a découvert l'or. Et Jem saurait où il l'a caché ?

Il n'avait pu s'empêcher d'employer un ton interrogatif, levant les yeux vers le plafond au-dessus duquel les enfants dormaient, espérait-il, paisiblement, drapés dans leur innocence et leur pyjama orné de personnages de bandes dessinées.

— Tu crois vraiment ? demanda Brianna. Ce n'est pas exactement ce que dit papa. Et s'il sait vraiment, c'est un secret terriblement lourd pour un enfant de huit ans.

— Effectivement.

Vrai ou pas, Jem savait garder un secret. Toutefois, Bree avait raison, son père n'aurait jamais imposé à quiconque un fardeau aussi lourd et dangereux, surtout pas à son cher petit-fils. Et certainement pas sans une bonne raison. En outre, il était clair dans le post-scriptum qu'il ne leur transmettait cette information qu'au cas où ils en auraient besoin.

— Tu as raison. Jem ne sait rien au sujet de l'or... Il ne connaît que « l'Espagnol ». Il t'a déjà dit quelque chose à ce sujet ?

Elle fit non de la tête, puis se tourna quand un courant d'air chargé d'une odeur de pluie fit gonfler les rideaux. Elle se leva précipitamment pour fermer la fenêtre, puis monta vérifier celles de l'étage supérieur, faisant signe à Roger de s'occuper de celles du rez-de-chaussée. Lallybroch était une grande maison. Les enfants essayaient régulièrement de compter ses fenêtres sans jamais parvenir deux fois au même nombre.

Roger aurait pu les compter lui-même et régler la question une fois pour toutes, mais il rechignait à le faire. Comme toutes les vieilles demeures, Lallybroch avait sa propre personnalité. Ses bâtisseurs avaient cherché le confort plutôt que l'ostentation. Elle était accueillante, spacieuse et belle ; l'écho des générations antérieures murmurait dans ses murs. Elle avait également ses petits secrets, et il trouvait que de ne pas révéler le nombre de ses fenêtres cadrait bien avec son esprit espiègle.

Les fenêtres de la cuisine étaient fermées, mais il la traversa quand même. Elle était désormais équipée d'un réfrigérateur moderne, d'une cuisinière Aga et d'une nouvelle tuyauterie mais avait conservé ses vieux comptoirs en granit tachés de jus de baies ainsi que du sang des volailles et du gibier. Dans la dépense, la lumière était éteinte, mais il distinguait néanmoins dans le sol la grille de ventilation qui alimentait « le trou du curé ».

Ces cachettes avaient été répandues aux XVIe et XVIIe siècles pour y abriter les prêtres catholiques persécutés. Son beau-père s'y était réfugié, lui aussi, juste après le soulèvement jacobite et avant d'être emprisonné à Ardsmuir. Roger y était descendu un jour, quand ils avaient racheté la maison.

En visitant le petit réduit fétide suintant d'humidité, il avait compris pourquoi Jamie Fraser avait choisi de vivre en pleine nature, perdu au milieu de montagnes lointaines.

Des années de fuite, de privations, d'emprisonnement... Jamie Fraser n'était pas un être politique et il connaissait mieux que personne le véritable coût de la guerre, quelles que soient ses motivations. Pourtant, Roger avait vu son beau-père se masser de temps à autre les poignets d'un air absent. Les marques des fers avaient disparu depuis long-temps, mais le souvenir de leur poids était tenace. Roger ne doutait pas que Jamie Fraser aurait préféré mourir plutôt que de perdre sa liberté. L'espace d'un instant, il aurait tout donné pour être avec lui et se battre à ses côtés.

La pluie était arrivée. Il l'entendit d'abord clapoter sur les tuiles en ardoise des dépendances puis se déverser dans toute sa fureur, enveloppant la maison de brume et d'eau.

— Pour nous... et la postérité, dit-il doucement.

C'était un marché conclu entre hommes... tacite mais parfaitement compris. Rien d'autre n'importait que la pré-servation de la famille et la protection des enfants. Quel que soit le prix qu'il faudrait payer pour cela – sang, sueur ou âme – il serait payé.

— *Oidche mhath*, dit-il encore en direction du trou du curé. « Bonne nuit. »

Il resta encore un moment dans la cuisine, sentant l'étreinte de la demeure qui les protégeait de l'orage. Cette pièce avait toujours été le cœur de la maison, et il trouvait la chaleur de la cuisinière aussi réconfortante que l'avait été autrefois celle de la grande cheminée désormais vide.

Il retrouva Brianna au pied de l'escalier. Elle s'était chan-gée pour la nuit. Il faisait toujours frais dans les pièces, et la pluie avait encore fait chuter la température de quelques degrés. Pourtant, au lieu de son pyjama en laine habituel, elle avait enfilé une fine chemise de nuit blanche faussement innocente, avec un petit entrelacs de ruban rouge. Le coton léger épousait la forme de ses seins comme un nuage sur un pic de montagne.

Il le lui dit et elle éclata de rire, mais elle ne souleva pas d'objection quand il posa ses mains dessus. Ses mamelons contre ses paumes étaient ronds comme des galets.

Elle passa la langue sur ses lèvres et chuchota :

— On monte dans la chambre ?

Il l'embrassa goulûment.

— Non, dans la cuisine. On ne l'a pas encore fait ici.

Il la prit à demi étalée sur le vieux comptoir aux taches mystérieuses, leurs halètements ponctués par le gémissement du vent et de la pluie contre les volets en bois. Il la sentit frémir des pieds à la tête et se liquéfier puis s'abandonna à son tour, les genoux tremblants. Il se laissa lentement tomber en avant à côté d'elle, s'accrochant à ses épaules, le visage enfoui dans sa masse de cheveux qui sentait bon le shampoing. La dalle de granit était lisse et fraîche contre sa joue. Son cœur battait lentement et fort, régulier comme un rythme de grosse caisse.

Il était nu. Un courant d'air glacé venu de nulle part hérissa les poils de ses jambes et de son torse. Brianna le sentit frissonner.

— Tu as froid ? murmura-t-elle.

Elle, en revanche, semblait rougeoyer comme un charbon ardent. Il n'avait plus qu'une envie, se lover contre elle dans leur lit et écouter passer l'orage dans une douce étreinte.

— Ça va. On monte se coucher ?

Il se redressa et ramassa ses vêtements éparpillés sur le sol. À l'étage, le bruit de la pluie était plus fort. Tandis qu'ils montaient les marches, Brianna fredonnait :

— *Deux par deux les animaux montaient à bord, les éléphants et les alligators…*

Roger sourit. Effectivement, la maison pouvait faire penser à l'arche de Noé, flottant sur une houle rugissante alors que tout à l'intérieur était douillet. Deux par deux… deux parents, deux enfants… peut-être plus, un jour. Après tout, ce n'était pas la place qui manquait.

Une fois la lumière éteinte, Roger oscilla à la lisière du sommeil, bercé par la pluie, s'accrochant au plaisir du moment. Le corps de Brianna contre le sien formait une masse douce et chaude. Elle chuchota :

— On ne lui demandera pas, n'est-ce pas ? À Jem ?

— Hein ? Ah, non. Bien sûr que non. Ce n'est pas nécessaire.

Néanmoins, sa curiosité était piquée. Qui était l'Espagnol ? En outre, l'idée d'un trésor enfoui était toujours alléchante. Ils n'en avaient pas besoin ; ils avaient suffisamment d'argent pour le moment. Encore fallait-il que l'or fût toujours là où Jamie l'avait laissé, ce qui paraissait peu probable après toutes ces années.

Il n'avait pas non plus oublié la dernière injonction de Jamie.

Faites-le bénir par un prêtre. Il a été souillé de sang. Les mots se fondirent dans sa pensée, et ce qu'il voyait sur la surface de ses paupières n'était pas une masse de lingots d'or mais le vieux comptoir en granit de la cuisine, avec ses taches sombres si profondément incrustées dans la pierre qu'elles en faisaient désormais partie et que le récurage le plus vigoureux ne pourrait enlever ; et des incantations moins encore !

Peu importait. L'Espagnol pouvait bien garder son or. La famille était en sécurité.

——◄○►——

Deuxième partie

DU SANG, DE LA SUEUR ET DES CORNICHONS

6

Long Island

Le 4 juillet 1776, la Déclaration d'indépendance est signée à Philadelphie.

Le 24 juillet, le lieutenant général sir William Howe débarque sur Staten Island et établit son quartier général de campagne à New Dorp, dans la taverne The Rose and Crown.

Le 13 août, le lieutenant général George Washington entre à New York, qui est tenue par les Américains, afin d'en renforcer les fortifications.

Le 21 août, lord Ellesmere, le lieutenant William Ransom, se présente au Rose and Crown, à New Drop, pour prendre son service (avec un certain retard). Il est le plus jeune membre de l'état-major du général Howe.

✳

Le lieutenant Edward Markham, marquis de Clarewell, scruta le visage de William, lui offrant une vision rapprochée peu ragoûtante du bouton juteux qui était sur le point d'éclore sur son front.
— Ça va aller, Ellesmere ?
William parvint tout juste à desserrer les dents pour répondre :

— Oui, très bien.

— C'est que… vous êtes tout vert.

L'air inquiet, Clarewell glissa une main dans sa poche.

— Voulez-vous sucer mon cornichon ?

William atteignit le bastingage juste à temps. Des remarques hilares fusèrent derrière lui concernant le cornichon de Clarewell, qui voudrait bien le sucer et combien ce dernier serait prêt à payer pour ce service, le tout ponctué des protestations du lieutenant qui soutenait que, selon sa vieille grand-mère, le cornichon au vinaigre était un remède miraculeux contre le mal de mer. Il en était la preuve vivante ; il n'y avait qu'à le regarder, solide comme un roc !

Les yeux larmoyants, William concentra son regard sur la ligne du rivage. La mer n'était pas particulièrement houleuse, même si un orage couvait au loin. Peu importait, le moindre mouvement du navire, même lors du trajet le plus bref, et son estomac se retournait comme un gant. C'était immanquable !

Il n'avait plus rien à rendre depuis longtemps, mais son ventre n'en semblait pas convaincu. Il s'essuya la bouche et se redressa en bombant le torse.

Ils ne tarderaient plus à jeter l'ancre. Il était temps pour lui de redescendre sous le pont et de rassembler ses compagnies dans un semblant d'ordre avant qu'elles ne soient transbordées dans les canots. Il risqua un bref regard vers le large et aperçut le *River* et le *Phoenix* juste derrière eux. Le *Phoenix* était le vaisseau amiral de Howe ; à son bord se trouvait son frère, le général. Allait-on les faire attendre, ballottés comme des bouchons de liège sur une eau de plus en plus agitée, jusqu'à ce que le général Howe et son aide de camp le capitaine Pickering soient descendus à terre ? *Mon Dieu, faites que non !*

En fait, les hommes furent autorisés à débarquer presque aussitôt.

— DÉPÊCHONS, messssieurs ! s'époumona le sergent Cutter. Nous allons attraper ces fils de catins de rebelles dare-dare, c'est moi qui vous le dis ! Et GARE à celui que je surprends à tirer au flanc ! Vous, là… !

Il fonça, avec la force d'un crachat noir de chique, botter le train d'un second lieutenant défaillant sous le regard attendri de William. Rien de bien terrible ne pouvait survenir dans un monde abritant le sergent Cutter.

Il suivit ses hommes le long de l'échelle et grimpa dans un canot, l'excitation du moment lui faisant complètement oublier son estomac. Sa première vraie bataille l'attendait quelque part dans les plaines de Long Island.

✳

Quatre-vingt-huit frégates. Selon la rumeur, c'était l'étendue de la flotte de l'amiral Howe, et William n'en doutait pas. La baie de Gravesend n'était plus qu'une forêt de mâts, et la mer grouillait de petites embarcations transportant les troupes à terre. Lui-même bouillonnait d'impatience, et il sentait la même effervescence se propager parmi ses hommes tandis que les caporaux venaient chercher les compagnies sur le rivage et les conduisaient à l'écart en rangs ordonnés, laissant de la place à la prochaine vague de canots.

Les chevaux des officiers étaient débarqués à la nage, la distance n'étant pas grande. William fit un bond de côté quand un grand alezan surgit des flots non loin et s'ébroua, aspergeant d'embruns tous ceux qui se trouvaient dans un rayon de quelques mètres. Le palefrenier accroché à son licou ressemblait à un rat trempé. Il s'ébroua à son tour et adressa un grand sourire à William, son visage rendu blême par le froid mais les yeux pétillants d'excitation.

William avait une monture lui aussi… quelque part. Le capitaine Griswold, un officier supérieur appartenant à l'état-major de Howe, devait lui en prêter une faute d'avoir eu le temps de s'organiser autrement. Il supposait que le soldat chargé de la lui apporter le trouverait tôt ou tard, même s'il ne voyait pas comment.

Partout régnait un chaos organisé. La portion du littoral où ils avaient débarqué était bordée d'un vaste replat de marée, et des essaims d'hommes en redingote rouge pataugeaient dans le varech tels des échassiers, le beuglement des sergents offrant un contrepoint aux cris des mouettes au-dessus de leurs têtes.

William avait été présenté aux caporaux le matin même et n'avait pas encore eu le temps de mémoriser leurs traits. Il finit néanmoins par retrouver ses quatre compagnies pour les entraîner vers les dunes de sable parsemées d'herbes rêches. Il faisait chaud et, avec leur uniforme et leur lourd paquetage, les hommes étaient en nage. Il leur ordonna de se mettre au repos, les laissant boire l'eau ou la bière de leurs bidons et manger un bout de fromage et de biscuit. Ils ne tarderaient pas à se remettre en route.

Pour aller où ? William aurait bien aimé le savoir. La veille, lors d'une brève réunion d'état-major, sa première réunion, il avait appris l'essentiel du plan d'invasion : une moitié de l'armée marcherait de la baie de Gravesend vers l'intérieur des terres, puis bifurquerait vers le nord en direction de Brooklyn Heights, où les forces rebelles étaient retranchées. Le reste des troupes remonterait la côte jusqu'à Montauk, formant une ligne de défense pouvant traverser Long Island et piéger les rebelles dans un filet, si c'était nécessaire.

William aspirait de toutes ses forces à faire partie de l'avant-garde. Toutefois, c'était peu réaliste. Il connaissait à peine ses troupes et celles-ci faisaient peine à voir. Aucun commandant sensé ne placerait ce genre de compagnies sur la ligne de front, à moins de s'en servir comme chair à canon. William s'arrêta sur cette pensée un instant, mais rien qu'un instant.

Howe n'était pas du genre à gaspiller ses hommes. Il avait la réputation d'être prudent, même peut-être un peu trop. William le tenait de son père. Lord John n'avait pas précisé que c'était justement la raison pour laquelle il avait consenti à ce qu'il rejoigne son état-major, mais cela coulait de source. Peu importait. William avait calculé que ses chances de participer à de vrais combats étaient nettement plus élevées avec Howe que s'il piétinait sur place dans les marais de Caroline du Nord avec sir Peter Packer.

Et après tout... Il regarda lentement autour de lui. La mer n'était qu'une masse de navires britanniques et la plage à ses pieds était noire de soldats. Il n'aurait jamais admis à voix haute à quel point il était impressionné, mais sa cravate lui serrait la gorge.

L'artillerie était en train d'être débarquée, flottant périlleusement sur des barges manœuvrées par des marins à grands renforts de jurons. Les avant-trains, les caissons ainsi que les chevaux et les bœufs chargés de les tirer, débarqués sur la côte un peu plus au sud, avançaient sur la plage en projetant des gerbes d'eau et de sable dans un concert de hennissements et de meuglements de protestation. C'était la plus grande armée qu'il ait jamais vue.

— Lieutenant! Lieutenant!

En se retournant, il découvrit un soldat, petit et guère plus âgé que lui, aux joues rebondies et à l'air anxieux.

— Votre esponton et votre cheval, lieutenant.

Il tourna le menton vers le grand hongre bai dont il tenait les rênes.

— Avec les compliments du capitaine Griswold, lieutenant.

William prit l'arme d'hast, dont la hampe mesurait plus de deux mètres de long. Son fer en acier poli lançait un éclat terne même sous le ciel couvert et son poids électrisa tout son bras.

— Merci. Et vous êtes... ?

— Oh! Première classe Perkins, lieutenant!

Le soldat toucha précipitamment son front en guise de salut.

— ... Troisième compagnie. Les « estafileurs », qu'on nous appelle.

— Vraiment? Eh bien, espérons qu'on vous donnera bientôt l'occasion de mériter votre surnom.

Perkins le regarda sans comprendre.

William lui fit signe qu'il pouvait se retirer.

— Merci, Perkins.

Il prit les rênes du cheval, sentant la joie le submerger. C'était la plus grande armée qu'il ait jamais vue, et il en faisait partie.

✳

William eut plus de chance qu'il ne l'avait prévu, mais moins qu'il ne l'aurait espéré. Ses compagnies devaient faire partie de la seconde vague, suivant l'avant-garde à pied et protégeant l'artillerie. Cela ne garantissait pas qu'ils se battraient, mais cela restait possible, surtout si les Américains se montraient à la hauteur de leur réputation de belliqueux.

Il était midi passé quand il leva haut son esponton et hurla :

— En avant, marche !

L'orage avait enfin éclaté et la pluie leur offrait un doux répit après la lourde chaleur.

Au-delà de la frange boisée qui bordait les dunes s'étendait une large et belle plaine. De hautes herbes oscillaient devant eux, parsemées de fleurs sauvages dont les couleurs vives ressortaient sous la lumière grise. Au loin, William apercevait des envolées d'oiseaux (des colombes ? des cailles ? Ils étaient trop loin pour qu'il les distingue) chassés de leurs fourrés par l'avancée des soldats.

Ses propres compagnies marchaient près du centre de la première ligne, avançant en colonnes sinueuses derrière lui. Il eut une pensée reconnaissante pour le général Howe. En tant qu'officier le plus jeune, il aurait dû être affecté à des tâches de liaison, cavalant d'une compagnie à l'autre pour transmettre les ordres du quartier général, acheminant des informations entre les trois généraux, Howe, sir Henry Clinton et lord Cornwallis.

Toutefois, étant arrivé tardivement, il ne connaissait aucun des autres officiers ni la disposition des troupes. Ne sachant qui était qui, ni qui était censé être où, il aurait fait un piètre messager. Trouvant un instant en dépit des préparatifs de l'invasion imminente, le général Howe non seulement l'avait reçu avec une grande courtoisie, mais lui avait offert le choix : accompagner le capitaine Griswold et le servir comme ce dernier jugerait bon ou assurer le commandement de quelques compagnies dont le lieutenant venait d'être pris de fièvre.

William avait sauté sur l'occasion et se tenait à présent fièrement en selle, son esponton calé contre sa cuisse, menant les hommes à la guerre. Il roula les épaules, appréciant la sensation de sa nouvelle redingote en laine rouge, de sa queue de cheval soigneusement tressée contre sa nuque, de sa cravate en cuir raide, du poids de son gorgerin d'officier, ce minuscule vestige en argent de l'armure romaine. Il n'avait pas endossé l'uniforme depuis près de deux mois et, trempé ou pas, il se sentait dedans tel un guerrier auréolé de gloire.

Une compagnie de cavalerie légère avançait non loin d'eux. Il entendit son officier hurler un ordre et la vit bifurquer vers un boqueteau au loin. Avaient-ils vu quelque chose ?

Non. Un nuage de merles s'éleva au-dessus des cimes dans une explosion de cris qui effraya plusieurs chevaux et les fit se cabrer. Les cavaliers fouillèrent le petit bois en se frayant à coups de sabre un passage entre les branches, mais c'était de pure forme. Si des hommes s'y étaient cachés, ils avaient fui depuis longtemps, et la compagnie repartit au galop rejoindre l'avant-garde.

William se détendit et décrispa ses doigts autour de l'esponton.

Pas l'ombre d'un Américain en vue. Il n'était pas surpris. En remontant depuis Wilmington, il en avait assez vu et entendu pour savoir que seuls les vrais continentaux se battraient probablement d'une manière organisée. Il avait assisté à des entraînements de miliciens sur les places de villages et avait partagé des repas avec eux. Aucun n'était soldat. Lors des manœuvres, ils étaient pathétiques, incapables de marcher en rangs et encore moins au pas. Cependant, tous étaient des chasseurs aguerris. Après en avoir vu bon nombre abattre des oies et des dindes sauvages en plein vol, il ne pouvait plus partager le mépris répandu parmi les troupes britanniques.

Non, s'il y avait des Américains dans les parages, ils ne le sauraient qu'en voyant les premiers soldats anglais tomber. Il fit signe à Perkins d'approcher et lui ordonna de dire aux caporaux de maintenir leurs hommes en alerte, leur arme chargée et amorcée. Il vit un caporal se raidir en recevant ce message, le considérant manifestement comme une insulte… mais s'exécutant néanmoins. William sentit sa tension se relâcher d'un cran.

Il songea à son récent voyage et se demanda quand – et où – il reverrait le capitaine Richardson pour lui transmettre les renseignements qu'il avait collectés.

Il avait consigné la plupart de ses observations dans sa mémoire, n'écrivant que le strict nécessaire en langage codé dans un exemplaire du *Nouveau Testament* offert par sa grand-mère. Ce dernier se trouvait toujours dans une poche de sa veste de civil laissée à Staten Island. Maintenant qu'il était de retour sain et sauf dans le giron de l'armée, ne devrait-il pas coucher ses observations par écrit dans un rapport en bonne et due forme ?

Un mouvement le fit se dresser dans ses étriers, juste à temps pour percevoir une détonation et un éclair de mousquet provenant d'un bois sur leur gauche.

Voyant ses hommes commencer à abaisser leurs armes, il cria :

— Halte ! Ne tirez pas !

Le bois était trop loin et une autre colonne d'infanterie se trouvait mieux placée. Elle se mit en ordre de tir et décocha une salve en direction de la forêt. Le premier rang s'agenouilla et le second tira une deuxième salve par-dessus les têtes. Des tirs leur répondirent derrière les arbres. Il vit un ou deux hommes tomber, d'autres chanceler, mais la ligne tint bon.

Deux autres salves, quelques tirs en retour mais plus sporadiques… Du coin de l'œil, William perçut un mouvement et pivota sur sa selle. Un groupe d'hommes en tenue de chasse détalait de l'autre côté du bois.

La compagnie devant lui les vit aussi. À un cri de leur sergent, les soldats fixèrent leurs baïonnettes au bout de leurs mousquets et se mirent à courir, même s'il était évident qu'ils ne pourraient jamais les rattraper.

Ce type d'escarmouche se répéta tout au long de l'après-midi à mesure que l'armée avançait. Les blessés étaient transportés à l'arrière, mais ils furent rares. Une des compagnies de William essuya quelques tirs ennemis et il se sentit tel un dieu en ordonnant d'attaquer. Ses hommes se ruèrent vers le bois comme un essaim de frelons furieux, pointant leurs baïonnettes. Ils parvinrent à tuer un rebelle, dont le corps fut traîné à découvert dans la plaine. Le caporal proposa de le pendre à un arbre afin de dissuader les autres rebelles, mais William repoussa fermement cette suggestion peu honorable. Il fit déposer le cadavre à la lisière de la forêt afin que ses compagnons puissent le récupérer.

À l'approche du soir, des ordres du général Clinton circulèrent dans les rangs. Ils ne monteraient pas de camp pour la nuit. Il y aurait une brève pause pour manger des rations froides, puis ils poursuivraient leur route.

Il y eut des murmures surpris parmi les soldats, mais personne ne se plaignit. Ils étaient venus pour se battre et reprirent leur marche avec plus d'empressement.

Il pleuvait encore par intermittence ; les tirs de rebelles s'espacèrent avec la tombée du soir. Il ne faisait pas froid et, en dépit de ses vêtements détrempés, William préférait cette fraîcheur humide à la moiteur étouffante de la journée. En outre, la pluie semblait démoraliser sa monture, ce qui était aussi bien. C'était une bête nerveuse et capricieuse, au point qu'il en vint à douter de la générosité désintéressée du capitaine Griswold. Épuisé par la longue marche, le hongre cessa de broncher au moindre mouvement de branche et de tirer sur ses rênes. Il avançait l'un pas lourd, ses oreilles pendant sur les côtés avec résignation.

Les premières heures de marche nocturne se déroulèrent sans encombres. Toutefois, après minuit, la fatigue commença à se faire sentir. Certains chancelaient et trébuchaient, et tous prenaient la mesure du long effort qu'il leur restait à fournir dans l'obscurité avant l'arrivée de l'aube.

William appela Perkins. Le jeune soldat aux joues rebondies s'approcha en bâillant et marcha à ses côtés, se tenant à son étrier, tandis que William lui expliquait ce qu'il voulait.

— Chanter? répéta Perkins perplexe. Euh… oui, je veux bien, lieutenant, mais je ne connais que des hymnes.

— Mmm… ce n'est pas tout à fait ce que j'avais en tête. Allez donc demander au sergent… Comment s'appelle-t-il déjà? Millikin? L'Irlandais. Qu'il chante ce qu'il voudra, du moment que c'est entraînant et qu'il a de la voix.

Après tout, ils n'essayaient pas de cacher leur présence. Les Américains savaient exactement où ils se trouvaient.

— Bien, lieutenant, répondit Perkins dubitatif.

Il lâcha l'étrier et disparut dans la nuit. Quelques minutes plus tard, William entendit s'élever la voix puissante de Patrick Millikin entonner avec un accent très irlandais une chanson paillarde bien salée. Les hommes se mirent à rire autour de lui et, le temps d'arriver au premier refrain, plusieurs l'accompagnaient. Quelques vers plus tard, tous braillaient de concert, William inclus.

Naturellement, marchant au pas et lourdement chargés, ils ne purent continuer ainsi pendant des heures, mais quand, à bout de souffle, ils eurent épuisé toutes leurs chansons préférées, ils étaient tous bien réveillés et d'humeur enjouée.

Peu avant l'aube, William sentit l'odeur de la mer et les effluves fétides de vase d'un marécage battu par la pluie. Les hommes, déjà trempés, durent patauger dans des criques délaissées par la marée.

Quelques minutes plus tard, la détonation d'un canon brisa la nuit et les oiseaux des marécages s'élevèrent dans le ciel mauve en poussant des cris d'alarme.

✳

Au cours des deux jours qui suivirent, William ne sut jamais où il était. Des noms tels que «Jamaica Pass», «Flatbush» et «Gowannus Creek» apparaissaient dans les dépêches et messages qui circulaient entre les officiers mais, pour autant qu'il sût, il aurait pu s'agir de «Jupiter» ou de «la face cachée de la Lune».

Il vit enfin des continentaux... des hordes d'entre eux, sortant en masse des marais. Les premiers affrontements furent féroces, mais les compagnies de William restèrent en retrait, gardant l'arrière. Ils ne se retrouvèrent qu'une seule fois dans le feu de l'action, afin de repousser une bande d'Américains.

Il n'en était pas moins dans un état d'excitation permanente, essayant de tout voir et de tout entendre en même temps, enivré par l'odeur de poudre même si tous ses os tremblaient à chaque détonation de canon. Quand les échanges de tirs cessèrent, au coucher du soleil, il grignota sans faim un peu de fromage et des biscuits et ne dormit que brièvement.

À la fin de l'après-midi du second jour, ils se trouvèrent à proximité d'une grande ferme en pierres que les Britanniques et quelques troupes hessiennes avaient réquisitionnée comme poste d'artillerie. Les fûts des canons, rendus luisants par la pluie, saillaient des fenêtres à l'étage.

La poudre mouillée commençait à poser un problème. Les cartouches ne risquaient rien, mais si la poudre d'amorce restait dans le bassinet du canon plus de quelques minutes, elle se figeait et ne servait plus à rien. L'ordre de charger devait donc être donné au tout dernier instant. William serrait les dents chaque fois en se demandant quel était le bon moment.

Parfois, la question ne se posait pas. Un groupe d'Américains jaillit subitement de la forêt en poussant un cri de guerre et se lança à l'assaut de la bâtisse. Les troupes postées à l'intérieur ripostèrent avec des tirs de mousquet, en fauchèrent quelques-uns, mais d'autres atteignirent la maison et commencèrent à grimper aux fenêtres brisées. William éperonna son cheval et l'entraîna vers la droite pour voir ce qui se passait à l'arrière de la ferme. Comme il s'en était douté, un autre groupe de rebelles y était déjà, certains escaladant le lierre qui recouvrait la façade.

— Par ici ! hurla-t-il à ses hommes en agitant son esponton. Olson, Jeffries ! À l'arrière ! Chargez et tirez dès que vous les aurez à votre portée !

Deux de ses compagnies s'élancèrent au pas de course, les hommes déchirant leurs cartouches d'un coup de dents tout en courant, mais un escadron d'Hessiens en veste verte les devança, les mercenaires allemands saisissant les Américains par les pieds et les faisant tomber à terre pour les rouer de coups de massue.

William tira sur ses rênes et repartit vers l'avant de la ferme, où il arriva juste à temps pour voir un artilleur britannique voler par une des fenêtres à l'étage. Il atterrit une jambe repliée sous lui et hurla de douleur. L'un des hommes de William, qui se trouvait assez près, courut vers lui et le souleva par les épaules avant d'être abattu par un tireur se trouvant dans la bâtisse. Il se recroquevilla et s'effondra, son chapeau roulant sous les buissons.

Ils passèrent le reste de la journée autour de la ferme; à quatre reprises, les Américains tentèrent une incursion et, par deux fois, parvinrent à entrer dans le bâtiment et à désarmer ses occupants. Par deux fois, ils furent maîtrisés par de nouvelles vagues de troupes britanniques, mis en fuite ou tués. William ne parvint jamais à moins de deux cents mètres de la maison mais put, à une occasion, interposer une de ses compagnies entre le bâtiment et une bande d'Américains déguisés en Indiens et hurlant comme des possédés. L'un d'eux pointa une carabine droit sur lui et tira mais le manqua. William brandit son épée et s'apprêta à fondre sur l'effronté quand ce dernier fut abattu d'un tir venu d'on ne sait où et roula au pied d'un petit monticule.

William dirigea son cheval vers l'homme étendu à terre afin de vérifier s'il était mort. Ses compagnons avaient déjà fui derrière la ferme, poursuivis par des troupes britanniques. Le hongre, habitué aux tirs de mousquet mais pas aux canonnades, renâcla puis, quand un canon tira, aplatit ses oreilles et freina des quatre fers.

William avait toujours son épée à la main, les rênes mollement enroulées autour de l'autre. La secousse le déséquilibra puis, quand sa monture fit une brusque embardée de côté, il perdit un étrier et fut désarçonné. Il eut juste la présence d'esprit de lâcher son arme avant d'atterrir sur une épaule.

Tout en maudissant le hongre et en remerciant le ciel de ne pas avoir eu un pied coincé dans un étrier, il se redressa à quatre pattes, couvert de boue et d'herbes.

Dans la ferme, les tirs avaient cessé. Les Américains avaient dû y pénétrer à nouveau et étaient sans doute engagés dans un corps à corps avec les artilleurs. Il recracha de la boue et commença à battre prudemment en retraite, se sachant dans la portée des tireurs à l'étage.

L'Américain qui avait tenté de l'abattre était étendu sur sa gauche dans l'herbe mouillée. Après un regard méfiant vers la bâtisse, William rampa jusqu'à lui. L'homme gisait face contre terre, immobile. Pour une raison qu'il n'aurait su expliquer, William voulait voir son visage. Il se redressa à genoux, le saisit par les épaules et le tira vers lui.

Il était mort, atteint d'une balle en pleine tête. Sa bouche et ses yeux étaient entrouverts et son corps paraissait étrange, à la fois lourd et mou. Il portait une sorte d'uniforme de milice. William vit le mot « PUT » gravé sur les boutons en bois. Cela signifiait sans doute quelque chose mais, dans son hébétude, William ne parvenait pas à réfléchir. Il reposa délicatement l'homme dans l'herbe et se redressa pour aller chercher son épée. Ses genoux tremblaient.

Il fit quelques pas, s'arrêta puis revint en arrière. S'agenouillant, les doigts glacés et le ventre noué, il ferma les yeux du mort.

✳

Cette nuit-là, au grand plaisir des soldats, ils montèrent enfin le camp. Des fosses de cuisson furent creusées, les carrioles de cuisine furent avancées et des odeurs de viande grillée et de pain frais s'élevèrent dans l'air humide. William venait juste de s'asseoir pour dîner quand Perkins, cet oiseau de mauvais augure, apparut l'air contrit à ses côtés avec un message : il devait se présenter sur-le-champ au rapport au

117

QG du général Howe. William attrapa un morceau de pain et une saucisse de porc fumante et se mit en route tout en mâchant.

Il trouva les trois généraux et la totalité de leurs officiers réunis et plongés dans une discussion animée sur les résultats de la journée. Les généraux étaient assis autour d'une petite table jonchée de dépêches et de cartes dressées en hâte. William trouva une place parmi les officiers et se tint respectueusement le dos contre la cloison de toile de la grande tente.

Sir Henry plaidait en faveur d'un assaut sur Brooklyn Heights au petit matin. Il agita une main vers les dépêches.

— Nous pourrions les déloger facilement. Ils ont perdu la moitié de leurs hommes, sinon plus… Et ils n'étaient pas très nombreux pour commencer.

— Facilement ? J'en doute, objecta lord Cornwallis. Vous les avez vus au combat. Certes, nous pourrons les chasser de là, mais cela aura un prix.

Il se tourna avec déférence vers Howe.

— Qu'en dites-vous ?

Howe se mordit les lèvres jusqu'à ce qu'elles ne soient plus qu'une fine ligne blême, puis il répondit d'une voix sèche :

— J'ai déjà payé très cher ma dernière victoire. Je ne peux pas me permettre de remettre ça. Quand bien même je le pourrais, je ne le voudrais pas.

Il balaya du regard les jeunes officiers devant lui.

— J'ai perdu tout mon état-major sur cette maudite colline à Boston. Vingt-huit hommes ; tous mes officiers.

Son regard s'attarda sur William, le plus jeune, puis il secoua la tête et se tourna à nouveau vers sir Henry.

— On arrête le combat.

Sir Henry n'était visiblement pas satisfait, mais il se contenta de hocher la tête.

— Leur proposons-nous de négocier ?

— Non. Comme vous venez de le dire, ils ont perdu près de la moitié de leurs hommes. Seul un fou continuerait de se battre sans une bonne raison. Ils… Vous, jeune homme, vous avez une remarque à faire ?

William tressaillit en se rendant compte que Howe s'adressait à lui. Ses yeux ronds lançaient un regard qui transperçait son thorax comme une décharge de chevrotine.

— Je… euh…

Il se reprit et se redressa, le dos droit.

— Oui, général. C'est le général Putnam qui commande les opérations, ici, dans la crique. Ce n'est… ce n'est peut-être pas un fou, général, mais il a la réputation d'être très têtu.

Howe le dévisagea en plissant les yeux.

— Têtu, répéta-t-il. C'est le moins qu'on puisse dire.

— N'était-il pas l'un des commandants à Breed's Hill ? intervint lord Cornwallis. Les Américains ont bien détalé comme des lapins, ce jour-là !

— Oui, mais…

William s'interrompit, paralysé par les regards fixes des trois généraux sur lui. D'un geste impatient, Howe lui fit signe de poursuivre.

— Avec tout le respect que je vous dois, général, j'ai… entendu dire qu'à Boston, les Américains n'avaient pris la fuite qu'après avoir épuisé jusqu'à leurs dernières munitions. Je ne pense pas que ce soit le cas ici. Quant au général Putnam… il n'avait personne derrière lui à Breed's Hill.

— Et vous pensez que c'est le cas ici.

Ce n'était pas une question.

— Oui, général. J'en suis convaincu. Je crois que pratiquement tous les continentaux se trouvent sur l'île en ce moment.

Il s'efforça d'adopter un ton assuré. Il avait entendu un major le dire la veille, mais ce n'était pas forcément vrai.

— Si Putnam est au commandement ici…

Clinton l'interrompit en lui lançant un regard noir :

— Comment savez-vous que c'est Putnam, lieutenant ?

— Je reviens d'une expédition de renseignements au cours de laquelle j'ai traversé le Connecticut, général. Beaucoup de gens là-bas disaient que les milices se rassemblaient pour accompagner le général Putnam, qui devait rejoindre les forces du général Washington près de New York. En outre, sur la veste d'un des rebelles morts cet après-midi, j'ai vu le mot « PUT » gravé sur un bouton. C'est ainsi qu'ils surnomment le général Putnam... « le vieux Put ».

Le général Howe se redressa avant que Clinton ou Cornwallis ne puissent intervenir encore.

— « Têtu », répéta-t-il encore. Oui, sans doute. Néanmoins, suspendez les combats. Sa position est intenable, il s'en rend sûrement compte. Donnons-lui une chance de réfléchir à la situation et de consulter Washington s'il le souhaite. Ce dernier est peut-être un homme plus raisonnable. Si nous pouvions obtenir la reddition de toute l'armée continentale sans un autre bain de sang... je crois que le jeu en vaut la chandelle, messieurs. Mais n'offrons aucune négociation.

Ce qui signifiait que, si les Américains entendaient raison, ce serait une reddition sans conditions. Mais dans le cas contraire ? William avait entendu des récits sur la bataille de Breed's Hill, de la bouche d'Américains, certes, et donc à prendre avec des pincettes. Apparemment, les rebelles à court de munitions avaient extrait les clous des clôtures des fortifications et même des talons de leurs chaussures pour les tirer sur les Britanniques. Ils n'avaient battu en retraite qu'une fois réduits à leur lancer des pierres.

Clinton fronça les sourcils :

— Mais si Putnam espère des renforts de Washington, il va se contenter d'attendre. Nous allons ensuite nous retrouver face à toute cette masse... Ne ferions-nous pas mieux de...

— Ce n'est pas ce qu'il a voulu dire, l'interrompit Howe. N'est-ce pas, Ellesmere ? Quand vous avez dit qu'à Breed's Hill il n'avait personne derrière lui ?

— Non, général, répondit William. Je voulais dire que... cette fois, il a quelque chose à protéger. Derrière lui. Je ne crois pas qu'il attende que le reste de l'armée vienne à son secours mais plutôt qu'il couvre sa retraite.

Les sourcils naturellement arqués de lord Cornwallis se haussèrent encore d'un cran. Clinton fusilla William du regard ; celui-ci se souvint avec un temps de retard que Clinton avait été le commandant en chef lors de la victoire à la Pyrrhus de Breed's Hill. Il était donc particulièrement sensible à tout sujet touchant Israel Putnam.

— Peut-on savoir pourquoi on demande son avis à un gamin sans expérience ? Avez-vous déjà participé à une bataille, jeune homme ?

William sentit le feu lui monter aux joues.

— Je serais en train de me battre, général, si je n'étais pas retenu ici !

Lord Cornwallis éclata de rire et un soupçon de sourire apparut brièvement sur les lèvres de Howe, qui déclara :

— Nous veillerons à ce que vous ayez votre lot de tueries, lieutenant. Mais pas aujourd'hui. Capitaine Ramsay ?

Il fit signe à un officier supérieur, un petit homme aux très larges épaules qui s'avança d'un pas et salua.

— Emmenez Ellesmere vous faire un rapport sur les résultats de son expédition de… renseignements. Vous me transmettrez tout ce qui vous paraîtra digne d'intérêt. En attendant…

Il se tourna vers ses deux généraux.

— … suspendez les hostilités jusqu'à nouvel ordre.

✳

William n'entendit pas la suite des délibérations des généraux, étant entraîné à l'extérieur par le capitaine Ramsay.

Avait-il trop parlé ? Ses propos avaient-ils été déplacés ? Certes, le général lui avait posé une question directe, et il avait été bien obligé de répondre. Mais d'opposer les piètres renseignements glanés au cours de son mois de voyage aux connaissances combinées de tous ces officiers hauts gradés et expérimentés…

Il fit part de ses doutes au capitaine, qui paraissait être un homme peu loquace mais amical.

— Non, vous n'aviez pas d'autre choix que de répondre, le rassura Ramsay. Toutefois…

William évita un tas de crottin de mule et hâta le pas pour rattraper le capitaine.

— Toutefois… ?

Ramsay ne répondit pas tout de suite ; il le conduisit à travers le campement, le long de rangées ordonnées de tentes, saluant au passage des hommes rassemblés autour de feux de camp qui l'interpellaient.

Quand ils arrivèrent enfin devant la tente de Ramsay, celui-ci écarta le rabat de la porte et s'effaça pour laisser passer William, déclarant :

— Vous avez déjà entendu parler d'une certaine Cassandre ? Une dame grecque, il me semble. Elle ne s'est pas fait beaucoup d'amis.

✳

Après la fatigue des derniers jours, les soldats dormirent comme des loirs ; William y compris.

— Votre thé, lieutenant.

Il cligna des yeux, désorienté. Il était toujours dans son rêve, où il déambulait dans le zoo privé du duc du Devonshire main dans la main avec un orang-outan. Toutefois, c'était le visage rond et anxieux de Perkins plutôt que celui du primate qui était penché sur lui.

— Hein ?

Perkins semblait flotter dans une sorte de nuage, une impression qui ne se dissipa pas quand il cligna à nouveau des yeux. En se redressant pour prendre la tasse fumante, il comprit pourquoi : un dense voile de brume flottait sous la tente.

Tous les sons étaient étouffés. Autour de lui, les bruits des soldats se réveillant et se préparant semblaient lointains. Quand il pointa le nez dehors quelques minutes plus tard, il découvrit qu'un épais brouillard montant des marais avait envahi le campement.

Peu important, car l'armée n'allait nulle part. Une dépêche du quartier général de Howe avait officialisé la suspension des hostilités. Il n'y avait plus rien d'autre à faire qu'attendre que les Américains entendent raison et se rendent.

L'armée s'étira, bâilla, chercha des distractions. William était engagé dans une partie de dés endiablée avec les caporaux Yarnell et Jeffries quand Perkins apparut à nouveau, hors d'haleine.

— Le colonel Spencer vous envoie ses salutations, lieutenant, et le général Clinton vous attend.

— Ah bon? Pour quoi faire?

Perkins parut décontenancé; il ne lui était pas venu à l'esprit de le demander au messager.

— Euh... parce qu'il veut vous voir, je pense.

— Merci beaucoup, première classe Perkins, dit William.

Perkins ne sembla pas remarquer son ton sarcastique. Il afficha un sourire rayonnant et tourna les talons sans attendre d'être congédié.

— Hé, Perkins!

Le soldat se retourna, perplexe.

— Où est-ce? demanda William.

— Quoi? Euh... où est quoi, lieutenant?

— Où se trouve le QG du général Clinton?

— Ah! Le hussard... est venu de...

Perkins pivota lentement de gauche à droite telle une girouette, le front plissé par la concentration.

— Par là! s'exclama-t-il enfin. Je pouvais voir le bout de ce monticule derrière lui.

Le brouillard était toujours épais au sol, mais la crête des collines et des arbres était visible ici et là. William n'eut aucun mal à repérer le « monticule » dont parlait Perkins. Il était surmonté d'une drôle de bosse.

— Merci, Perkins.

Il ajouta rapidement avant que le soldat ne file à nouveau :

— Vous pouvez disposer.

Il observa Perkins se fondre dans la masse changeante de brouillard et de silhouettes puis, secouant la tête, il partit à la recherche du caporal Evans pour lui céder son commandement.

Le hongre n'aimait pas le brouillard. William non plus. Il le mettait mal à l'aise, comme si quelqu'un lui soufflait dans la nuque.

C'était un brouillard marin, lourd, froid et humide, mais pas oppressant. Il se clairsemait et épaississait dans un mouvement perpétuel. William pouvait voir à quelques mètres devant lui et distinguait tout juste la forme floue de la colline que lui avait indiquée Perkins, bien que son sommet ne cessât d'apparaître et de disparaître telle une montagne magique dans un conte de fées.

Que lui voulait sir Henry? Était-il le seul à avoir été convoqué ou s'agissait-il d'une réunion pour informer tous les officiers de ligne d'un changement de stratégie?

Peut-être les hommes de Putnam s'étaient-ils rendus… C'était ce qu'ils avaient de mieux à faire. Compte tenu des circonstances, ils n'avaient aucun espoir de remporter la victoire; ils devaient forcément en être conscients.

Mais sans doute Putnam devait-il préalablement en discuter avec Washington. Au cours de la bataille autour de la vieille ferme, William avait aperçu un petit groupe de cavaliers au loin, au sommet d'une colline. L'un d'eux brandissait une bannière qui lui était inconnue. Quelqu'un les lui avait montrés du doigt et avait déclaré en riant: « C'est lui, là-bas. Washington. Dommage qu'on n'ait pas un canon de vingt-quatre en place. On lui aurait appris à danser la gigue! »

La logique voulait qu'ils se rendent. Cependant, William ressentait un trouble qui n'avait rien à voir avec le brouillard. Au cours de son mois sur les routes, il avait écouté beaucoup de colons. La plupart étaient eux aussi mal à l'aise, ne souhaitant pas un conflit avec l'Angleterre et, surtout, ne voulant pas se trouver pris dans les feux croisés des deux armées… ce que l'on pouvait comprendre. En revanche, ceux qui étaient décidés à se révolter affichaient une détermination à toute épreuve.

Il espérait que Ramsay était parvenu à transmettre cette impression aux généraux. Le capitaine n'avait pas paru impressionné par ses informations, et encore moins par ses opinions, mais peut-être que…

Son cheval trébucha et il fut projeté en avant sur sa selle, tirant sur les rênes par réflexe. La monture agacée tourna la tête et tenta de le mordre, éraflant sa botte de ses longues dents.

— Sale bête !

Il fouetta le museau du hongre du bout des rênes puis tira dessus, le forçant à tourner le cou vers lui jusqu'à ce que ses yeux ronds et ses lèvres retroussées soient presque sur sa cuisse. Lui ayant montré qui était le chef, il relâcha sa prise. Le cheval s'ébroua en secouant violemment sa crinière mais reprit sa marche sans plus renâcler.

Il lui semblait s'être mis en route depuis longtemps, mais le brouillard rendait le temps et les distances trompeurs. Il lança un regard vers la colline qui lui servait de repère, mais elle avait disparu à nouveau. Bah… elle réapparaîtrait tôt ou tard.

Sauf qu'elle ne réapparaissait pas.

Le brouillard semblait tourner autour de lui. Des arbres surgissaient sur sa route, si près qu'il entendait leurs feuilles goutter, puis s'évanouissaient à nouveau. Mais la colline, elle, refusait obstinément de réapparaître.

Il lui vint soudain à l'esprit qu'il n'avait entendu aucun bruit humain depuis un certain temps.

C'était étrange.

S'il approchait du quartier général de Clinton, il aurait dû non seulement percevoir les sons habituels d'un campement mais distinguer des hommes, des chevaux, des feux de camp, des tentes, des carrioles…

Il n'y avait aucun bruit autour de lui hormis celui de l'eau. Il avait dû dépasser le camp.

— Sois maudit, Perkins ! bougonna-t-il à voix haute.

Il s'arrêta un instant et vérifia l'amorce de son pistolet, humant la poudre dans le bassinet. Quand elle était humide, elle empestait l'œuf pourri. Ce n'était pas encore le cas ; elle dégageait une odeur chaude qui lui piqua le nez.

Il garda l'arme à la main. Jusqu'à présent, il n'avait rien vu de menaçant, mais cette purée de pois l'empêchait de voir à plus de quelques mètres. Si quelqu'un surgissait soudain devant lui, il n'aurait qu'un instant pour décider s'il devait tirer ou pas.

Tout était calme. L'artillerie britannique était silencieuse et il n'y avait pas de tirs de mousquet sporadiques comme la veille. L'ennemi battait en retraite, cela ne faisait aucun doute. Mais s'il tombait soudain sur un continental égaré comme lui, devait-il tirer sur lui? Sans doute, bien que l'idée rende ses paumes moites. L'autre n'hésiterait sûrement pas à ouvrir le feu dès qu'il apercevrait son uniforme rouge.

Le pire serait d'être abattu par son propre camp; l'humiliation suprême!

Ce maudit brouillard semblait encore s'être épaissi. William chercha vainement le soleil dans l'espoir de se repérer, mais le ciel était invisible.

Il refoula une petite montée de panique. Il y avait 34 000 soldats britanniques sur cette foutue île. S'il tirait en l'air, il y en aurait au moins un pour l'entendre. *Et il te suffit également d'être à portée d'ouïe d'un seul Américain*, se rappela-t-il en se frayant un passage dans les arbres.

Il y eut des bruits et des craquements de branches non loin. Il y avait des gens dans la forêt, cela ne faisait aucun doute, mais à quel camp appartenaient-ils?

L'armée britannique ne se déplacerait pas dans un tel brouillard (*maudit Perkins!*). S'il entendait un groupe d'hommes en marche, le mieux était de s'arrêter et de se cacher. Autrement… tout ce qu'il pouvait espérer, c'était de tomber sur des troupes, ou d'entendre des bruits clairement militaires, comme des ordres aboyés…

Il continua d'avancer un certain temps puis rengaina son pistolet, son poids commençant à lui peser. Depuis combien de temps était-il parti? Une heure? Deux? Devait-il faire demi-tour? Il avait perdu le sens de l'orientation et ne savait même plus par où il était venu. Il tournait peut-être en rond sans le savoir. Partout, le paysage était le même: une masse confuse et grise où se dessinaient des arbres, des rochers et de hautes herbes. La veille, il avait passé chaque instant dans un état fébrile, prêt à l'attaque. Aujourd'hui, son enthousiasme pour le combat était considérablement émoussé.

Quelqu'un surgit devant lui, et son cheval se cabra si brusquement que William ne fit qu'entrapercevoir l'intrus. Juste assez pour savoir qu'il ne portait pas l'uniforme britannique. Il aurait dégainé son pistolet s'il n'avait eu les deux mains occupées à tenter de maîtriser sa monture.

Le hongre emballé bondissait sur ses pattes arrière en décrivant des cercles fous, manquant de lui rompre la colonne vertébrale à chaque saut. Le paysage défilait autour de lui dans un flou bleu et vert. Il avait vaguement conscience d'exclamations non loin qui pouvaient être des railleries comme des encouragements.

Après ce qui lui parut une éternité (mais ne dura sans doute qu'une demi-minute), il parvint à immobiliser la créature infernale. Celle-ci s'ébroua violemment, montrant le blanc de ses yeux.

— Misérable carne ! cria William en faisant ployer le cou à la bête.

Le souffle chaud et humide du cheval traversait le daim de ses culottes et ses flancs palpitaient sous lui.

— Ma foi, j'ai connu des chevaux qui avaient meilleur caractère, dit une voix.

Une main attrapa la bride.

— Cela dit, il a l'air en bonne santé.

William distingua à peine l'homme trapu au teint bistre et en tenue de chasse juste avant de se sentir happé par la ceinture et arraché de sa selle.

Il atterrit à plat sur le dos, sa chute lui coupant le souffle. Il tenta vaillamment d'attraper son pistolet, mais un genou s'enfonça dans son thorax et une poigne d'acier lui fit lâcher prise. Un visage barbu se pencha sur lui avec un grand sourire et déclara sur un ton réprobateur :

— Voilà qui n'est pas très sociable, mon garçon. Moi qui croyais que vous autres, les Anglais, vous étiez tous bien élevés.

— Si tu le laisses se relever, Harry, je te parie qu'il entreprendra de te civiliser.

Celui qui avait parlé était plus petit et plus menu. Il s'exprimait avec la voix douce et cultivée d'un maître d'école et regardait par-dessus l'épaule de l'homme agenouillé sur la poitrine de William.

— En revanche, tu pourrais peut-être le laisser respirer…

La pression sur son torse se relâcha et William parvint à inspirer un petit filet d'air, qu'il expira aussitôt de manière explosive quand celui qui l'avait cloué au sol lui envoya un grand coup de poing dans le ventre. Des mains fouillèrent rapidement ses poches et passèrent brutalement son gorgerin par-dessus sa tête, lui écorchant le nez. Quelqu'un dégrafa sa ceinture et la tira avec un sifflement admiratif en voyant tout l'équipement qui y était accroché.

— Fort bien! approuva le second homme.

Il baissa les yeux vers William, qui était étendu sur le dos et haletait comme un poisson hors de l'eau.

— Je vous remercie, monsieur. Ce fut un plaisir. C'est bon, Allan?

L'homme qui tenait le cheval répondit avec une voix nasillarde et un fort accent écossais :

— Oui, je l'ai. Filons!

Les hommes s'éloignèrent et, l'espace d'un instant, William les crut partis. Soudain, une main épaisse lui agrippa l'épaule et le retourna comme une crêpe. Il rampa, mais la même main attrapa sa queue de cheval et lui tira la tête en arrière, exposant sa gorge. Il aperçut l'éclat d'une lame et le large sourire de son agresseur mais n'eut pas le temps de reprendre son souffle pour prier ou l'insulter.

Le couteau s'abattit et un coup sec sur sa nuque lui fit monter les larmes aux yeux. L'homme émit un grognement mécontent et s'y reprit à deux fois avant de brandir sa tresse avec un cri de triomphe.

— Un petit souvenir! annonça-t-il à William d'un air ravi.

Puis il tourna les talons et courut rejoindre ses compagnons. Quelques instants plus tard, William entendit son cheval hennir dans la brume, semblant le railler.

✳

Que n'aurait-il pas donné pour en avoir tué au moins un ! Il s'était laissé prendre comme un bleu ; ils l'avaient plumé telle une oie et laissé gisant à terre comme un misérable étron ! William bouillonnait tant de rage qu'il dut s'arrêter pour donner un coup de poing dans un tronc d'arbre. La douleur fut aveuglante mais n'entama pas sa fureur vengeresse.

Le souffle court, il serra sa main meurtrie entre ses cuisses jusqu'à ce que la douleur s'atténue. Le choc se mêlait à la colère ; il était étourdi et plus désorienté que jamais. Il porta sa main indemne à sa nuque et sentit les poils raides de son moignon. Envahi d'une nouvelle vague de rage, il donna un grand coup de pied dans le tronc.

Il sautilla en rond à cloche-pied en jurant puis se laissa tomber sur une pierre et se prit la tête entre les mains.

Peu à peu, sa respiration ralentit et sa capacité à réfléchir de façon rationnelle lui revint.

Bien. Il était toujours perdu au milieu de nulle part sur Long Island, mais à présent sans cheval, sans nourriture, sans arme… et sans cheveux. Ce dernier point le fit se redresser brusquement, serrant les poings, et il eut un mal fou à refouler sa colère. Mais il n'avait pas le temps d'être furieux pour le moment. Cela dit, s'il croisait à nouveau un jour le chemin de Harry, d'Allan ou du petit homme à la voix d'instituteur…

Pour l'instant, l'important était de retrouver une partie de l'armée. Sa première impulsion était de déserter sur-le-champ, de sauter à bord du premier navire pour la France et de ne jamais revenir, laissant ses supérieurs croire qu'il avait été tué. Hélas, c'était impossible, pour une série de raisons, la première étant que son père aurait sans doute préféré qu'il ait vraiment été abattu plutôt que d'apprendre qu'il avait fui comme un couard.

Il n'y avait rien à faire. Il se releva, résigné, puisant une maigre consolation dans le fait que les brigands lui avaient au moins laissé sa redingote. Le brouillard se dissipait légèrement ici et là mais restait dense et frisquet près du sol, non pas que cela le dérangeât : son sang bouillonnait.

Il examina les silhouettes nébuleuses d'arbres et de rochers autour de lui. Elles ressemblaient à s'y méprendre à celles de tous les maudits arbres et rochers qu'il avait vus tout au long de cette maudite journée.

— Bien, dit-il à voix haute.

Il pointa un doigt en l'air et tourna sur lui-même.

— Trois petits cochons pendus au plafond, tirez-lui la queue… oh, et puis merde !

Il se mit en route, boitant légèrement. Il ignorait où il allait, mais s'il ne bougeait pas il risquait d'exploser.

Il occupa un moment son esprit en imaginant sa récente rencontre agrémentée de visions gratifiantes où il saisissait le petit gros nommé Harry, lui tordait le nez jusqu'à ce qu'il n'en reste qu'un moignon sanglant puis lui fracassait le crâne sur une pierre. Il lui arrachait ensuite son couteau et éviscérait la petite raclure… lui lacérant les poumons. Les tribus sauvages d'Allemagne pratiquaient autrefois un rituel baptisé « l'aigle de sang » : ils tailladaient le dos de leur victime et extirpaient ses poumons à travers les entailles, de sorte qu'ils palpitaient telles des ailes tandis qu'elle agonisait…

Il se calma peu à peu, simplement parce qu'il était impossible de conserver un tel degré de fureur.

Son pied lui faisait un peu moins mal. Sa main était écorchée mais ne l'élançait plus, et ses fantasmes de vengeance commençaient à lui paraître légèrement absurdes. Était-ce à cela que ressemblait la furie du combat ? Cette envie de tuer non simplement parce c'était votre devoir mais parce que cela procurait du plaisir ? Que cela vous excitait comme de posséder une femme ? Et se sentait-on un peu benêt après coup ?

Il pensait parfois au jour où il devrait tuer au cours d'une bataille. Ce n'était pas une obsession, mais il y pensait. Quand il s'était engagé dans l'armée, il s'était efforcé de visualiser ce moment. Et il avait pris conscience qu'un tel acte pouvait entraîner des remords.

Son père lui avait raconté, franchement et sans chercher à se justifier, les circonstances dans lesquelles il avait tué un homme pour la première fois. Ce n'était pas au cours d'une bataille mais peu après. L'exécution à bout portant d'un Écossais blessé et abandonné sur le champ de Culloden.

— Cumberland avait donné l'ordre de ne pas faire de quartier, lui avait-il expliqué.

Lord John, qui jusque-là avait parlé en fixant les étagères de sa bibliothèque, s'était alors tourné vers lui.

— Les ordres, avait-il répété. Nous devons les suivre, bien sûr. Nous y sommes obligés. Mais il t'arrivera de ne pas en avoir ou de te trouver dans une situation où la donne a brusquement changé. Il y aura d'autres situations où ton honneur te dictera de ne pas obéir à un ordre. Dans ce cas, tu devras suivre ta propre conscience… et être prêt à en subir les conséquences.

William avait hoché la tête, l'air grave. Il venait d'apporter les documents de sa commission afin que son père les examinât et les signât. Il avait cru que ce ne serait qu'une formalité. Il ne s'était pas attendu à une confession ou à un sermon, si c'était bien ce dont il s'agissait.

— Je n'aurais pas dû, avait brusquement dit son père. Je n'aurais pas dû l'achever.

— Mais… tes ordres…

— Ils ne me concernaient pas directement. Je n'avais pas encore obtenu ma commission. J'accompagnais mon frère en campagne mais n'étais pas encore officiellement soldat. Je n'étais pas sous l'autorité de l'armée, j'aurais pu refuser.

— Si tu ne l'avais pas tué, quelqu'un d'autre s'en serait chargé, non ?

Son père avait souri légèrement.

— Oui, certainement, mais là n'est pas la question. Je dois reconnaître qu'il ne m'est même pas venu à l'esprit que je pouvais agir autrement. Or, c'est justement là mon erreur, William. Tu as toujours le choix. Tu ne l'oublieras jamais, n'est-ce pas ?

Sans attendre sa réponse, lord John avait saisi une plume dans le pot en porcelaine bleu et blanc sur son bureau et ouvert son encrier en cristal. Puis il avait relevé les yeux vers William et l'avait dévisagé gravement.

— Tu es sûr ?

William avait acquiescé et lord John signé.

— Je suis fier de toi, William. Je le serai toujours.

William soupira. Il ne doutait pas que son père l'aimerait toujours, mais pour ce qui était de le rendre fier... Cette dernière mésaventure n'allait pas le couvrir de gloire. Il pourrait s'estimer heureux s'il parvenait à retrouver son campement avant que quelqu'un ne remarque son absence et sonne l'alarme. Seigneur, quelle ignominie ! Son premier acte remarquable serait de s'être perdu et d'avoir été détroussé !

D'un autre côté, cela valait mieux que de se faire remarquer en étant tué par des brigands.

Il continua d'avancer prudemment dans la forêt drapée de brouillard. À certains endroits, la pluie avait laissé de grandes flaques, rendant le terrain boueux. À une seule reprise, il entendit la détonation éraillée d'un mousquet et pressa le pas dans la direction du tir, mais cela ne se reproduisit pas.

Il poursuivit sa route en maugréant, se demandant combien de temps prendrait la traversée de toute cette foutue île à pied et s'il n'était pas sur le point de l'avoir déjà fait. Le sol était devenu brusquement pentu. Il grimpait, le visage ruisselant de transpiration. Le brouillard serait-il moins dense en hauteur ? Effectivement, William déboucha sur un promontoire rocheux et, regardant à ses pieds, ne vit qu'un amas vaporeux, gris et tourbillonnant. Il en eut le vertige et dut s'asseoir quelques instants, les yeux fermés, avant de reprendre sa marche.

Par deux fois il entendit des hommes et des chevaux, mais quelque chose clochait : les voix n'avaient pas le rythme militaire ; il s'éloigna discrètement dans la direction opposée.

La végétation autour de lui changea brusquement, devenant une sorte de maquis, des arbres nains émergeant d'un sol jaunâtre qui crissait sous sa semelle. Puis il y eut un

bruit d'eau… le clapotis des vagues sur une plage. La mer !
Alléluia ! Il hâta le pas vers le bruit.

Toutefois, à mesure qu'il approchait du rivage, d'autres bruits lui parvinrent.

Des bateaux. Le raclement de coques (il y en avait plus d'une) traînées sur des galets. Des rames s'entrechoquant, des éclaboussures. Puis des voix. Étouffées mais animées. *Eh merde !* Il plongea derrière le tronc d'un pin noueux.

Un mouvement brusque près de lui le fit aussitôt bondir de l'autre côté et porter la main à sa ceinture. Il eut à peine le temps de se souvenir qu'il n'avait plus son pistolet avant de se rendre compte que son adversaire était un grand héron bleu. Ce dernier le toisa de son œil jaune puis s'élança dans les airs en poussant des cris outragés. Une exclamation retentit dans les buissons, à quelques pas de lui, suivie de près par la détonation d'un mousquet. Le héron explosa dans une pluie de plumes juste au-dessus de sa tête. Il sentit des gouttes de sang chaud s'écraser sur son visage et se laissa tomber sur les fesses, des points noirs dansant devant ses yeux.

Il n'osait pas bouger, encore moins appeler. Il entendait des murmures, non loin mais pas assez forts pour qu'il puisse distinguer les paroles. Au bout de quelques instants, il perçut un bruissement furtif s'éloignant. Faisant le moins de bruit possible, il se mit à quatre pattes et avança dans la direction inverse jusqu'à ce qu'il lui paraisse plus sûr de se relever.

Il entendait toujours les voix. Il s'approcha à pas de loup, le cœur battant. Lorsqu'il sentit une odeur de tabac, il se figea.

Rien ne bougeait autour de lui, mais les voix étaient toujours là, à une certaine distance. Il huma l'air et constata que l'odeur avait disparu. Peut-être l'avait-il imaginée. Il s'approcha encore.

Il les entendait clairement à présent. Des gens s'interpellaient à voix basse, des tolets grinçaient, des pas faisaient des clapotis dans l'eau. Les chuchotements et les bruits humains se mêlaient au murmure des vagues et des herbes. William lança un regard vers le ciel, mais celui-ci restait désespérément caché par le brouillard. Il devait se trouver sur le côté ouest de l'île. Il en était sûr. Enfin… presque sûr. Et, dans ce cas…

Les bruits qu'il entendait devaient être ceux des rebelles américains, s'enfuyant de l'île pour rejoindre Manhattan.

— Ne. Bouge. Pas !

Le chuchotement derrière lui coïncida très exactement avec la pression du canon d'une arme à feu dans le creux de ses reins. Il se figea. L'arme se retira un instant, puis revint, s'enfonçant dans son dos avec une force telle que sa vue en fut embrouillée. Il émit un grognement guttural et se cambra mais, avant qu'il n'ait pu protester, des mains calleuses lui saisirent les poignets et les tirèrent en arrière.

— Te fatigue pas pour rien, dit une voix grave et éraillée. Pousse-toi de là que je le bute.

— Attends un peu, répondit une autre voix tout aussi grave mais moins hargneuse. Ce n'est qu'un gamin. Et joli comme tout, avec ça !

Il se raidit en sentant une main rêche lui caresser la joue. Il ne pouvait rien faire, ses propres mains étant liées dans son dos.

— Si tu avais vraiment voulu le tuer, sœurette, ce serait déjà fait. Tourne-toi, mon garçon.

William s'exécuta lentement pour découvrir qu'il avait été capturé par deux vieilles, petites et trapues comme des gnomes. Celle qui tenait le pistolet fumait la pipe. Quand elle lut le choc et le dégoût sur ses traits, un coin de ses fines lèvres se souleva, révélant des dents jaunes serrant le tuyau de la pipe.

— Ma foi, c'est vrai qu'il est joli garçon, mais c'est pas une raison. D'un autre côté, ça vaut-y vraiment la peine de gaspiller des munitions ?

Retrouvant un peu d'aplomb, William tenta une opération de charme.

— Madame, je crains que vous ne vous mépreniez. Je suis un soldat du roi…

Les deux harpies éclatèrent de rire, faisant un bruit de gonds rouillés.

— Pas possible ! dit la fumeuse de pipe. Et nous qui t'avions pris pour le préposé aux latrines !

— Tu ferais mieux de te taire, fiston, l'interrompit la sœur de l'autre. On te fera pas de mal tant que tu te tiens tranquille et que tu la fermes.

Elle le regarda de haut en bas non sans une certaine compassion.

— Tu as fait la guerre, hein ?

Sans attendre de réponse, elle le poussa en arrière, et il tomba assis sur un rocher. Celui-ci était couvert de moules et d'algues mouillées, d'où il déduisit qu'il ne se trouvait qu'à quelques pas de la mer.

Il se tut. Non pas par peur des deux femmes, mais parce qu'il n'y avait rien à dire.

Il se concentra sur les bruits de l'exode. Impossible de dire combien ils étaient ni depuis combien de temps ils étaient là. Rien de ce qu'il entendait ne lui était utile. Ce n'étaient que les échanges essoufflés d'hommes affairés, des marmonnements agacés ponctués, de temps à autre, par des rires nerveux.

Le brouillard se dissipait au-dessus de l'eau. Il les distinguait à présent ; ils n'étaient qu'à une centaine de mètres. Une flotte peu nombreuse de barques et de doris avec, ici et là, un ketch de pêche, qui allaient et venaient sur une mer d'huile. Le nombre des hommes sur la grève diminuait régulièrement, les fuyards gardant une main sur la crosse de leur pistolet et lançant sans cesse des regards nerveux par-dessus leur épaule, craignant sans doute d'être poursuivis.

Si seulement ils savaient ! pensa amèrement William.

Pour le moment, son propre avenir lui importait peu. L'humiliation d'assister impuissant à la fuite de toute l'armée américaine et la perspective de rentrer au camp et de raconter au général Howe ce qui lui était arrivé étaient si mortifiantes que les deux sorcières pouvaient bien le faire cuire et le manger… Il s'en fichait.

Absorbé par la scène sur la berge, il ne lui était pas encore venu à l'esprit que, s'il pouvait voir les Américains, ces derniers pouvaient le voir eux aussi. De fait, les continentaux et les miliciens étaient tellement concentrés sur leur retraite que personne ne l'avait remarqué… jusqu'à ce que l'un d'eux se retourne et semble chercher quelque chose du regard le long de la plage.

L'homme se raidit puis, après un bref regard vers ses compagnons occupés ailleurs, il marcha droit vers William d'un pas décidé.

— Qu'est-ce que c'est que ça, mère ? demanda-t-il.

Il portait l'uniforme des continentaux. Il était trapu comme les deux femmes mais nettement plus grand et, si son visage était calme, ses yeux injectés de sang étaient animés par toutes sortes de calculs.

— On est allées à la pêche, répondit la fumeuse de pipe. On a attrapé ce petit poisson rouge mais on se demande si on va pas le rejeter à l'eau.

— Ah oui ? Pas tout de suite, alors.

William s'efforça de prendre l'air le plus féroce possible.

L'homme regarda le mur de brouillard derrière lui.

— Il y en a beaucoup d'autres comme toi là-bas, mon garçon ?

William ne répondit pas. L'homme soupira, serra le poing et le lui envoya en plein ventre. William se plia en deux et tomba de son rocher, atterrissant sur le sable, le souffle coupé. L'homme l'attrapa par le col et le souleva comme une plume.

— Réponds-moi, gamin. Je n'ai pas beaucoup de temps, et tu ne voudrais pas que je m'impatiente.

Il parlait sur un ton calme mais touchait le couteau accroché à sa ceinture. William s'essuya la bouche sur son épaule puis regarda l'homme dans les yeux. Il se sentait soudain envahi d'une paix étrange. *Si c'est ici que je dois mourir, au moins que je ne meure pas pour rien.* Il était presque soulagé.

La sœur de la fumeuse de pipe mit un terme à cet élan mélodramatique en le poussant du bout de son mousquet.

— S'il y en avait d'autres, y a un bail qu'on les aurait entendus. C'est qu'ils sont pas discrets, les grivetons.

— C'est vrai, ça, convint sa sœur.

Elle extirpa sa pipe de sa bouche pour cracher sur les galets.

— Celui-là, il a dû se perdre. Et puis tu vois bien qu'il te dira rien.

Elle sourit à William, dévoilant sa dernière canine jaunie.

— Y préférerait plutôt crever ; pas vrai, mon petit gars ?

William inclina la tête de quelques millimètres, faisant glousser de rire les deux femmes.

La tante agita une main vers la plage derrière son neveu.

— Allez file ; ils vont partir sans toi.

L'homme ne lui adressa pas un regard. Il continuait de fixer William. Au bout d'un moment, il acquiesça, pivota et s'éloigna sans un mot.

William sentit une des vieilles derrière lui. Un objet droit frôla sa main, puis la ficelle qui le ligotait fut tranchée d'un coup sec. Il eut envie de se masser les poignets mais se retint.

— Allez, déguerpis, mon garçon, dit la fumeuse de pipe sur un ton presque gentil. Disparais avant qu'un autre te voie et qu'il lui vienne une idée.

William partit.

À la lisière de la plage, il se retourna. Les deux vieilles avaient disparu, mais l'homme se tenait sur la poupe d'une barque qui s'éloignait rapidement de la grève désormais presque déserte. Il le fixait toujours.

William tourna les talons. Le soleil était enfin visible, un cercle orange pâle derrière le voile de brouillard. Il descendait ; c'était la fin de l'après-midi. Il marcha vers l'intérieur des terres, mettant le cap vers le sud-ouest, mais il sentit un regard dans son dos longtemps après que la plage fut hors de vue.

Il avait le ventre noué, et la seule pensée taraudant son esprit était la question du capitaine Richardson : « Vous avez déjà entendu parler d'une certaine Cassandre ? »

———◄O►———

7

Un futur incertain

Seules certaines lettres étaient datées. Bree parcourut du bout des doigts la demi-douzaine qui se trouvaient au-dessus de la pile avec la sensation de se trouver en suspens au sommet d'une montagne russe. Puis elle en choisit une sur le rabat de laquelle était marqué : *2 mars de l'an 1777.*

— Je crois que c'est celle qui suit, annonça-t-elle, le souffle court. Elle est… toute fine. Ce n'est pas long.

En effet, elle ne faisait qu'une page et demie, mais la raison de sa brièveté lui apparut rapidement : elle avait été entièrement rédigée par son père. Son écriture maladroite mais déterminée lui serra le cœur.

Elle se tourna vers Roger et déclara avec véhémence :

— On ne laissera jamais un enseignant forcer Jemmy à apprendre à écrire avec la main droite. Jamais !

Surpris et amusé, Roger se contenta de répondre :

— Bien sûr que non !

2 mars, anno domini 1777.
Fraser's Ridge, colonie de Caroline du Nord

Ma très chère fille,
Nous nous préparons à partir pour l'Écosse. Pas pour toujours, ni même pour longtemps. Ma vie est (nos vies sont) ici, en Améri-

que. Et, en toute sincérité, je préférerais être piqué à mort par un essaim de frelons plutôt que de remettre le pied à bord d'un navire. Je m'efforce de ne pas trop y penser. Néanmoins, deux principales préoccupations me contraignent à prendre cette décision.

N'eût été le don de prescience que toi, ta mère et Roger Mac m'avez donné, j'aurais tendance à penser (comme la grande majorité des gens dans la colonie) que le Congrès continental ne tiendrait pas six mois, et l'armée de Washington encore moins. J'ai parlé avec un homme de Cross Creek réformé (honorablement) de l'armée continentale en raison d'une plaie purulente au bras (naturellement, ta mère s'est chargée de lui. Il a beaucoup hurlé et j'ai été recruté d'office pour m'asseoir sur lui durant l'opération). Il m'a expliqué que Washington ne dispose que de quelques milliers de soldats réguliers, tous mal équipés, mal armés et mal vêtus. Ils n'ont pas touché leur solde depuis un certain temps et ne la recevront sans doute jamais. Le gros de ses troupes est donc composé de miliciens, enrôlés à court terme pour deux ou trois mois, et dont bon nombre commencent à disparaître, ayant besoin de rentrer chez eux pour les semailles.

Mais voilà, je sais. Parallèlement, j'ignore comment se dérouleront exactement les événements. Suis-je destiné à en faire partie d'une manière ou d'une autre ? Devrais-je me tenir à l'écart ? Cela nuirait-il à la réalisation de nos désirs ? J'aimerais pouvoir en discuter avec ton mari, tout presbytérien qu'il soit. Je suis sûr qu'il trouverait ces questions encore plus troublantes que moi. Mais, au bout du compte, peu importe. Je suis tel que Dieu m'a fait et dois affronter l'époque dans laquelle il m'a placé.

Je n'ai pas encore perdu la vue, ni l'ouïe, ni même le contrôle de mes intestins, mais je ne suis plus un jeune homme. J'ai une épée, un fusil, et je sais m'en servir, mais je possède également une presse d'imprimerie que je peux mettre à bien meilleur usage. Il ne m'a pas échappé qu'un mousquet ou une épée ne permet de combattre qu'un ennemi à la fois, tandis que les mots peuvent atteindre une multitude.

Ta mère, sans doute pour ne pas avoir à me supporter pendant plusieurs semaines avec le mal de mer, me propose de m'associer avec Fergus et d'utiliser la presse de L'Oignon[3] plutôt que d'aller chercher la mienne en Écosse.

J'y ai longuement réfléchi mais ne peux, en mon âme et conscience, exposer Fergus et sa famille aux dangers inhérents à ce que je me propose de faire. Leur presse est l'une des rares qui soit en opération entre Charleston et Norfolk; même si j'y imprimais mes textes dans le plus grand secret, les soupçons ne tarderaient pas à retomber sur eux. New Bern est un foyer ardent de sentiments loyalistes, et l'origine de mes pamphlets serait vite découverte.

Au-delà de ma préoccupation pour Fergus et les siens, un voyage à Édimbourg pourrait avoir d'autres bienfaits. J'y avais autrefois des relations variées; certaines ont peut-être échappé à la prison ou au gibet.

Plus importante encore, l'autre considération qui me pousse à rentrer en Écosse concerne ton cousin Ian. Il y a des années de cela, j'ai juré à sa mère – sur la tête de notre propre mère – de lui ramener son fils, ce que j'ai la ferme intention de faire même si l'homme que je raccompagnerai à Lallybroch n'est plus le garçon qui en est parti. Dieu seul sait ce qu'ils penseront l'un de l'autre, Ian et Lallybroch, et Dieu a un sens de l'humour bien singulier. Mais s'il doit rentrer un jour, il faut que ce soit maintenant.

La neige fond. Tous les matins, les stalactites sous les avant-toits de la cabane atteignent presque le sol et gouttent toute la journée. D'ici quelques semaines, les routes seront dégagées. Je sais qu'il peut paraître étrange de prier pour un voyage qui sera terminé, pour le meilleur ou pour le pire, longtemps avant que vous ne l'appreniez, mais je vous le demande néanmoins. Dis à Roger Mac que, selon moi, Dieu ne tient pas compte du temps. Et embrasse les enfants pour moi.

Ton père qui t'aime,

J. F.

Roger se cala contre le dossier du fauteuil et lança à Brianna un regard interrogatif.

— Tu penses qu'il s'agit de la French Connection?

---

3. En français dans le texte (N.d.T.).

— De la quoi ?

Elle regarda par-dessus son épaule le passage qu'il soulignait du bout du doigt.

— Quoi ? Là où il parle de ses relations à Édimbourg ?

— Oui. N'entretenait-il pas là-bas des relations avec un tas de contrebandiers ?

— C'est en tout cas ce que maman m'a dit.

— D'où son allusion au gibet. Et d'où venait la contrebande, à ton avis ?

Elle ouvrit des yeux ronds.

— Tu plaisantes ! Tu penses qu'il a l'intention de trafiquer avec des contrebandiers français ?

— Bah, pas forcément avec des contrebandiers. Apparemment, il connaissait également bon nombre d'agitateurs, de voleurs et de prostituées.

Il lui adressa un petit sourire narquois avant de poursuivre plus sérieusement :

— Je lui ai raconté tout ce que je savais sur la genèse de la révolution mais sans pouvoir entrer dans le détail, car ce n'est pas ma période de spécialité. Cela dit, je lui ai expliqué l'importance du rôle de la France pour les Américains. Je me disais simplement...

Il hésita quelques instants, mal à l'aise.

— Il est clair qu'il ne retourne pas en Écosse pour éviter les combats.

— Tu crois qu'il compte établir un réseau de liens politiques ? Et pas simplement récupérer sa presse, déposer Ian à Lallybroch et repartir dare-dare ?

Elle trouvait l'idée légèrement réconfortante. Savoir ses parents manigançant à Édimbourg et à Paris était moins angoissant que de les imaginer au milieu des explosions et des champs de bataille. En outre, ils seraient ensemble. Où son père allait, sa mère suivait.

Roger haussa les épaules.

— Et cette petite allusion au fait d'être tel que Dieu l'a fait, tu sais ce qu'il a voulu dire par là ?

— Que c'est une tête de Turc ?

Elle s'approcha de Roger et posa une main sur son épaule, comme si elle craignait qu'il ne disparaisse soudain.

— Il m'a dit lui-même qu'il était un homme de guerre ; qu'il avait rarement choisi de se battre mais savait être né pour ça.

— Oui, dit doucement Roger. Mais il n'est plus ce jeune laird qui, brandissant son épée, a mené trente de ses métayers à une bataille sans espoir de victoire pour ensuite les ramener entiers au pays. Il en sait beaucoup plus aujourd'hui sur ce qu'un homme peut faire. Et je crois bien qu'il a l'intention de le faire.

— Moi aussi.

Elle avait la gorge nouée autant par la fierté que par l'inquiétude.

Roger prit sa main et la serra.

— Je me souviens de ce que racontait ta mère au sujet de son retour à notre époque, quand elle a repris ses études de médecine. Ton père... enfin, Frank lui a dit que d'avoir une vocation était une bénédiction pour elle, même si c'était une vraie plaie pour son entourage. Il avait raison. Jamie en est conscient lui aussi.

Elle acquiesça. Elle savait qu'elle ne devait pas le lui demander mais ne pouvait refouler la question plus longtemps.

— Et toi, tu sais quelle est ta vocation ?

Il resta silencieux un long moment, fixant les pages sur la table, puis il secoua la tête ; un geste si discret qu'elle le sentit plutôt qu'elle ne le vit.

— Je l'ai su, dit-il doucement avant de lâcher sa main.

✳

Sa première impulsion fut de lui asséner un coup de poing sur le crâne ; la seconde, de l'agripper par les épaules, d'approcher son visage à quelques centimètres du sien et de le fixer dans le blanc des yeux en demandant, calmement mais distinctement : « Qu'est-ce que tu veux dire exactement par là ? »

Elle ne fit ni l'un ni l'autre, car ces deux réactions risquaient fort de dégénérer en une longue discussion ne convenant pas aux enfants ; or ils étaient tous les deux à quelques pas de la porte du bureau. Elle les entendait papoter dans le couloir.

— T'as vu ça ? demanda Jemmy.

— Voui.

— Des gens méchants sont venus ici, il y a très longtemps, pour chercher grand-père. Des méchants *Anglais*. C'est eux qui ont fait ça.

Roger tourna la tête vers la porte, croisant le regard de Brianna et lui adressant un demi-sourire.

— Méchants zangais ! répéta docilement Mandy. Méchants !

Malgré son agacement, Brianna ne put s'empêcher d'être amusée. Elle revoyait encore son oncle Ian, un homme si calme et doux, lui montrant les traces de coups de sabre dans les lambris en bois du couloir. Il lui avait expliqué :

— Nous les gardons tels quels pour les montrer aux enfants et leur dire : « Voici ce que sont les Anglais. »

Il y avait eu une note d'acier dans sa voix, et elle entendait à présent son écho enfantin dans celle de Jemmy. Pour la première fois, elle se demanda si préserver cette tradition familiale était bien raisonnable.

Quand les voix des enfants s'éloignèrent vers la cuisine, elle demanda à Roger :

— C'est toi qui lui en as parlé ? Moi, je ne lui ai rien dit.

— Annie lui a raconté une partie de l'histoire. J'ai jugé préférable de lui expliquer le reste. Aurais-je dû lui dire de te le demander à toi ?

— Oh. Non, non. Mais... on ne devrait sans doute pas lui apprendre à haïr les Anglais, tu ne penses pas ?

Cela fit sourire Roger.

— « Haïr » est un grand mot. Il a bien dit les « méchants Anglais ». Or, il y a effectivement eu des méchants parmi eux dans le passé. En outre, s'il grandit dans les Highlands, il en entendra d'autres et des pires sur les *Sassenachs*. Grâce à ses souvenirs de ta mère, il saura faire la part des choses. Ton père l'appelle toujours « *Sassenach* », après tout.

Il baissa les yeux vers la lettre sur la table puis lança un regard vers la pendule et se leva brusquement.

— Mince, je suis en retard ! Je ferai un saut à la banque pendant que je suis en ville. Tu as besoin de quelque chose chez Farm and Household ?

— Oui, répondit-elle, acerbe. Une nouvelle pompe pour le séparateur de lait.

— O.K.

Il déposa un baiser sur son front et sortit tout en enfilant sa veste.

Elle voulut le rappeler pour lui dire qu'elle plaisantait puis se ravisa. Après tout, il était possible que Farm and Household ait une pompe pour séparateur de lait. Cet immense magasin situé à l'entrée d'Inverness était un étourdissant capharnaüm où l'on trouvait tout ce dont on pouvait avoir besoin dans une ferme : des fourches, des seaux d'incendie en caoutchouc, du fil de fer de cerclage aux machines à laver, à la vaisselle, aux bocaux pour les conserves et à de nombreux outils étranges dont elle ne pouvait que deviner l'usage.

Elle passa la tête dans le couloir, mais les enfants étaient dans la cuisine avec Annie MacDonald, la jeune aide ménagère. De l'autre côté de la porte tapissée de feutre, elle entendit des rires et le *clong* du *toaster* archaïque (ils en avaient hérité avec la maison), suivis de l'odeur alléchante du pain chaud beurré. Le bruit et les effluves évocateurs d'une chaleur douillette et domestique l'envahirent et l'attirèrent comme un aimant.

Avant de les rejoindre, elle replia la lettre, et le souvenir de la dernière remarque de Roger lui fit pincer les lèvres. « Je l'ai su », avait-il dit.

Marmonnant entre ses dents, elle rangea la lettre dans le coffret et sortit dans le couloir. En chemin, elle aperçut une grande enveloppe sur la console près de la porte d'entrée, parmi le fouillis que Roger et Jemmy sortaient de leurs poches chaque jour. Elle la dégagea de sous une pile de prospectus, de galets, de bouts de crayons, de maillons de chaîne de vélo et... était-ce une souris morte ? En effet. Elle était aplatie et desséchée mais ornée d'une fine queue rose formant une boucle raide. Elle la saisit délicatement du bout des doigts et, l'enveloppe coincée sous le bras, se dirigea vers son thé et son pain beurré.

En toute sincérité, Roger n'était pas le seul à avoir ses petits secrets. La différence, c'était qu'elle comptait bien lui divulguer le sien une fois que l'affaire serait réglée.

———◄O►———

8

Le dégel de printemps

Fraser's Ridge, colonie de Caroline du Nord, mars 1777

L'un des avantages d'un incendie dévastateur, c'est qu'il est plus facile ensuite de faire ses bagages. Il ne me restait plus qu'une robe, une chemise, trois jupons – un en laine et deux en mousseline –, deux paires de bas (j'en portais une au moment des faits et l'autre avait été oubliée à sécher sur un buisson quelques jours avant le feu et retrouvée plus tard, flétrie mais encore mettable), un châle et une paire de souliers. Jamie m'avait dégotté quelque part une cape immonde (j'ignorais où et préférais ne pas le savoir). Confectionnée dans une épaisse laine lépreuse, elle sentait comme si quelqu'un était mort dedans et n'avait été découvert que plusieurs jours plus tard. Je l'avais fait bouillir avec de la lessive, mais le spectre de son ancien propriétaire refusait de partir.

Au moins, je ne gèlerais pas.

Mon nécessaire médical était presque aussi sommaire. Avec un soupir de regret en songeant à mon beau coffre d'apothicaire, avec ses instruments élégants et ses nombreux flacons, je triai les quelques vestiges récupérés dans les ruines de mon infirmerie. Le corps cabossé de mon microscope ; trois flacons en céramique, dont un avait perdu son couvercle et un autre était ébréché ; une grande boîte en étain contenant de la graisse d'oie mélangée à du camphre, à présent à moitié vide après un hiver de catarrhes et de toux ; une poignée de pages noircies arrachées au cahier commencé par Daniel Rawlings et poursuivi par moi-même (quoi que retrouver parmi ces quelques pages la recette spéciale du docteur Rawlings pour déboucher les intestins me mît du baume au cœur).

C'était la seule de ses recettes que j'avais trouvée efficace et, même si j'avais mémorisé depuis longtemps sa formule, de l'avoir sous la main me le rendait vivant. Je n'avais jamais rencontré Daniel Rawlings, mais il était devenu mon ami depuis le jour où Jamie m'avait apporté son coffre et son cahier de remèdes. Je repliai soigneusement les pages et les rangeai dans ma poche.

La plupart de mes herbes et de mes mixtions médicinales avaient été englouties dans les flammes avec mes jarres en terre cuite, mes flacons en verre, les grands pots dans lesquels je préparais mes bouillons de culture pour la pénicilline et mes scies chirurgicales. Il me restait un scalpel et la lame noircie d'une petite scie à amputation. Le manche avait brûlé, mais Jamie pourrait m'en confectionner un autre.

Les habitants de Fraser's Ridge avaient été généreux – aussi généreux que pouvaient l'être à la fin de l'hiver des gens qui, eux-mêmes, ne possédaient pratiquement rien. Nous avions des provisions pour le voyage, et bon nombre de femmes m'avaient apporté un peu de leurs propres plantes médicinales et autres articles utiles : j'avais de petits bocaux de lavande, de romarin, de camphre et de graines de moutarde ; deux précieuses aiguilles en acier ; un petit écheveau de soie pour les sutures et le fil dentaire (je taisais ce dernier usage, car elles auraient pu être offensées) et une très maigre réserve de bandages et de gaze.

Ce que j'avais en abondance, en revanche, c'était de l'alcool. Le séchoir à maïs avait été épargné par l'incendie, ainsi que l'alambic. Comme il y avait largement assez de céréales pour les animaux et nous, Jamie avait transformé l'excédent en une mixture très pure et puissante que nous emporterions avec nous afin de l'échanger ici et là contre des denrées. Un tonnelet avait été mis de côté pour mon usage médicinal.

Afin de décourager les voleurs, j'avais soigneusement peint dessus « *sauerkraut* ».

Cela amusa Jamie, qui me demanda :

— Et si nous tombons sur des bandits analphabètes ?

— J'y ai pensé.

Je lui montrai une petite fiole remplie d'un liquide trouble.

— « Eau de choucroute ». J'en aspergerai mon fût dès que s'approchera quelqu'un de louche.

— Il ne reste plus qu'à espérer que nous ne croiserons pas de brigands !

— As-tu déjà rencontré un brigand allemand ?

À l'exception du soûlard et du mari violent occasionnel, pratiquement tous les Allemands que nous connaissions étaient honnêtes, travailleurs et vertueux à l'excès. Ce n'était pas si surprenant, dans la mesure où la plupart étaient venus dans la colonie pour des raisons religieuses.

— Non, admit-il, mais as-tu oublié les Mueller ? Et ce qu'ils ont fait à tes amis ? Eux-mêmes ne se qualifieraient pas de « brigands », mais les Tuscaroras ont sans doute une autre opinion sur la question.

Il avait raison. Je sentis des doigts froids me caresser la nuque. La fille des Mueller, des voisins allemands, avait été emportée par la rougeole avec son nouveau-né, et sa famille avait accusé les Indiens locaux d'être responsables de l'infection. Fou de chagrin, le vieil *Herr* Mueller avait monté une expédition punitive avec ses fils et ses gendres et était parti à la chasse… aux scalps. Mes viscères se souvenaient encore de mon choc en ouvrant le ballot sur mes genoux et en découvrant la chevelure striée de blanc de mon amie Nayawenne.

— Tu trouves que j'ai blanchi ? demandai-je soudain.

Il haussa un sourcil surpris, puis se pencha vers moi et examina le sommet de mon crâne en écartant doucement mes mèches.

— Il y a peut-être un cheveu sur cinquante qui est devenu blanc. Un sur vingt-cinq est argenté. Pourquoi ?

— Je suppose qu'il me reste un peu de temps alors. Nayawenne…

Je n'avais pas prononcé son nom à voix haute depuis plusieurs années et ressentis un étrange réconfort, comme si je venais de l'invoquer devant moi.

— … Elle m'a dit que je serais au sommet de mes pouvoirs quand mes cheveux deviendraient blancs.

— Que Dieu nous protège ! dit-il avec un sourire.

— Je ne te le fais pas dire. Néanmoins, dans la mesure où ce n'est pas encore le cas, si nous tombons en chemin sur une bande de voleurs de choucroute, je devrais défendre mon tonnelet à coups de scalpel.

Il me lança un regard étrange, puis se mit à rire.

Ses propres préparatifs pour le départ étaient un peu plus complexes. La nuit qui avait suivi les funérailles de Mme Bug, Petit Ian et lui avaient commencé à extirper l'or de sa cachette sous les fondations de la maison, une opération délicate à laquelle j'avais participé en plaçant dehors une grande bassine remplie de pain rance trempé dans de l'alcool de maïs et en hurlant à plein poumons « La truuuiiiiiiiiiie ! » depuis l'autre bout du sentier menant au potager.

Après un long silence, l'animal avait émergé de sa tanière, une tache claire se détachant contre les pierres noires des décombres. J'avais beau savoir ce que c'était, la vue de cette masse blanche se déplaçant rapidement me flanquait une peur bleue. Il s'était remis à neiger, une des raisons qui avaient convaincu Jamie d'agir au plus tôt. Elle avait surgi d'un tourbillon de gros flocons blancs avec une vélocité qui la faisait paraître tel l'esprit de la tempête en personne, conduisant le vent.

L'espace d'un instant, j'avais cru qu'elle allait fondre sur moi ; je l'avais vu tourner la tête dans ma direction et émettre un grognement sonore en percevant mon odeur ; fort heureusement, les effluves de nourriture étaient plus alléchants et elle avait changé de cap. Quelques instants plus tard, les bruits peu ragoûtants d'un porc proche de l'extase s'élevaient dans la nuit, et Jamie et Ian étaient sortis d'entre les arbres pour se mettre au travail.

Il leur fallut plus de deux semaines pour déplacer tout l'or ; ils ne travaillaient que de nuit et uniquement s'il neigeait ou s'apprêtait à neiger, afin de masquer leurs traces. Le reste du temps, ils se relayaient pour garder les ruines de la Grande Maison, à l'affût du moindre signe d'Arch Bug.

Un petit matin, alors qu'il se frottait les mains pour les réchauffer suffisamment, car il n'arrivait pas à tenir sa cuillère, je lui demandai :

— Tu crois vraiment qu'Arch se soucie encore de l'or ?

Il était rentré pour prendre son petit déjeuner, glacé et épuisé après une longue nuit passée à marcher autour des décombres pour éviter d'être engourdi par le froid. Il me répondit à voix basse pour ne pas réveiller les Higgins :

— Il n'a plus grand-chose d'autre à quoi penser, n'est-ce pas ? À part Ian.

Je frissonnai, autant à la pensée du vieil Arch hantant la forêt tel un spectre, survivant à la chaleur de sa haine, qu'en raison du froid qui était entré dans la cabane avec Jamie. Comme tous les hommes vivant dans les montagnes en hiver, il avait laissé pousser sa barbe pour se tenir chaud. Des cristaux de glace scintillaient dans ses moustaches et ses sourcils.

Je lui tendis un bol de porridge, qu'il passa sous son nez, inhalant la vapeur, fermant les yeux et affichant un air béat.

— Veux-tu bien me passer la bouteille de whisky, s'il te plaît ? demanda-t-il.

— Quoi, tu vas en mettre dans ton porridge ? Il est déjà beurré et salé.

Je la descendis néanmoins de son étagère et la lui tendis.

— Non, c'est pour me dégeler le gosier avant de manger. Je ne suis qu'un bloc de glace du cou jusqu'aux orteils.

Depuis son apparition lors du double enterrement, plus personne n'avait vu Arch Bug, ni même aperçu une de ses traces dans la neige. Il s'était peut-être calfeutré dans une tanière pour l'hiver, ou s'était réfugié dans un des villages indiens. Ce n'était guère charitable de ma part, mais j'espérais plutôt qu'il était mort.

Je m'en ouvris à Jamie. La glace dans ses cheveux avait fondu et la lueur du feu faisait chatoyer les gouttelettes d'eau dans sa barbe comme autant de diamants. Il n'était pas du même avis que moi.

— S'il est mort et qu'on ne l'apprend jamais, Ian ne connaîtra plus un instant de paix. Tu l'imagines le jour de son mariage, lançant des regards par-dessus son épaule en craignant qu'une balle transperce le cœur de sa femme alors qu'elle prononce ses vœux ? Ou avec des enfants, n'osant pas sortir de chez lui ni les quitter des yeux de peur de ce que le vieux pourrait leur faire ?

— Je suis impressionnée par l'étendue et la morbidité de ton imagination, mais tu as raison. Soit, je ne souhaite pas sa mort, sauf si on retrouve son cadavre.

Mais son corps n'apparut jamais et l'or fut déplacé, morceau par morceau, dans sa nouvelle cachette.

Le choix de cette dernière avait nécessité une longue réflexion et un nombre considérable de discussions secrètes entre Jamie et Ian. Pas la grotte à whisky. Peu de gens connaissaient son existence mais certains, si. Joseph Wemyss, sa fille Lizzie et les deux maris de cette dernière (je m'étonnais moi-même d'en être arrivée à penser à Lizzie et aux Beardsley comme si c'était la chose la plus naturelle du monde) étaient tous nécessairement au courant. Il faudrait la montrer à Bobby et à Amy Higgins avant notre départ, car ils seraient chargés de fabriquer le whisky en notre absence. Arch Bug n'avait pas été informé de son emplacement mais le connaissait sûrement néanmoins.

Jamie était catégorique : personne à Fraser's Ridge ne devait être au courant de la présence de l'or.

— Si jamais la rumeur se propage, tout le monde ici sera en danger, avait-il déclaré. Vous vous souvenez de ce qu'il s'est passé quand ce Donner a raconté que nous possédions des pierres précieuses...

Je ne risquais pas de l'oublier. Je me réveillais encore souvent au beau milieu de la nuit croyant avoir entendu le rugissement étouffé des vapeurs d'éther s'embrasant, des bris de verre et un fracas de planches arrachées tandis que les vandales saccageaient notre maison.

Dans certains cauchemars, je courais, impuissante, d'un côté et de l'autre, tentant de sauver quelqu'un... Qui ? Mais je ne rencontrais que des portes verrouillées, des murs nus ou des pièces transformées en brasiers. Dans d'autres, j'étais paralysée, incapable de remuer le moindre muscle tandis que les flammes léchaient les murs, dévoraient avec voracité les vêtements des cadavres amoncelés autour de moi, embrasaient une chevelure, se propageaient à mes jupes et s'enroulaient autour de mes jambes en volutes ardentes.

Je ressentais encore une profonde tristesse ainsi qu'une rage puissante et purifiante chaque fois que j'apercevais les vestiges noirâtres de ce qui avait été ma maison ; pourtant, chaque matin après un de ces rêves, j'éprouvais le besoin de faire le tour des décombres et de sentir l'odeur fétide des cendres froides afin d'étouffer les flammes qui brûlaient derrière mes yeux.

— Bien ! avais-je dit. Alors... ? Où ?

Jamie et moi nous tenions près de la laiterie, contemplant les ruines tout en discutant. J'avais resserré mon châle autour de mon cou, car la fraîcheur de l'air pénétrait jusque dans mes os.

— Dans la grotte de l'Espagnol, avait-il répondu.

— La quoi ?

Il m'avait souri.

— Je te la montrerai, *a nighean*, dès que la neige aura fondu.

✳

Le printemps était arrivé et le débit du ruisseau ne cessait de grossir. Gonflé par la fonte des neiges et alimenté par des centaines de petites cascades qui se déversaient et rebondissaient sur les versants montagneux, il grondait joyeusement à mes pieds en projetant des éclaboussures. Je sentais les gouttelettes froides sur mon visage ; peu importait, car je serais trempée jusqu'aux genoux dans quelques minutes.

Les berges étaient parsemées de sagittaires et de pontédé-ries. Arrachées par l'eau montante, certaines plantes étaient emportées en tourbillonnant; d'autres s'accrochaient déses-pérément au sol par leurs racines, leurs feuilles ondulant dans le courant. De petits tapis de cresson oscillaient sous l'eau près des berges. Les plantes vertes comestibles étaient justement ce que je cherchais.

Mon panier était déjà à moitié rempli de crosses de fou-gères et de pousses d'ail des bois. Un bon gros bouquet de jeune cresson bien tendre et croquant à souhait achèverait de corriger notre carence en vitamine C après le long hiver. Je retirai mes souliers et mes bas. Après un moment d'hésita-tion, j'ôtai également ma robe et mon châle et les suspendis à une branche. Il faisait frais à l'ombre des bouleaux argentés qui bordaient le ruisseau, et je frissonnai légèrement. M'ar-mant de courage, je remontai ma chemise et pénétrai dans l'eau.

Ce froid-là était plus difficile à ignorer. Je retins un cri en sentant sa morsure et faillis en lâcher mon panier. Je manquai de glisser sur les pierres, retrouvai mon équilibre puis avançai vers la tache la plus proche, d'un vert sombre alléchant. Quelques secondes plus tard, mes jambes étaient engourdies et j'avais perdu toute sensation de froid dans l'en-thousiasme de la cueillette et mon envie de salade.

Une bonne partie de nos réserves de nourriture avait échappé au feu, étant conservées dans les dépendances: la laiterie, le séchoir à maïs et le fumoir. En revanche, la cave à tubercules avait été détruite et, avec elle, outre les carottes, les oignons, l'ail et les pommes de terre, mon stock soigneu-sement constitué de pommes séchées et d'ignames sauvages ainsi que les grosses grappes de raisins suspendues; bref, tout ce qui devait nous protéger du scorbut. Naturellement, mes herbes étaient parties en fumée avec le reste de mon infirmerie. Une grande quantité de potirons et de courges, entreposés dans la grange, avait survécu mais, au bout de quelques mois, on se lasse des tartes au potiron et du succo-tash… À vrai dire, pour ma part, au bout de quelques jours.

Je me surpris à regretter pour la énième fois les talents culinaires de Mme Bug, même si, bien sûr, sa personne me manquait surtout. Amy McCallum avait grandi dans une ferme des Highlands et était, selon ses propres termes, « une bonne cuisinière de base », ce qui signifiait qu'elle pouvait faire cuire des petits pains, préparer le porridge et frire du poisson simultanément sans rien brûler. Ce n'était pas une mince prouesse mais, question régime, un peu rébarbatif.

Ma propre spécialité était le ragoût qui, en l'absence d'oignons, d'ail, de carottes et de pommes de terre, avait évolué en une sorte de fricassée contenant du gibier ou de la dinde mijotés avec du maïs concassé, de l'orge et, parfois, des morceaux de pain rance. Étonnamment, Ian s'était révélé un assez bon cuisinier : le succotash et la tarte au potiron étaient ses contributions au menu communautaire. Je me demandais où il avait appris à les préparer mais considérais plus sage de ne pas le lui demander.

Jusque-là, personne n'était mort de faim ni n'avait perdu ses dents mais, venue la mi-mars, j'aurais été prête à m'enfoncer jusqu'au cou dans des torrents glacés pour cueillir quelque chose de vert et de comestible.

Fort heureusement, Ian avait continué à respirer. Après avoir paru hébété pendant environ une semaine, il avait fini par retrouver un comportement plus ou moins normal. Cependant, je surprenais parfois Jamie l'épiant, et Rollo s'était mis à dormir la tête posée sur la poitrine de son maître. J'ignorais si cette nouvelle habitude venait de ce qu'il percevait la douleur dans le cœur de Ian ou si c'était simplement par réaction à l'espace exigu dans lequel nous dormions.

Je m'étirai le dos et sentis mes vertèbres craquer. À présent que la neige fondait, j'avais hâte de partir. Fraser's Ridge et ses habitants me manqueraient… Enfin, presque tous. Peut-être pas Hiram Crombie. Ni les Chisholm ni… j'interrompis là ma liste avant qu'elle ne devienne embarrassante.

— D'un autre côté, pense aux lits ! dis-je fermement.

Certes, nous passerions bon nombre de nuits sur la route, dormant à la belle étoile, mais nous finirions par rejoindre la civilisation. Des auberges. Avec des plats chauds ! Et des lits ! Je fermai les yeux, imaginant le bonheur de dormir sur un vrai matelas. Je n'aspirais même pas à un matelas en plumes ; tout ce qui constituerait plus de deux centimètres de rembourrage entre moi et le sol serait le paradis. Et, naturellement, si cela s'accompagnait d'un minimum d'intimité, encore mieux.

Jamie et moi n'avions pas été totalement chastes depuis le mois de décembre. Au-delà du désir, nous avions besoin du confort et de la chaleur du corps de l'autre. Toutefois, les ébats dissimulés par une courtepointe sous le regard fixe de Rollo à quelques mètres n'étaient pas l'idéal, même en supposant que Ian dormait réellement. J'en doutais, mais il avait la délicatesse de faire semblant.

Un cri hideux fendit l'air et je sursautai, lâchant mon panier. Je le rattrapai de justesse par l'anse avant qu'il ne soit emporté par le courant et me redressai, dégoulinante et tremblante, attendant, le cœur battant, au cas où le cri se reproduirait.

Il fut effectivement suivi presque aussitôt d'un autre cri perçant mais d'un timbre plus grave et reconnaissable, pour mes oreilles bien entraînées, comme le son émis par un Écossais des Highlands soudain immergé dans l'eau glacée. Des glapissements plus aigus, accompagnés d'un juron étouffé dans un fort accent du Dorset, m'indiquèrent que les messieurs de la maison prenaient leur bain de printemps.

J'essorai le bas de ma chemise, décrochai mon châle de sa branche, enfilai mes souliers et me dirigeai vers le raffut.

Il existe peu de choses plus agréables que d'être confortablement assise au sec à observer d'autres êtres humains s'ébattre dans l'eau froide. Si les humains en question vous offrent un panorama du corps masculin nu dans toute sa splendeur et sous toutes ses formes, le plaisir n'en est que décuplé. Je me frayai un chemin dans un petit taillis de saules bourgeonnants, me trouvai un rocher au soleil suffisamment caché derrière un écran de verdure et étalai les pans mouillés de ma chemise. J'appréciai la chaleur sur mes épaules, l'odeur âcre des chatons dans les arbres et le spectacle qui s'offrait à moi.

Jamie se tenait dans l'étang jusqu'aux épaules, ses cheveux lissés en arrière tel un phoque roux. Bobby, sur la berge, souleva Aidan de terre et l'envoya virevolter au-dessus de l'eau, lui faisant pousser des cris de terreur extatique.

— Moi, moi, moi !

Orrie sautillait autour de son beau-père, ses petites fesses rondes rebondissant entre les roseaux comme deux petits ballons roses.

Bobby se mit à rire et le souleva à son tour, le tenant quelques instants à bout de bras au-dessus de sa tête en le faisant hurler comme un goret, puis l'approchant de l'eau avant de le lancer.

Il atterrit dans un *plouf* retentissant et Jamie s'empressa de le repêcher. Il émergea avec une telle expression de stupeur que tous s'esclaffèrent comme une bande de gibbons.

De l'autre côté de l'étang, j'aperçus Ian dévaler nu la petite pente puis plonger tel un saumon en poussant un de ses meilleurs cris de guerre iroquois. Il s'enfonça dans l'eau glacée sans projeter la moindre éclaboussure.

Il y eut un silence et j'attendis – comme les autres – de le voir réapparaître. Rien… Jamie lançait des regards suspicieux autour de lui, se préparant à une attaque surprise. Quelques instants plus tard, Ian resurgit hors de l'eau juste devant Bobby avec un cri terrible, l'attrapa par la cheville et le tira dans l'étang.

Il s'ensuivit une mêlée chaotique de corps entremêlés, de cris, de sifflements et de bonds depuis des rochers qui me donna tout le loisir de méditer sur la beauté du corps masculin. Certes, j'avais déjà vu mon lot d'hommes nus au cours de ma vie mais, à l'exception de Frank et de Jamie, la plupart étaient malades, blessés ou rencontrés dans des circonstances laissant peu de place à une appréciation de leurs meilleurs attributs.

Des rondeurs d'Orrie et des longs membres blancs d'Aidan au torse pâle et aux jolies petites fesses plates de Bobby, les

McCallum Higgins étaient aussi divertissants à regarder qu'une cage remplie de petits singes.

Ian et Jamie appartenaient à une autre espèce, des babouins peut-être, ou des mandrills. Ils ne se ressemblaient en rien si ce n'était par leur grande taille et, pourtant, ils étaient clairement coulés dans le même moule. En observant Jamie accroupi sur un rocher surplombant l'étang, ses cuisses bandées, s'apprêtant à plonger, je l'imaginais aisément sur le point de bondir sur un léopard. Quant à Ian, il étirait son corps ruisselant au soleil, réchauffant ses parties intimes tout en gardant un œil alerte au cas où il y aurait des intrus. Il ne leur manquait plus qu'un postérieur violet et ils auraient pu se promener dans le veldt africain sans paraître déplacés.

Ils étaient tous beaux à regarder, chacun à sa manière, mais c'était toujours vers Jamie que mon regard revenait, encore et encore. Il était buriné et couvert de cicatrices ; l'âge avait creusé davantage les sillons entre ses épais muscles noueux. L'épaisse zébrure laissée par un coup de baïonnette remontait presque tout le long de sa cuisse, large et laide, tandis que la trace blême plus fine de la morsure d'un serpent à sonnette était presque invisible sous son épaisse toison. Celle-ci commençait à sécher et formait sur sa peau un nuage d'un rouge doré. L'entaille en demi-lune faite par un sabre en travers de sa cage thoracique avait bien cicatrisé, elle aussi. Il n'en restait qu'une fine ligne blanche à peine plus épaisse qu'un cheveu.

Il se retourna et se baissa pour saisir le savon posé sur une pierre. Je sentis mon cœur fondre. Son postérieur, bien que n'étant pas violacé, était en tous points parfait, haut, rond, délicatement saupoudré d'or rouge et bordé de chaque côté par une exquise concavité musculaire. Ses bourses, qu'on apercevait par-derrière, étaient, elles, violettes de froid et me donnaient une folle envie de me glisser derrière lui et de les prendre dans mes mains chauffées sur le rocher.

Je me demandais si le bond géant qu'il ferait dans l'étang parviendrait à vider celui-ci de toute son eau.

En fait, je ne l'avais pas vu nu, ni même presque nu, depuis des mois.

Mais à présent… Je renversai la tête en arrière et fermai les yeux, laissant le soleil de printemps caresser mon visage, appréciant le chatouillis de mes cheveux fraîchement lavés contre mes omoplates. La neige avait fondu, le temps était doux et la nature tout entière me clignait de l'œil, m'indiquant d'innombrables endroits offrant un peu d'intimité… à condition de ne pas tomber sur une moufette.

✳

Je laissai les hommes s'égoutter et se dorer au soleil et retournai chercher mes vêtements. Je ne les enfilai pas tout de suite mais me dirigeai plutôt d'un pas leste vers la laiterie au bord de la source pour plonger mon panier dans l'eau fraîche. Si je le rapportais à la cabane, Amy s'empresserait de faire cuire mes pousses vertes jusqu'à les réduire en bouillie. Je déposai ma robe, mon corset et mes bas enroulés sur une étagère à côté des fromages, puis retournai au ruisseau.

Les cris et les bruits d'éclaboussures avaient cessé. J'entendis quelqu'un chanter à voix basse un peu plus loin sur le sentier. C'était Bobby. Il portait Orrie, profondément endormi après les excitations du jour. Aidan, propre comme un sou neuf, marchait d'un pas tranquille à ses côtés, dodelinant de la tête au rythme de la chanson.

C'était une jolie berceuse gaélique. Amy avait dû la lui apprendre. Je me demandais si elle avait expliqué à Bobby le sens des paroles.

S'iomadh oidhche fhliuch is thioram
Sìde nan seachd sian
Gheibheadh Griogal dhomhsa creagan
Ris an gabhainn dìon

(Combien de nuits, humides ou sèches,
Même par les pires intempéries
Gregor m'a trouvé un petit rocher
Près duquel m'abriter)

Òbhan, òbhan òbhan ìri
Òbhan ìri ò !
Òbhan, òbhan òbhan ìri
'S mòr mo mhulad's mòr

(Pauvre de moi, pauvre de moi, pauvre de moi
Que mon chagrin est grand)

De les voir me fit sourire tout en me procurant un pincement de cœur. Je me souvenais de Jamie portant Jem après
leur baignade l'été précédent, et de Roger chantant une berceuse à Mandy la nuit, sa voix râpeuse et brisée, à peine un
murmure mais toujours mélodieuse.

Je fis un signe à Bobby, qui me répondit d'un sourire sans
interrompre sa chanson. Il pointa le pouce par-dessus son
épaule, m'indiquant la direction qu'avait prise Jamie. Il ne
semblait pas surpris de me voir en chemise avec mon châle,
pensant sans doute que, inspirée par cette journée inhabituel-
lement chaude, j'allais me laver dans le ruisseau à mon tour.

Eudail mhòr a shluagh an domhain
Dhòirt iad d'fhuil an dè
'S chuir iad do cheann air stob daraich
Tacan beag bhod chrè

(Toi, le bien-aimé des peuples de la terre
Ils ont versé ton sang hier,
Puis planté ta tête sur un pieu en chêne
À une courte distance de ton corps)

Òbhan, òbhan òbhan ìri
Òbhan ìri ò !
Òbhan, òbhan òbhan ìri
'S mòr mo mhulad's mòr

(Pauvre de moi, pauvre de moi, pauvre de moi
Que mon chagrin est grand)

Je les saluai de la main et m'engageai dans le petit sentier qui grimpait à la haute clairière. Tout le monde l'appelait « la Nouvelle Maison », même si la seule indication qu'une bâtisse s'y dresserait peut-être un jour était une pile de troncs couchés et quelques pieux fichés en terre et reliés par des ficelles. Ces derniers étaient censés marquer le périmètre et les pièces de notre future demeure, que Jamie comptait construire pour remplacer celle qui avait brûlé… quand nous rentrerions.

Je remarquai qu'il avait déplacé des pieux. Le grand séjour sur le devant de la maison s'était encore agrandi et la pièce derrière, ma future infirmerie, avait développé une sorte d'excroissance. Peut-être une distillerie ?

L'architecte était assis sur un tronc, nu comme un ver, contemplant son royaume.

J'ôtai mon châle et le suspendis à une branche.

— Tu m'attendais ? demandai-je.

— Oui.

Il sourit et se gratta le torse.

— Je me suis dit que la vue de mes fesses nues te donnerait sans doute des envies. À moins que ce ne soit celles de Bobby ?

— Bobby n'en a pas. Sais-tu que tu n'as pas un seul poil gris des épaules aux orteils ? Comment est-ce possible ?

Il baissa les yeux pour s'inspecter. Effectivement, sa chevelure flamboyante n'était parsemée que de quelques filaments d'argent alors que sa barbe d'hiver – laborieusement et douloureusement taillée quelques jours plus tôt – était copieusement arrosée de blanc. En revanche, les poils sur son torse étaient toujours auburn foncé et sa toison plus bas, une masse touffue d'un roux vif.

L'air songeur, il écarta des doigts cette végétation luxuriante.

— Je crois qu'elle se cache.

Il releva les yeux vers moi et arqua un sourcil.

— Tu ne voudrais pas m'aider à la retrouver ?

Ne me faisant pas prier, je vins m'agenouiller devant lui. L'objet en question était en fait bien visible, quoique assez traumatisé par sa récente immersion dans l'eau glacée et d'une teinte bleu pâle fort intéressante.

Après quelques instants de contemplation, je déclarai :

— On m'a toujours dit que les grands chênes naissaient de glands minuscules.

La chaleur de ma bouche le fit frémir des pieds à la tête, et je ne pus m'empêcher de prendre ses bourses dans le creux de mes mains.

— Doux Jésus, murmura-t-il.

Il posa doucement ses mains sur mon crâne en guise de bénédiction. Quelques instants plus tard, il demanda :

— Que viens-tu de dire ?

Je m'écartai un instant pour reprendre mon souffle.

— Je disais que je trouve la chair de poule assez érotique.

— Ça tombe bien ! Enlève ta chemise, *Sassenach*. Voilà presque quatre mois que je ne t'ai pas vue nue.

— Euh… oui, c'est vrai, hésitai-je. Mais je ne suis pas sûre d'avoir envie d'être vue.

— Et pourquoi pas ?

— Parce que ça fait des semaines que je vis enfermée, sans voir le soleil ni avoir une activité physique. Je ressemble à une de ces larves qu'on trouve sous les pierres, grosse, blanche et visqueuse.

— Visqueuse ?

— Parfaitement, visqueuse, répétai-je en drapant dignement mes bras autour de mon torse.

Il pinça les lèvres et expira lentement, m'observant en penchant la tête de côté.

— Tu me plais quand tu es grosse, mais je sais que ce n'est pas le cas parce que je sens tes côtes quand je te serre dans mes bras toutes les nuits depuis janvier. Quant au fait d'être blanche, tu l'as toujours été depuis que je te connais ; je ne serai donc pas choqué. Et à propos de ta viscosité…

Il tendit le bras et agita les doigts en me faisant signe d'approcher.

— … c'est plutôt pour me plaire.

— Hmm… hésitai-je encore.

Il poussa un soupir.

— *Sassenach*, je viens de te dire que je ne t'avais pas vue nue depuis quatre mois. Par conséquent, si tu retires ta chemise à présent, ce sera la plus belle chose que j'aie vue en quatre mois. Or, à mon âge, mes souvenirs ne vont pas au-delà de ça.

Je me mis à rire puis, cessant de tergiverser, me relevai et dénouai le ruban qui retenait le col du vêtement. Me trémoussant, je laissai tomber ma chemise autour de mes pieds.

Il ferma les yeux et inspira profondément. Puis il les rouvrit.

— Je suis aveuglé, dit-il doucement en me tendant la main.

— Aveuglé comme par le reflet du soleil sur une vaste étendue de neige ? Ou comme un homme tombant nez à nez avec une gorgone ?

— Voir une gorgone ne t'aveugle pas mais te transforme en pierre, corrigea-t-il. Quoique, tout compte fait...

Il se toucha délicatement du bout de l'index.

— ... je n'en suis pas loin. Alors, vas-tu venir ici, oui ou non ?

Je vins.

✳

Je m'endormis dans la chaleur de son corps et me réveillai quelque temps plus tard confortablement drapée dans son plaid. Je m'étirai, effrayant un écureuil au-dessus de moi, qui courut le long d'une branche pour mieux m'examiner. Ce qu'il vit ne lui plut guère, car il se mit à rouspéter.

— Tais-toi ! lui dis-je en bâillant.

Je me redressai, ce qui acheva de l'énerver. Il se mit à piailler de plus belle, au bord de la crise de nerfs.

Je ne lui prêtai plus attention. À ma surprise, Jamie avait disparu. Je crus d'abord qu'il s'était levé pour aller se soulager contre un arbre mais, en regardant à la ronde, ne le vis nulle part. Je me relevai, serrant le plaid autour de moi.

Je n'avais rien entendu. Si quelqu'un était venu, je me serais sûrement réveillée ou Jamie m'aurait prévenue. Je tendis l'oreille mais, l'écureuil s'étant calmé, je ne perçus rien hormis les bruits d'une forêt s'éveillant au printemps :

le murmure du vent à travers les jeunes feuilles, ponctué de temps à autre par le craquement d'une branche qui tombait; l'entrechoc des pommes de pin de l'année précédente; des coques de châtaigne rebondissant sur le feuillage; l'appel d'un geai bleu au loin; la conversation d'une bande de sitelles picorant dans les hautes herbes; le bruissement d'un mulot affamé courant sur les feuilles mortes de l'hiver.

Le geai appelait toujours; un autre lui répondait à présent, poussant des cris d'alarme aigus. Jamie était peut-être dans cette direction.

J'enfilai ma chemise et mes souliers. Le soir n'allait plus tarder à tomber. Nous avions… ou plutôt j'avais dormi long-temps. Il faisait toujours bon au soleil, mais les ombres sous les arbres étaient fraîches. Je drapai mon châle autour de mes épaules et roulai le plaid de Jamie en boule. Il en aurait sûrement besoin.

Je grimpai plus haut sur la colline, suivant les appels des geais. Il y en avait un couple nichant près de la source blanche. Je les avais vus construire leur nid deux jours plus tôt.

Ce n'était pas loin du site de la Nouvelle Maison, même si cette source donnait toujours l'impression d'être éloignée de tout. Elle se trouvait au centre d'un bosquet de frênes blancs et de sapins et était abritée à l'est par un affleurement de roches couvertes de lichen. L'eau sous toutes ses formes est toujours porteuse de vie. Une source de montagne trans-met une singulière impression de joie tranquille, jaillissant pure des entrailles de la terre. La source blanche, qui devait son nom au gros rocher pâle qui dominait son bassin, déga-geait quelque chose de plus, la sensation d'une paix que rien n'était jamais venu profaner.

Plus je m'en approchais, plus j'étais certaine d'y trouver Jamie. Il avait dit un jour à Brianna:

— Il y a là quelque chose qui écoute. On voit ce type de bassins dans les Highlands; on les appelle des « mares aux saints ». Les gens disent que des saints vivent près de l'eau et écoutent tes prières.

Elle avait demandé, un poil cynique:

— Et quel saint vit au bord de la source blanche ? Saint Killiam ?

— Pourquoi lui ?

— Parce que c'est le saint patron des goutteux, des arthritiques et des badigeonneurs de chaux blanche.

Jamie avait ri avant de répondre plus sérieusement :

— Ce qui vit dans ces eaux est bien plus ancien que la notion de saint... et ça écoute.

Je marchai lentement vers la source. Les geais s'étaient tus.

Jamie était assis sur une pierre au bord de l'eau, vêtu de sa seule chemise. Je compris pourquoi les oiseaux s'étaient calmés. Il était aussi immobile que le grand rocher pâle, les yeux fermés, les mains posées sur les genoux, paumes vers le ciel, invitant la grâce.

Je m'arrêtai aussitôt. Je ne l'avais vu prier qu'une seule fois... quand il avait demandé de l'aide à Dougal MacKenzie avant une bataille. J'ignorais à qui il s'adressait à présent mais ne tenais pas à interrompre cette conversation.

J'aurais sans doute dû m'éclipser mais, à part ma crainte de le déranger en faisant du bruit, je ne le souhaitais pas vraiment. Une grande partie de la source se trouvait dans l'ombre, mais des faisceaux de lumière tombaient entre les arbres, caressant sa peau. L'air était chargé de pollen et la lumière était remplie de particules d'or. Elle se posait en reflets dorés sur le sommet de son crâne, sur la cambrure haute et lisse de son pied, sur l'arête de son nez, les os de son visage. Il aurait pu être né ici, en partie terre, pierre et eau ; il aurait pu être lui-même l'esprit de la source.

Je ne me sentais pas exclue. La paix du lieu m'envahit lentement, ralentissant les battements de mon cœur.

Que venait-il chercher ici ? Voulait-il s'imprégner de la paix de la montagne, afin de s'en souvenir et qu'elle le soutienne durant les mois – les années peut-être ? – de notre prochain exil ?

Moi, je m'en souviendrais.

La lumière commença à baisser, son éclat pâlissant à vue d'œil. Jamie bougea enfin, relevant légèrement la tête. Je l'entendis dire doucement :

— Faites que je suffise.

Il rouvrit les yeux, se leva lentement et marcha le long du ruisseau, ses longs pieds nus s'enfonçant sans un bruit dans la couche de feuilles humides. Quand il arriva à hauteur de l'affleurement de roches, il m'aperçut et me sourit. Il prit le plaid que je lui avais apporté sans dire un mot. Toujours en silence, il saisit ma main froide dans la sienne, grande et chaude, et nous prîmes le chemin de la maison, marchant côte à côte dans la paix de la montagne.

✳

Il vint me chercher quelques jours plus tard alors que je fouillais les ruisseaux en quête de sangsues. Celles-ci commençaient juste à émerger de leur hibernation, assoiffées de sang. Elles étaient faciles à trouver : il suffisait de marcher lentement dans l'eau, près de la berge.

Les premiers temps, l'idée de servir d'appât à ces créatures m'était rebutante mais, après tout, c'était encore le moyen le plus simple de s'en procurer. Je demandais à Jamie, Ian, Bobby ou n'importe qui parmi la douzaine de jeunes hommes disponibles de patauger dans les courants, les sangsues se collaient à leurs jambes, puis je les leur retirais. Une fois que vous vous étiez habitué à voir les sangsues se gorger lentement de votre sang, ce n'était pas si terrible.

Tout en glissant l'ongle de mon pouce sous la ventouse de l'une d'elles pour la déloger, j'expliquai en grimaçant :

— Il faut que je les laisse s'alimenter suffisamment pour qu'elles survivent, mais pas trop, autrement elles deviennent comateuses et ne me servent plus à rien.

— Je fais confiance à ton bon jugement, observa-t-il.

Je laissai tomber la sangsue dans un bocal rempli d'eau et de lenticules.

— Quand tu auras fini de nourrir tes petites chéries, viens avec moi. Je voudrais te montrer la grotte de l'Espagnol.

Ce n'était pas la porte à côté. Elle se trouvait à plus de six kilomètres de Fraser's Ridge. Il fallait traverser de nombreux torrents boueux, grimper des pentes escarpées, se faufiler dans la brèche d'une paroi en granit – qui me donna la sensation d'être emmurée vivante – et émerger de l'autre côté dans un chaos de rochers couverts de vignes sauvages.

Jamie écarta un rideau de feuilles et s'effaça pour me laisser passer, expliquant :

— On l'a découverte, Jem et moi, un jour qu'on chassait par ici.

Les sarments rampaient sur les rochers, aussi épais qu'un bras d'homme et rendus noueux par l'âge. Le feuillage vert sombre du printemps ne les cachait pas encore complètement.

— C'était notre secret. Nous sommes convenus de n'en parler à personne, pas même à ses parents.

— Ni même à moi.

Je n'étais pas vexée. J'avais perçu la pointe de tristesse dans sa voix quand il avait évoqué son petit-fils.

L'entrée de la grotte n'était qu'un trou dans le sol. Jamie avait poussé dessus une grosse pierre plate. Il la dégagea non sans mal et je me penchai au-dessus de l'orifice. Mes entrailles se nouèrent quand j'entendis le bruit de l'air se déplaçant doucement à travers la fissure. Toutefois, l'air en surface était chaud. La grotte inspirait, elle ne soufflait pas.

J'avais encore en mémoire l'angoissante grotte d'Abandawe, qui avait semblé respirer autour de nous, et il me fallut rassembler mon courage avant de suivre Jamie dans le trou. Il y avait une échelle en bois, rudimentaire mais récente. Elle en remplaçait une autre beaucoup plus ancienne qui s'était désagrégée et dont il restait quelques échelons pourris pendant au bout de tiges de métal rouillé.

Il ne devait pas y avoir plus de trois à quatre mètres de profondeur, mais le goulot était étroit, et la descente me parut durer une éternité. Quand j'atteignis le fond, je constatai toutefois que la grotte s'évasait comme le fond d'une fiole. Jamie était accroupi dans un coin. Je le vis sortir une petite flasque de sa poche et sentis une forte odeur de térébenthine.

Il avait apporté une torche en pin dont la tête était enduite de goudron et enveloppée dans un chiffon. Il imbiba ce dernier de térébenthine puis ouvrit le briquet que Bree lui avait confectionné. Une pluie d'étincelles illumina son visage concentré. Il dut s'y reprendre par deux fois avant que la torche ne s'embrase. La flamme traversa le tissu et atteignit le goudron.

Jamie leva sa torche et me montra le sol derrière moi. Je me retournai et manquai de hurler.

L'Espagnol était assis, adossé à la paroi, ses jambes osseuses étirées devant lui, son crâne retombant en avant comme s'il s'était assoupi. Des touffes de cheveux roux étaient encore accrochées ici et là, mais la peau avait entièrement disparu. Une bonne partie de ses mains et de ses pieds également, les petits os ayant été emportés par des rongeurs. Cependant, aucun gros animal n'avait pu l'atteindre et, si son torse et ses os longs portaient de petites traces de dents, ils étaient essentiellement intacts. Sa cage thoracique était visible à travers une étoffe si élimée qu'il était impossible de deviner sa couleur originale.

C'était effectivement un Espagnol. Un casque en métal orné d'armoiries était posé à ses côtés, ainsi qu'un gorgerin et un couteau.

— Bon Dieu de merde ! murmurai-je.

Jamie se signa et s'agenouilla près du squelette.

— Je ne sais pas depuis combien de temps il est ici, dit-il, également à voix basse. Je n'ai rien trouvé d'autre autour de lui à part son armure et ça.

Il pointa l'index vers les gravillons juste devant le pelvis. En m'approchant, je distinguai un petit crucifix, probablement en argent mais à présent noirci, et, à quelques centimètres, une petite forme triangulaire, noire aussi.

— Un rosaire ? demandai-je.

Jamie acquiesça.

— Il devait le porter autour du cou. Il était sans doute en bois et en fil. Quand il s'est désintégré, les parties en métal sont tombées.

Il toucha doucement le petit triangle.

— D'un côté, il porte l'inscription *Nr. Sra. Ang*, ce qui signifie sans doute *Nuestra signora de los angeles*, « Notre Dame des Anges ». De l'autre, il a une petite image de la Vierge Marie.

Je me signai machinalement.

Après un moment de silence respectueux, je demandai :

— Jemmy n'a pas eu peur ?

— C'est moi qui ai eu une frousse bleue. Quand je suis descendu, il n'y avait aucune lumière et j'ai presque marché sur ce malheureux. J'ai cru qu'il était vivant : mon cœur a failli lâcher.

Il avait poussé un cri d'effroi et Jemmy, resté au bord de l'ouverture avec l'ordre strict de ne pas en bouger, s'était empressé de descendre à son tour. À mi-parcours, un échelon de l'échelle avait lâché et il avait atterri à pieds joints sur son grand-père.

— Heureusement, je l'ai entendu et ai levé les yeux juste à temps pour le voir dégringoler sur moi comme un boulet de canon. Il m'a percuté en pleine poitrine.

Il se massa le côté gauche du torse avec un petit sourire triste.

— Si je ne l'avais pas vu venir, il m'aurait brisé le cou et, seul, il n'aurait jamais réussi à sortir d'ici.

Et nous n'aurions jamais su ce qui vous était arrivé, pensai-je, la gorge sèche. Pourtant, ce genre d'accident pouvait arriver n'importe quand... à n'importe qui.

— C'est un miracle que vous ne vous soyez rien cassé, ni l'un ni l'autre.

Je lui indiquai le squelette.

— Que crois-tu qu'il soit arrivé à ce monsieur ?

Ses proches ne l'avaient probablement jamais appris.

— Je n'en sais rien, répondit Jamie. Il n'attendait pas un ennemi puisqu'il ne portait pas son armure.

— Ne penses-tu pas qu'il est tombé et n'a simplement pas pu remonter à la surface ?

Je m'accroupis et suivis du bout du doigt la ligne de son tibia gauche. L'os était desséché et fissuré ; une extrémité avait été rongée par de petites dents acérées. Je distinguai ce qui pouvait être une fracture incomplète mais tout aussi bien une craquelure occasionnée par le temps.

— Je ne crois pas, dit Jamie. Il était plus petit que moi, mais l'ancienne échelle devait déjà exister quand il est mort ; si on l'a construite plus tard, pourquoi aurait-on laissé cet homme ici au fond ?

— Hmm… Il est peut-être mort d'une fièvre, ce qui expliquerait pourquoi il a ôté son casque et son gorgerin.

Pour ma part, je les aurais enlevés à la première occasion ; enfermé dans sa coque de métal, il aurait été, selon la saison, bouilli vivant ou étouffé par le mildiou.

— Mmph…

Je relevai les yeux vers Jamie, devinant que son grognement indiquait une acceptation dubitative de mon raisonnement mais un désaccord certain avec ma conclusion.

— Tu crois qu'il a été tué ?

Il haussa les épaules.

— Il avait son armure mais aucune arme à part ce petit couteau. En outre, tu constateras qu'il était droitier mais que le couteau repose sur sa gauche.

Effectivement, les os du bras droit étaient visiblement plus épais, même à la seule lueur de la torche. Était-ce un guerrier ?

— J'ai rencontré bon nombre d'Espagnols aux Antilles, *Sassenach*. Tous étaient bardés d'épées, de lances et de pistolets. Si cet homme était mort d'une fièvre, ses compagnons auraient sans doute emporté ses armes, mais également son armure et le couteau. Pourquoi les laisser ?

— Dans ce cas, s'il a été tué, pourquoi son meurtrier ne les a-t-il pas emportés ?

— L'armure, parce qu'il n'en voulait pas. Elle n'est utile qu'à un soldat. Le couteau… parce qu'il était planté dans sa chair ?

— Très logique, convins-je. Mais laissons de côté pour l'instant la manière dont il est mort ; qu'est-ce qu'il pouvait bien fabriquer dans les montagnes de Caroline du Nord ?

— Les Espagnols ont envoyé des explorateurs vers le nord jusqu'en Virginie il y a environ cinquante ou soixante ans. Mais ils ne sont pas allés plus loin, découragés par les marécages.

— Ça se comprend. Mais comment expliquer… *ceci* ?

Je me relevai, lui montrant la grotte et l'échelle. Jamie ne répondit pas mais me prit par le bras, leva sa torche et me fit tourner vers la paroi faisant face à l'échelle. Haut au-dessus de ma tête, j'aperçus une autre brèche dans la roche, juste assez large pour qu'un homme s'y faufile.

— Il y a une autre grotte plus petite de l'autre côté, m'expliqua-t-il. Jem est monté sur mes épaules pour regarder. Il m'a dit qu'il y avait des traces dans la poussière, des empreintes carrées, comme si de lourdes caisses y avaient été entreposées.

Voilà pourquoi, en quête d'une nouvelle cachette pour le trésor, il avait pensé à la grotte de l'Espagnol.

— Nous apporterons la dernière partie de l'or cette nuit, m'informa-t-il. Nous boucherons cette brèche là-haut avec des pierres, puis nous laisserons le *señor* poursuivre son repos en paix.

Je devais bien reconnaître que cette cachette en valait une autre. Si quelqu'un découvrait la grotte par hasard, la présence du soldat espagnol le dissuaderait de l'explorer plus en profondeur. Les Indiens comme les colons avaient une profonde aversion pour les fantômes. D'ailleurs, les Highlanders aussi. Intriguée, je me tournai vers Jamie.

— Jem et toi… vous n'avez pas eu peur d'être hantés par l'Espagnol ?

— Non, nous avons récité la prière qu'il fallait pour le repos de son âme puis, après avoir refermé l'entrée de la grotte avec une pierre, j'ai répandu du sel tout autour.

Cela me fit sourire.

— Tu connais une prière adaptée à chaque circonstance, hein ?

Il esquissa un sourire puis frotta le bout de sa torche sur le gravier humide pour l'éteindre. Un faible rayon de lumière filtrant de l'ouverture illuminait le sommet de son crâne.

— Il y a toujours une prière appropriée, *a nighean*, même si ce n'est que *A Dhia, cuidich mi.*

« Oh mon Dieu, aide-moi ! »

———◀○▶———

9

Un couteau qui connaît ma main

L'Espagnol n'hérita pas de la garde du trésor entier. Deux de mes jupons avaient une fausse doublure garnie de minuscules poches remplies d'éclats d'or, et le fond de ma grande poche en avait plusieurs grammes fixés dans la couture. Jamie et Ian en conservaient chacun une petite quantité dans leur *sporran*. En outre, tous deux portaient deux grandes gibernes à la ceinture. Nous nous étions retirés tous les trois dans la clairière de la Nouvelle Maison pour fabriquer les balles à l'abri des regards.

Jamie retourna le moule et fit tomber une balle de mousquet dans un pot de graisse et de suie. Elle luisait comme un coucher de soleil miniature.

— Au moment de charger ton arme, tu ne te tromperas pas de côté, n'est-ce pas, Ian ?

Ce dernier lui lança un regard caustique.

— Non, à moins que tu n'aies pris ma giberne par erreur, mon oncle.

Il fabriquait des balles en plomb, qu'il versait dans un creux tapissé de feuilles humides. En atterrissant, le métal brûlant sifflait et dégageait une volute de vapeur dans l'air frais du soir printanier.

Rollo, couché non loin, éternua quand un nuage de fumée passa près de sa truffe. Ian le regarda, attendri.

— Ça te plaira de chasser le cerf rouge dans la lande, *a cù* ? Il te faudra rester à distance des moutons, autrement, on risque de te prendre pour un loup et de t'abattre.

Rollo soupira et ferma lentement les yeux, se rendormant.

— Tu as pensé à ce que tu diras à ta mère quand tu la verras ? demanda Jamie.

Il tendait la louche remplie de copeaux d'or au-dessus du feu, plissant les paupières pour se protéger de la fumée.

— J'essaie de ne pas trop y penser, répondit franchement Ian. Je ressens un sentiment étrange chaque fois que je pense à Lallybroch.

Je lui demandai :

— Étrange d'une manière agréable ou désagréable ?

Ma tâche consistait à cueillir délicatement les balles en or trempant dans la graisse avec une cuillère en bois et à les déposer dans les gibernes.

Ian fronça les sourcils, le regard fixé sur sa louche, où les petits amas de plomb froissé se transformaient en une flaque bouillonnante.

— Un peu des deux, je crois. Brianna m'a parlé un jour d'un livre où il était écrit qu'une fois qu'on est parti de chez soi, on ne peut jamais revenir. C'est peut-être vrai, mais j'ai quand même envie d'essayer.

Le regard toujours concentré, il versa le plomb fondu dans le moule.

Son expression mélancolique me fit détourner les yeux pour croiser le regard de Jamie, qui m'observait d'un air interrogateur et chargé de compassion. Je me détournai à nouveau et me redressai, gémissant en sentant mes genoux craquer.

— Tu sais, tout dépend de ce que tu appelles « chez toi ». Ce n'est pas toujours un lieu.

— Oui, c'est vrai.

Ian agita le moule un moment pour le refroidir, puis reprit :

— Mais, même s'il s'agit d'une personne, on ne peut pas toujours revenir, n'est-ce pas ? Ou peut-être que si ?

Un soupçon de sourire apparut à la commissure de ses lèvres tandis que son regard allait de Jamie à moi.

Son oncle décida de ne pas relever cette allusion et déclara avec flegme :

— Je pense que tu retrouveras tes parents plus ou moins tels que tu les as laissés. Ce sont plutôt eux qui auront un choc en te voyant.

Ian sourit.

— C'est vrai que j'ai un peu grandi.

Je ne pus m'empêcher de rire. Quand il avait quitté l'Écosse, à quinze ans, c'était un grand maigrelet dégingandé. Depuis, il avait pris plus de cinq centimètres. Il était svelte et dur comme une bande de cuir séché, avec un teint généralement de la même couleur, même si l'hiver l'avait décoloré, ce qui faisait encore plus ressortir les demi-cercles tatoués au pointillé sur ses pommettes.

Je lui demandai :

— Tu te souviens de cette autre maxime que je t'ai apprise quand nous sommes venus à Lallybroch après que j'ai... eu retrouvé Jamie ? *Chez toi, c'est cet endroit où, quand tu dois y revenir, on ne peut que te reprendre.*

Ian arqua un sourcil, son regard passant de moi à Jamie, puis il hocha la tête.

— Je comprends que tu sois autant attaché à elle, mon oncle. Elle doit t'être d'un rare réconfort.

Sans quitter son travail des yeux, Jamie répondit :

— Que veux-tu, elle continue de me reprendre, alors je suppose que c'est elle, mon chez-moi.

✳

Notre travail terminé, Ian et Rollo emportèrent les gibernes pleines à la cabane. Jamie étouffa le feu pendant que je rassemblais notre outillage. Il se faisait tard et l'air, déjà si frais qu'il picotait les poumons, acquit cette vivacité supplémentaire qui caressait également la peau, le souffle impétueux du printemps balayant la terre.

Je me tins un moment immobile, savourant cet instant. Bien que nous ayons travaillé à l'air libre, la fonte du métal m'avait donné chaud, et la brise froide qui soulevait mes cheveux de ma nuque était délicieuse.

— Tu n'aurais pas un penny, *a nighean*?

Je me rendis compte que Jamie se tenait tout près de moi.

— Un quoi?

— À vrai dire, n'importe quelle pièce de monnaie ferait l'affaire.

— Je ne pense pas, mais…

Je fouillai dans la grande poche attachée à ma ceinture qui, à ce stade de nos préparatifs, contenait un assortiment d'objets aussi improbables que le *sporran* de Jamie. Parmi des écheveaux de fils, des pochettes en papier contenant des graines et des herbes séchées, des aiguilles plantées dans des bouts de cuir, un petit bocal de sutures, une plume de pivert mouchetée de noir et de blanc, un morceau de craie blanche, un morceau de biscuit (j'avais dû être interrompue pendant que je le mangeais), je finis par découvrir un demi-shilling crasseux, couvert de peluches et de miettes.

Je l'essuyai et le tendis à Jamie.

— Ça t'ira?

— Parfait.

Il me tendit quelque chose à son tour. Ma main se referma machinalement sur le manche d'un couteau et, prise de court, je faillis le lâcher.

— Quand on donne un nouvel objet tranchant, on doit toujours demander une pièce de monnaie en échange. La lame connaît ainsi son propriétaire et ne se retournera pas contre lui.

— Son propriétaire?

Le soleil effleurait la crête des montagnes, mais il faisait encore très clair. J'examinai ma nouvelle acquisition. La lame était fine mais robuste, avec un seul tranchant, parfaitement affûté, qui lançait un éclat argenté. Le manche était en bois de cerf, lisse et chaud dans ma paume. Il avait été sculpté avec deux petites dépressions qui épousaient parfaitement ma prise. C'était vraiment *mon* couteau.

— Merci, dis-je en l'admirant, mais…

— Je me sentirai plus tranquille en sachant que tu le portes sur toi. Oh, attends, il manque une chose… Rends-le-moi.

Je le lui rendis et le vis, perplexe, passer la lame sur le gras de son pouce. Du sang apparut le long de la légère entaille. Il l'essuya sur ses culottes et suça son pouce tout en me rendant le couteau.

Il retira son doigt blessé de sa bouche le temps de m'expliquer :

— Il faut toujours baptiser une nouvelle lame, afin qu'elle connaisse son rôle.

Un léger frisson me parcourut. À de rares exceptions près, Jamie n'était pas du genre à se livrer à des actes purement romantiques. S'il me donnait un couteau, c'était parce qu'il pensait que j'en aurais besoin. Et non pas pour déterrer des racines ou écorcer des arbres.

Je caressai doucement le petit creux du manche qui épousait mon pouce.

— Il correspond exactement à ma main. Comment as-tu fait ?

Il se mit à rire et m'assura :

— Tu m'as tenu la queue suffisamment de fois pour que je connaisse la taille et la forme de ta main, *Sassenach*.

Je fis une mimique cynique puis entaillai à mon tour mon propre pouce de la pointe de la lame. Elle était incroyablement tranchante. Je la sentis à peine, mais une perle de sang rouge sombre apparut aussitôt. Je glissai mon couteau sous ma ceinture, pris sa main et pressai mon pouce contre le sien, déclarant :

— Le sang de mon sang.

Moi non plus, je n'étais pas du genre romantique.

◄O►

10

La poivrière

New York, août 1776

Finalement, la nouvelle de la fuite des Américains fut beaucoup mieux accueillie que William ne l'aurait pensé. Exaltée par l'idée que l'ennemi était au pied du mur, l'armée de Howe se mit en marche avec une rapidité remarquable. La flotte de l'amiral se trouvait toujours dans la baie de Gravesend; en un jour, des milliers d'hommes regagnèrent la plage et réembarquèrent pour la courte traversée jusqu'à Manhattan; au coucher du soleil du second jour, des compagnies lancèrent l'assaut contre New York... pour découvrir les tranchées désertes et les fortifications abandonnées.

William, ayant espéré venger l'humiliation qu'il avait subie dans un corps à corps direct, était déçu. En revanche, le général Howe était aux anges. Il s'installa avec son état-major dans un grand hôtel particulier baptisé Beekman House et entreprit de consolider son emprise sur la colonie. On sentait une certaine irritation parmi les officiers supérieurs, qui auraient voulu pourchasser les insurgés jusqu'au dernier (un avis partagé par William), mais Howe était convaincu que la défaite et l'usure dissémineraient les dernières forces de Washington et que l'hiver les achèverait.

Le lieutenant Anthony Fortnum balaya du regard l'étouffant grenier où les trois plus jeunes officiers de l'état-major étaient logés.

— En attendant, déclara-t-il, nous sommes une armée d'occupation. Ce qui signifie que nous avons droit aux plaisirs des lieux.

— Et quels seraient-ils ? demanda William.

Il cherchait vainement autour de lui un endroit où poser la vieille malle qui contenait la plupart de ses biens matériels.

Fortnum prit un air inspiré.

— Eh bien, les femmes. Oui, les drôlesses, certainement. Il doit bien y avoir des bordels à New York.

Ralph Jocelyn fit une moue dubitative.

— Je n'en ai vu aucun quand nous sommes entrés dans la ville. Et pourtant, j'ai regardé !

— Pas assez, répondit fermement Fortnum. Je suis sûr qu'il y en a.

— Il y a de la bière, suggéra William. En arrivant, j'ai bu une bonne pinte dans une gargote convenable, la Fraunces Tavern, à côté de Water Street.

— Il doit y avoir un endroit plus près que ça, gémit Jocelyn. Vous ne me ferez pas marcher des miles dans cette chaleur !

Beekman House jouissait d'un site agréable, avec un parc spacieux et de l'air pur, mais se trouvait à l'écart de la ville.

— Qui cherche trouve, mes frères, les assura Fortnum.

Il balança sa veste par-dessus une épaule.

— Tu viens, Ellesmere ?

— Pas tout de suite, j'ai des lettres à écrire. Naturellement, si vous trouvez des bordels, je veux un rapport écrit en trois exemplaires !

Livré provisoirement à lui-même, il laissa tomber son sac sur le plancher et sortit la petite liasse de lettres que le capitaine Griswold lui avait remise.

Il y en avait cinq. Trois portaient le sceau en demi-lune de son père (lord John lui écrivait invariablement tous les quinze du mois, ainsi qu'en d'autres occasions). Une autre était de son oncle Hal. Il sourit en la voyant. Les missives de Hal étaient parfois déroutantes mais toujours amusantes. La dernière portait une écriture féminine qu'il ne reconnut pas, avec un cachet neutre.

Intrigué, il l'ouvrit en premier et découvrit deux feuilles noircies par sa cousine Dottie. Il était surpris : Dottie ne lui avait encore jamais écrit.

Alors que, toujours debout, il parcourait la lettre, sa surprise ne fit qu'augmenter.

— Ça par exemple ! lâcha-t-il à voix haute.

Fortnum, qui venait de rentrer pour chercher son chapeau, demanda :

— Quoi ? De mauvaises nouvelles de chez toi ?

— Pardon ? Ah, non, non. Juste… intéressantes.

Il relut la première page rapidement puis replia la lettre et la rangea dans sa poche, à l'abri de la curiosité de Fortnum. Il prit celle de son oncle Hal. Son compagnon de chambrée écarquilla les yeux en apercevant le sceau orné d'armoiries ducales mais s'abstint de tout commentaire.

William toussota et brisa le cachet. Comme à l'accoutumée, le message ne comportait qu'une demi-page et n'incluait ni salutation ni conclusion. L'oncle Hal considérait que, dans la mesure où il y avait une adresse sur l'enveloppe, son destinataire coulait de source ; le sceau indiquait clairement l'identité de l'expéditeur, et il ne perdait pas son temps à écrire à des idiots.

Adam stationne à New York sous le commandement de sir Henry Clinton. Minnie lui a confié un paquet odieusement encombrant pour toi. Dottie t'embrasse, ce qui prend moins de place.

John me dit que tu accomplis une mission pour le capitaine Richardson. Je le connais et pense que tu devrais t'en abstenir.

Transmets mes salutations au colonel Spencer et évite de jouer aux cartes avec lui.

Personne n'égalait l'oncle Hal dans l'art de mettre autant d'informations (souvent énigmatiques) dans quelques lignes. William se demanda si le colonel Spencer trichait aux cartes, s'il jouait très bien ou s'il était simplement chanceux. Hal avait sûrement intentionnellement omis de le préciser, sachant que, dans les deux derniers cas, son neveu serait tenté de se mesurer à lui. Il savait pourtant qu'il était dangereux de battre à répétition un officier supérieur. Une ou deux fois, peut-être… Non, l'oncle Hal était lui-même un excellent joueur et, s'il le mettait en garde, la prudence était de mise. Le colonel Spencer pouvait fort bien être un joueur honnête et quelconque mais qui finirait par se vexer – et se venger – s'il était battu trop souvent.

Oncle Hal est un vieux renard, pensa William non sans admiration.

Ce qui l'inquiétait, c'était le second paragraphe. *Je connais Richardson…* Dans ce cas précis, il comprenait pourquoi son oncle n'en disait pas plus. Le courrier pouvait être lu par n'importe qui, et une lettre portant les armoiries du duc de Pardloe risquait d'attirer l'attention. Le cachet semblait intact, mais William ne se faisait aucune illusion, ayant vu son propre père retirer et remplacer des sceaux avec une remarquable habileté à l'aide d'une lame chauffée.

Ce qui ne l'empêchait pas de se demander ce que son oncle Hal savait sur Richardson et pourquoi il lui conseillait de cesser d'enquêter pour lui, car, de toute évidence, son père lui avait raconté la nature de sa mission pour le capitaine.

Mais, dans ce cas, oncle Hal devait avoir dit à papa ce qu'il savait sur Richardson et tout ce qui pouvait le discréditer.

William mit le message de son oncle de côté et ouvrit la première des lettres de son père. Non, rien sur Richardson… Dans la deuxième ? Rien non plus. Dans la troisième, il y avait bien une vague allusion à sa collecte d'informations, mais elle exprimait uniquement une préoccupation pour sa sécurité, avec une référence oblique à sa stature.

Un homme grand attire toujours l'attention dans un groupe, d'autant plus si son regard est direct et sa tenue soignée.

Cela fit sourire William. Au collège de Westminster, où il avait fait ses études, les classes se tenaient dans une grande salle où une toile tendue séparait les petits des grands, mais où des garçons de tous les âges suivaient les cours ensemble. William avait rapidement appris quand – et comment – passer inaperçu ou se faire remarquer en fonction de son entourage immédiat.

Donc, oncle Hal savait des choses sur Richardson, mais cela ne préoccupait pas papa. Naturellement, les choses en question n'étaient pas forcément indignes. Le duc de Pardloe n'avait peur de rien en ce qui le concernait mais tendait à être un peu trop protecteur envers les membres de sa famille. Peut-être considérait-il simplement Richardson trop imprudent. Et lord John, se fiant au bon sens de son fils, n'avait pas jugé utile d'en parler.

La chaleur dans le grenier était étouffante. La sueur dégoulinait sur le visage de William et trempait sa chemise. Fortnum était de nouveau sorti, laissant un bout de son lit de camp perché en équilibre précaire sur sa malle. Cela laissait tout juste assez d'espace pour atteindre la porte, ce que fit William en deux enjambées. L'air à l'extérieur était chaud et humide, mais au moins il se déplaçait. Il coiffa son chapeau et se lança à la recherche de son cousin Adam. Le paquet « odieusement encombrant » de sa tante semblait prometteur.

Tandis qu'il se faufilait à travers un groupe de fermières en route vers la place du marché, il sentit le froissement du papier dans sa poche et songea à la sœur d'Adam.

Dottie t'embrasse, ce qui prend moins de place.

Oncle Hal avait beau être un vieux renard, il arrivait que le plus rusé des renards ne voie pas ce qui se passait juste sous son nez.

✳

« Odieusement encombrant » remplit ses promesses : un livre, une bouteille d'excellent xérès espagnol, un bocal d'un litre d'olives pour l'accompagner et trois paires de bas de soie.

— Elle m'inonde de bas, lui confia son cousin Adam quand il voulut partager son butin avec lui. Mère les achète en gros et m'en envoie chaque fois qu'elle peut mettre la main sur quelqu'un qui part pour les colonies. Estime-toi heureux qu'elle n'ait pas pensé à t'envoyer des caleçons. J'en reçois avec chaque malle diplomatique. Imagine un peu à quel point il est gênant d'expliquer ça à sir Henry... En revanche, je ne dirais pas non à un verre de ton xérès.

William ne savait pas trop si son cousin plaisantait au sujet des caleçons. Adam avait des traits sévères qui lui étaient très utiles dans ses rapports avec les officiers supérieurs, mais il possédait également ce don des Grey de proférer les insanités les plus scandaleuses avec un visage de marbre. William rit néanmoins et descendit demander deux verres à la cuisine.

Un ami d'Adam apparut avec trois verres et prit un siège pour les aider à écluser le xérès. Un autre se matérialisa comme par enchantement hors des boiseries (c'était un excellent xérès) et sortit une demi-bouteille de porto de sa malle pour contribuer aux festivités. Comme il était inévitable en ce genre de circonstances, les amis et les bouteilles continuèrent à se multiplier jusqu'à ce que la chambre d'Adam, qui était certes petite, fût pleine à craquer.

William, qui avait généreusement débouché son bocal d'olives, porta un toast à la magnanimité de sa tante, sans omettre de mentionner les bas de soie. Il siffla son énième verre d'un trait puis le tendit à Adam pour qu'il le remplisse, ajoutant :

— Toutefois, je serais étonné que ce soit ta mère qui m'ait envoyé ce livre, je me trompe ?

Adam pouffa de rire, un litre de punch ayant fait fondre sa gravité habituelle.

— Non. Ce n'est pas mon père non plus. C'est ma propre contribution à l'avancée cutlurelle... Oups ! culutrelle... dans les colonies.

— Un service insigne à la sensibilité de l'homme civilisé, déclara gravement William, pas peu fier de sa maîtrise de l'allitération en dépit de la boisson.

Plusieurs voix s'écrièrent à l'unisson :

— Quel livre ? Quel livre ? Montrez-nous ce fameux livre !

William se vit obligé d'exhiber les joyaux de sa collection de présents : un exemplaire du célèbre ouvrage de M. Harris, *Une liste des dames de Covent Garden*, un catalogue décrivant avec un grand luxe de détails les charmes, les spécialités, les tarifs et les disponibilités des meilleures putains de Londres.

L'ouvrage fut accueilli avec des cris d'extase, et il s'ensuivit une brève mêlée pour s'en emparer. William le récupéra avant qu'il ne soit mis en pièces puis se laissa convaincre d'en lire quelques passages à voix haute, son interprétation théâtrale étant ponctuée par des hululements enthousiastes et un bombardement de noyaux d'olives.

Comme chacun sait, la lecture à voix haute sèche le gosier ; on fit donc monter d'autres rafraîchissements, qui furent aussitôt consommés. William n'aurait su dire qui le premier suggéra que l'assemblée se constitue en corps expéditionnaire afin de compiler une liste similaire pour New York, mais cette motion fut unanimement appuyée et scellée avec des rasades de punch, toutes les bouteilles ayant déjà été éclusées.

C'est ainsi qu'il se retrouva errant dans un brouillard éthylique dans les rues étroites de New York, dont l'obscurité n'était percée que par de petites chandelles placées ici et là derrière des fenêtres ou par les lanternes suspendues aux carrefours. Personne ne semblait savoir où ils allaient, mais ils avançaient néanmoins comme un seul homme, attirés par une subtile émanation.

— Comme des chiens derrière une chienne en chaleur, observa-t-il, songeur.

Un ami d'Adam se mit à rire et lui donna une tape sur l'épaule, et il se rendit compte qu'il avait parlé à voix haute. Néanmoins, il avait vu juste, car ils débouchèrent bientôt dans une ruelle où deux ou trois lanternes étaient suspendues. Drapées de mousseline rouge, elles projetaient une ombre sanglante sur des seuils dont les portes étaient entrouvertes, invitant le passant à entrer. Des cris de joie fusèrent dans le groupe et les « enquêteurs » s'avancèrent d'un pas assuré, pausant au milieu de la ruelle pour une brève discussion sur l'établissement qu'il convenait d'étudier en premier.

William se tint à l'écart du débat. L'air était lourd, humide, rendu fétide par les odeurs d'égouts et de bétail. En outre, il venait de se rendre compte qu'une des olives qu'il avait avalée était probablement avariée. Il transpirait abondamment et ses vêtements moites adhéraient à sa peau au point qu'il se demandait avec angoisse s'il parviendrait à baisser ses culottes à temps si son trouble intérieur migrait subitement vers le sud.

Il s'efforça de sourire et, avec un vague geste du bras, indiqua à Adam qu'il poursuivait son chemin un peu plus loin.

Il laissa donc derrière lui le groupe tapageur de jeunes officiers éméchés et dépassa les lanternes rouges. Il chercha désespérément un coin retiré où vider ses tripes mais, ne trouvant rien, finit par s'arrêter en titubant et vomir profusément sur le pas d'une porte. À son horreur, celle-ci s'ouvrit et l'occupant des lieux, hautement indigné, sans attendre des excuses, une explication ou une offre de compensation, sortit de nulle part une sorte de gourdin et le pourchassa en proférant un torrent d'insultes incompréhensibles mais qui semblaient être en allemand.

William parvint à le semer, traversant des cours de porcherie, zigzaguant entre des huttes et longeant des quais nauséabonds. Il mit un certain temps avant de retrouver son chemin vers le bon quartier, qu'il reconnut en apercevant son cousin arpentant la ruelle et tambourinant contre des portes en criant son nom à tue-tête.

— Ne frappe pas à celle-là ! hurla-t-il juste à temps.

Adam se figea devant la porte de l'Allemand au gourdin et se tourna vers lui avec soulagement.

— Ah ! Te voilà ! Ça va, mon vieux ?

— Oui, très bien.

Il se sentait pâle et mou sur ses jambes, mais ses intestins s'étaient calmés et sa course avait eu l'effet salutaire de le dégriser.

— J'ai cru que tu avais été détroussé ou assassiné dans un recoin sombre. Je n'aurais jamais pu regarder lord John en face si j'avais dû lui annoncer que je t'avais conduit dans un traquenard.

Ils marchaient dans la ruelle, retournant vers les lanternes. Tous les jeunes hommes avaient disparu dans l'un ou l'autre des établissements. Aux bruits festifs et aux martèlements que l'on entendait de l'extérieur, il était clair qu'ils n'avaient rien perdu de leur entrain, celui-ci ayant simplement été réorienté.

— Tu as trouvé chaussure à ton pied ? demanda Adam en pointant le menton dans la direction d'où William était venu.

— Euh… oui. Et toi ?

— Bah, elle n'aurait droit qu'à un tout petit paragraphe dans le bouquin de Harris, mais ce n'était pas si mal pour un trou comme New York.

Sa cravate dénouée pendait mollement autour de son cou et, quand ils passèrent devant une fenêtre allumée, William remarqua que son cousin avait perdu un des boutons en argent de sa veste. Adam ajouta :

— Je jurerais d'avoir aperçu une ou deux de ces putains dans le camp.

— Sir Henry t'a envoyé faire un recensement ? Ou tu passes tellement de temps avec les filles à soldats que tu les connais toutes par…

Il fut interrompu par des bruits différents provenant de l'une des maisons. Des cris… mais ce n'était plus le joyeux chahut éméché qui résonnait un peu plus tôt. On entendait un homme vociférer et des hurlements féminins.

Les cousins échangèrent un regard puis s'élancèrent vers le raffut.

Le volume de celui-ci augmentait à mesure qu'ils approchaient. Lorsqu'ils arrivèrent à hauteur de la dernière maison, ils virent un groupe de soldats débraillés en jaillir, suivis par un lieutenant trapu auquel William avait été présenté un peu plus tôt dans la chambre d'Adam mais dont le nom ne lui revint pas. Il traînait par le bras une femme à moitié nue.

Le lieutenant avait perdu sa veste et sa perruque. Ses cheveux noirs étaient coupés ras et implantés bas sur son front, ce qui, ajouté à sa corpulence, lui donnait un air de taureau sur le point de charger. De fait, il pivota et, envoyant un coup d'épaule à la femme qu'il avait traînée dans la ruelle, l'écrasa contre le mur. Il était très soûl et proférait des insanités incohérentes.

— Une poivrière !

William ne vit pas celui qui avait prononcé le mot, mais ce dernier fut repris dans des murmures excités, et une humeur malsaine se propagea dans le groupe.

— Une poivrière ! C'est une poivrière !

Plusieurs femmes étaient apparues sur le seuil. La faible lumière derrière elles les laissait à contre-jour et empêchait de distinguer leurs traits, mais elles étaient visiblement effrayées, se blottissant les unes contre les autres. L'une d'entre elles cria quelque chose et tendit un bras, mais les autres la retinrent et la tirèrent à l'intérieur. Le lieutenant brun ne la remarqua pas, trop occupé qu'il était à rouer la femme de coups de poing dans le ventre et les seins.

— Hé, tout doux !

William avança vers lui, mais plusieurs mains lui agrippèrent les bras.

— Poivrière !

Les hommes s'étaient mis à le scander en rythme avec les coups du lieutenant.

Une poivrière est une putain vérolée, ce que la femme était effectivement. Lorsque le lieutenant interrompit ses coups et poussa la malheureuse dans le halo d'une lanterne, William aperçut son visage érythémateux.

— Rodham ! Rodham !

Adam criait le nom du lieutenant en essayant de l'approcher, mais les autres formaient un barrage devant lui, le repoussant sans cesse tout en hurlant « poivrière » de plus en plus fort.

Les prostituées sur le seuil hurlèrent, puis reculèrent précipitamment quand Rodham projeta sa victime sur le seuil. William se débattit et parvint à se libérer mais, avant qu'il n'ait pu atteindre le lieutenant, celui-ci brisa la lanterne contre le mur et jeta l'huile brûlante sur la putain.

Il recula d'un pas, écarquillant les yeux comme s'il ne pouvait croire ce qu'il venait de faire. La femme se redressa d'un bond, décrivant des moulinets paniqués avec les bras tandis que les flammes envahissaient sa chevelure et sa chemise vaporeuse. En quelques secondes, elle se transforma en torche vivante, hurlant d'une voix mince et stridente qui transperça la cacophonie dans la ruelle et résonna jusque dans le cerveau de William.

Les hommes reculèrent précipitamment en la voyant chanceler vers eux, les bras tendus dans un vain appel à l'aide ; à moins qu'elle n'ait voulu les immoler à leur tour… William resta cloué sur place, son corps tout entier tendu par le besoin d'agir, l'impossibilité de faire quoi que ce soit et un écrasant sentiment de catastrophe. Une douleur insistante au bras lui fit tourner la tête, et il vit Adam se tenant à ses côtés, livide et ruisselant de transpiration, lui enfonçant les doigts dans les muscles de l'avant-bras.

— Partons ! chuchota Adam. Pour l'amour de Dieu, filons d'ici.

La porte du bordel s'était refermée en claquant. La femme en flammes se jeta contre elle, pressant les mains contre le bois. Une odeur de chair grillée avait envahi la ruelle, et William sentit la bile lui remonter à nouveau dans la gorge.

— Allez crever en enfer ! Que vos sales bites vous pourrissent entre les jambes !

Le cri venait d'une fenêtre plus haut. Levant la tête, William vit une prostituée agitant le poing en direction des hommes en bas. Il y eut des grognements dans la ruelle, et l'un des hommes lui répondit par une insulte ; un autre attrapa un pavé et le lança de toutes ses forces. Il heurta le mur sous la fenêtre et retomba sur un de ses compagnons, qui jura et poussa celui qui l'avait lancé.

La femme brûlée s'était affaissée le long de la porte, laissant une traînée noirâtre sur le bois. Elle émettait encore une faible plainte sifflante mais avait cessé de se tordre.

Soudain, William devint comme fou. Attrapant le lanceur de pavé par le col, il lui projeta la tête contre le mur. L'homme se raidit puis s'effondra, ses genoux ployant sous lui. Il resta assis le long du mur, sonné et gémissant.

— Foutez le camp ! hurla William. Tous ! Partez !

Serrant les poings, il se tourna vers le lieutenant brun qui, sa rage évaporée, se tenait immobile, fixant la femme sur le seuil. Ses jupes avaient disparu ; une paire de jambes noires s'agitait encore faiblement dans la pénombre.

William rejoignit Rodham en une enjambée et l'attrapa par le devant de sa chemise, le poussant brutalement.

— Dégage ! grogna-t-il. Disparais ! Tout de suite !

Il lâcha l'homme, qui cligna des yeux, déglutit, puis tourna les talons et s'éloigna dans le noir tel un automate.

Hors d'haleine, William se tourna vers les autres, mais leur soif de violence s'était évaporée aussi rapidement qu'elle était apparue. Il y eut quelques coups d'œil piteux vers la femme, qui ne bougeait plus, et des murmures incohérents. Chacun évitait de croiser le regard des autres.

William était vaguement conscient de la présence de son cousin à ses côtés, tremblant mais tenant fermement sur ses jambes. Il posa une main sur son épaule et, tremblant lui aussi, fit front jusqu'à ce que les hommes commencent à reculer et à s'éloigner. Celui qui était effondré contre le mur se redressa à moitié puis courut les rejoindre d'un pas incertain, se cognant contre les façades jusqu'à disparaître dans l'obscurité.

Le silence retomba sur la ruelle. Le feu s'était éteint. Les autres lanternes rouges avaient été éteintes. William avait l'impression d'avoir pris racine et qu'il resterait à jamais planté dans ce lieu damné. Puis Adam bougea, sa main retomba, et il découvrit que ses pieds pouvaient encore le porter.

Ils marchèrent en silence dans les rues sombres puis atteignirent un poste de sentinelles. Les soldats de garde, censés maintenir l'ordre dans la ville occupée, étaient réunis autour d'un feu, discutant tranquillement. Ils leur adressèrent à peine un regard et ne leur posèrent aucune question.

À la lueur des flammes, William vit des traces de larmes sur le visage d'Adam et se rendit compte que son cousin pleurait en silence.

Tout comme lui.

———◄o►———

11

Présentation transversale

Fraser's Ridge, mars 1777

Le monde ruisselait. De nouveaux cours d'eau dévalaient la montagne ; les herbes et les feuilles croulaient sous la rosée et les galets fumaient au soleil du matin. Nos préparatifs étaient terminés, les cols étaient dégagés. Il ne restait plus qu'une dernière chose à faire avant de partir.

— C'est pour aujourd'hui, tu crois ? me demanda Jamie d'une voix chargée d'espoir.

Il n'était pas fait pour la contemplation passive. Une fois qu'une décision avait été prise, il avait besoin d'agir. Hélas, les fœtus sont totalement indifférents à la commodité comme à l'impatience. Essayant de maîtriser ma propre nervosité, je répondis laconiquement :

— Peut-être. Ou peut-être pas.

— Je l'ai vue la semaine dernière, tante Claire, déclara Ian. Elle semblait sur le point d'exploser.

Il tendit à Rollo le dernier morceau de son muffin avant de préciser :

— Comme ces gros champignons tout ronds, vous savez ? Il suffit de les toucher et... pouf !

Jamie me regarda en fronçant les sourcils.

— Elle n'en attend qu'un, n'est-ce pas ?

— Je te l'ai déjà dit au moins six fois. Je l'espère ! Mais on ne peut jamais en être certain.

— Les jumeaux, c'est souvent de famille, observa Ian.

Jamie se signa.

Je m'efforçai de garder mon calme.

— Je n'ai entendu qu'un battement de cœur, et cela fait des mois que j'écoute.

— Vous ne pouvez pas compter les bouts qui dépassent ? demanda Ian. Si la « chose » a six pieds...

— C'est plus facile à dire qu'à faire.

Naturellement, je pouvais deviner l'aspect général de l'enfant ; il était relativement aisé de repérer une tête, ainsi que des fesses. Les bras et les jambes étaient plus problématiques. C'était ce qui me préoccupait en ce moment.

Au cours du dernier mois, j'avais ausculté Lizzie une fois par semaine et, depuis une semaine, je montais tous les deux jours jusqu'à sa cabane, qui était assez éloignée. Le bébé (et j'étais raisonnablement convaincue qu'il n'y en avait qu'un) semblait très gros. Le fond de l'utérus me paraissait beaucoup plus haut qu'il n'aurait dû l'être. En outre, même si les fœtus changeaient fréquemment de position au cours des semaines précédant l'accouchement, celui-ci se trouvait coincé transversalement depuis bien trop longtemps.

Sans hôpital, bloc opératoire ni anesthésie, mes possibilités de traiter un accouchement complexe étaient sérieusement limitées. La sage-femme confrontée à une présentation transversale avait quatre options : laisser mourir la mère après une longue et douloureuse agonie ; la laisser mourir après avoir pratiqué une césarienne sans anesthésie ni asepsie mais, peut-être, en sauvant l'enfant ; sauver peut-être la mère en tuant l'enfant dans son ventre puis en l'extrayant morceau par morceau (Daniel avait consacré plusieurs pages à cette solution dans son cahier, l'accompagnant d'illustrations) ; enfin, tenter manuellement de retourner l'enfant dans l'utérus jusqu'à ce qu'il se présente dans une position lui permettant de naître.

Bien que semblant la meilleure, cette dernière option pouvait s'avérer aussi dangereuse que les autres, provoquant la mort de la mère *et* de l'enfant.

J'avais déjà tenté une version externe de cette méthode la semaine précédente, parvenant, non sans mal, à inciter l'enfant à s'orienter la tête en bas. Deux jours plus tard, il s'était à nouveau tourné, appréciant manifestement d'être couché sur le dos. Il pouvait à nouveau bouger avant que le travail commence. Ou pas.

Forte de mon expérience, je parvenais généralement à distinguer entre anticiper intelligemment les imprévus et se faire inutilement un sang d'encre pour des événements qui ne se produiraient peut-être pas. En dépit de cela, je n'avais pratiquement pas fermé l'œil de la nuit depuis une semaine, imaginant que l'enfant ne se tournerait pas à temps et revoyant encore et encore cette courte liste de solutions en cherchant vainement une dernière et meilleure option.

Si j'avais eu de l'éther… mais tout mon stock avait disparu dans l'incendie.

Tuer Lizzie afin de sauver l'enfant? Non. S'il fallait en arriver là, mieux valait sacrifier le bébé *in utero* afin que Rodney continue d'avoir une mère et les frères Beardsley une épouse. Toutefois, l'idée de broyer le crâne d'un enfant parvenu à terme, sain et prêt à voir le jour… ou de le décapiter à l'aide d'un fil de fer tranchant…

— Vous n'avez pas faim ce matin, ma tante?

— Euh… non. Merci, Ian.

— Tu es tout pâlotte, *Sassenach*. Tu n'es pas souffrante, j'espère…

— Non!

Je me levai rapidement de table avant qu'ils ne me posent d'autres questions et sortis chercher de l'eau au puits. Il ne servait strictement à rien de les terroriser avec les images qui défilaient dans ma tête.

Amy se trouvait au-dehors; elle avait commencé un feu sous la grande marmite de lessive et grondait Aidan et Orrie qui, chargés de chercher du petit bois, s'interrompaient régulièrement pour se jeter des mottes de boue.

M'apercevant le seau à la main, elle me lança:

— Vous voulez de l'eau, *a bhana-mhaighstir*? Aidan va aller vous en chercher.

— Non, ce n'est pas nécessaire, l'assurai-je. J'ai surtout besoin de prendre un peu d'air. Il fait si bon le matin à présent.

Le fait était. Il faisait encore un peu frisquet jusqu'à ce que le soleil grimpe haut dans le ciel, mais l'air était pur, chargé d'odeurs d'herbes, de bourgeons gorgés de résine et de chatons.

Je remplis mon seau au puits et redescendis le sentier en marchant lentement, absorbant les détails du paysage autour de moi comme on regarde des choses en sachant qu'on ne les verra plus avant longtemps, voire plus jamais.

Fraser's Ridge avait considérablement changé avec l'apparition de la violence, les bouleversements de la guerre et l'incendie de la Grande Maison. Il changerait encore beaucoup plus une fois que Jamie et moi serions partis.

Qui ferait un bon chef naturel? Hiram Crombie était *de facto* à la tête du groupe de pêcheurs presbytériens venus de Thurso, mais c'était un homme rigide et dépourvu d'humour. Il risquait davantage de provoquer des frictions avec le reste de la communauté que de maintenir l'ordre et d'encourager l'entraide.

Bobby? Après y avoir longuement réfléchi, Jamie l'avait nommé régisseur, chargé d'administrer notre propriété, ou ce qu'il en restait. Mais, indépendamment de ses qualités naturelles et de ses défauts, il était jeune et, comme bon nombre d'autres hommes de Fraser's Ridge, il pouvait facilement être emporté par la tempête imminente et contraint de s'engager dans l'une des milices. Mais pas dans les forces de la Couronne. Sept ans plus tôt, il avait été soldat britannique, stationné à Boston. Lui et plusieurs de ses camarades avaient été pris à partie par plusieurs centaines de Bostoniens furieux. Craignant pour leurs vies, les soldats avaient chargé leurs mousquets et les avaient pointés vers la foule. Des pavés et des gourdins avaient été lancés, des coups de feu avaient été tirés… personne n'aurait su dire par qui ; je ne l'avais jamais demandé à Bobby. Des hommes étaient morts.

Au cours du procès qui avait suivi, la vie de Bobby avait été épargnée, mais il portait sur la joue un « M » marqué au fer rouge. « M » pour meurtrier. J'ignorais quels étaient ses penchants politiques – il n'en parlait jamais –, mais il ne se battrait plus jamais dans les rangs de l'armée anglaise.

D'une humeur plus stable, je poussai la porte de la cabane et trouvai Jamie et Ian en train de discuter du bébé à naître. Serait-ce un garçon ou une fille ? Serait-il du même père que Rodney ou juste un demi-frère ou une demi-sœur ?

Versant l'eau du seau dans la marmite, je les interrompis :

— Cela n'a pas d'importance, Jo et Kezzie sont de vrais jumeaux, ce qui signifie que leur… semence est identique.

C'était simplifier à l'extrême, certes, mais il était encore trop tôt dans la matinée pour me lancer dans un exposé sur la méiose reproductive et l'ADN recombinant.

— Ils ont le même foutre ? demanda Ian incrédule. Comment pouvez-vous le savoir ? Vous avez regardé ?

Il me dévisageait avec une curiosité horrifiée.

— Bien sûr que non ! rétorquai-je. Je n'en ai pas eu besoin. Ce sont des choses que je sais.

Il acquiesça respectueusement.

— Ah, bien sûr. J'oublie parfois ce que vous êtes, tante Claire.

Je ne savais pas trop ce qu'il voulait dire par là, mais il ne me parut pas opportun d'expliquer que ma connaissance des processus intimes des jumeaux Beardsley était purement académique plutôt que surnaturelle.

Jamie fronça les sourcils.

— Mais c'est bien Kezzie qui est le père, cette fois, non ? J'ai chassé Jo. C'est Kezzie qui est resté avec elle toute cette année.

Ian lui lança un regard de compassion.

— Parce que tu crois qu'il est parti, Jo ?

Les épais sourcils roux de Jamie se rapprochèrent encore un peu.

— Je ne l'ai pas vu.

— C'est normal, répondit Ian. Ils sont très prudents, pour éviter que tu te fâches à nouveau. On n'en voit jamais qu'un seul à la fois.

Nous le fixâmes tous les deux. Il leva les yeux du morceau de bacon qu'il tenait dans les mains et prit un air innocent.

— Ce sont des choses que je sais, voyez-vous ?

✳

Après le dîner, la maisonnée s'installa pour la nuit. Tous les Higgins se retirèrent dans la chambre à l'arrière de la cabane, où ils partageaient le lit unique.

Obsessive, j'ouvris à nouveau ma sacoche de sage-femme et étalai son contenu devant moi, vérifiant chaque objet. Ciseaux ; fil blanc pour le cordon ombilical ; linge lavé plusieurs fois, bouilli et séché pour ôter toute trace de lessive ; un grand carré de toile cirée pour protéger le matelas ; un petit flacon d'alcool dilué à cinquante pour cent dans de l'eau stérilisée ; une pochette contenant plusieurs tortillons de laine lavée mais non bouillie ; un rouleau de parchemin qui me servait de stéthoscope, le mien ayant disparu dans l'incendie ; un couteau ; une petite bobine de fil de fer, dont une extrémité avait été aiguisée.

Je n'avais pas avalé grand-chose au dîner, ni de la journée d'ailleurs, sentant en permanence ma bile me remonter dans le fond de la gorge. Je déglutis et rangeai à nouveau tout mon attirail, ficelant fermement la sacoche.

Je sentis que Jamie m'observait et levai les yeux vers lui. Il ne dit rien, se contentant de sourire légèrement. Je fus momentanément apaisée par la chaleur de son regard avant d'être reprise par l'angoisse. Que penserait-il s'il savait ce que j'aurais à faire si l'accouchement tournait mal ? Il dut lire la peur dans mes yeux, car il sortit son chapelet de son *sporran* et se mit à prier en silence, faisant lentement glisser les perles au bout de ses doigts.

✳

Deux nuits plus tard, je me réveillai en sursaut en entendant des pas courant sur le sentier. Je fus debout en un clin d'œil et avais enfilé mes vêtements avant même que Jo ne frappe à la porte. Jamie le fit entrer. Cherchant à quatre pattes ma sacoche sous le banc, je les entendis murmurer. Jo paraissait excité, un peu inquiet mais pas paniqué. C'était bon signe. Si Lizzie avait été effrayée ou mal en point, il l'aurait aussitôt perçu. Les jumeaux étaient aussi sensibles à ses humeurs et à son bien-être qu'aux leurs.

Jamie s'approcha et chuchota :

— Tu veux que je vienne ?

Je posai les mains sur son torse pour puiser un peu de sa force et murmurai :

— Non. Retourne te coucher. Si j'ai besoin de toi, je t'enverrai chercher.

Il était encore taché de sommeil – les braises du feu creusaient des ombres dans sa chevelure –, mais son regard était alerte. Il acquiesça et me baisa le front mais, au lieu de s'écarter, il posa une main sur mon crâne et récita en gaélique :

— Ô Michel du domaine rouge, bénis-la…

Puis il effleura ma joue en guise d'adieu.

— À demain matin, *Sassenach*.

Il me poussa doucement vers la porte.

À ma surprise, il neigeait. Le ciel était d'un gris lumineux et l'air, rempli d'énormes flocons tourbillonnants qui caressaient mon visage, fondant immédiatement au contact de ma peau. C'était une tempête de printemps. Je voyais les cristaux se poser sur les tiges d'herbe et disparaître aussitôt. Il n'y aurait sans doute aucune trace de la neige au matin, mais la nuit était remplie de mystère. En me retournant, je ne vis pas la cabane derrière nous, uniquement la silhouette des arbres dans la lumière gris perle. Le sentier devant nous paraissait aussi irréel, se fondant au loin dans les troncs étranges et les ombres indéfinissables.

Je me sentais étrangement désincarnée, partagée entre le passé et le futur, ne voyant rien que le silence blanc tourbillonnant autour de nous. Pourtant, cela faisait des jours que je ne m'étais pas sentie aussi calme. Je sentais encore le

poids de la main de Jamie sur ma tête et entendais sa bénédiction : « Ô Michel du domaine rouge… »

C'était celle qu'on donnait au guerrier avant la bataille.
Je la lui avais récitée plus d'une fois. J'ignorais ce qui l'avait
incité à me la donner à présent ; il ne l'avait encore jamais fait.
Néanmoins, ses paroles me réchauffaient le cœur, formant
un petit rempart contre les dangers à venir.

La neige formait un fin tapis blanc cachant la terre brune
et les jeunes pousses. Je marchais dans les empreintes fraîches et sombres de Jo devant moi, sentais les aiguilles de
pin et de sapin frotter contre mes jupes et écoutais le silence
résonnant.

S'il existait des nuits où les anges descendaient marcher
sur terre, je priai que celle-ci fût l'une d'elles.

✳

La cabane des Beardsley se trouvait à une bonne heure
de marche, en plein jour et par beau temps. Mais l'angoisse
hâtait mes pas et, bientôt, ce fut autour de Jo (si c'était bien
lui) d'avoir du mal à me suivre.

— Quand cela a-t-il commencé ? demandai-je.

C'était toujours difficile à déterminer, mais le premier
accouchement de Lizzie avait été très rapide. Elle avait mis
le petit Rodney au monde seule et sans incident. Je doutais qu'elle aurait la même chance cette nuit mais, dans un
élan d'optimisme, je nous imaginais arrivant à la cabane et
découvrant une Lizzie radieuse serrant déjà son nouveau-né
contre son sein.

— Il n'y a pas longtemps, haleta-t-il. Elle a perdu les eaux
tout à coup, alors que nous étions tous au lit, et elle a dit que
je ferais mieux d'aller vous chercher.

J'essayai de ne pas remarquer le « tous au lit ». Après tout,
l'un des deux jumeaux dormait peut-être sur le plancher.
Cela dit, le « ménage » Beardsley était l'incarnation littérale
du double sens ; quiconque connaissait la vérité ne pouvait
penser à eux sans…

197

Il était inutile de lui demander depuis combien de temps Kezzie et lui vivaient tous les deux dans la cabane; d'après ce qu'en avait dit Ian, ni l'un ni l'autre n'en était jamais vraiment parti. Compte tenu des conditions de vie dans l'arrière-pays, personne n'aurait cillé à l'idée d'un mari vivant avec sa femme et son frère sous le même toit. Pour les habitants de Fraser's Ridge, Lizzie était mariée à Kezzie. Ce qui était vrai. Sauf qu'elle l'était également à Jo grâce à une série d'intrigues qui, à ce jour, continuait de me laisser pantoise. Toutefois, sur ordre de Jamie, la maison Beardsley taisait cette dernière information.

Quand le sentier s'élargit, Jo se rapprocha pour marcher à ma hauteur.

— Son père doit déjà être arrivé, annonça-t-il. Tout comme tante Monika. Kezzie est allé les chercher.

— Vous avez laissé Lizzie *toute seule*?

Il haussa les épaules, mal à l'aise, et répondit simplement :

— C'est elle qui nous l'a ordonné.

Je n'insistai pas mais pressai encore le pas jusqu'à ce qu'un point de côté me fasse ralentir. Si Lizzie n'avait pas déjà accouché, n'avait pas fait d'hémorragie ni subi quelque autre catastrophe, la présence de « tante Monika » pourrait être utile. Seconde épouse de M. Wemyss, Monika Berrisch Wemyss était une Allemande à l'anglais limité et excentrique mais au courage et au bon sens exemplaires.

M. Wemyss n'était pas sans courage lui non plus, mais il était d'une nature plus réservée. Il nous attendait sous le porche avec Kezzie. Il était clair que le beau-père soutenait le gendre plutôt que l'inverse. Le jeune homme se tordait littéralement les mains en sautillant d'un pied sur l'autre tandis que le fluet M. Wemyss était penché vers lui, lui parlant à voix basse en lui tenant le bras. Quand ils nous entendirent puis nous virent, l'espoir les fit se redresser.

Un long hurlement grave retentit dans la cabane, et les trois hommes se raidirent comme si un loup avait surgi des ténèbres devant eux.

— Ma foi, ç'a l'air de bien se passer, dis-je sur un ton léger.

Ils exhalèrent tous en même temps. J'eus envie de rire, mais ce n'était pas le moment. J'ouvris la porte.

— Argh! fit Lizzie.

Elle leva la tête depuis son lit.

— Ah, c'est vous, madame! Dieu soit loué!

— *Gott bedanket, aye!* convint tante Monika d'une voix tranquille.

Elle était à quatre pattes, en train d'éponger le sol avec un torchon. Elle ajouta:

— C'est pour bientôt, maintenant. Ch'espère.

— Je l'espère aussi, gémit Lizzie en grimaçant. GAAAAARRRGH!

Ses traits se convulsèrent et devinrent rouge vif. Son corps gonflé se cambra. Cela ressemblait plus à une crise de tétanie qu'à un accouchement mais, heureusement, le spasme fut de courte durée et elle s'effondra sur le lit, pantelante.

Pendant que je palpais son abdomen, elle ouvrit un œil:

— Ce n'était pas comme ça la dernière fois.

— Ce n'est jamais deux fois pareil, répondis-je d'un air absent.

Un premier regard avait fait bondir mon cœur: l'enfant n'était plus en position transverse. Toutefois... il n'avait pas vraiment la tête en bas non plus. Il ne bougeait pas, ce qui était généralement le cas durant le travail. Il me semblait bien avoir localisé son crâne sous les côtes de Lizzie mais, pour ce qui était du reste...

— Laisse-moi regarder ça de plus près.

Elle était nue, enveloppée dans une courtepointe. Sa chemise trempée suspendue sur le dossier d'une chaise fumait devant la cheminée. Le lit n'étant pas mouillé, j'en déduisis qu'elle avait senti la rupture de ses membranes à temps pour se lever avant de perdre les eaux.

M'étant attendue au pire, je poussai un soupir de soulagement. Le risque principal d'une présentation par le siège était que le cordon descende lors de la rupture des membranes et reste coincé entre le pelvis et une partie du fœtus, ce qui pouvait l'étrangler. Sur ce plan, tout allait bien, et une légère palpation m'assura que le col de l'utérus était presque entièrement dilaté.

Il ne restait plus qu'à attendre de voir ce qui se présenterait en premier. J'ouvris ma sacoche et, glissant discrètement la bobine de fil de fer sous une pile de linge, déployai la toile cirée. Tante Monika m'aida à hisser Lizzie par-dessus.

Lorsque Lizzie poussa un autre de ses hurlements surnaturels, Monika tressaillit et lança un regard vers le petit lit où ronflait Rodney. Elle m'interrogea du regard, cherchant à se rassurer, puis saisit les mains de Lizzie et répondit à ses gémissements par des murmures en allemand.

J'entendis la porte grincer doucement derrière moi et me retournai. Un des Beardsley regardait dans l'entrebâillement avec un mélange de peur et d'espoir.

— Ça y est ? chuchota-t-il d'une voix rauque.

Lizzie se redressa brusquement en position assise et hurla :

— NON ! Hors de ma vue ou je vous arrache les couilles ! Toutes les quatre !

La porte se referma aussitôt et Lizzie se laissa retomber en arrière.

— Je les hais ! déclara-t-elle sans desserrer les dents. Je voudrais qu'ils meurent !

— Mmm… dis-je avec compassion. Je suis sûre qu'ils souffrent, c'est déjà ça.

— Tant mieux !

Elle passa de la fureur au mélodrame en une fraction de seconde et ses yeux se remplirent de larmes.

— Je vais mourir ?

Je pris mon ton le plus rassurant :

— Non.

— IIIIAAAAAAAAAAAARRRGGG !

— *Grüss Gott*, murmura tante Monika en se signant. *Ist gut ?*

— *Ja*, répondis-je fermement. Vous ne sauriez pas où trouver des ciseaux ?

— Oh, *ja*.

Elle fouilla dans son sac et me tendit une minuscule paire de ciseaux de broderie dont la dorure était très usée.

— Ça, ça fous ira ?

— *Danke.*

— BLOOOOOOOOOORRRRGGGG !

Monika et moi nous penchâmes sur Lizzie.

— N'exagère pas, lui dis-je. Ils sont terrifiés mais pas idiots. En outre, tu vas effrayer ton père. *Et* Rodney.

Elle se calma, le souffle court, et parvint à esquisser un vague sourire.

Après cela, les choses se déroulèrent rapidement. Je vérifiai son pouls, puis son col utérin et sentis mon propre rythme cardiaque s'accélérer en touchant ce qui était clairement un petit pied, en route vers la sortie. Pouvais-je attraper l'autre ?

Je lançai un regard vers Monika, évaluant sa taille et sa force. Elle était coriace comme du *whipcord* mais pas très épaisse. En revanche, Lizzie était grosse comme une... disons qu'il était compréhensible que Ian ait pensé qu'elle attendait des jumeaux.

L'idée qu'il puisse s'agir de jumeaux me donna la chair de poule. *Non*, me répétai-je fermement. *Ce n'est pas le cas ; ce ne peut pas l'être. En sortir un de là sera déjà suffisamment problématique.*

— Nous allons avoir besoin de l'un des hommes pour lui tenir les épaules, annonçai-je à Monika. Allez chercher un des jumeaux, s'il vous plaît.

— Les deux, gémit Lizzie.

— Un seul sera suffis...

— *Les deux !* Nnnnngggggg...

— Les deux, dis-je à Monika, qui hocha la tête sans répliquer.

Les jumeaux firent irruption dans un courant d'air frais, leurs visages – deux masques rougeauds identiques – exprimant à la fois l'alarme et l'excitation. Avant même que j'aie pu leur parler, ils se précipitèrent vers Lizzie comme de la limaille de fer attirée par un aimant. Elle s'était péniblement hissée en position assise ; l'un d'eux s'agenouilla derrière elle, massant doucement ses épaules crispées par la dernière contraction. L'autre s'assit à côté d'elle, glissa un bras sous ce qui avait été autrefois sa taille et essuya son front trempé de sa main libre.

Je voulus étaler la courtepointe sur son ventre rond mais elle la repoussa, en nage et irritable. La cabane était remplie d'une chaleur humide que dégageaient la marmite sur le feu et notre propre transpiration. Me disant que les jumeaux étaient plus familiers que moi avec son anatomie, je tendis la couverture humide à Monika. L'accouchement s'accommodait mal avec la pudeur.

Je m'agenouillai devant Lizzie, les ciseaux à la main, et incisai rapidement le périnée. Une petite giclée de sang chaud coula sur ma main. Lors d'accouchements normaux, je pratiquais rarement l'épisiotomie mais, dans le cas présent, j'allais avoir besoin d'espace pour manœuvrer. Je pressai un linge propre contre l'entaille, mais la quantité de sang était négligeable et, de toute manière, l'intérieur de ses cuisses était déjà couvert de traînées sanglantes.

C'était bien un pied. Je pouvais voir les orteils, longs, comme ceux d'une grenouille. Je lançai machinalement un regard vers ceux de Lizzie, fermement plantés de chaque côté de moi. Ils étaient petits et compacts. Ce devait être les gènes des jumeaux.

Des odeurs marécageuses de liquide amniotique, de sueur et de sang émanaient du corps de Lizzie, et je sentais la transpiration ruisseler le long de mes propres côtes. J'enfonçai la main, glissai un doigt derrière un petit talon et extirpai le pied, sentant la vie de l'enfant remuer dans sa chair, même si le bébé lui-même ne bougeait pas. Il subissait, impuissant, le processus de sa naissance.

L'autre. Il me fallait l'autre pied. Cherchant désespérément le long de la paroi du ventre entre chaque contraction, je glissai mon autre main le long de la petite jambe et trouvai la courbe minuscule d'une fesse. Je changeai rapidement de main et, les yeux fermés, distinguai l'arrondi d'une cuisse tendue. *Bon sang de bonsoir !* Il avait le genou coincé sous le menton… Je sentis les souples petits os cartilagineux, solides sous la pression du liquide amniotique, l'étirement d'un muscle... Je parvins à glisser un doigt, puis deux autour d'une cheville et grognai :

— Tenez-la bien !

Lizzie cambra les reins, poussant ses fesses vers moi, et je sortis le second pied.

Je retombai sur mon postérieur, haletante même si l'effort n'avait pas été physique. Les petits pieds de grenouille s'agitèrent une fois, puis les jambes commencèrent à apparaître avec la poussée suivante. Je posai une main sur la cuisse de Lizzie.

— Encore, ma chérie ! Donne-nous-en une autre comme ça !

Nous entendîmes un grondement semblant surgir des entrailles de la terre, un râle comme ne peut en pousser qu'une femme qui se fiche désormais de vivre, de mourir ou d'être fendue en deux. Puis la partie inférieure du bébé glissa lentement devant moi, le cordon ombilical palpitant tel un gros ver violacé enroulé sur son ventre. Je ne pouvais le quitter des yeux. Je me répétais : « Dieu merci ! Dieu merci ! »

Tante Monika se pencha par-dessus mon épaule.

— *Ist das* testicules ? demanda-t-elle perplexe en pointant un doigt vers le sexe de l'enfant.

Préoccupée par le cordon, je n'avais pas encore eu le temps de regarder. Je me mis à sourire.

— Non, *ist ein Mädchen.*

La vulve du bébé était œdémateuse. Elle ressemblait effectivement à l'équipement d'un petit garçon, le clitoris saillant des lèvres vaginales enflées.

— Quoi ? Qu'est-ce que c'est ?

L'un des Beardsley étirait le cou pour regarder.

Radieuse, tante Monika lui répondit :

— Fous afez une petite fille.

— Une fille ! s'écria l'autre Beardsley. Lizzie, on a une fille !

— Tu vas la fermer ? grogna Lizzie. NNNNNNNGGGGG !

Rodney se réveilla et se dressa subitement dans son lit, la bouche et les yeux grands ouverts. Tante Monika se précipita et le cueillit avant qu'il n'ait eu le temps de brailler.

La sœur de Rodney avançait lentement vers le jour, comme à contrecœur, centimètre par centimètre, poussée par chaque contraction. Je comptais mentalement : *un hippopotame, deux hippopotames...* Entre l'apparition du cordon ombilical et la délivrance en bonne et due forme de la bouche et du nez, il ne devait pas s'écouler plus de quatre minutes, autrement le manque d'oxygène risquait d'endommager le cerveau. Toutefois, je ne pouvais pas tirer et risquer d'abîmer le cou et la tête.

— Pousse, ma chérie... Plus fort. Maintenant !

Tenant fermement ses cuisses, je m'efforçai de maintenir une voix calme.

Trente-quatre hippopotames, trente-cinq...

Il ne manquait plus que le menton soit coincé sous l'os pelvien... Après la contraction suivante, je glissai rapidement mes mains le long du visage de l'enfant et plaçai deux doigts au-dessus de la mâchoire supérieure. Je sentis la prochaine contraction venir et je serrai les dents en sentant ma main être écrasée entre les os du pelvis et le crâne du bébé. Je tins bon, craignant de rater ma traction.

Soixante-deux hippopotames...

Une pause. Je tirai doucement, très doucement, attirant la tête en avant, faisant passer le menton sous le bord du pelvis...

Quatre-vingt-neuf hippopotames, quatre-vingt-dix hippopotames...

L'enfant pendait hors de Lizzie, bleu et luisant à la lueur du feu, oscillant dans l'ombre de ses cuisses tel le battant d'une cloche ou un corps au bout d'une corde... Je chassai aussitôt cette image.

Tante Monika, serrant Rodney contre son sein, se pencha vers moi et murmura :

— On ne devrait pas... ?

Cent hippopotames...

— Non. Ne la touchez pas. Pas encore.

La gravité aidait lentement la naissance. En tirant, nous pouvions provoquer des lésions du cou et si, la tête restait coincée...

Cent dix… ça en fait beaucoup, pensai-je soudain en imaginant des troupeaux d'hippopotames dévalant cette sombre vallée et se vautrant glorieusement dans la gadoue…

Une main en suspens, prête à éponger les narines et la bouche dès qu'ils émergeraient, je lançai :

— Maintenant !

Mais Lizzie ne m'avait pas attendue. Avec un long soupir et un *pop* audible, la tête sortit d'un seul coup et le bébé tomba entre mes mains comme un fruit mûr.

✳

Je versai encore un peu d'eau de la marmite fumante dans la bassine et y ajoutai de l'eau froide du seau. La chaleur brûla mes mains ; la peau entre mes phalanges était crevassée par le long hiver et la manipulation constante d'alcool dilué pour les stérilisations. Je venais de finir de recoudre Lizzie et de la nettoyer. Le sang sur mes doigts se diffusa en volutes sombres dans la bassine.

Derrière moi, Lizzie était confortablement bordée dans son lit, vêtue d'une chemise des jumeaux, la sienne n'étant toujours pas sèche. Elle riait, en proie à l'euphorie de la naissance et de la survie, ses deux maris l'encadrant, la couvrant d'attentions, lui murmurant leur admiration et leur soulagement. L'un d'eux lissait ses cheveux blonds et moites tandis que l'autre déposait des baisers dans son cou.

— Tu te sens fiévreuse, mon cœur ? s'inquiéta l'un d'eux.

Je me retournai. Lizzie souffrait du paludisme. Elle n'avait pas subi de crise depuis un certain temps, mais peut-être que le stress de l'accouchement…

Elle embrassa Kezzie ou Jo sur le front.

— Non, mon chéri. C'est juste le bonheur qui me donne chaud.

Jo ou Kezzie la dévisagea avec adoration tandis que son frère poursuivait sa distribution de bisous de l'autre côté du cou.

Tante Monika toussota. Elle avait lavé le nouveau-né avec un linge humide et les écheveaux de laine que j'avais apportés, rendus doux et onctueux par la lanoline. Il était à présent enveloppé dans une couverture. Rodney s'était lassé d'observer les opérations depuis un certain temps et s'était rendormi sur le plancher près du couffin, suçant son pouce.

Sur un léger ton de reproche, elle déclara à sa belle-fille :

— Fotre père, Lizzie. Il doit afoir très froid. *Und* il foudra foir *die Mädel, mit* fous mais peut-être pas *mit den…*

Elle inclina la tête vers le lit tout en évitant pudiquement de regarder le trio folâtre couché dedans. À la naissance de Rodney, M. Wemyss s'était raccommodé du bout des lèvres avec ses gendres, mais mieux valait ne pas pousser la note.

Les paroles de Monika galvanisèrent les jumeaux, qui bondirent sur leurs pieds, l'un d'eux soulevant Rodney affectueusement tandis que l'autre sortait chercher M. Wemyss, oublié dans le feu de l'action.

Bien que le teint légèrement bleuté, M. Wemyss était tellement soulagé qu'il semblait rayonner de l'intérieur. Il sourit à Monika avec une joie sincère, accordant un bref regard et une petite caresse au paquet dans ses bras, mais toute son attention était tournée vers Lizzie, et celle de la jeune femme vers son père.

— Tu as les mains gelées, papa, dit-elle en gloussant un peu.

Il voulut les retirer mais elle les retint.

— Non, reste. J'ai suffisamment chaud. Assieds-toi près de moi et dis bonjour à ta petite-fille.

Sa voix résonnait d'une fierté timide.

Monika déposa doucement le bébé dans ses bras puis se tint aux côtés de son mari, une main sur son épaule, son visage tanné illuminé par un sentiment plus profond que la simple affection. Ce n'était pas la première fois que j'étais surprise (et vaguement confuse de l'être) par la profondeur de l'amour qu'elle portait à ce petit homme frêle et discret.

— Oh, fit doucement M. Wemyss.

Il effleura la joue du bébé du bout du doigt. La petite faisait des bruits de succion. Choquée par le traumatisme de sa naissance, elle n'avait d'abord accordé aucun intérêt au sein, mais elle était visiblement en train de changer d'avis.

— Elle a faim.

Avec des gestes experts, Lizzie abaissa la couverture, redressa l'enfant et la guida vers son sein.

— Comment vas-tu l'appeler, *a leannan*? demanda son père.

— Je n'ai pas encore réfléchi à un prénom de fille, répondit Lizzie. Elle était tellement grosse, j'étais persuadée que c'était un garçon… Aïe!

Elle se mit à rire de sa petite voix grave et douce.

— J'avais oublié à quel point les nourrissons sont voraces. Aïe! Doucement, *a chuisle*, voilà, comme ça…

Je saisis un écheveau de laine pour frotter mes mains à vif et aperçus les jumeaux se tenant à l'écart, côte à côte, le regard rivé sur Lizzie et leur fille, chacun avec une expression similaire à celle de Monika. Sans les quitter des yeux, celui qui tenait Rodney pencha la tête et déposa un baiser sur le petit crâne rond de son fils.

Tant d'amour dans un si petit endroit… Je me détournai, sentant l'émotion me piquer les yeux. Que cette petite famille peu conventionnelle repose sur une union tricéphale avait-il de l'importance? Cela en aurait pour Hiram Crombie, le chef des presbytériens rigoristes venus de Thurso. S'il l'apprenait, il aurait tôt fait de condamner Lizzie et ses deux maris à la lapidation, avec les fruits de leurs péchés.

Tant que Jamie se trouvait à Fraser's Ridge, cela n'arriverait pas, mais une fois qu'il serait parti? Tout en nettoyant méticuleusement le sang sous mes ongles, je priais que Ian ait vu juste quant aux capacités de discrétion – et de dissimulation – des frères Beardsley.

Absorbée par mes pensées, je n'avais pas entendu tante Monika s'approcher discrètement derrière moi. Elle posa une main noueuse sur mon bras et dit à voix basse:

— *Danke.*

Je posai ma main sur la sienne et la pressai doucement.

— *Gern geschehen.* Votre aide m'a été très précieuse. Merci.

Elle sourit, mais son front était soucieux.

— Pas tant que ça, mais ch'ai peur, *ja*?

Elle lança un regard vers le lit par-dessus son épaule et poursuivit :

— Que fa-t-il se passer, la prochaine fois, quand fou ne serez plus *hier* ? Ils n'arrêtent jamais, fou savez ?

Elle dessina un cercle avec le pouce et l'index puis y inséra plusieurs fois le majeur de l'autre main dans un geste sans aucune ambiguïté.

Je parvins à cacher mon fou rire dans une quinte de toux qui, heureusement, ne fut même pas remarquée par les principaux intéressés, même si M. Wemyss nous lança un regard vaguement surpris par-dessus l'épaule. Quand je me fus ressaisie, je glissai à Monika :

— Vous serez là pour l'aider.

Elle parut horrifiée.

— Moi ? *Nein. Das reicht nicht.* Moi…

Elle tapota son torse maigre, constatant que je n'avais pas compris.

— Je… je ne suis pas assez.

Je pris une grande inspiration, sachant qu'elle avait raison. Et pourtant…

— Il faudra que vous le soyez, lui dis-je doucement.

Elle cligna ses grands yeux bruns et sages puis acquiesça lentement.

— *Mein Gott, hilf mir*, soupira-t-elle.

✳

Jamie n'avait pas pu fermer l'œil. Ces derniers temps, il dormait mal, restant souvent éveillé jusque tard dans la nuit, ressassant les mêmes idées en contemplant les braises mourantes dans l'âtre ou en cherchant l'inspiration dans les poutres sombres du plafond. S'il s'endormait rapidement, c'était pour se réveiller en sursaut un peu plus tard, en sueur. Il savait pourquoi et comment y remédier.

La plupart de ses méthodes soporifiques reposaient sur Claire : lui parler, lui faire l'amour ou parfois simplement la regarder dormir, puisant un réconfort dans la courbe ferme de sa clavicule ou dans la forme émouvante de ses paupières closes, laissant le sommeil l'envahir peu à peu dans la chaleur paisible de son épouse.

Mais, cette nuit-là, Claire n'était pas là.

Après avoir récité son rosaire pendant une demi-heure, il se dit qu'il en avait déjà fait plus qu'assez pour le salut de Lizzie et de son futur enfant. Le rosaire comme pénitence ? Oui, il en comprenait l'intérêt, surtout quand on le récitait à genoux. Ou pour apaiser son esprit, fortifier son âme, méditer sur des sujets sacrés… Mais le rosaire en tant que supplique ? Non. S'il avait été Dieu, ou même la Vierge Marie, pourtant connue pour sa patience, il aurait trouvé fastidieux d'écouter indéfiniment quelqu'un débiter les mêmes paroles l'implorant pour une chose ou une autre. Or, ennuyer celui ou celle dont vous vouliez l'aide n'est pas la meilleure manière de s'y prendre.

En revanche, les prières gaéliques lui paraissaient beaucoup plus appropriées. Elles concernaient toujours un sujet précis et étaient plus agréables à entendre, car plus variées et rythmées. C'était son humble avis, mais personne ne le lui avait demandé.

Moire gheal is Bhride ;
Mar a rug Anna Moire,
Mar a rug Moire Criosda,
Mar a rug Eile Eoin Baistidh
Gun mhar-bhith dha dhi,
Cuidich i na 'h asaid,
Cuidich is a Bhride !

Mar a gheineadh Criosd am Moire
Comhliont air gach laimh,
Cobhair i a mise, mhoime,
An gein a thoir bho 'n chnaimh ;
'S mar a chomhn thu Oigh an t-solais,
Gun or, gun odh, gun ni,
Comhn i 's mor a th'othrais,
Comhn i a Bhride !

Il murmurait tout en marchant :

Marie pure et épouse ;
Telle Anne eut Marie,
Telle Marie eut le Christ,
Telle Eile eut Jean le Baptiste
Né sans aucune tache ;
Aide-la dans sa délivrance,
Aide-la, Ô Épouse !

Tel que tu aidas Marie à concevoir le Christ,
Parfait en tous points,
Assiste-moi, mère nourricière,
À faire jaillir des os la conception ;
Comme tu as aidé la Vierge de la joie,
Sans or, sans blé, sans bétail,
Aide-la car grande est sa souffrance,
Aide-la, Ô Épouse !

Ne tenant plus en place, il avait quitté la cabane et marchait sous la neige, contemplatif, cochant des listes mentales. Mais tous ses préparatifs étaient terminés ; il ne restait plus qu'à charger les chevaux et les mules. Sans vraiment y réfléchir, il se rendit soudain compte qu'il remontait le sentier conduisant chez les Beardsley. La neige venait de s'arrêter, mais le ciel s'étirait au-dessus de lui, gris et doux. Un calme froid et blanc s'étendait sur les arbres et étouffait le bruit du vent.

Un sanctuaire... pensa-t-il. Naturellement, en temps de guerre, aucun lieu n'était à l'abri. Toutefois, l'atmosphère nocturne de la montagne lui rappelait celle des églises : une grande paix, une attente tranquille.

Notre-Dame de Paris, St. Giles à Édimbourg, les églises minuscules des Highlands où il avait parfois cherché refuge au cours des années où il devait se cacher. Il se signa en les revoyant en pensée : des pierres nues, des espaces parfois entièrement vides n'eût été un simple autel en bois... et pourtant quel soulagement en y entrant! S'asseoir à même le sol quand il n'y avait pas de banc et rester là, sachant qu'on n'était plus seul. Sanctuaire.

Parce qu'il pensait aux lieux saints, ou à Claire, il se souvint soudain d'une autre église, celle où ils s'étaient mariés. Il sourit rien que d'y songer. Cette fois, le lieu n'avait rien de paisible. Il sentait encore les battements effrénés de son cœur quand il était entré, l'odeur de sa sueur (il empestait comme un bouc et espérait qu'elle ne le remarquerait pas), le sentiment d'oppression qui l'empêchait de respirer. Puis la main de Claire dans la sienne, ses petits doigts glacés serrant les siens, cherchant un soutien.

Un sanctuaire. Voilà ce qu'ils avaient été l'un pour l'autre, ce qu'ils étaient toujours. *Le sang de mon sang.* La minuscule entaille avait cicatrisé, mais il massa doucement le gras de son pouce. Il sourit en l'entendant à nouveau prononcer ces mots comme s'ils coulaient de source.

Il distingua la cabane au loin et aperçut Joseph Wemyss attendant sous le porche, le dos voûté et battant la semelle. Il allait l'appeler quand la porte s'ouvrit et que l'un des Beardsley (*Bon sang, qu'est-ce qu'ils fichent ici?*) attrapa le vieil homme par le bras et l'attira à l'intérieur, manquant de le faire tomber dans son excitation.

Car c'était bien de l'excitation, pas de la douleur ni de l'angoisse; il avait clairement vu les traits du garçon. Il poussa un soupir de soulagement. L'enfant était né et avait survécu, Lizzie aussi.

Il s'adossa à un arbre et, touchant le rosaire autour de son cou, remercia le ciel dans un murmure:

— *Moran taing.*

Quelqu'un dans la cabane avait rajouté du bois dans l'âtre: un nuage d'étincelles s'échappa de la cheminée, illuminant la neige de rouge et d'or puis retombant dans une pluie de particules noires.

L'homme naît pour connaître les tourments, comme l'étincelle pour s'élever vers le ciel… Il avait lu ce verset de Job maintes fois quand il était en prison, sans parvenir à le comprendre.

211

Les étincelles qui volaient vers le ciel ne causaient pas de tourments, à moins que les bardeaux du toit fussent très secs ; c'étaient celles qui jaillissaient de la cheminée qui risquaient d'incendier la maison. Si l'auteur avait simplement voulu dire qu'il était dans la nature de l'homme de s'attirer des ennuis (ce qui, à en juger par sa propre expérience, était le cas), alors c'était une métaphore de l'inexorabilité basée sur le principe que les étincelles montent toujours vers le haut. Or, quiconque avait jamais observé un feu aurait pu lui dire qu'il se trompait.

Mais qui était-il pour critiquer la logique de la Bible alors qu'il aurait dû réciter des psaumes de louanges et de gratitude ? Il essaya d'en trouver un, mais il était de trop bonne humeur et ne se souvint que de bribes décousues.

Avec une certaine surprise, il se rendit compte qu'il était parfaitement heureux. L'arrivée de l'enfant sain et sauf était une grande joie, bien sûr, mais cela signifiait également que Claire avait accompli sa mission et qu'ils étaient à présent tous les deux libres. Ils pouvaient quitter Fraser's Ridge la conscience tranquille : ils avaient fait tout ce qui était en leur pouvoir pour ceux qui resteraient.

Quitter sa maison était toujours un peu triste mais, en l'occurrence, c'était plutôt leur maison qui les avait quittés en brûlant. En outre, ce chagrin était contrebalancé par une excitation croissante. Libre et loin, avec Claire à ses côtés, sans corvées quotidiennes, sans chamailleries de voisinage à apaiser, sans veuves ni orphelins dont s'occuper… Certes, c'était une pensée peu charitable, et pourtant…

La guerre était toujours tragique, et celle-ci le serait aussi, mais elle était indéniablement captivante. Il sentait par avance son sang bouillonner de la racine des cheveux à la plante des pieds.

— *Moran taing*, répéta-t-il avec une gratitude sincère.

Quelque temps plus tard, la porte de la cabane s'ouvrit à nouveau, répandant de la lumière à l'extérieur. Claire sortit en rabattant sa capuche sur sa tête, un panier sous le bras. Des voix la suivirent et des silhouettes se pressèrent sur le seuil. Elle se retourna pour les saluer de la main et il l'entendit rire, un son qui provoqua en lui un frisson de plaisir.

La porte se referma et Claire descendit le long du sentier dans la lumière grise. Elle titubait légèrement de fatigue et, pourtant, elle dégageait un je-ne-sais-quoi de joyeux... Il devina que c'était la même euphorie qu'il ressentait lui-même.

— Comme les étincelles qui volent vers le ciel, murmura-t-il en souriant.

Il se redressa pour aller à sa rencontre. Elle ne fut pas surprise, se tournant aussitôt dans sa direction et marchant vers lui. Elle semblait flotter sur la neige.

— Tout va bien, donc, dit-il en la prenant dans ses bras.

Elle soupira d'aise et se serra contre lui, solide et chaude sous les plis froids de sa cape. Il glissa les mains sous le vêtement et rabattit sur elle les pans de sa propre grande cape.

— J'ai besoin de toi, s'il te plaît, murmura-t-elle.

Il la souleva de terre – elle avait dit vrai, cette cape puait la chair morte ; celui qui la lui avait vendue avait dû l'utiliser pour envelopper du gibier dépecé en forêt.

Elle colla ses lèvres contre les siennes. Il l'embrassa goulûment puis la déposa et l'entraîna sur le sentier. La légère couche de neige semblait fondre sous leurs pieds.

Ils rejoignirent la grange en un rien de temps. Ils parlèrent un peu en marchant, mais il n'aurait su dire de quoi. Seul comptait le fait d'être ensemble.

L'atmosphère dans la grange n'était pas franchement douillette, mais il ne gelait pas. Elle lui parut même accueillante, avec l'agréable odeur chaude des bêtes dans l'obscurité. L'étrange lueur grise du ciel y pénétrait un peu, de sorte qu'on distinguait les formes des chevaux et des mules assoupis dans leurs box. Et il y avait de la paille sur le sol pour s'allonger, bien qu'un peu vieille et moisie.

Il faisait trop froid pour se déshabiller, mais Jamie étala sa cape sur la paille, coucha Claire dessus et s'allongea sur elle. Ils frissonnaient tout en s'embrassant, si bien que leurs dents s'entrechoquaient. Ils s'écartèrent en riant.

— C'est absurde, dit-elle. Il fait tellement froid que je peux voir mon propre souffle. On va mourir gelés.

— Mais non. Tu sais comment les Indiens font du feu ?

— Quoi, tu veux dire en frottant une brindille sèche contre...

— Oui, par friction.

Il lui remonta ses jupons. Ses cuisses étaient lisses et fraîches sous sa main. Il reprit :

— Sapristi ! Pour ce qui est de la sécheresse, on est loin du but. Tu es une vraie fontaine, *Sassenach*.

Il caressa fermement sa vulve avec sa paume. Elle était chaude, douce et juteuse. Elle poussa un petit cri au contact de sa main glacée, suffisamment fort pour faire redresser la tête à l'une des mules. Elle gigota pour qu'il ôte sa main et la remplace par autre chose, vite.

— Tu vas réveiller toute la grange, *Sassenach*, haleta-t-il.

Seigneur ! La chaleur de son fourreau lui faisait tourner la tête.

Elle glissa ses mains froides sous sa chemise et lui pinça les mamelons, fort. Il poussa un cri à son tour puis se mit à rire.

— Refais-le !

Il se pencha et inséra la langue dans son oreille pour le plaisir de l'entendre glousser. Elle se trémoussa et cambra les reins sans pour autant détourner la tête. Il saisit doucement son lobe entre ses dents et commença à le titiller tout en la prenant lentement, riant de tous les sons qu'elle émettait.

Cela faisait trop longtemps qu'ils faisaient l'amour en silence.

Elle caressait son dos. Il avait à peine délacé sa braguette et dégagé sa chemise qu'elle la lui avait retroussée jusqu'aux épaules. À présent, elle glissa les mains dans ses culottes et lui saisit fermement les fesses. Elle le pressa contre elle, enfonçant ses doigts dans la chair, et il comprit ce qu'elle voulait. Il lâcha son oreille, se redressa sur ses bras et la pénétra vigoureusement. La paille sous eux crépitait comme un feu.

Il voulait simplement se lâcher, se déverser en elle puis retomber sur elle, la serrer contre lui et s'assoupir, serein et rassasié, dans le parfum de ses cheveux. Un vague sentiment d'obligation lui rappela que c'était elle qui l'avait réclamé. Elle en avait besoin. Il ne pouvait la laisser insatisfaite.

Il ferma les yeux et ralentit son va-et-vient, s'abaissant sur elle afin de frotter son torse contre le sien, l'étoffe de leurs vêtements se froissant entre eux. Il glissa une main sous elle, le long de la courbe lisse d'une fesse, puis inséra les doigts dans la vallée profonde et moite de sa raie. Son majeur s'enfonça un peu plus loin et elle se raidit. Elle souleva les hanches, essayant de se libérer, mais il tint bon et se mit à rire.

— Encore, dit-il. Refais-moi ce bruit.

Elle en fit un meilleur, comme il n'avait encore jamais entendu, et se trémoussa sous lui, tremblante et gémissante.

Il ôta son doigt et la retourna d'un geste léger et rapide. Puis il saisit sa propre verge, grosse et glissante, et la dirigea vers des parties profondes et humides, étirant sa chair tandis qu'il s'enfonçait toujours plus loin.

Il émit un son terrible à son tour – comme une vache à l'agonie –, mais il était trop heureux pour avoir honte.

Quelque temps plus tard, inhalant des odeurs de musc et de vie nouvelle, il murmura :

— Tu n'es pas très paisible, *Sassenach*. Mais c'est comme ça que je t'aime.

12

Être assez

Je fis mes adieux, en commençant par la laiterie. Je me tins
à l'intérieur un moment, écoutant le gargouillis de la source
qui se déversait dans son conduit en pierre, inhalant le parfum frais du lieu avec ses vagues effluves de lait et de beurre.
En sortant, je tournai à gauche, passant devant la palissade
défraîchie de mon potager. Je n'y avais plus mis les pieds
depuis le jour où j'y avais découvert les cadavres et Malva
et de son enfant. Je posai les mains sur la clôture en bois et
regardai entre les planches.

J'avais bien fait de ne pas y revenir plus tôt. Je n'aurais
pas supporté de le voir en proie à la désolation de l'hiver, les
tiges noircies et raides, les feuilles pourries sur le sol. C'était
toujours une vue affligeante pour un jardinier, mais ce n'était
plus sinistre. La verdure poussait partout, parsemée de petites
fleurs. Le printemps généreux décorait de guirlandes les os de
l'hiver. Certes, il s'agissait surtout de mauvaises herbes. D'ici
l'été, la nature aurait récupéré le jardin, étouffant les nouvelles
pousses rabougries de salades et d'oignons. Amy cultivait un
nouveau carré de légumes près de la vieille cabane. Ni elle ni
personne d'autre sur Fraser's Ridge ne viendrait ici.

Quelque chose remua dans la verdure. Une petite couleuvre chassait. La vue d'un être vivant me réconforta, même si
je ne raffolais pas des serpents. Je souris puis, en levant les
yeux, constatai que des abeilles bourdonnaient autour des
vestiges de ruches qui se dressaient au fond du potager.

Je me tournai enfin vers le coin où je faisais autrefois pousser mes salades. C'était là qu'elle était morte. Dans mon souvenir, je revoyais toujours la flaque de sang s'agrandissant, l'imaginais toujours là, une tache sombre permanente imbibant la terre parmi les débris et les feuilles de laitue flétries. Mais elle avait disparu. Plus rien ne marquait l'endroit, mis à part un cercle de champignons, leurs minuscules chapeaux blancs pointant entre les herbes folles.

— *À présent, je vais me lever et partir,* récitai-je doucement. *J'irai à Innisfree et y construirai une petite cabane en clayonnage et en torchis; j'y aurai neuf rangées de haricots, une ruche pour le miel, et vivrai seul dans la clairière résonnant des bourdonnements.*

Je m'interrompis un instant puis me détournai en achevant:

— *Et là-bas je trouverai un peu de paix; car la paix vient en tombant doucement.*

Je descendis le sentier d'un pas leste. Je n'avais pas besoin d'aller voir les ruines de la maison ni la truie blanche, je ne risquais pas de les oublier. Quant au séchoir à maïs et au poulailler, quand on en a vu un, on les a tous vus.

J'apercevais le rassemblement de chevaux, de mules et de gens devant la cabane, les lentes allées et venues du départ imminent. Cependant, je n'étais pas encore tout à fait prête et pénétrai dans la forêt pour me recomposer.

L'herbe le long du sentier était haute, douce et plumeuse contre mes jupes alourdies. Quelque chose de plus lourd les frôla et, baissant les yeux, j'aperçus Adso. J'avais passé toute la journée de la veille à le chercher. Se manifester à la dernière minute lui ressemblait bien.

— Te voilà!

Il me regarda avec ses grands yeux vert céladon, imperturbable face à mon ton de reproche, et se lécha une patte. Je le soulevai de terre et le serrai contre moi, écoutant son ronronnement grave et enfouissant mes doigts dans l'épaisse fourrure argentée de son ventre.

Il s'en sortirait bien, je n'en doutais pas. La forêt était sa réserve de chasse personnelle. Amy Higgins l'aimait bien et m'avait promis de lui donner du lait et un abri au chaud près de la cheminée quand le temps se gâtait.

Je le déposai sur le sol.

— Allez, pars !

Il resta immobile un moment, sa queue s'agitant lentement, le museau dressé à l'affût d'une nourriture ou d'odeurs intéressantes, puis il s'enfonça entre les herbes et disparut.

Je me penchai en avant, très lentement, les bras croisés, et me mis à pleurer, violemment, en silence.

Je pleurai jusqu'à en avoir la gorge meurtrie et à ne plus pouvoir respirer. Je m'assis dans l'herbe et me recroquevillai comme une feuille. Les larmes que je ne pouvais retenir tombaient sur mes genoux comme les premières grosses gouttes d'un orage imminent. *Oh, Seigneur !* Ce n'était que le début.

Je me frottai les yeux, étalant les larmes, essayant de balayer le chagrin. Un tissu doux toucha mon visage et je redressai la tête en reniflant. Jamie était agenouillé devant moi, un mouchoir à la main.

— Je suis désolé, dit-il doucement.

— Ce n'est pas… Ne t'inquiète pas, je suis… Ce n'est qu'un chat.

Aussitôt, une nouvelle vague de chagrin s'enroula autour de ma gorge comme un lacet.

— Oui, je sais.

Il s'assit à mes côtés, passa un bras autour de mes épaules et attira ma tête contre son torse. Il essuya délicatement mon visage.

— Tu ne pouvais pas pleurer quand les enfants sont partis, ni pour ta maison, ni pour ton petit jardin, ni pour la pauvre jeune fille et son bébé. Mais tu pleures pour ton chat parce que tu sais que tu pourras t'arrêter.

— D'où tiens-tu ça ?

— Parce que moi non plus je n'ai pas pu pleurer pour toutes ces choses, *Sassenach,* et je n'ai pas de chat.

Je reniflai, m'essuyai le visage une dernière fois puis me mouchai et lui rendis son mouchoir. Il le fourra dans son *sporran* sans tiquer.

Il avait dit : « Seigneur, faites que je suffise. » Quand je l'avais entendue, sa prière m'avait transpercée comme une flèche. J'avais cru alors qu'il demandait de l'aide pour accomplir ce qu'il devait accomplir. Mais ce n'était pas ce qu'il avait voulu dire, et de le comprendre à présent me fendait le cœur en deux.

Je pris son visage entre mes mains. J'aurais tellement voulu avoir sa faculté de dire ce que j'avais sur le cœur, d'une manière qu'il comprendrait. Mais je n'avais pas ce don.

— Jamie, dis-je enfin. Tu es… tout. Toujours.

Une heure plus tard, nous quittâmes Fraser's Ridge.

———◄o►———

13

Inquiétudes

Ian était étendu, un sac de riz sous sa nuque en guise d'oreiller. C'était dur, mais il aimait le crissement des petits grains quand il tournait la tête et la vague odeur d'amidon qu'ils dégageaient. Rollo souleva un coin du plaid avec son museau puis se glissa dessous, rampant en grognant le long du corps de Ian et terminant en calant confortablement sa truffe dans l'aisselle de son maître. Ce dernier gratta le museau du chien puis reposa la tête, contemplant les étoiles.

Le croissant de lune était aussi fin qu'une rognure d'ongle. Le ciel, d'un noir violacé, était parsemé d'étoiles grandes et lumineuses. Ian chercha les constellations, se demandant s'il verrait les mêmes en Écosse. Quand il était chez lui, dans les Highlands, il n'avait guère prêté attention à la voûte céleste. Et puis, à Édimbourg, on ne voyait pas les étoiles à cause de la fumée de toutes les cheminées.

Sa tante et son oncle étaient couchés de l'autre côté du feu mourant, collés l'un contre l'autre si bien qu'on aurait dit un tronc d'arbre. Il vit leur couverture remuer, se figer, remuer à nouveau puis s'immobiliser, attendant. Il entendit un chuchotement, trop faible pour qu'il pût percevoir les mots, mais le sens était évident.

Il s'efforça d'adopter un souffle régulier, légèrement plus sonore que la normale. Au bout d'un moment, les mouvements furtifs reprirent. Il était difficile de tromper oncle

Jamie, mais il existe des occasions où un homme ne demande qu'à être berné.

Sa main reposait sur la tête de Rollo. Celui-ci soupira et son grand corps s'amollit, chaud et lourd contre le sien. Sans sa présence, Ian n'aurait jamais pu dormir à la belle étoile. Il ne dormait jamais profondément, ni longtemps, mais, au moins, il pouvait s'abandonner de temps en temps au sommeil en sachant que Rollo entendrait des bruits suspects bien avant lui.

Le premier soir de leur périple, il avait été nerveux et incapable de fermer l'œil. Il était resté assis près du feu, alimentant les braises de brindilles jusqu'à ce que des flammes pures et vives s'élèvent dans le noir. Percevant son trouble, oncle Jamie lui avait dit :

— Tu ne crains rien, tu sais.

Il était conscient d'être parfaitement visible pour quiconque voulait l'épier, mais il n'y pouvait rien. Il aurait aussi bien pu avoir une cible peinte sur le torse ; lumière ou pas, cela n'aurait rien changé.

Rollo, couché mais alerte près du feu, avait brusquement redressé la tête puis, reconnaissant un son familier, s'était simplement tourné vers la forêt. Ian n'avait donc pas été surpris en voyant son oncle émerger d'entre les arbres, où il était allé se soulager entre-temps. Jamie s'était rassis auprès de lui.

— Il ne veut pas ta peau, avait-il dit sans préambule. Tu ne cours aucun danger.

— Je crois que je préférerais encore être en danger, avait-il répliqué.

Oncle Jamie s'était tourné vers lui, surpris, puis avait hoché la tête.

Ian comprenait ce qu'il avait voulu dire. Arch Bug ne voulait pas qu'il meure. Cela aurait mis un terme à sa culpabilité, et donc à sa souffrance. Ian avait regardé au fond de ses yeux anciens, leur globe jauni et strié de rouge, larmoyant de froid et de chagrin. Il y avait vu quelque chose qui lui avait glacé le sang. Non, Arch Bug ne le tuerait pas… pas encore.

Son oncle contemplait le feu, sa lueur chaude illuminant les traits larges de son visage, une vision qui réconfortait Ian autant qu'elle le terrifiait.

Tu ne comprends donc pas ? Il a dit qu'il me prendrait ce que j'aimais. Et pourtant tu es là, assis à mes côtés, aussi clair que le jour.

La première fois que cette pensée l'avait traversé, il l'avait aussitôt chassée. Le vieil Arch était redevable à oncle Jamie pour tout ce qu'il avait fait pour lui et sa femme. C'était le genre d'homme à respecter une dette… quoique peut-être encore plus enclin à réclamer son dû. En outre, qu'il respectât Jamie en tant qu'homme ne faisait aucun doute. En un premier temps, cela avait semblé clore le sujet.

Mais d'autres pensées lui étaient venues depuis, sournoises, lancinantes, se faufilant dans son esprit au cours des nombreuses nuits blanches depuis qu'il avait tué Murdina Bug.

Arch était un vieil homme. Aussi dur qu'une lance forgée sur le feu et deux fois plus dangereux… mais vieux. Il s'était battu à Sheriffmuir et devait donc approcher les quatre-vingts ans. Le désir de vengeance pouvait le maintenir en vie encore un certain temps, mais personne n'est éternel. Il pouvait se dire qu'il n'avait pas le temps d'attendre que Ian acquît « quelque chose qui valait la peine d'être pris ». S'il voulait concrétiser sa menace, il devait agir rapidement.

Ian entendait de légers bruissements de couverture de l'autre côté du feu. Le vieil Arch pouvait décider de lui prendre sa tante, car il savait à quel point il l'aimait, et elle serait nettement plus facile à tuer qu'oncle Jamie. Non… Arch était peut-être fou de chagrin et de colère, mais pas dément. Il savait que toucher à tante Claire sans tuer Jamie en même temps serait du suicide.

Peut-être s'en fiche-t-il. C'était une autre de ces pensées qui lui rampaient sur le ventre la nuit, avec de petits pieds glacés.

Il devait les quitter, il le savait. Il l'avait compris depuis un certain temps et comptait bien le faire. Il attendrait qu'ils s'endorment, puis se lèverait sans bruit et disparaîtrait. Ils seraient alors hors de danger.

Mais cette première nuit, il n'avait pu s'y résoudre. Assis près du feu, il avait tenté de rassembler son courage, mais son oncle avait contrecarré son plan en venant s'installer près de lui, silencieux mais protecteur. Il était resté jusqu'à ce que Ian, sentant la fatigue l'emporter, acceptât de se recoucher.

Demain, avait-il pensé. Après tout, Arch n'avait donné aucun signe de vie depuis l'enterrement de sa femme. *Peut-être est-il mort.* Il était vieux et seul.

Il y avait un autre problème : s'il partait sans dire un mot, son oncle se lancerait à sa recherche. Il avait clairement dit qu'il comptait ramener son neveu en Écosse, de son plein gré ou ligoté dans un sac. Ian sourit malgré lui.

Il avait encore à peine réfléchi à l'Écosse et à ce qui l'attendait là-bas.

De l'autre côté du feu, il y eut une soudaine brève inspiration aiguë, suivie de deux soupirs profonds à l'unisson. Il n'avait pas besoin d'un dessin pour deviner ce qu'il se passait. Du coup, il se demanda s'il trouverait une épouse en Écosse.

Pourquoi pas ? Bug pourrait-il le suivre aussi loin ? *Il est peut-être déjà mort*, se répéta-t-il. Fébrile, il changea à nouveau de position. Rollo grogna mais, reconnaissant les signes, s'écarta de lui et alla se coucher un peu plus loin.

Sa famille serait là. Entourés par les Murray, son épouse et lui seraient sûrement en sécurité. Il était facile de se cacher et d'épier dans les forêts denses des montagnes, mais nettement moins dans les Highlands, où tous les regards sont aiguisés et où aucun étranger ne passe inaperçu.

Il ignorait comment réagirait sa mère en le voyant, mais elle finirait par s'habituer. Peut-être connaîtrait-elle une gentille fille que son aspect ne rebuterait pas ?

Un léger bruit de succion et un gémissement à peine audible se firent entendre. Ce dernier émanait de son oncle. Il faisait ça quand elle lui suçait un mamelon. Ian l'avait vue faire une ou deux fois à la lueur des braises près de la cheminée dans la cabane. Ses paupières closes, le bref éclat de ses dents humides et ses cheveux retombant sur ses épaules nues dans un nuage d'ombres et de lumière...

Tenté, il posa une main sur son sexe. Il possédait une collection d'images qu'il gardait quelque part dans sa tête pour ce genre d'occasion... dont certaines de sa cousine, bien qu'il en eût un peu honte. Après tout, c'était la femme de Roger Mac. Néanmoins, il avait pensé un temps devoir l'épouser et, bien que terrifié par cette perspective (il n'avait que dix-sept ans et elle, nettement plus), il s'était enhardi jusqu'à s'imaginer au lit avec elle.

Il l'avait observée attentivement pendant plusieurs jours, admirant la courbe ronde et ferme de son cul, l'ombre sombre de sa touffe rousse sous la fine chemise en mousseline quand elle partait se baigner, imaginant le choc exquis de la voir pour de vrai la nuit où elle s'étendrait nue devant lui et écarterait les cuisses.

Que lui prenait-il ? Il ne pouvait penser à Brianna ainsi, à quelques mètres de son père !

Il grimaça et ferma les yeux, sa main allant et venant lentement tandis que lui venaient d'autres images de sa bibliothèque privée. Pas la sorcière... pas ce soir. Son souvenir l'excitait puissamment, souvent douloureusement, mais s'accompagnait d'un sentiment d'impuissance. Malva... Non, il avait peur de l'invoquer ; il avait souvent l'impression que son esprit flottait non loin.

La frêle Mary. Oui, elle. Sa main trouva aussitôt son rythme et il soupira d'aise, s'échappant avec soulagement dans les petits seins roses et le sourire engageant de la première fille avait laquelle il avait couché.

Quelque temps plus tard, à la lisière d'un rêve dans lequel il était marié à une toute petite jeune femme blonde, il pensa à nouveau vaguement : *Oui, il doit être déjà mort.*

Rollo émit un son de dissentiment du fond de la gorge puis roula sur le dos, les pattes en l'air.

──────◄O►──────

14

Des affaires délicates

Londres, novembre 1776

Vieillir offrait de nombreuses compensations, selon lord John. La sagesse, plus de recul, un rang social, un sentiment d'accomplissement, de temps bien dépensé, une richesse affective avec ses amis et parents... et l'avantage de ne plus avoir besoin de garder le dos contre le mur lorsqu'il parlait à sir George Germain. Même si son miroir et son valet l'assuraient qu'il était encore présentable, il avait au moins vingt ans de trop pour plaire au secrétaire d'État, qui aimait la chair fraîche.

Le clerc qui l'avait fait entrer correspondait davantage à cette dernière catégorie, possédant également de longs cils noirs et une moue boudeuse. Grey lui accorda à peine un regard, étant davantage porté sur les physiques plus virils.

Il n'était pas tôt (connaissant les habitudes de Germain, il avait attendu treize heures pour se présenter), mais son hôte portait encore les traces d'une longue nuit agitée. De profonds cernes bleus soulignaient des yeux ressemblant à deux œufs à la coque. Ils le dévisageaient avec un manque d'enthousiasme évident. Néanmoins, Germain fit l'effort d'être courtois. Il invita Grey à s'asseoir et demanda au clerc aux yeux de biche de leur apporter du cognac et des biscuits.

Grey buvait rarement des alcools forts avant la tombée du jour. Il goûta donc à peine au cognac, pourtant excellent, tandis que Germain plongeait dans sa coupe son fameux nez des Sackville (proéminent et aussi tranchant qu'un coupe-papier), inhalait profondément, le vidait d'un trait puis s'en servait un autre. Le breuvage sembla avoir un effet salutaire car, après le second verre, il parut plus épanoui et demanda à Grey des nouvelles de sa santé.

— Je vais très bien, merci, répondit poliment Grey. Je viens de rentrer des Amériques, et des connaissances communes m'ont confié des lettres pour vous.

Le visage de Germain s'illumina légèrement.

— Vraiment ? Comme c'est aimable de votre part. La traversée fut supportable ?

— À peine.

À dire vrai, elle avait été épouvantable. Ils avaient essuyé un chapelet de tempêtes au milieu de l'Atlantique. Le navire n'avait cessé de rouler et de tanguer durant des jours, au point que Grey avait prié qu'il coule une fois pour toutes et mette un terme à ses souffrances. Mais il n'était pas venu jusque chez Germain pour perdre du temps en trivialités.

Jugeant que son hôte était à présent suffisamment alerte pour l'écouter, il commença :

— Juste avant de quitter la Caroline du Nord, j'ai fait une rencontre assez étrange. Permettez-moi de vous la raconter.

Germain était vaniteux et mesquin. Il avait mené l'art de la langue de bois à de nouveaux sommets, mais il était capable de se concentrer sur un sujet quand il le voulait, à savoir quand il percevait qu'une situation pouvait tourner à son avantage. L'allusion au Territoire du Nord-Ouest retint immédiatement son attention.

Reposant sur le guéridon son verre de cognac à moitié vide, il demanda :

— Vous n'avez plus reparlé à ce Beauchamp depuis ?

— Non. Il avait livré son message. Poursuivre cette conversation n'avait pas d'intérêt dans la mesure où il était clair qu'il n'avait pas le pouvoir d'agir. En outre, s'il avait souhaité divulguer les noms de ses commettants, il l'aurait fait.

Germain reprit son cognac mais ne le but pas, le tournant dans ses mains comme pour s'aider à réfléchir. Le verre était simple, sans facettes, taché de traces de doigts et de l'empreinte des lèvres du secrétaire.

— Connaissiez-vous déjà cet homme ? Pourquoi s'est-il adressé à vous plutôt qu'à un autre ?

Non, il est tout sauf idiot, pensa Grey.

— Nous nous étions rencontrés il y a de cela des années. Dans le cadre de mon travail avec le colonel Bowles.

Pour rien au monde il n'aurait révélé à Germain la véritable identité de Percy. Ce dernier avait été – et était toujours – leur frère par alliance, à Hal et à lui. Seules la chance et la détermination de Grey avait évité un énorme scandale à l'époque où Percy avait passé pour mort. Certains scandales s'estompaient avec le temps... pas celui-ci.

Les sourcils épilés de Germain sursautèrent à la mention de Bowles. Ce dernier avait dirigé la Chambre noire d'Angleterre pendant de longues années.

— Un espion ? demanda-t-il sur un ton légèrement dégoûté.

L'espionnage était une vile nécessité ; un gentleman n'y aurait jamais touché les mains nues.

— Il l'a probablement été autrefois. Il semblerait qu'il se soit élevé dans le monde.

Grey saisit son propre verre et but une grande gorgée – c'était vraiment un excellent cognac, après tout –, puis il le posa et se leva. Il était inutile de chercher à sonder le secrétaire. Maintenant qu'il lui avait exposé l'affaire, ce dernier mènerait sa propre enquête afin de servir ses intérêts.

Grey quitta Germain toujours assis dans son fauteuil, fixant son verre vide d'un air méditatif. Il enfila sa cape, que lui tenait le clerc aux lèvres douces, lequel en profita pour lui effleurer la main au passage.

✳

Serrant la cape autour de lui et rabattant son chapeau pour se protéger du vent, Grey se dit qu'après tout il ne comptait pas sur le sens des responsabilités de Germain pour élucider l'affaire, ce dernier étant trop lunatique. Le cabinet de lord North comptait deux autres secrétaires d'État: celui du Département du Nord, qui couvrait toute l'Europe, et celui du Département du Sud, qui représentait le reste du monde. Il aurait préféré ne pas traiter du tout avec Germain, mais le protocole et la politique lui interdisaient de s'adresser directement à lord North, ce qui avait été sa première impulsion. Il donnerait à Germain une journée d'avance puis irait porter le déconcertant message de M. Beauchamp au secrétaire du Sud, Thomas Thynne, vicomte de Weymouth. Le secrétaire du Sud était également chargé de traiter avec les nations catholiques d'Europe et, donc, toute affaire liée aux Français le concernait.

Si les deux hommes décidaient de s'occuper de la question, lord North en serait certainement informé, et lui ou l'un de ses ministres viendrait trouver Grey.

Un orage se préparait sur la Tamise; il apercevait les nuages noirs s'amonceler comme s'ils projetaient de déchaîner leur fureur juste au-dessus du Parlement.

— Un peu de tonnerre et d'éclairs les réveillera, murmura-t-il.

Il héla un fiacre juste au moment où les premières grosses gouttes s'écrasaient sur les pavés.

Le temps qu'il arrive au Beefsteak, il pleuvait à verse. Avant d'avoir fait les trois pas qui séparaient le fiacre de l'entrée du club, il était trempé.

M. Bodley, le vieux majordome, l'accueillit comme s'il l'avait vu la veille et non dix-huit mois plus tôt.

— Soupe de tortue au xérès ce soir, milord.

Il fit signe à un laquais de prendre la cape et le chapeau mouillés de Grey avant d'ajouter:

— C'est excellent pour réchauffer le ventre. Ensuite, je vous suggère une côte d'agneau avec des pommes de terre nouvelles…

— Ce sera parfait, monsieur Bodley.

Il s'installa dans la salle à manger, réconfortante avec son grand feu de cheminée et ses nappes blanches. Alors qu'il se penchait en arrière pour laisser M. Bodley glisser un coin de la serviette sous son col, il remarqua une nouveauté dans la décoration et demanda, perplexe :

— Qui est-ce ?

Le tableau, accroché en évidence sur le mur d'en face, représentait un Indien en tenue d'apparat, orné de plumes d'autruche et de draperies brodées. Il paraissait déplacé parmi les portraits guindés de plusieurs membres éminents du club, la plupart décédés.

— Ah, mais c'est M. Brant, naturellement ! répondit M. Bodley avec une légère pointe de reproche. M. Joseph Brant. M. Pitt l'a amené à dîner l'année dernière lorsqu'il était à Londres.

— Brant ?

M. Bodley arqua les sourcils. Comme la plupart des Londoniens il présumait que quiconque avait été en Amérique connaissait tous ceux qui s'y trouvaient.

— C'est un chef iroquois, si je ne m'abuse. (Il avait prononcé le mot « iroquois » avec le plus grand soin.) Il était ici pour rendre visite au roi.

— Vous m'en direz tant !

Il se demanda qui, du roi ou de l'Iroquois, avait été le plus impressionné.

M. Bodley se retira pour aller chercher la soupe mais revint presque aussitôt pour déposer une lettre devant Grey.

— Ceci vous a été envoyé par les soins du secrétaire.

— Ah bon ? Merci, monsieur Bodley.

Le ventre de Grey se noua lorsqu'il reconnut l'écriture de son fils. Pourquoi Willie lui avait-il envoyé une lettre ici plutôt que chez sa grand-mère ou chez Hal ?

De peur qu'ils la lisent, se répondit-il aussitôt. Il saisit son couteau à poisson et l'ouvrit fébrilement.

Était-ce Richardson ? Hal éprouvait une franche antipathie pour cet homme et n'approuvait pas que William travaille pour lui, même s'il n'avait rien eu de concret à dire à son détriment. Peut-être avait-il été imprudent en poussant William dans cette voie sachant ce qu'il savait sur le monde louche du renseignement... D'un autre côté, il avait impérativement fallu éloigner Willie de la Caroline du Nord avant qu'il ne tombe nez à nez avec Jamie Fraser ou Percy « Beauchamp ».

En outre, même si cela vous fendait le cœur, il fallait bien un jour laisser partir son fils, le laisser voler de ses propres ailes ; Hal le lui avait dit à plusieurs reprises. Trois fois, précisément ; à savoir chaque fois qu'un de ses fils était entré dans l'armée.

Il déplia la lettre précautionneusement, comme si elle risquait d'exploser. Elle était rédigée avec un soin qui lui parut aussitôt de très mauvais augure. D'ordinaire, l'écriture de Willie était lisible mais sans plus.

À lord John Grey
Le Cercle des amateurs de beefsteak anglais
De la part du lieutenant William lord Ellesmere
7 septembre 1776
Long Island
Colonie royale de la Nouvelle York

Mon cher père,
J'ai un problème délicat à te soumettre.

Voilà bien une phrase à glacer le sang de n'importe quel parent. Willie avait-il engrossé une jeune femme ? Avait-il joué et perdu des biens importants ? Contracté une affection vénérienne ? Défié quelqu'un ou été défié en duel ? Ou encore... avait-il découvert quelque information compromettante lors de sa mission de renseignements en route vers le général Howe ? Grey saisit son verre et but une gorgée de vin. Il ressentait le besoin de prendre des forces avant d'affronter la suite. Toutefois, rien ne l'avait préparé à la phrase suivante :

Je suis amoureux de lady Dorothea.

Grey s'étrangla, renversant du vin sur sa main. Il chassa aussitôt le majordome qui se précipitait avec une serviette et s'essuya sur ses culottes tout en poursuivant sa lecture.

Voici un certain temps déjà que nous avons pris conscience d'une attraction réciproque, mais j'hésitais à me déclarer, sachant que je partirais bientôt pour les colonies. Toutefois, lors du bal de lady Belvedere, une semaine avant mon départ, nous nous sommes soudain retrouvés seuls dans le parc. La beauté du décor, l'atmosphère romantique de la soirée et l'enivrante proximité de ma chère cousine ont eu raison de mon bon sens.

— Oh! Bon sang! s'exclama lord John. Ne me dis pas que tu l'as déflorée sous un buisson!

Les dîneurs assis à une table voisine tournèrent vers lui des regards intéressés. Il toussota dans son poing et reprit sa lecture.

Je rougis de honte d'avouer que j'ai laissé mes sentiments prendre le dessus, au point que j'hésite à le consigner par écrit. Je suis mortifié, naturellement, tout en sachant qu'il n'existe aucune excuse suffisante pour un comportement aussi désho-norant. Lady Dorothea a été généreuse dans son pardon et m'a interdit avec véhémence d'aller trouver directement son père, comme j'en avais d'abord eu l'intention.

— Très malin de ta part, Dotty, murmura Grey.

Il imaginait trop bien la réaction de son frère apprenant la nouvelle. Il ne pouvait qu'espérer que Willie exagérait un peu la gravité de son outrage.

Je comptais d'abord te demander de préparer oncle Hal à ma requête l'an prochain, lorsque je rentrerai à la maison et pour-rai demander la main de lady Dorothea en bonne et due forme. Malheureusement, je viens d'apprendre qu'elle a reçu une autre offre, de la part du vicomte Maxwell, une proposition à laquelle oncle Hal réfléchit sérieusement.

Pour rien au monde je ne voudrais ternir l'honneur de l'élue de mon cœur mais, compte tenu des circonstances, il est clair qu'elle ne peut épouser Maxwell.

Tu veux dire que Maxwell s'apercevrait qu'elle n'est plus vierge, pensa Grey cyniquement. *Il ferait irruption chez Hal le lendemain de la nuit de noces pour le lui annoncer.* Il se frotta le visage, pris d'une soudaine lassitude.

Père, les mots ne peuvent traduire les remords qui m'accablent, et je ne peux même pas demander un pardon que je ne mérite pas pour t'avoir tant déçu. Si je t'implore de parler au duc, ce n'est donc pas pour moi mais pour elle. J'espère que tu pourras le convaincre d'écouter ma requête et d'accepter que nous nous fiancions sans rien lui divulguer qui pourrait causer du tort à ma chère cousine.
Ton très humble fils prodigue,
William

Grey s'enfonça dans son siège et ferma les yeux. Le premier choc de la révélation passé, son esprit commençait à cerner le problème.

C'était jouable. Rien n'empêchait William et Dottie de se marier. Bien que nominalement cousins, il n'y avait entre eux aucun lien de sang. William était son fils à tous les égards, sauf par le sang. En outre, si Maxwell était jeune, riche et parfaitement convenable, William était comte, hériterait un jour de la dignité de baronet et était loin d'être pauvre.

Non, de ce côté-ci, tout allait bien. Minnie aimait beaucoup William. Quant à Hal et ses fils… s'ils n'apprenaient jamais la conduite de William, ils verraient plutôt cette union d'un bon œil. En revanche, s'ils découvraient le pot aux roses, William pourrait s'estimer heureux s'il parvenait à s'échapper sans avoir été roué de coups de cravache jusqu'à voir tous les os de son corps brisés. Grey de même.

Certes, Hal serait très surpris. Les deux cousins s'étaient beaucoup vus durant le séjour londonien de William, mais ce dernier n'avait jamais parlé de Dottie d'une manière qui pût…

Il reprit la lettre et la relut. Puis la relut de nouveau. Il la reposa et la fixa quelques minutes en plissant les yeux, réfléchissant.

— Je veux bien être pendu si j'avale cette couleuvre. Que diable manigances-tu, William ?

Il froissa la lettre et, saisissant un bougeoir sur une table voisine avec un sourire contrit à ses occupants, y mit le feu. Le majordome accourut aussitôt avec un petit plat en porcelaine dans lequel Grey laissa tomber le papier en flammes. Ils l'observèrent tous les deux se racornir et noircir.

— Votre soupe, milord.

Chassant le petit nuage de fumée en agitant une serviette, M. Bodley déposa une assiette bouillante devant lui.

✳

William étant hors de portée, le mieux était encore d'interroger sa complice… quel que fût leur crime. Plus il y réfléchissait, plus il était convaincu que ce qui se tramait entre William, neuvième comte d'Ellesmere, et lady Dorothea Jacqueline Benedicta Grey n'avait rien à voir avec l'amour ni une passion coupable.

Mais comment parler à Dottie sans attirer l'attention de ses parents ? Il ne pouvait rester posté dans la rue en attendant que Hal et Minnie fussent tous les deux sortis. Même s'il parvenait à coincer Dottie seule à la maison et à l'interroger en privé, les domestiques ne manqueraient pas de signaler sa visite à leurs maîtres, et Hal, qui exerçait sur sa fille une vigilance protectrice digne d'un mastiff sur son os préféré, aurait tôt fait d'apprendre ce qu'il était venu faire.

Il repoussa l'offre du portier de lui héler un fiacre et rentra à pied chez sa mère, cherchant une solution. Il pouvait inviter sa nièce à dîner… mais il était très inhabituel de sa part de le faire sans convier également Minnie. Il en allait de même s'il l'invitait au théâtre ou à l'opéra. Il escortait souvent ces dames, car Hal ne pouvait rester en place suffisamment longtemps pour écouter tout un opéra et considérait le théâtre comme un insoutenable ramassis de fadaises.

Son chemin passait par Covent Garden. Il évita de justesse un seau d'eau lancé par un marchand de fruits et légumes pour nettoyer les pavés des feuilles de chou et des pommes pourries. Avant l'aube, des fleurs fraîches arriveraient de la campagne par carrioles entières et rempliraient la place de parfums et de fraîcheur. En automne, elle était chargée des odeurs écœurantes de fruits écrasés, de viandes faisandées et de légumes broyés.

Pendant la journée, les marchands criaient les mérites de leurs produits, marchandaient, se querellaient entre eux, houspillaient les voleurs et les pickpockets, puis repliaient leurs étals à la nuit tombée pour dépenser la moitié de leurs profits dans les tavernes de Tavistock et de Brydges Street. Lorsque les ombres du soir envahissaient la place, les putains prenaient possession des lieux.

Quelques-unes étaient arrivées de bonne heure et déambulaient en espérant trouver un client parmi les derniers marchands avant qu'ils ne rentrent chez eux. De les observer détourna momentanément son attention de ses soucis familiaux et lui rappela le sujet qui l'avait préoccupé plus tôt.

Il se trouvait à l'entrée de Brydges Street et distinguait le bel immeuble qui se dressait, légèrement en retrait à l'autre bout de la rue, tout drapé de son élégante discrétion.

Les prostituées savaient beaucoup de choses et, si on était suffisamment habile à les motiver, pouvaient en découvrir beaucoup d'autres. Il fut tenté de rendre visite à Nessie, ne fût-ce que pour le plaisir de sa compagnie. Mais non… plus tard.

Il devait d'abord découvrir ce que l'on savait sur Percy « Beauchamp » dans les cercles plus officiels avant de lancer ses propres limiers sur la piste de ce lièvre particulier. Et avant de consulter Hal.

Il était trop tard pour se rendre dans des bureaux administratifs. Il enverrait un billet et prendrait rendez-vous pour être reçu dès le lendemain matin à la Chambre noire.

◀◦▶

15

La Chambre noire

Grey se demanda quel esprit romantique avait imaginé l'appellation « chambre noire »… ou s'il s'agissait vraiment d'une désignation romantique. Peut-être les premiers espions avaient-ils été consignés dans un réduit aveugle sous les escaliers de Whitehall, auquel cas le terme était purement descriptif. Depuis, l'expression « chambre noire » en était venue à désigner un type d'activité plutôt qu'un lieu spécifique.

Toutes les capitales d'Europe (ainsi que quelques grandes villes) possédaient une chambre noire, des cellules où étaient inspectées les lettres interceptées dans le courrier régulier, dérobées par des espions ou simplement prélevées dans les malles diplomatiques. Elles étaient décodées avec plus ou moins de succès, puis les informations ainsi obtenues étaient envoyées à la personne ou à l'agence qu'elles pouvaient concerner. À l'époque où Grey y travaillait, la Chambre noire anglaise employait quatre personnes, sans compter les commis. Ils étaient désormais plus nombreux, répartis dans divers petits bureaux et recoins insignifiants des bâtiments administratifs longeant Pall Mall. Néanmoins, le centre des opérations se trouvait toujours à Buckingham Palace.

Non pas dans les parties superbement équipées qui abritaient la famille royale, ses secrétaires, les caméristes, les gouvernantes, les majordomes et autres membres du gratin de la domesticité, mais dans le palais quand même.

Grey salua le soldat de garde en passant devant le portail noir. Pour entrer facilement, il avait mis son uniforme bardé de ses insignes de lieutenant-colonel. Il s'engagea dans un couloir miteux et mal éclairé. L'odeur de vieille cire et les vagues relents de chou bouilli et de cake brûlé lui procurèrent un agréable frisson de nostalgie. La troisième porte sur la gauche était entrebâillée. Il entra sans frapper.

Il était attendu. Arthur Norrington le salua sans se lever et lui fit signe de s'asseoir.

Grey connaissait Norrington depuis des années, mais ils n'étaient pas vraiment amis. Il ne l'avait pas vu depuis des lustres et trouva réconfortant de le trouver inchangé. Arthur était un homme corpulent et doux, avec de grands yeux légèrement exorbités et des lèvres épaisses qui lui donnaient l'air d'un turbot sur un lit de glace pilée. Digne et légèrement réprobateur.

Grey s'assit et déposa un petit paquet sur un coin du bureau.

— Je vous suis très reconnaissant de votre aide, Arthur. Je vous ai apporté un petit quelque chose en guise de remerciement.

Norrington déballa le paquet avec des doigts avides.

— Oh! s'exclama-t-il avec un plaisir non feint.

Il retourna la délicate sculpture en ivoire entre ses gros doigts, l'approchant de son visage pour en examiner les détails avec ravissement.

— Tsuji?

Grey hocha la tête, satisfait de l'effet de son présent. Il n'y connaissait rien en netsuke mais connaissait un marchand spécialisé dans les miniatures en ivoire chinoises et japonaises. Il avait été très surpris par la finesse et la beauté du travail de ce minuscule objet, qui représentait une femme à moitié nue engagée dans des ébats très acrobatiques avec un homme obèse, nu et coiffé d'un petit chignon.

— Je crains qu'il n'ait pas de provenance, s'excusa-t-il.

Norrington chassa ce détail d'un geste de la main sans quitter des yeux son nouveau trésor. Puis, avec un soupir, il le glissa dans la poche intérieure de sa veste.

— Merci, milord. Quant au sujet qui vous intéresse, je n'ai malheureusement pas trouvé grand-chose concernant votre mystérieux M. Beauchamp.

Il indiqua un anonyme vieux classeur en cuir sur son bureau. Grey pouvait percevoir un objet volumineux à l'intérieur. Ce n'était pas du papier. Le classeur était percé et une ficelle maintenait l'objet en place.

Il tendit la main vers le cartable en déclarant :

— Vous me surprenez, Arthur. Enfin… voyons voir ce que vous avez là.

Norrington posa une main à plat sur le classeur et plissa le front, cherchant à lui faire comprendre que les secrets officiels ne pouvaient être divulgués à *n'importe qui*. Grey lui sourit

— Voyons, Arthur. Si vous voulez savoir ce que je sais sur le mystérieux M. Beauchamp – et je peux vous assurer que vous le voulez –, vous allez devoir me montrer absolument tout ce que vous avez sur lui.

Norrington se détendit légèrement, reculant sa main mais toujours réticent. Arquant un sourcil, Grey saisit le classeur et l'ouvrit. L'objet était un petit sac en toile. À part lui, il n'y avait que quelques feuilles de papier. Grey poussa un soupir et déclara sur un ton de reproche :

— Vos méthodes laissent à désirer, Arthur. Il y a des montagnes de papiers concernant Beauchamp, et plus encore contenant des renvois à ce nom. Certes, il n'est plus actif depuis des années, mais quelqu'un aurait dû se donner le mal de faire des recherches.

— Nous les avons faites, répliqua Norrington avec dans la voix une note étrange qui surprit Grey. Le vieux Crabbot s'est souvenu de ce nom et nous sommes allés fouiller dans les archives. Les dossiers ont disparu.

Le sang de Grey se figea.

— Voilà qui est bien étrange, dit-il calmement. Dans ce cas…

Il se pencha sur le dossier, mais il lui fallut un certain temps pour comprendre ce qu'il regardait tant les idées se bousculaient dans sa tête. Quand il parvint enfin à se concentrer sur la feuille devant lui, le nom « Fraser » lui sauta au visage.

Non, il ne s'agissait pas de Jamie Fraser. Il inspira lentement, tourna la page, lut la suivante, puis revint à la première. Le dossier contenait quatre lettres, dont une seule avait été entièrement décodée. Quelqu'un avait commencé à en analyser une autre, laissant des notes dans la marge. Grey pinça les lèvres. En son temps, il avait été un bon décodeur, mais il était absent du champ de bataille depuis trop longtemps. Il ne connaissait pas les nouveaux langages utilisés par les Français, sans parler des jargons propres à chaque espion. Toutefois, il était clair que ces lettres étaient l'œuvre d'au moins deux auteurs différents.

Grey releva les yeux et s'aperçut que Norrington le fixait tel un crapaud lorgnant une mouche bien grasse.

— Je les ai examinées, déclara-t-il. Je ne les ai pas décodées *officiellement,* mais j'ai une idée générale quant à leur sens.

Grey avait déjà pris sa décision. Il était venu en ayant préparé dans sa tête ce qu'il pouvait confier à Norrington, le plus discret de ses contacts dans la Chambre noire.

— Beauchamp s'appelle en réalité Percival Wainwright, expliqua-t-il. (Tout en parlant, il se demanda pourquoi il taisait le véritable prénom de Percy.) C'est un sujet britannique. Il a été officier dans notre armée avant d'être arrêté pour le crime de sodomie. Il n'a jamais été jugé. On le croyait mort dans la prison de Newgate alors qu'il attendait son procès, mais...

Il lissa les feuilles de papier et referma le classeur.

— Il s'en est visiblement sorti.

Les grosses lèvres d'Arthur formèrent un « O » inaudible.

Grey se demanda un instant s'il devait en rester là... mais non. Arthur était aussi tenace qu'un teckel traquant un blaireau au fond de son terrier. S'il découvrait le reste par ses propres moyens, il soupçonnerait Grey d'en savoir beaucoup plus.

Grey reposa le classeur sur le bureau et poursuivit le plus naturellement possible :

— C'est également mon frère par alliance. Je l'ai vu en Caroline du Nord.

Les lèvres de Norrington s'affaissèrent un instant, mais il se reprit aussitôt.

— Je vois… Effectivement, dans ce cas… Oui, je vois.

— Vous comprenez pourquoi il faut absolument que je connaisse le contenu de ces lettres. Le plus tôt possible.

Arthur acquiesça, puis il se redressa et rouvrit le dossier. Une fois convaincu, il ne tergiversait plus.

— La plupart de ce que j'ai pu déchiffrer avait trait à l'expédition de marchandises. Il y a des noms de navires, de contacts aux Antilles, de cargos à livrer… de la simple contrebande quoique à une échelle assez vaste. Il y a une allusion à un banquier à Édimbourg, mais je n'ai pas encore déterminé son identité. Cependant, trois des lettres mentionnent un nom en clair… vous l'aurez sûrement remarqué.

Grey ne se donna pas la peine de le nier. Arthur reprit :

— Quelqu'un en France tient beaucoup à trouver un certain Claudel Fraser.

Il arqua un sourcil interrogateur.

— Vous n'auriez pas une petite idée de qui il s'agit ?

Grey avait un vague soupçon mais répondit néanmoins :

— Non. Et vous, une petite idée de qui le cherche et pourquoi ?

Norrington fit non de la tête.

— J'ignore pourquoi, répondit-il franchement. Quant à qui, il pourrait s'agir d'un aristocrate français.

Il saisit le petit sac en toile et en retira précautionneusement deux cachets en cire, l'un presque fendu en deux, l'autre intact. Tous deux représentaient un martinet devant un soleil levant.

Norrington les toucha doucement du bout d'un doigt.

— Personne n'a encore réussi à les identifier. Ils vous disent quelque chose ?

Grey sentit soudain sa gorge se sécher.

— Non, mais vous devriez regarder du côté d'un certain baron Amandine. Wainwright l'a mentionné dans notre conversation comme une de ses relations.

Norrington parut perplexe.

— Amandine ? Jamais entendu parler.

— Personne d'autre non plus…

Grey se leva avec un soupir.

— … au point que je commence à me demander s'il existe réellement.

✳

Il se posait toujours la question tout en marchant vers la maison de Hal. Le baron Amandine n'était peut-être qu'une façade masquant une personnalité beaucoup plus importante. Dans le cas contraire, tout devenait à la fois plus déroutant et plus simple. Puisqu'il était impossible de savoir de qui il s'agissait, Percy Wainwright était la seule piste valable à suivre.

Aucune des lettres de Norrington ne mentionnait le Territoire du Nord-Ouest ni ne contenait la moindre allusion à la proposition de Percy. Cela n'avait rien de surprenant ; il aurait été très dangereux de coucher ces renseignements sur papier, bien qu'il ait connu bien des espions ayant commis ce genre d'erreur. Si Amandine existait vraiment, il était à la fois sage et prudent.

De toute façon, il allait devoir parler de Percy à Hal. Peut-être saurait-il quelque chose sur cet Amandine ou pourrait-il mener une enquête. Il avait beaucoup d'amis en France.

Le fait de penser à Hal lui rappela brusquement la lettre de William, presque oubliée dans les intrigues du matin. Il marmonna d'exaspération dans sa barbe. Non, il n'était pas question de parler de *ça* à son frère avant d'avoir pu discuter avec Dottie. En tête à tête.

Quand il arriva à Argus House, Dottie n'était pas à la maison.

Lorsqu'il s'enquit courtoisement de sa nièce et filleule à sa belle-sœur Minnie, celle-ci lui répondit :

— Elle est sortie à l'un des après-midi musicaux de Mlle Brierley. Elle est très mondaine, ces temps-ci. Elle sera navrée de t'avoir raté.

Elle se hissa sur la pointe des pieds et l'embrassa, rayonnante.

— Cela me fait tellement plaisir de te voir, John.

— Moi de même, Minnie. Hal est à la maison ?

Elle leva les yeux vers le plafond.

— Cela fait une semaine qu'il n'est pas sorti. Il a la goutte. Si cela dure une semaine de plus, je vais mettre du poison dans sa soupe.

— Ah.

Cela renforça sa décision de ne pas lui parler de William. De bonne humeur, son frère terrifiait les soldats les plus aguerris et les politiciens les plus endurcis ; souffrant... Voilà qui expliquait sans doute pourquoi Dottie avait le bon sens de ne pas rester dans les parages.

Les nouvelles qu'il allait lui annoncer n'allaient guère améliorer son humeur. Il poussa très prudemment la porte de son bureau : son frère était connu pour lancer des objets quand il était irritable, et rien ne l'irritait plus que d'être malade.

En fait, Hal dormait, affalé dans un fauteuil devant le feu, son pied bandé posé sur un tabouret. Une puissante odeur acide de médicament flottait dans la pièce, étouffant celles du bois brûlé, du suif fondu et du pain rance. Une assiette de soupe refroidie était posée à ses côtés sur un plateau, intacte. Minnie avait peut-être mis ses menaces à exécution. Grey sourit. À l'exception de leur mère et de lui-même, Minnie était la seule personne au monde qui n'avait jamais peur de Hal.

Il s'assit en silence, hésitant à le réveiller. Hal avait les traits tirés et paraissait amaigri. Cela étant, il avait toujours été mince. Il avait cette élégance innée qui ne le quittait pas, même en caleçon, avec une vieille chemise en lin, les jambes nues et un châle miteux drapé autour des épaules. Néanmoins, les traces d'une vie passée sur les champs de batailles se lisaient sur son visage.

Le cœur de Grey se serra avec une tendresse soudaine, et il se demanda si, après tout, il devait le déranger avec ses informations. D'un autre côté, il ne pouvait risquer que Hal apprenne par accident la résurrection inopportune de Percy. Il devait être prévenu.

Avant qu'il n'ait pu se décider, les yeux de Hal s'ouvrirent brusquement, clairs et alertes. Ils étaient du même bleu clair que ceux de son petit frère.

— Tu es rentré, dit-il simplement.

Il lui adressa un sourire chargé d'affection et poursuivit :

— Sers-moi un cognac.

— Minnie m'a dit que tu avais la goutte. Les charlatans qui te soignent ne t'ont pas interdit de boire de l'alcool ?

Il se leva néanmoins.

Hal se redressa dans son fauteuil et grimaça en bougeant sans le vouloir son pied bandé.

— Si, répondit-il. Mais à ta tête, je sens que tu vas me dire quelque chose de désagréable et que je vais en avoir besoin. Tu ferais mieux d'apporter directement la carafe.

✳

Il ne quitta Argus House que quelques heures plus tard, après avoir refusé l'invitation de Minnie à rester à dîner. Le temps s'était considérablement détérioré. Un vent d'automne frisquet se levait, et on pouvait sentir le sel dans l'air… les traces de la brume marine approchant de la côte. Ce serait un soir parfait pour rester chez soi.

Minnie s'était excusée de ne pas pouvoir lui proposer sa voiture, Dottie l'ayant prise pour se rendre à son *salon*. Il l'assura que marcher lui ferait le plus grand bien, car il avait besoin de réfléchir. Toutefois, les rafales qui faisaient battre les pans de sa cape et menaçaient d'emporter son chapeau gênaient sa concentration. Il commençait à regretter la voiture quand il l'aperçut soudain dans l'allée de l'une des grandes demeures près d'Alexandra Gate, les chevaux caparaçonnés de plaids.

Il allait franchir le portail quand il entendit crier : « Oncle John ! » Il se tourna juste à temps pour voir sa nièce fondre sur lui tel un navire par vent arrière, littéralement. Elle portait une grande mante en soie prune et rose dont les pans et la capuche étaient gonflés à un point alarmant. De fait, elle arriva sur lui avec une telle vélocité qu'il dut lui attraper les bras pour arrêter son élan. Il demanda sans préambule :

— Tu es toujours vierge ?

Elle écarquilla les yeux et, sans l'ombre d'une hésitation, le gifla.

— *Quoi* ?

— Toutes mes excuses. Je sais, c'était un peu brutal.

Il lança un regard vers la voiture dont le cocher regardait fixement droit devant lui. Il lui fit signe d'attendre et, prenant sa nièce par le bras, l'entraîna en direction du parc.

— Où allons-nous ?

— Faire une promenade. J'ai quelques questions à te poser et je ne souhaite pas qu'on nous entende. Toi non plus, crois-moi.

Elle ne discuta pas, se contentant de plaquer une main sur son charmant petit chapeau et de le suivre dans un nuage tumultueux de jupons.

Le mauvais temps et les passants empêchèrent Grey de poser les questions qui le taraudaient jusqu'à ce qu'ils soient loin enfoncés dans le parc sur un chemin plus ou moins désert qui traversait un petit jardin de buissons taillés dans des formes fantasques.

Le vent s'était légèrement calmé bien que le ciel fût de plus en plus noir. Dottie s'arrêta brusquement devant un lion en buis et demanda :

— Oncle John, que signifient ces calembredaines ?

Dottie avait le teint de feuille d'automne de sa mère, avec les mêmes cheveux couleur de blé mûr et des pommettes perpétuellement roses. Toutefois, alors que le visage de sa mère était ravissant et doux, elle avait hérité de l'ossature fine et des longs cils noirs de son père. Sa beauté recelait quelque chose de dangereux.

Ce quelque chose menaçait d'exploser dans le regard de braise qu'elle fixait sur son oncle, et ce dernier se dit que, si Willie était amoureux d'elle, cela se comprenait aisément. *S'il l'était* réellement.

— J'ai reçu une lettre de William me laissant entendre qu'il s'était comporté avec toi d'une manière indigne d'un gentleman. Est-ce vrai ?

Elle ouvrit grand la bouche, médusée.

— Il t'a dit *quoi* ?

Voilà qui le soulageait d'un fardeau. Elle était probablement encore vierge et il n'avait pas besoin d'expédier William en Chine pour échapper au courroux de ses cousins.

— Comme je viens de le dire, ce n'était qu'une allusion. Il ne m'a fourni aucun détail. Viens, reprenons la marche avant de geler sur place.

Il la prit par le bras et la guida vers une allée conduisant à un petit oratoire. Là, ils se réfugièrent dans le vestibule dominé par un vitrail représentant sainte Agathe exhibant ses seins coupés sur un plateau. Grey feignit d'admirer cette image édifiante, laissant à Dottie le temps de remettre un peu d'ordre dans sa toilette et de réfléchir à ce qu'elle allait lui dire.

Elle se tourna enfin vers lui, le menton dressé.

— Eh bien… il est vrai que nous… euh… que je l'ai laissé m'embrasser.

— Ah ? Où ?

En voyant son air choqué (c'était intéressant, car une jeune femme sans la moindre expérience imaginerait-elle possible d'être embrassée ailleurs que sur les lèvres ou la main ?), il précisa précipitamment :

— Je voulais dire, dans quel endroit géographique ?

Ses joues rosirent un peu plus en se rendant compte qu'elle venait de commettre une bévue. Elle ne détourna pas les yeux pour autant.

— Dans le parc de lady Windermere. Nous assistions tous les deux à sa soirée musicale et, le dîner n'étant pas prêt, William m'a invitée à marcher un peu. C'était une si belle soirée…

— Oui, c'est ce qu'il m'a dit. C'est intéressant, cet effet enivrant du beau temps !

Elle prit un air piqué.

— Quoi qu'il en soit, nous sommes amoureux. Cela, il te l'a dit, au moins ?

— En effet. Il a commencé par une confession dans ce sens avant d'enchaîner sur un aveu scandaleux concernant ta vertu.

Elle écarquilla les yeux.

— Qu'a… qu'a-t-il dit exactement ?

— Assez pour me convaincre d'aller trouver ton père et de lui faire valoir qu'il représentait un parti désirable pour toi.

— Ah.

Elle parut soulagée et détourna le regard un instant avant de braquer de nouveau ses yeux bleus sur lui :

— Eh bien ? Vas-tu le faire ?

Elle ajouta avec une note d'espoir :

— À moins que tu ne l'aies déjà fait ?

— Non. Je n'ai encore rien dit à ton père. Je voulais d'abord en discuter avec toi et m'assurer que tu partageais bien les sentiments de William.

Elle battit des cils et lui adressa un de ses sourires enjôleurs.

— Comme c'est chou de ta part, oncle John. Bien des hommes n'auraient que faire de l'opinion de la femme, mais toi, tu as toujours été si prévenant ! Mère ne tarit pas d'éloges à ton égard, d'ailleurs.

— N'en rajoute pas, Dottie. Tu accepterais donc d'épouser William ?

— Si j'accepterais ? s'exclama-t-elle. Mais je ne demande que ça !

Il lui lança un long regard sceptique, mais elle ne flancha pas, bien que sa gorge et ses joues aient viré au rouge vif.

— Vraiment ? dit-il, toujours aussi peu convaincu. Pourquoi ?

Elle cligna des yeux.

— Pourquoi ?

— Pourquoi ? répéta-t-il patiemment. Qu'y a-t-il dans la personnalité de William, ou dans son aspect (il précisait, car les jeunes femmes étaient connues pour ne pas être fines psychologues) qui t'attire au point de vouloir l'épouser ? Et précipitamment de surcroît.

Il pouvait comprendre qu'ils fussent attirés l'un par l'autre, mais pourquoi une telle hâte ? Même si William craignait que Hal n'accepte la proposition du vicomte Maxwell, Dottie savait pertinemment que son père, qui l'adorait, ne l'obligerait jamais à épouser un homme contre son gré.

— Mais parce que nous nous aimons, bien sûr !

Il y avait une pointe d'hésitation dans cette déclaration théoriquement passionnée.

— Quant à sa... à sa personnalité... Enfin, oncle John, tu es son père ! Tu ne peux pas ignorer son... son... intelligence !

Le mot, cherché désespérément, avait surgi avec une note de triomphe.

Une fois lancée, l'inspiration lui vint plus facilement.

— ... sa gentillesse, son humour... sa douceur...

Ce fut au tour de lord John d'être décontenancé. William était indubitablement intelligent, drôle et raisonnablement bon, mais la douceur n'était pas une qualité qui venait immédiatement à l'esprit quand on pensait à lui. Il y avait encore un trou dans la boiserie de la salle à manger de sa mère, là où William avait projeté un camarade lors d'un goûter. Il n'avait jamais été réparé ; la scène était encore fraîche dans les souvenirs de Grey. William se comportait certainement de manière plus civilisée avec Dottie, mais quand même...

Elle était désormais intarissable et déclamait avec enthousiasme :

— C'est l'incarnation même du gentleman idéal ! Quant à son allure... toutes mes amies l'admirent ! Si grand, si imposant, si...

Il remarqua avec un détachement clinique que, dans son inventaire des caractéristiques remarquables de William, elle ne parlait pas de ses yeux. Or, outre sa grande taille, qui passait difficilement inaperçue, ses yeux étaient probablement son trait le plus saisissant. Ils étaient d'un bleu profond et brillant, d'une forme inhabituelle, bridés comme ceux d'un chat. De fait, c'était les yeux de Jamie Fraser et, chaque fois que William le regardait avec une certaine expression, Grey ressentait un petit pincement au cœur.

William était parfaitement conscient de l'effet de son regard sur les jeunes femmes et n'hésitait pas à en profiter. S'il avait langoureusement fixé Dottie, elle aurait été clouée sur place, amoureuse ou pas. Quant à cet émouvant récit d'extase dans le parc... tantôt lors d'une soirée musicale, tantôt lors d'un bal, un soir chez lady Belvedere, l'autre chez lady Windermere...

Absorbé par ses propres pensées, il ne se rendit pas tout de suite compte que Dottie avait cessé de parler.

— Je te demande pardon, ma chère, et je te remercie pour ce panégyrique à la gloire de William, un discours qui ne peut que réchauffer le cœur du père que je suis. Mais tu n'as toujours pas répondu à ma question : pourquoi cette urgence ? William rentrera sûrement à Londres d'ici un an ou deux.

— Il pourrait être tué !

Son ton exprimait soudain une angoisse si réelle qu'il en fut presque alarmé. Elle déglutit péniblement, posant une main sur sa gorge.

— Je ne le supporterai pas, poursuivit-elle d'une petite voix. S'il... s'il lui arrivait malheur et que nous n'ayons jamais... jamais eu l'occasion de...

Elle l'implorait d'un regard chargé d'émotion et lui prit le bras.

— Il le faut, dit-elle. Vraiment, oncle John, je ne peux pas attendre. Je veux aller en Amérique et me marier.

Il en resta pantois. Vouloir se marier était une chose, mais ça...

— Tu n'es pas sérieuse ! Tu ne peux pas imaginer une seconde que tes parents, et surtout ton père, t'autoriseront à partir !

— Il acceptera si tu lui présentes l'affaire correctement. Il estime ton jugement plus que celui de n'importe qui.

Elle exerça une légère pression sur son bras.

— Et, oncle John, tu dois comprendre mieux que personne l'horreur que je ressens à l'idée que quelque chose puisse arriver à William avant que je ne l'aie revu.

De fait, le seul facteur jouant en sa faveur était le désarroi que lui inspirait la disparition possible de William. Effectivement, il pouvait être tué, comme n'importe quel homme en temps de guerre, et surtout un soldat. C'était le risque encouru, mais il ne pouvait en son âme et conscience empêcher William de le prendre, même si l'idée qu'il puisse être mis en pièces par un boulet de canon, abattu d'une balle en pleine tête ou souffrir la lente agonie d'une fluxion…

La gorge sèche, il s'efforça de repousser ces images insoutenables dans un placard métallique solidement cadenassé au fond de son esprit.

— Dorothea, annonça-t-il fermement, je finirai bien par découvrir ce que vous mijotez.

Elle le dévisagea longuement, songeuse, comme si elle évaluait ses chances. L'angle de sa bouche se souleva imperceptiblement, et elle plissa les yeux. Il pouvait lire sa réponse sur son visage aussi clairement que si elle l'avait dite à voix haute.

Ça m'étonnerait.

Cela ne dura qu'une fraction de seconde, puis elle prit un air indigné.

— Oncle John ! Il s'agit de William, ton propre fils ! Comment peux-tu nous accuser de… De quoi nous accuses-tu, au juste ?

— Je l'ignore, admit-il.

Dottie était une charmeuse née. Elle se pencha vers lui, si près qu'il sentit le parfum de violettes dans ses cheveux, et enroula ses doigts autour des revers de sa veste.

— Alors ? Tu parleras à papa pour nous ? Pour moi ? S'il te plaît ! Aujourd'hui ?

Il essaya de se libérer.

— Je ne peux pas. Pas pour le moment. Je lui ai déjà fait subir un choc aujourd'hui. Un second risquerait de l'achever.

— Demain alors ?

Il lui prit les mains et fut touché de constater qu'elles étaient froides et tremblantes. Elle était sincère... même si elle ne disait pas la vérité.

— Dottie, répéta-t-il plus doucement, même si ton père était disposé à t'envoyer en Amérique pour te marier – et je ne peux imaginer pour quelle raison il accepterait, à moins d'apprendre que tu attends un enfant –, il te serait impossible de partir avant le mois d'avril. Il est inutile de pousser Hal dans sa tombe en lui annonçant ton projet, du moins tant qu'il ne se sera pas remis sur pied.

Elle était mécontente mais dut reconnaître le bon sens de son raisonnement. Il poursuivit :

— En outre, les campagnes s'interrompent en hiver, comme tu le sais déjà. Les combats cesseront bientôt, et William sera relativement en sécurité. Tu n'as donc pas à t'inquiéter pour lui.

En faisant abstraction des accidents, de la fluxion, de la fièvre, de l'empoisonnement alimentaire, des coliques, des bagarres de taverne et de dix à quinze autres risques potentiellement mortels.

— Mais... commença-t-elle.

Elle s'interrompit et soupira.

— Oui, tu as sans doute raison. Mais... tu parleras à papa bientôt, n'est-ce pas oncle John ?

Il esquissa un sourire.

— Si c'est ce que tu désires vraiment.

Une bourrasque s'engouffra dans l'oratoire et ébranla le cadre en plomb du vitrail de sainte Agathe. Presque aussitôt, le bruit de la pluie crépita sur le toit. Grey resserra sa cape davantage.

— Reste ici. Je vais aller chercher la voiture et la faire venir au coin de la rue.

Alors qu'il avançait contre le vent, retenant son chapeau d'une main, il se souvint avec un certain malaise de ses propres paroles : *Je ne peux imaginer pour quelle raison il accepterait, à moins d'apprendre que tu attends un enfant.*

Elle n'irait tout de même pas jusque-là ! Ou si ? Non, se rassura-t-il. Se faire faire un enfant par un homme afin de convaincre son père de la laisser en épouser un autre ? Insensé ! Hal la contraindrait à épouser le fautif avant qu'elle n'ait eu le temps d'ouvrir la bouche. À moins, naturellement, qu'elle choisisse un géniteur inépousable. Un homme marié, par exemple. Absurde ! Que dirait William en la voyant débarquer en Amérique enceinte d'un autre ?

Non. Même Brianna Fraser MacKenzie en serait incapable. Il n'avait pourtant jamais rencontré une femme d'un pragmatisme aussi terrifiant ! Il sourit malgré lui en repensant à la redoutable Mme MacKenzie, se souvenant qu'elle avait tenté de le faire chanter pour le forcer à l'épouser… alors qu'elle était enceinte d'un autre homme. Il s'était toujours demandé si l'enfant était de son mari. Finalement, oui, elle, elle en aurait été capable. Mais pas Dottie.

Impensable !

16

Conflit non armé

La vieille église anglicane de St. Stephen se dressait sereine sur les bords du Ness, drapée dans la paix vertueuse des stèles mousseuses de son petit cimetière. Roger était conscient de cette sérénité mais était loin de la partager.

Le sang battait dans ses tempes, et le col de sa chemise lui semblait trop serré en dépit de la fraîcheur de l'air. Il avait marché depuis le stationnement de High Street d'un pas rageur, grimpant la colline en un rien de temps.

Elle l'avait traité de lâche! Elle l'avait qualifié de bien d'autres choses, mais ce coup-là avait fait mouche et elle le savait.

La dispute avait commencé la veille après le dîner. Elle avait déposé le plat sale dans le vieil évier en pierre, s'était retournée, avait pris une grande inspiration, puis lui avait annoncé qu'elle avait un entretien d'embauche pour un poste à la centrale hydroélectrique North of Scotland.

— Un poste? avait-il répété hébété.

— Oui, un poste.

Il s'était retenu de répliquer qu'elle avait déjà un travail juste à temps, optant pour un plus subtil:

— Pourquoi?

Elle l'avait dévisagé froidement et avait rétorqué:

— Parce qu'il faut bien que l'un d'entre nous gagne des sous. Puisque ce n'est pas toi, ce sera moi.

— Qu'est-ce que tu veux dire, « gagne des sous » ? (Il était vraiment lâche, car il savait pertinemment ce qu'elle voulait dire.) Nous avons suffisamment d'argent pour un moment.

— Pour un moment, en effet. Un an ou deux si nous faisons attention. Tu penses donc qu'on devrait rester assis à se tourner les pouces jusqu'à ce que les comptes soient vides ? Et après ? C'est à ce moment-là que tu vas te demander ce que tu devrais faire ?

— J'y réfléchis, avait-il sifflé entre ses dents.

Le fait était : il n'avait quasiment rien fichu depuis des mois. Il y avait le livre, bien sûr. Il consignait par écrit toutes les chansons apprises par cœur au XVIIIᵉ siècle et les annotait. Mais on pouvait difficilement parler de « travail », et ce n'était pas cela qui les ferait vivre.

— Eh bien, moi aussi, je réfléchis.

Elle avait ouvert le robinet et lavé le plat, soit pour couvrir ce qu'il pourrait répondre, soit pour se donner le temps de se ressaisir. Puis elle avait coupé l'eau, s'était tournée à nouveau et avait repris, s'efforçant d'adopter un ton raisonnable :

— Écoute, je ne peux plus attendre. Je ne peux pas rester absente de mon secteur professionnel pendant des années et y retourner quand bon me semble. Mon dernier job de consultante remonte à près d'un an… Je dois faire quelque chose.

— Tu n'as jamais parlé de reprendre un travail à temps plein, avait-il objecté.

Elle avait effectué plusieurs brèves missions d'ingénieure consultante à Boston une fois Mandy hors de l'hôpital et de danger. C'était Joe Abernathy qui les lui avait trouvées. Il avait entraîné Roger à l'écart et lui avait expliqué :

— Elle a des fourmis dans les jambes. Je la connais, il faut qu'elle bouge. Depuis la naissance de la petite, elle est entièrement concentrée sur elle, nuit et jour. Elle a été occupée avec les médecins, les cliniques ; toujours avec ses enfants accrochés à ses basques. Elle a besoin de faire autre chose.

Et pas moi ? avait pensé Roger.

Un vieil homme portant une casquette était occupé à désherber le pourtour d'une tombe, un tas de plantes déracinées à ses côtés. Il observait Roger hésitant près du mur et le salua amicalement sans lui adresser la parole.

Elle était mère ; voilà ce qu'il aurait voulu dire à Brianna. Il aurait aimé lui parler de ce lien étroit qui la reliait aux enfants, du fait qu'ils avaient besoin d'elle comme ils avaient besoin d'air, de nourriture et d'eau. Il lui arrivait d'être jaloux de ne pas leur être indispensable de manière aussi primaire. Comment pouvait-elle renier ce don ?

En fait, il avait bien essayé de lui en parler. Autant craquer une allumette dans une mine remplie de gaz !

Il tourna brusquement les talons et sortit du cimetière. Il ne pouvait pas parler au recteur dans cet état... il ne pouvait même pas articuler un son. Il fallait d'abord qu'il se calme et retrouve sa voix.

Il tourna à gauche et descendit Huntly Street, apercevant du coin de l'œil la façade de St. Mary de l'autre côté du fleuve. L'unique église catholique d'Inverness.

Tôt dans la dispute, alors qu'ils étaient encore rationnels, elle avait fait un effort et lui avait demandé si c'était de sa faute.

— C'est moi ? C'est parce que je suis catholique ? Je sais... je sais que ça rend les choses plus compliquées. Jem m'a raconté la visite de Mme Ogilvy.

Bien que n'ayant pas le cœur à rire, il n'avait pu réprimer un léger sourire au souvenir de l'incident. Il se trouvait dans la grange, chargeant des pelletées de fumier dans une brouette. Jem l'assistait avec sa petite pelle en plastique.

Roger chantait (si on pouvait appeler « chanter » le croassement rauque qui sortait de sa gorge) :

— *T'en fais seize tonnes et ça te donne quoi ?*

— *Un jour de plus vers quatre planches de bois !* avait répondu Jem dans un braillement hilare.

Ce fut à ce moment fâcheux que Roger s'était retourné et avait découvert qu'ils avaient de la visite : Mmes Ogilvy et MacNeil, deux dames patronnesses de la Free North Church d'Inverness. Les connaissant, il avait tout de suite deviné ce que ces grenouilles de bénitier étaient venues faire.

— Nous cherchons votre épouse, Mme MacKenzie, avait déclaré Mme MacNeil, la bouche en cul de poule.

Il s'était demandé si son expression pincée indiquait sa réprobation ou si elle avait simplement peur de perdre son dentier mal ajusté en ouvrant la bouche de plus d'un demi-centimètre.

— Ah, je regrette, mais elle est partie en ville.

Il s'était essuyé la main sur son jean, envisageant de la tendre puis, voyant son état, s'était ravisé et contenté d'un signe de tête.

— Donnez-vous donc la peine d'entrer. Je vais demander à l'aide-ménagère de vous préparer du thé.

Elles avaient secoué la tête à l'unisson.

— Nous n'avons pas encore vu votre épouse à l'église, monsieur MacKenzie, avait dit Mme Ogilvy, lançant un regard suspicieux.

Il s'y était attendu. Il pouvait essayer de gagner du temps en disant que la petite était malade, mais à quoi bon ? Il faudrait bien le leur annoncer tôt ou tard. Il avait donc pris son ton le plus aimable.

— C'est normal, elle est catholique. Elle va à la messe à St. Mary, le dimanche.

Le visage carré de Mme Ogilvy s'était soudain affaissé, devenant ovale.

— Votre femme est papiste ?

À son ton, il était clair qu'elle lui donnait une dernière chance de rectifier l'horreur absolue qu'elle venait d'entendre.

— En effet, elle est née catholique.

Après cette révélation, la conversation avait rapidement été écourtée. Elles avaient lancé un regard vers Jem, demandé si, au moins, il allait au catéchisme, poussé un bref soupir de soulagement en entendant la réponse, puis pris congé non sans avoir une dernière fois fusillé Roger du regard.

Tu veux que je me convertisse ? avait demandé Brianna lors de leur dispute. Cela avait sonné comme un avertissement plutôt qu'une offre.

Il avait soudain eu envie de répondre oui, ne serait-ce que pour voir si elle le ferait, par amour. Cependant, sa conscience religieuse n'aurait pu le tolérer ; encore moins sa conscience en tant que son homme. Son mari.

Huntly Street devint soudain Bank Street et la foule de piétons de l'artère commerciale disparut. Roger passa devant le petit jardin où se dressait un monument aux infirmières de la Seconde Guerre mondiale et songea, comme chaque fois, à Claire. Quoique, cette fois, son admiration pour elle fût teintée d'amertume.

Qu'est-ce que tu en dirais, toi ? Il le savait ; du moins, il ne doutait pas du camp qu'elle choisirait. Elle avait opté pour la reprise de ses études de médecine quand Bree avait sept ans, laissant Frank, son mari, s'occuper de l'enfant à temps plein, que cela lui plût ou non. Il ralentit le pas, méditant. Voilà sans doute pourquoi Bree pensait…

Il passa devant la Free North Church et songea à Mmes Ogilvy et MacNeil. S'il ne réagissait pas, elles reviendraient à la charge. Il connaissait leur type de bienveillance forcenée. Si elles apprenaient que Bree était partie travailler, ce qui à leurs yeux revenait à abandonner son mari avec deux enfants en bas âge, elles se relaieraient pour le submerger de ragoûts de pommes de terre aux oignons et de hachis Parmentier. *Finalement, ce n'est peut-être pas une si mauvaise chose*, pensa-t-il en se léchant les lèvres. Sauf qu'elles s'immisceraient dans le fonctionnement de la maison. Les laisser entrer dans la cuisine de Brianna ne serait pas simplement jouer avec de la dynamite mais jeter délibérément un flacon de nitroglycérine dans son mariage.

— Les catholiques ne croient pas au divorce, l'avait informé un jour Brianna. En revanche, nous croyons au meurtre. Après tout, c'est bien à ça que sert la confession.

De l'autre côté du fleuve se dressait la seule église anglicane d'Inverness, St. Andrew. Une église catholique, une église anglicane et pas moins de sept églises presbytériennes, toutes disposées en carré au bord du fleuve dans un espace de six cents mètres de long. Voilà qui en disait long sur la nature profonde d'Inverness. C'était ce qu'il avait tenté d'expliquer à Brianna sans, toutefois, lui parler du vacillement de sa propre foi.

Elle n'avait pas posé de questions, ce en quoi il lui était reconnaissant. En Caroline du Nord, il avait été à deux doigts d'être ordonné prêtre… puis il y avait eu la naissance de Mandy, la désintégration de la communauté de Fraser's Ridge et la décision de risquer le voyage à travers les pierres… Plus personne n'en avait parlé. De même, une fois de retour, il avait fallu s'occuper avant tout de l'opération de la petite et reconstruire un semblant de vie normale… La question de son sacerdoce avait été occultée.

Il supposait que Brianna ne lui en avait pas parlé parce qu'elle ne savait pas comment aborder le sujet et ne voulait pas paraître le pousser dans une direction ou une autre. Si le fait qu'elle soit catholique n'arrangerait pas sa position de pasteur presbytérien à Inverness, le fait qu'il détienne un ministère allait sérieusement compliquer la vie de sa femme. Elle en était consciente.

Ce qui expliquait sans doute pourquoi ni l'un ni l'autre n'en avait parlé quand ils avaient organisé les détails de leur retour.

Ils avaient réglé les questions pratiques de leur mieux. Il ne pouvait retourner à Oxford… pas sans une justification minutieusement préparée. Il avait expliqué à Brianna et à Joe Abernathy, le médecin et vieil ami de Claire avant qu'elle ne parte rejoindre Jamie :

— On ne peut pas interrompre et reprendre une carrière universitaire comme ça. On peut prendre un congé sabbatique, voire un congé prolongé, mais il faut avoir un objectif déclaré et pouvoir présenter des recherches publiées à son retour.

— Tu as de quoi écrire un best-seller sur la Régulation, avait observé Joe Abernathy. Ou encore sur la Révolution dans les États du Sud.

— Certes, admit Roger, mais pas un ouvrage respectable d'universitaire.

Il avait souri amèrement, sentant les articulations de ses doigts le démanger. Effectivement, il pourrait écrire un livre que personne d'autre ne pouvait écrire. Mais pas en tant qu'historien.

Il avait indiqué du menton la bibliothèque de Joe. Ils se trouvaient dans le bureau de ce dernier, tenant le premier d'une longue série de conseils de guerre.

— Pas de sources, expliqua-t-il. Un historien doit pouvoir citer les sources de toutes les informations qu'il donne, et je suis sûr que rien n'a été enregistré sur la plupart des situations uniques que j'ai vécues. Je peux vous assurer que « témoignage oculaire de l'auteur » passerait très mal dans une édition universitaire. Il faudrait que j'en fasse un roman.

Cette idée n'était pas sans attrait mais n'impressionnerait guère ses collègues d'Oxford.

En Écosse, toutefois…

On ne débarquait pas dans les Highlands sans se faire remarquer. Cependant, Roger n'était pas un nouveau venu. Il avait grandi dans un presbytère à Inverness où beaucoup de gens l'avaient connu adulte. En outre, il revenait avec une épouse américaine et des enfants pour justifier son absence…

— Les gens là-bas se fichent pas mal de ce que vous avez fait ailleurs. Ils ne s'intéressent qu'à ce que vous faites quand vous êtes au pays.

Il avait atteint le groupe d'îlots sur le Ness. Situé à quelques mètres seulement de la berge, ils avaient été emménagés en un petit parc tranquille avec des allées en terre battue, de grands arbres. Il était peu fréquenté. Roger se promena sur les sentiers, essayant de se vider la tête et de la remplir du clapotis de l'eau, du calme, du ciel bas et gris.

Une fois arrivé au bout du parc il se tint immobile un instant, fixant distraitement les débris pris dans les branches des buissons au bord de l'eau : des amas de feuilles mortes, des plumes d'oiseaux, des squelettes de poisson, un vieux paquet de cigarettes, le tout déposé par le courant.

Naturellement, il n'avait pensé qu'à lui, à ce qu'*il* ferait, à ce que les gens penseraient de *lui*. Pourquoi ne s'était-il pas interrogé sur ce que ferait Brianna s'ils s'installaient en Écosse ?

Avec le recul, la réponse sautait aux yeux. À Fraser's Ridge, Bree avait mené l'existence normale d'une femme du xviiie siècle dans les colonies, se distinguant, certes, par le fait que, telle une déesse chasseresse, elle rapportait à la maison les buffles et les dindons sauvages qu'elle avait abattus, quand elle ne trucidait pas des pirates. En dehors de cela, elle s'occupait de sa progéniture, la nourrissait, l'habillait, la réconfortait, donnait parfois la fessée. Avec Mandy souffrante et la douleur de perdre ses parents, l'idée de retravailler avait été rangée au placard. Rien n'aurait pu la séparer de sa fille.

Mais Mandy était sauvée et d'une bonne santé terrifiante, comme en attestait l'étendue des dégâts qu'elle laissait dans son sillage. Ils avaient accompli la tâche complexe et lente de rétablir leurs identités au xxe siècle, racheté Lallybroch à la banque qui en était propriétaire, achevé leur emménagement en Écosse. Jemmy allait à l'école dans le village voisin et une jeune fille du même village avait été recrutée pour faire le ménage et aider à veiller sur Mandy.

À présent, Brianna allait reprendre sa vie professionnelle.

Et Roger pouvait aller au diable.

✳

Brianna ne pouvait nier qu'elle avait été prévenue. Elle s'immisçait dans un monde d'hommes.

L'entreprise avait été colossale et le travail très rude, un des plus pénibles qui soient : creuser les tunnels par lesquels passaient les kilomètres de câbles reliant les turbines de centrales hydroélectriques. On avait surnommé les hommes chargés des excavations « les tigres des tunnels ». La plupart étaient des immigrés polonais et irlandais arrivés dans les années 1950.

Elle avait lu des articles à leur sujet, vu des photos des ouvriers dont le visage noirci comme ceux de mineurs de charbon faisait ressortir le blanc de leurs yeux. Les murs des bureaux de la commission hydroélectrique en étaient couverts, documentant « le plus grand exploit moderne de l'Écosse ». *Et quel serait le plus grand exploit ancien de l'Écosse ?* se demanda-t-elle. *L'invention du kilt ?* Elle réprima un petit rire, ce qui dut rendre son visage plus avenant car M. Campbell, le directeur du personnel, lui sourit avec bienveillance.

— Vous avez de la chance ! Nous avons justement un poste qui se libère le mois prochain à Pitlochry.

— C'est fantastique !

Elle tenait sur ses genoux un dossier contenant ses références. Surprise qu'il n'ait même pas demandé à les voir, elle le déposa néanmoins sur le bureau et l'ouvrit.

— Voici mes…

Il fixait le curriculum vitae au sommet de la pile de documents, la bouche si grande ouverte qu'elle apercevait les plombages de ses molaires.

Il referma la bouche, lui lança un regard interloqué puis baissa à nouveaux les yeux vers le dossier, saisissant lentement le CV comme s'il craignait de découvrir dessous quelque chose d'encore plus choquant.

Elle refoula l'envie d'enfoncer nerveusement ses ongles dans les plis de sa jupe et déclara :

— Je pense avoir toutes les qualifications nécessaires pour être inspectrice de centrale.

Elle ne faisait pas que le penser, elle en était convaincue. Elle avait même les qualifications pour la leur construire, leur foutue centrale.

— Inspectrice… répéta-t-il d'une voix faible.

Il toussota et rougit. C'était un grand fumeur ; elle sentait l'odeur de tabac froid accrochée à ses vêtements.

— Je crains qu'il n'y ait un petit malentendu, ma chère madame. C'est une secrétaire que nous recherchons pour Pitlochry.

Cette fois, elle ne résista pas à l'envie de tripoter sa jupe.

— Je n'en doute pas, mais l'annonce à laquelle j'ai répondu concernait un inspecteur de centrale, et c'est le poste qui m'intéresse.

Il secoua la tête, l'air épouvanté.

— Mais... ma chère... vous êtes une femme !

— En effet.

N'importe lequel des centaines d'hommes ayant côtoyé son père aurait reconnu le ton glacé de sa voix et aussitôt capitulé. Hélas pour lui, M. Campbell n'avait jamais rencontré Jamie Fraser... mais il n'allait pas tarder à être éclairé.

— Pouvez-vous m'expliquer exactement quels aspects de l'inspection d'une centrale hydroélectrique nécessitent un pénis ?

Il écarquilla les yeux et son visage revêtit la couleur de la caroncule d'un dindon à la saison des amours.

— C'est que... vous... c'est-à-dire que...

Il fit un effort visible pour se ressaisir et rester courtois, mais ses traits trahissaient toujours sa stupéfaction.

— Madame MacKenzie, ne croyez pas que j'ignore tout du mouvement pour l'émancipation des femmes ; j'ai moi-même plusieurs filles (*et aucune ne m'aurait dit une horreur pareille*). Ce n'est pas que je vous considère comme incompétente, c'est... l'environnement professionnel. Il ne convient pas à une femme.

— Pourquoi ?

Il commençait à retrouver son aplomb.

— Les conditions de travail sont souvent physiquement rudes et, pour ne rien vous cacher, les hommes auxquels vous auriez affaire également. La compagnie ne peut, en son âme et conscience, mettre votre sécurité en danger. Sans compter que cela pourrait nous coûter très cher.

— Vous employez des hommes qui agressent les femmes ?

— Non ! Nous...

— Vos centrales sont-elles physiquement dangereuses ? Dans ce cas, vous avez vraiment besoin d'une inspectrice, n'est-ce pas ?

— Les conditions légales...

— Je connais les régulations afférentes aux centrales hydroélectriques sur le bout des doigts, l'interrompit-elle fermement.

Elle ouvrit son sac et sortit le manuel de régulations – très écorné – publié par l'agence du développement des Highlands et îles d'Écosse.

— Je sais détecter les problèmes et peux vous dire comment les rectifier rapidement... et le plus économiquement possible.

M. Campbell paraissait profondément malheureux. Elle poursuivit :

— En outre, j'ai entendu dire que vous n'aviez pas eu beaucoup de candidats pour ce poste. À vrai dire, aucun.

— Les hommes...

— Les hommes ? répéta-t-elle avec une pointe d'amusement. J'ai déjà travaillé avec des hommes. Je m'entends bien avec eux.

Elle se tut et le dévisagea fixement. *Je sais ce que c'est que de tuer un homme. Je sais à quel point c'est facile. Vous pas.* Elle n'avait pas conscience d'avoir changé d'expression, mais M. Campbell pâlit légèrement et détourna le regard. L'espace d'un instant, elle se demanda si Roger en ferait autant s'il lisait la même lueur dans ses yeux. Mais ce n'était pas le moment de penser à ce genre de choses. Elle déclara sur un ton plus doux :

— Et si vous me montriez un des sites ? Nous pourrions discuter plus longuement.

✳

Au XVIIIe siècle, St. Stephen avait été provisoirement convertie en prison pour accueillir des prisonniers jacobites. Selon certains témoignages, deux d'entre eux avaient été exécutés dans le cimetière. Ce n'était pas si mal comme dernier paysage avant de mourir : le fleuve large et le ciel infini, tous deux se fondant dans la mer. Le vent, les nuages et l'eau, en dépit de leur mouvement constant, dégageaient un profond sentiment de paix.

Son père adoptif lui avait dit un jour :

— Si tu es un jour empêtré au cœur d'un paradoxe, tu peux être sûr d'être tout près de la vérité.

Il avait ajouté avec un sourire :

— Tu ne sauras peut-être pas quelle est cette vérité, mais elle sera là.

Le recteur de St. Stephen, le professeur Weatherspoon, avait eu lui aussi quelques aphorismes à partager.

— *Quand Dieu ferme une porte, il ouvre une fenêtre.*

Ben voyons ! Le problème étant que la fenêtre en question était située au dixième étage, et Roger n'était pas certain que Dieu offrît également le parachute.

Il leva les yeux vers le ciel gris d'Inverness.

— Mais peut-être que si ?

— Je vous demande pardon ?

L'air perplexe, le sacristain venait de surgir de derrière la stèle où il avait travaillé, accroupi.

Roger agita une main, gêné.

— Je vous demande pardon, je parlais tout seul.

Le vieil homme hocha la tête d'un air compréhensif.

— Ce n'est rien. C'est quand on commence à entendre les réponses qu'il faut s'inquiéter.

Il pouffa de rire puis disparut à nouveau derrière la tombe.

Roger sortit du cimetière et retourna vers le stationnement en marchant lentement. Il avait fait le premier pas. Il avait mis du temps, certes, et Bree avait raison, à sa manière. Il avait été lâche mais avait fini par réagir.

Le problème n'était pas encore résolu, mais il avait été réconfortant de l'exposer à quelqu'un qui comprenait et compatissait.

Il gravit les marches humides en béton, cherchant ses clefs dans sa poche. Il n'était pas encore en paix avec lui-même mais se sentait mieux disposé à l'égard de Bree. Il pouvait à présent rentrer à la maison et lui raconter…

Non… Bon sang ! Pas encore ! Il devait d'abord vérifier.

Il savait qu'il avait raison, mais il devait avoir la preuve en main afin de la montrer à Bree.

Il pivota brusquement sur ses talons, passa devant le gardien qui s'approchait, dévala les escaliers et s'engagea dans Huntly Street comme s'il marchait sur des charbons ardents.

Il s'arrêta au Fox, extirpa quelques pièces de monnaie de sa poche et composa le numéro de Lallybroch sur le cadran d'un téléphone public. Annie répondit avec sa brusquerie habituelle d'un « ouais ? ». Il ne prit pas la peine de la sermonner pour ses mauvaises manières au téléphone.

— C'est Roger. Dites à madame que je dois aller à Oxford faire une recherche. Je ne rentrerai pas ce soir.

— Mmmph, fit-elle avant de raccrocher.

✳

Elle aurait aimé frapper Roger sur la tête avec un objet contondant. Comme une bouteille de champagne, par exemple.

— Il est allé *où* ?

Elle avait pourtant parfaitement entendu Annie la première fois. La jeune fille haussa les épaules jusqu'à ses oreilles, lui signifiant qu'elle comprenait la nature purement rhétorique de sa question.

— À Oxford. En *Angleterre*.

Le ton de sa voix reflétait son outrage devant le comportement scandaleux de Roger. Il ne s'était pas contenté d'aller farfouiller dans un vieux livre – ce qui était déjà étrange en soi (bien qu'il fût universitaire et qu'avec ces gens-là, il faut s'attendre à tout) –, mais il avait abandonné femme et enfants sans prévenir pour fuir dans un pays étranger !

Elle ajouta, dubitative :

— Il a dit qu'il rentrerait demain.

Elle souleva la bouteille de champagne précautionneusement comme si elle risquait d'exploser.

— Je devrais peut-être mettre ça dans le compartiment à glace ?

— Le quoi ? Ah, non, pas dans le congélateur ; le frigo suffira. Merci, Annie.

La jeune fille disparut dans la cuisine. Brianna resta un moment plantée dans le couloir rempli de courants d'air, essayant de maîtriser ses émotions avant d'aller retrouver ses enfants. Ils avaient déjà senti qu'il y avait de l'eau dans le gaz entre leurs parents. Que leur père ait brusquement disparu n'allait pas les rassurer. Leur avait-il dit au revoir, au moins ? Les avait-il assurés qu'il reviendrait ? Non, bien sûr.

— Espèce de… d'égocentrique, d'égoïste, de… de…

Incapable de trouver une épithète plus satisfaisante, elle acheva :

— … de sale rat puant !

Puis elle eut malgré elle un léger rire, non pas à cause de l'absurdité de l'insulte, mais parce qu'elle devait bien reconnaître qu'elle avait obtenu ce qu'elle désirait. Sur tous les plans.

De toute manière, il n'aurait pu l'empêcher de chercher du travail. Une fois remis des bouleversements que cela provoquerait dans leur vie quotidienne, il s'en accommoderait probablement.

Sa mère lui avait déclaré un jour :

— Les hommes ont horreur du changement, à moins qu'il ne vienne d'eux, naturellement. Mais tu peux parfois leur faire croire que ce sont eux qui en ont eu l'idée.

Elle aurait dû être moins directe ; lui faire sentir qu'il avait son mot à dire. Lui faire croire que l'idée venait de lui ? Non, cela aurait été pousser le bouchon trop loin. En outre, elle n'avait pas voulu être sournoise. Ni même user de tact.

Quant à ce qu'elle *lui* avait fait… Elle avait supporté son inertie le plus longtemps possible, puis elle l'avait poussé du haut de la falaise, délibérément.

— Et je ne me sens pas coupable pour un sou ! déclara-t-elle au portemanteau.

Elle accrocha lentement son pardessus, prenant le temps de vider ses poches de mouchoirs en papier et de tickets de caisse froissés.

Était-il parti par dépit ? Pour se venger de ce qu'elle s'était rendue à un entretien d'embauche ? Ou par colère parce qu'elle l'avait traité de lâche ? Il n'avait certainement pas apprécié l'insulte. Son regard était devenu noir et il en avait presque perdu la voix… Les émotions puissantes l'étranglaient, littéralement, lui bloquant le larynx. Elle l'avait fait exprès. Elle connaissait ses points faibles, tout comme il connaissait les siens.

Ses doigts se refermèrent sur un objet dur dans la poche intérieure de sa veste. Un coquillage, lissé par le temps, blanchi par le soleil et l'eau. Roger l'avait ramassé parmi les galets au bord du Loch Ness et le lui avait donné.

— C'est pour t'y cacher...

Il avait eu beau sourire, sa voix trahissait son émotion.

— ... quand tu auras besoin d'un refuge.

Roger n'était pas mesquin. Il n'aurait pas été jusqu'à Oxford (elle ne put s'empêcher de sourire en repensant à la mine choquée d'Annie) uniquement pour l'inquiéter.

Il devait avoir une raison précise, sans doute révélée par leur dispute. Ce qui était autrement plus inquiétant.

Depuis leur retour, il s'était débattu comme un beau diable. Elle aussi, bien sûr : la maladie de Mandy, les choix à faire pour décider où s'établir, les mille petits détails à régler pour relocaliser une famille dans l'espace et le temps... ils avaient tout fait ensemble. Toutefois, il y avait des choses contre lesquelles il se débattait seul.

Elle était enfant unique, tout comme lui. Elle savait ce que c'était, combien de temps on passait dans sa propre tête. Mais ce avec quoi il vivait dans sa tête le rongeait, elle le voyait bien. S'il ne lui confiait pas ce qui le tracassait, c'était peut-être parce qu'il considérait cela trop personnel pour le partager (cela ne lui plaisait pas, mais elle pouvait comprendre). Ce pouvait être également parce qu'il trouvait cela trop perturbant ou dangereux pour le lui dire, et cela, elle ne le supporterait pas.

Ses doigts se crispèrent autour du coquillage. Elle les écarta lentement, essayant de se calmer.

Elle entendait les enfants dans la chambre de Jem, à l'étage. Il lisait une histoire à Mandy. Ce devait être *L'Homme pain d'épices*. Elle n'entendait pas les mots mais reconnaissait le rythme, ponctué par les petits cris d'excitation de Mandy.

Il était inutile de les interrompre. Elle leur annoncerait plus tard que leur père ne rentrerait pas cette nuit. Si elle le présentait comme si de rien n'était, ils ne réagiraient peut-être même pas. Depuis leur retour, il ne s'était jamais absenté mais, quand ils vivaient à Fraser's Ridge, il lui arrivait souvent de partir chasser pendant plusieurs jours avec Jamie ou Ian. Mandy ne s'en souviendrait pas, mais Jem…

Elle se dirigea vers son bureau mais, à mi-chemin, bifurqua vers la porte ouverte de celui de Roger. C'était l'ancienne salle de consultation de la maison, la pièce depuis laquelle son oncle Ian avait dirigé les affaires de Lallybroch durant des années, et son père pendant une brève période avant lui, et son grand-père avant lui.

À présent, c'était l'antre de Roger. Il lui avait demandé si elle la voulait, mais elle avait préféré le petit salon de l'autre côté du couloir, avec sa fenêtre ensoleillée et l'ombre du rosier grimpant qui embellissait tout ce flanc de la demeure de ses couleurs et de son parfum. En outre, elle trouvait que c'était une pièce masculine, avec son vieux parquet rayé éraflé et sa bibliothèque joliment délabrée.

Roger avait déniché un des anciens registres de Lallybroch, datant de 1776. Il se trouvait sur l'étagère supérieure, sa reliure en tissu élimé abritant les détails minutieusement consignés de la vie quotidienne dans une ferme des Highlands. *Un quart de livre de graines de sapin argenté ; un bouc ; six lapins ; trente onces de pommes de terre de semence…* Était-ce l'écriture de son oncle ?

Elle se demanda avec un léger pincement de cœur si ses parents avaient réussi à revenir en Écosse, ici même, à Lallybroch. Avaient-ils revu Jenny et Ian ? Son père s'était-il assis (le ferait-il ?) dans cette pièce, de nouveau chez lui, discutant des affaires du domaine avec Ian ? Et sa mère ? Claire ne s'était pas séparée de Jenny en très bons termes et, du peu qu'elle lui en avait dit, Brianna savait qu'elle en était attristée. Elles avaient été autrefois très proches. Peut-être parviendraient-elles à se raccommoder… ou était-ce déjà fait.

Elle lança un regard vers le coffret en bois placé en haut de la bibliothèque près du registre, derrière le petit serpent en cerisier. Elle descendit ce dernier et caressa la courbe lisse de son corps. Il avait une expression comique, regardant par-dessus son épaule inexistante. Elle sourit malgré elle.

— Merci, oncle Willie, murmura-t-elle.

Elle sentit un frisson extraordinaire la parcourir. Ce n'était pas la peur, ni même le froid, mais une sorte de joie tranquille. De la reconnaissance.

Elle avait manipulé ce serpent tant de fois à Fraser's Ridge, puis ici, où il avait été sculpté, sans jamais penser à son créateur, le frère aîné de son père mort à l'âge de onze ans. Quand elle était venue à Lallybroch la première fois, au XVIIIe siècle, il y avait un portrait de lui sur le palier du premier étage. Un petit garçon roux et robuste, debout, posant une main sur l'épaule de son petit frère, le regard bleu et grave.

Où était passé ce portrait ? Et tous les autres tableaux de sa grand-mère ? Il y en avait un, un autoportrait, qui s'était frayé un chemin jusqu'à la National Portrait Gallery de Londres. Il faudrait qu'elle emmène les enfants le voir quand ils seraient plus grands. Mais les autres ? Elle se souvenait d'une très jeune Jenny Murray nourrissant un faisan apprivoisé qui avait les grands yeux doux et marron de son oncle Ian.

Ils avaient fait le bon choix en décidant de s'installer ici avec les enfants. Peu importait si trouver leur place leur demandait du temps, à elle et à Roger. Elle grimaça en se disant qu'elle ne devrait sans doute pas parler pour Roger.

Elle leva à nouveau les yeux vers le coffret. Elle aurait aimé que ses parents soient là pour leur demander conseil. Non pas qu'elle en eût vraiment besoin… Pour être honnête, elle voulait surtout qu'on la rassure en lui disant qu'elle avait pris la bonne décision.

Elle saisit le coffret des deux mains et le descendit. Elle se sentait un peu coupable de ne pas vouloir partager la prochaine lettre avec Roger mais… elle avait besoin d'entendre sa mère. Elle prit la première de la pile portant l'écriture de Claire.

Bureau de L'Oignon, New Bern, Caroline du Nord
12 avril 1777

Ma chère Bree (et Roger, et Jem et Mandy, bien sûr)
Nous sommes arrivés à New Bern sans incident majeur. Oui, je t'entends penser : « Majeur ? » Il est vrai que nous avons croisé un couple d'apprentis bandits sur la route de Boone. Dans la mesure où ils étaient âgés respectivement de neuf et onze ans, et armés uniquement d'un vieux mousquet équipé d'une platine à rouet qui leur aurait explosé à la figure s'ils avaient été capables de tirer avec, nous ne courions pas un grand danger.

Rollo a bondi de la carriole et en a plaqué un au sol, sur quoi l'autre a lâché son arme et détalé. Ton cousin Ian l'a rattrapé et l'a ramené par la peau du cou.

Il a fallu un certain temps à ton père pour leur soutirer une explication cohérente, jusqu'à ce qu'il nous vienne à l'idée de leur donner un repas chaud. Une fois le ventre plein, ils sont deve-nus intarissables. Ils nous ont dit s'appeler Herman et Vermine (je te le jure !). Ils ont perdu leurs parents cet hiver. Leur père est parti chasser et n'est jamais revenu. Leur mère est morte en couches et son bébé l'a suivie un jour plus tard, les deux garçons n'ayant aucun moyen de le nourrir. Ils ne connaissent aucun parent du côté de leur père mais nous ont appris que le nom de jeune fille de leur mère était Kuykendall. Il se trouve que ton père connaît des Kuykendall du côté de Bailey Camp. Ian est donc parti à leur recherche avec nos deux petits garne-ments pour voir s'ils accepteraient de les prendre chez eux. Dans le cas contraire, il les amènera à New Bern, où nous essaye-rons de les placer en apprentissage quelque part. Ou encore, ils nous accompagneront à Wilmington, où nous leur trouve-rons peut-être une place à bord d'un navire comme garçons de cabine.

Fergus, Marsali et les enfants se portent à merveille, tant physiquement (si l'on fait exception d'une tendance familiale à une hypertrophie des végétations adénoïdes et de la plus grosse verrue que j'aie jamais vue sur le coude de Germain) que financièrement.

Avec La Gazette de Wilmington, L'Oignon est le seul journal à paraître régulièrement dans la colonie ; Fergus ne chôme donc pas. Si l'on ajoute à ça l'impression et la vente de livres et de pamphlets, on peut dire que son entreprise est florissante. La famille possède désormais deux chèvres laitières, de nombreuses poules, un cochon et trois mules (en comptant Clarence, que nous leur laissons).

Compte tenu des conditions et incertitudes actuelles (Brianna comprit qu'elle voulait dire par là qu'elle ignorait qui lirait cette lettre et quand), je ne vais pas entrer dans le détail de ce qu'imprime Fergus, outre son journal. L'Oignon, lui, est plutôt impartial, publiant des dénonciations virulentes signées par des loyalistes et des moins loyalistes, ainsi que des poèmes satiriques de notre vieil ami « Anonymus » raillant les deux camps du conflit politique. J'ai rarement vu Fergus aussi radieux.

Certains hommes s'épanouissent en temps de guerre et, étrangement, Fergus en fait partie. Ton cousin Ian également, même si, dans son cas, je crois que c'est surtout que cela lui évite de trop réfléchir.

Je me demande comment sa mère va l'accueillir. La connaissant, je pense qu'une fois le premier choc passé elle se mettra en quête d'une épouse pour son fils. Jenny est une femme très perspicace et tout aussi têtue que ton père. J'espère qu'il s'en souviendra.

En parlant de ton père... il passe beaucoup de temps à vadrouiller avec Fergus, vaquant à ses « occupations » (sans plus de précisions, ce qui signifie probablement qu'il se livre à des activités qui me feraient dresser les cheveux sur la tête si j'étais au courant). Il se renseigne également auprès des marchands pour trouver un bateau, mais je pense que nous aurons plus de chance à Wilmington, où nous nous rendrons dès que Ian nous aura rejoints.

En attendant, j'ai installé ma petite enseigne, littéralement. Elle est fixée sur la devanture de l'imprimerie de Fergus et annonce « Ici, on arrache les dents et on soigne l'urticaire, la pituite et la fièvre ». C'est l'œuvre de Marsali. Elle voulait ajouter la vérole, mais Fergus et moi l'en avons dissuadée, lui parce qu'il craignait pour la réputation de son établissement, moi parce qu'il n'y a rien que je puisse faire actuellement pour soigner ce qu'ils appellent la vérole. Pour ce qui est de la pituite… on peut toujours trouver un remède, même s'il ne s'agit que d'une infusion chaude de racines de sassafras, d'herbe aux chats ou de citronnelle avec une petite goutte d'alcool.

En chemin, j'ai rendu visite au docteur Fentiman à Cross Creek. J'ai pu lui acheter plusieurs instruments et remèdes très utiles afin de réapprovisionner mon stock. Il ne m'en a coûté qu'une bouteille de whisky et l'obligation d'admirer les dernières pièces de son abominable collection de curiosités conservées dans du vinaigre. (Non, crois-moi, tu ne veux pas savoir de quoi il s'agit, vraiment pas.) Heureusement qu'il n'a pas vu la verrue de Germain ; autrement, il serait déjà à New Bern, rôdant autour de l'imprimerie avec sa scie à amputer.

Il me manque toujours de bons ciseaux chirurgicaux, mais Fergus connaît un orfèvre nommé Stephen Moray à Wilmington qui devrait pouvoir m'en confectionner sur mesure. Pour le moment, je consacre surtout mon temps à arracher des dents. Le barbier qui s'en chargeait avant moi s'est noyé en novembre dernier, étant tombé dans le port alors qu'il était ivre mort.

Avec toute mon affection,
Maman

P.-S. : Au sujet de La Gazette de Wilmington, ton père s'est mis en tête de découvrir qui avait fait paraître cette maudite annonce de l'incendie. Cela dit, je ne devrais pas m'en plaindre. Si tu n'étais pas tombée dessus, tu ne serais peut-être jamais venue. Au cours de ton séjour parmi nous, beaucoup de choses se sont produites que je déplore, mais je ne regretterai jamais que ton père et toi ayez pu vous connaître.

———◄o►———

17

Les petits démons

Pratiquement rien ne la distinguait d'une quelconque piste de cerf ; de fait, elle avait dû commencer par n'être qu'une foulée, mais un petit quelque chose dans les traces trahissait un passage humain. Ian était tellement habitué à établir ce genre de constat inconsciemment qu'il y regardait rarement à deux fois. Il tira néanmoins d'un coup sec sur la longe de Clarence et retint sa propre monture.

Herman lui demanda sur un ton suspicieux :

— Pourquoi qu'on s'arrête ? Y a rien, ici !

Ian pointa le menton vers la pente boisée.

— Quelqu'un vit là-haut. Le passage n'est pas assez large pour les chevaux. Nous les attacherons ici et continuerons à pied.

Herman et Vermine échangèrent un regard dubitatif mais glissèrent néanmoins aux pieds de la mule et le suivirent d'un pas traînant.

Ian commençait à douter. Personne, parmi tous ceux qu'il avait interrogés depuis une semaine, ne connaissait des Kuykendall dans la région. Il ne pourrait poursuivre les recherches beaucoup plus longtemps. Il risquait de devoir emmener les petits sauvageons à New Bern et se demandait comment ils prendraient la nouvelle.

À dire vrai, il ignorait ce qu'ils avaient dans la tête. Ils n'étaient pas timides mais secrets, faisant des messes basses dans son dos et se taisant dès qu'il se retournait, le dévisageant avec des expressions neutres derrière lesquelles il sentait des calculs considérables. *Que diable complotent-ils donc ?*

S'ils lui faussaient compagnie, il ne ferait pas trop d'efforts pour les rattraper. En revanche, s'ils filaient pendant qu'il dormait en emmenant Clarence et son cheval, ce serait une autre paire de manches.

Il aperçut une cabane dont la cheminée crachait une volute de fumée. Herman se tourna vers lui d'un air stupéfait et Ian lui sourit.

— Je vous l'avais dit !

Mettant ses mains en porte-voix, il lança :

— Il y a quelqu'un ?

La porte s'ouvrit en grinçant et le canon d'un mousquet apparut. Ian ne se laissa pas démonter. Dans l'arrière-pays, ce n'était pas un accueil inhabituel. Il haussa la voix et expliqua la raison de sa visite, poussant Herman et Vermine devant lui en gage de sa bonne foi.

Le fusil ne rentra pas à l'intérieur mais se souleva d'une manière significative. D'instinct, Ian se jeta à plat ventre en entraînant les deux enfants avec lui juste au moment où le coup partait au-dessus de leurs têtes. Une femme cria quelque chose d'une voix stridente dans une langue étrangère. Ian ne comprit pas les mots, mais le message était clair. Il hissa les deux garçons debout et les poussa précipitamment vers le sentier.

Vermine lança un regard dégoûté par-dessus son épaule.

— Si tu t'imagines que je vais aller vivre avec *celle-là*, tu te goures !

— Je doute que ce soit une possibilité, convint Ian. Allez, avance !

Vermine venait de s'arrêter net.

— Faut que je chie.

— Ah ! Alors dépêche-toi.

Il se tourna, ayant constaté tôt que les garçons étaient extrêmement pudiques sur ce point.

Herman était déjà loin. Ian apercevait tout juste le sommet de sa chevelure hirsute et d'un blond sale une vingtaine de mètres plus bas. Il leur avait suggéré de couper ou, au moins, de brosser leurs tignasses, voire peut-être de se débarbouiller afin de se montrer sous un meilleur jour aux parents qui accepteraient de les héberger, mais sa proposition avait été catégoriquement rejetée. Heureusement, rien ne l'obligeait à les laver de force et, pour être honnête, cela ne changerait probablement rien à leur puanteur, compte tenu de l'état des nippes qu'ils portaient depuis des mois. La nuit, il les faisait dormir de l'autre côté du feu, espérant se protéger des poux dont ils étaient infestés.

Peut-être était-ce là l'origine du prénom du plus jeune ? À moins que leurs parents n'aient eu aucune idée de sa signification et ne l'aient choisi que parce qu'il sonnait bien à leurs oreilles.

Les hi-han assourdissants de Clarence l'arrachèrent à ses pensées. Il allongea le pas, se maudissant d'avoir laissé son fusil accroché à sa selle. Il n'avait pas voulu approcher de la cabane armé, mais...

Il y eut un cri en contrebas. Il bondit aussitôt entre les arbres le long du sentier. Un second cri s'interrompit brusquement, et il dévala la pente le plus rapidement possible tout en s'efforçant de ne pas faire de bruit. Une panthère ? Un ours ? Non. Clarence aurait braillé comme un putois. Or, elle émettait des braiements sifflants comme lorsque...

Elle reconnaissait quelqu'un !

Ian s'arrêta net derrière un écran de peupliers, le cœur battant.

Arch Bug tourna la tête dans sa direction.

— Sors de là, mon garçon. Je peux te voir.

Effectivement, il regardait droit vers lui. Ian s'avança lentement.

Arch avait détaché son fusil de la selle et passé sa bandoulière autour de son épaule. Il avait un bras autour du cou d'Herman. Le visage du garçon était cramoisi ; ses petits pieds battaient dans le vide à quelques centimètres du sol.

— Où est l'or ? demanda Arch.

Ses cheveux blancs étaient brossés et soigneusement noués sur sa nuque. À première vue, il ne semblait pas avoir souffert de l'hiver. Il avait dû trouver de bonnes âmes pour l'héberger. *Où ? À Brownsville ?* songea-t-il. S'il avait parlé de l'or aux Brown, ce pouvait être très dangereux, mais le vieil Arch était trop malin pour commettre une telle erreur.

— Là où vous ne le trouverez jamais, répliqua Ian.

Il réfléchissait à toute allure. Il avait bien un couteau sous sa ceinture, mais il était trop loin pour le lancer et, s'il ratait son coup… Il s'approcha légèrement.

— Pourquoi vous en prendre à ce gamin ? Il ne vous a rien fait.

— Non, mais il est avec toi.

Herman émettait des sifflements inquiétants et les battements de ses pieds ralentissaient. Ian s'efforça de conserver un ton détaché.

— Vous vous trompez, il ne représente rien pour moi. Je ne fais que l'aider à retrouver sa famille. Quoi, vous allez lui trancher la gorge si je ne vous dis pas où est l'or ? Faites donc, je ne vous dirai rien.

Il ne vit pas Arch sortir son couteau, mais celui-ci apparut soudain dans sa main droite. Il avait beau le tenir maladroitement à cause de ses doigts manquants, il n'en était pas moins mortellement tranchant.

Arch appuya la pointe de la lame sous le menton d'Herman et déclara calmement :

— Comme tu voudras.

Un cri s'éleva derrière Ian et Vermine apparut, courant et trébuchant sur les derniers mètres du sentier. Arch Bug releva des yeux surpris. Ian s'apprêtait à bondir, mais Vermine le devança. Il se rua sur le vieil homme et lui décocha un coup de pied dans le tibia en hurlant :

— Sale vieux bouc ! T'as intérêt à la lâcher tout de suite !

Arch fit une mine stupéfaite mais ne lâcha pas prise.

— « La » ? répéta-t-il en baissant des yeux incrédules vers Herman.

Celui-ci, ou celle-ci, parvint à tourner le cou et lui mordit le poignet. Ian profita de l'occasion pour bondir mais fut de nouveau gêné par Vermine, qui s'agrippa à une jambe d'Arch et tenta de lui marteler les testicules avec son petit poing.

Avec un grognement féroce, Arch poussa violemment la petite fille (s'il s'agissait bien d'une fille) vers Ian et assomma Vermine d'un coup de poing sur le crâne. Il secoua la jambe pour s'en débarrasser, lui envoyant un coup de pied dans les côtes tout en chancelant en arrière, puis tourna les talons et partit en courant.

— Trudy ! Trudy !

Herman se précipita vers son petit frère – ou sa petite sœur – recroquevillé dans l'herbe, ouvrant et fermant la bouche telle une truite hors de l'eau.

Ian hésita. Il aurait voulu poursuivre Arch, mais Vermine semblait mal en point. En outre, le vieil homme avait déjà disparu entre les arbres. Serrant les dents, il s'accroupit et examina l'enfant. Il ne saignait pas ; il commençait à retrouver son souffle, hoquetant et émettant un râlement aigu.

Il se tourna vers Herman accroché au cou de Vermine.

— Trudy ?

Sans attendre sa réponse, il souleva la chemise déchirée de Vermine, tira sur le lacet de ses culottes trop grandes et regarda à l'intérieur. Il la lâcha aussitôt.

Herman bondit sur ses pieds et pressa ses mains sur l'entrejambe de… sa sœur !

— Non ! Je ne vous laisserai pas m'enfoncer votre vilain machin !

— Pas pour tout l'or du monde, grommela Ian.

Il pointa un doigt vers Vermine, qui avait roulé sur le côté, s'était redressée à quatre pattes et vomissait dans l'herbe.

— Mais si ça, c'est Trudy, toi, qui es-tu ?

— Hermione, répondit l'enfant d'une voix lasse. Elle, c'est Ermintrude.

Ian s'efforça de digérer cette nouvelle donne. En y regardant de plus près… Non, elles avaient toujours l'air de deux petits démons malpropres, leurs yeux méfiants brillant derrière les mèches grasses et emmêlées qui retombaient sur leurs visages crasseux. Leurs tignasses étaient inextricables.

Elles allaient devoir se raser le crâne, mais il espérait bien ne pas être dans les parages ce jour-là.

— Ah, fit-il, faute de mieux. Je vois.

— Vous avez de l'or ? demanda Ermintrude, qui avait cessé de rendre ses tripes.

Elle s'essuya la bouche du revers de la main et cracha.

— Où ça ?

— Si je ne l'ai pas dit au vieux, pourquoi te le dirais-je ? Et tu peux t'ôter tout de suite cette idée de la tête.

(Il avait surpris son regard vers le couteau sous sa ceinture.)

Bigre, que faire à présent ? Il accusa le choc de la réapparition d'Arch Bug et se passa une main sur le visage, tentant de se concentrer. Au fond, qu'elles fussent des filles ne changeait rien. Qu'elles aient appris qu'il cachait de l'or était une autre affaire. Il ne pouvait plus les confier à personne car, si elles parlaient...

— Si vous nous abandonnez, on dira à tout le monde que vous avez de l'or, dit promptement Hermione. On veut pas vivre dans une cabane pourrie. On veut aller à Londres.

— Quoi ? demanda-t-il, incrédule. Mais qu'est-ce que vous connaissez de Londres, toutes les deux ?

— C'est de là que venait maman.

Hermione se mordit la lèvre pour l'empêcher de trembler. Ian remarqua avec intérêt que c'était la première fois qu'elle mentionnait sa mère ou montrait un signe de vulnérabilité.

— Elle nous en a parlé.

— Mmphm, fit-il, exaspéré. Je me demande pourquoi je ne te tue pas tout de suite.

Hermione sourit, la première expression plus ou moins agréable qu'il lisait sur son visage.

— Le chien vous aime, répondit-elle. Il ne resterait pas avec vous si vous tuiez des gens.

— Qu'est-ce que t'en sais ? marmonna-t-il.

Rollo, qui était parti en balade, choisit ce moment opportun pour réapparaître, sortant du sous-bois la truffe au ras du sol.

— Ah, te voilà, toi ! Jamais là quand on a besoin de toi !

Rollo flaira attentivement l'endroit où Arch Bug s'était tenu puis leva la patte et urina contre un buisson à proximité.

Ian hissa Trudy sur la mule derrière sa sœur. Elle demanda brusquement :

— Ce méchant vieux bonhomme, il aurait vraiment tué Hermie ?

— Non, répondit-il sur un ton assuré.

Toutefois, tandis qu'il grimpait lui-même en selle, il se posa la question. Il avait l'impression très dérangeante qu'Arch Bug ne connaissait que trop bien la nature du sentiment de culpabilité. Mais assez pour tuer un enfant innocent, rien que parce que Ian se sentirait responsable de sa mort ?

— Non, répéta-t-il plus fermement.

Arch Bug était à la fois vengeur et vindicatif… et il avait de bonnes raisons de l'être. Cependant, ce n'était pas un monstre.

Néanmoins, il demanda aux fillettes de chevaucher devant lui jusqu'au moment de monter le camp pour la nuit.

✳

Arch Bug ne se manifesta plus, bien que Ian eût de temps à autre l'impression d'être observé, surtout la nuit. Les suivait-il ? Probablement, car il n'était pas apparu si soudainement par hasard.

Le vieillard était donc retourné aux ruines de la Grande Maison, croyant pouvoir récupérer l'or une fois Jamie parti. Ian se demanda s'il avait tué la truie blanche mais repoussa rapidement cette pensée. Son oncle lui avait expliqué que cette créature était sortie des enfers et était donc indestructible. Il était porté à le croire.

Il baissa les yeux vers Rollo endormi à ses pieds. Le chien avait les oreilles à demi dressées. Si quelqu'un approchait, il l'entendrait. Ian se détendit légèrement mais conserva néanmoins son couteau sur lui pendant son sommeil.

Il ne se méfiait pas que d'Arch Bug, des maraudeurs et des bêtes sauvages. Il lança un regard de l'autre côté du feu, où

Hermione et Trudy étaient enroulées dans sa couvert... ou auraient dû l'être. La couverture avait été savamment rembourrée pour donner l'illusion de recouvrir deux corps, mais une rafale en avait soulevé un coin Il n'y avait personne dessous.

Il ferma les yeux, exaspéré, puis les rouvrit et s'adressa à son chien :

— Pourquoi tu n'as rien dit ? Tu les as sûrement vues partir, non ?

— On n'est pas parties, dit une petite voix bourrue derrière lui.

Il se retourna brusquement et les découvrit accroupies chacune d'un côté de sa sacoche ouverte, cherchant de la nourriture.

— On avait faim, expliqua Trudy avant d'engouffrer le restant d'une galette à la farine de maïs.

— Mais je vous ai nourries !

Il avait abattu plusieurs cailles et les avait cuites dans la terre. Certes, cela n'avait pas été un festin, mais...

— On a encore faim, répondit Hermione avec une logique imparable.

Elle se lécha les doigts puis rota.

Il ramassa une bouteille en grès qui roulait à ses pieds.

— Vous avez bu toute la bière ?

— Mmm, fit-elle avant de tomber en arrière sur ses fesses.

Il reprit sa sacoche des mains de Trudy.

— Vous ne pouvez pas voler notre propre nourriture ! Si vous achevez nos provisions tout de suite, nous mourrons de faim avant d'arriver... là où nous devons arriver, conclut-il plutôt faiblement.

— Si on mange pas maintenant, on va crever, rétorqua Trudy. Mieux vaut mourir de faim plus tard.

Hermione se balançait doucement d'avant en arrière telle une petite fleur fanée dans le vent.

— Où on va, d'ailleurs ?

— À Cross Creek. C'est la première vraie ville sur notre route. J'y connais des gens.

La question était de savoir si ces gens pourraient les aider... Quel dommage que sa grand-tante Jocasta ne soit plus à River Run. Il aurait pu lui confier les filles. Mais elle avait émigré en Nouvelle-Écosse avec son mari Duncan. Il y avait bien son ancienne esclave Phaedre... N'était-elle pas devenue serveuse dans une auberge à Wilmington ?

Hermione s'étendit sur le sol et ouvrit grand les bras en demandant :

— Cross Creek... c'est aussi grand que Londres ?

Rollo s'approcha pour la renifler, la faisant glousser de rire. Un son d'une innocence désarmante qui ne lui ressemblait guère.

— Ça va pas, Hermie ? lui demanda sa sœur.

Trudy vint s'accroupir à ses côtés, l'observant d'un air inquiet. Ayant fini d'inspecter Hermione, Rollo tourna son attention vers elle, qui se contenta de repousser son museau inquisiteur. Hermione fredonnait un air discordant.

Ian lui lança un bref regard et conclut :

— Elle va bien. Elle est juste un peu soûle.

— Ah.

Rassurée, Trudy s'assit près de sa sœur et serra ses genoux contre son torse.

— Papa était souvent soûl lui aussi. Sauf qu'il braillait et qu'il cassait des trucs.

— Vraiment ?

— Ouais. Une fois, il a même cassé le nez de maman.

— Ah ? fit simplement Ian, ne sachant pas quoi répondre.

— Vous croyez qu'il est mort ?

— Je l'espère.

— Moi aussi, dit-elle, satisfaite.

Elle bâilla à s'en décrocher la mâchoire. De là où il se tenait, il sentit ses dents pourries. Puis elle s'enroula sur le sol, se lovant contre sa sœur.

Ian se releva avec un soupir, alla chercher la couverture et les couvrit toutes les deux, les bordant doucement.

Que devait-il faire à présent ? Depuis qu'il les connaissait, les quelques paroles qu'ils venaient d'échanger étaient ce qui s'était le plus rapproché d'une conversation. Il ne se faisait pas d'illusion ; ce bref élan de convivialité ne durerait pas jusqu'au matin. Où trouverait-il quelqu'un qui non seulement accepterait de les recueillir, mais serait capable de s'occuper d'elles ?

Un petit ronflement, léger comme un bourdonnement d'abeille, s'élevait de la couverture. Il sourit. La petite Mandy, la fille de Bree, faisait le même bruit dans son sommeil.

Il avait parfois tenu Mandy dans ses bras pendant plus d'une heure, la regardant dormir, ne voulant pas se séparer de ce petit poids chaud, observant le reflet d'un pouls battant dans son cou. Il imagina sa propre fille avec une douleur atténuée par le temps. Mort-née, son visage demeurant pour lui un mystère. Trouvant qu'elle était trop jeune pour avoir un vrai nom, les Mohawks l'avaient simplement appelée Yeksa'a, « petite fille ». Pourtant, elle en avait un : Iseabaìl. C'était lui qui le lui avait donné.

Il s'enveloppa dans le vieux plaid élimé que son oncle Jamie lui avait offert lorsqu'il était parti vivre parmi les Mohawks et s'allongea près du feu.

Prie. C'était ce que lui auraient conseillé son oncle et ses parents. Il ne savait pas trop à qui s'adresser, ni quoi dire. Devait-il parler au Christ, à la Vierge Marie, ou peut-être à un des saints ? À l'esprit du cèdre rouge qui montait la garde près du feu ou à la vie qui se déplaçait dans la forêt, murmurant dans la brise nocturne ?

— *A Dhia*, chuchota-t-il enfin au ciel au-dessus de lui. *Cuidich mi.*

Puis il s'endormit. Peut-être fut-ce Dieu ou la nuit qui lui répondit car, lorsqu'il se réveilla le lendemain à l'aube, il avait une idée.

❋

Il pensait être accueilli par la servante bigleuse, mais ce fut Mme Sylvie en personne qui lui ouvrit. Elle se souvenait de lui ; il perçut dans ses yeux une lueur de reconnaissance (et, pensa-t-il, de plaisir), même si, bien sûr, elle n'alla pas jusqu'à sourire.

Elle le dévisagea d'un air impassible.

— Monsieur Murray…

Elle baissa les yeux et perdit un peu de sa prestance. Elle repoussa ses lunettes sur son nez pour mieux voir les deux petites personnes qui l'accompagnaient, puis le dévisagea à nouveau avec un air suspicieux.

— Qu'est-ce que c'est que ça ?

Il s'y était attendu. Il sortit la petite bourse qu'il avait préparée et la secoua pour faire tinter les pièces.

Elle changea d'expression et s'effaça pour les laisser entrer, sans toutefois se départir de son air méfiant.

Les deux petites diablesses étaient encore plus méfiantes (il ne s'était pas encore résolu à les considérer comme de vraies filles). Elles restèrent sur le pas de la porte jusqu'à ce qu'il les attrape par la peau du cou et les pousse dans le salon de Mme Sylvie. Il les força à s'asseoir, mais elles semblaient avoir une autre idée en tête. Il ne les quitta pas de son regard d'acier tout en discutant avec la propriétaire de l'établissement.

— Des bonnes ? répéta-t-elle, incrédule.

Il les avait lavées (tout habillées), ce qui lui avait valu quelques morsures. Heureusement, aucune ne s'était infectée, mais pour ce qui était de leur chevelure, la seule solution était de la couper ras, et il n'était pas près d'approcher d'elles avec des ciseaux, tant pour leur bien que pour le sien. Elles le fixaient donc par-dessous leurs mèches crasseuses avec des yeux rouges et malveillants de gargouilles.

— C'est qu'elles ne veulent pas faire les putains, expliqua-t-il aimablement. Je n'y tiens pas non plus. Non que je sois contre cette profession personnellement, ajouta-t-il par pure politesse.

Un pli apparut à la commissure des lèvres de la maque-relle, et elle le dévisagea d'un air amusé.

— Je suis ravie de l'entendre.

Elle l'examina de pieds à la tête en laissant traîner son regard, lentement, le jaugeant d'une manière qui lui donna l'impression d'avoir soudain été plongé dans un bain très chaud. Elle se concentra à nouveau sur son visage ; cette fois, elle semblait clairement se divertir.

Il toussota, se souvenant, avec un mélange de gêne et de concupiscence, de divers moments de leur précédente rencontre, deux ans plus tôt. C'était une femme au physique quelconque ayant passé la trentaine, son visage et son allure rappelant davantage la mère supérieure d'un couvent qu'une prostituée. Cependant, sous sa robe simple en calicot et son tablier en mousseline, elle valait son pesant d'or.

Il indiqua la bourse qu'il avait posée sur le guéridon près de son fauteuil.

— Je ne vous demande pas une faveur. Je pensais que vous pourriez les prendre en apprentissage.

— En apprentissage. Dans un bordel…

Ce n'était pas une question, mais son ton était teinté d'humour.

— Elles pourraient commencer comme bonnes. Il y a sûrement du ménage à faire chez vous : des pots de chambre à vider, ce genre de choses… Et puis, si elles se montrent suffisamment malignes…

Il lança un regard sévère vers les deux fillettes. Hermione lui tira la langue.

— … vous pourriez peut-être leur apprendre à cuisiner. Ou à faire de la couture. Vous avez sans doute beaucoup de raccommodage à faire, non ? Des draps déchirés ?

— Plutôt des chemises en loques, rétorqua-t-elle.

Elle leva les yeux vers le plafond, où un grincement de ressorts rythmique trahissait la présence d'un client.

Les fillettes avaient quitté leurs tabourets et rôdaient dans le salon comme une paire de chats sauvages, examinant tous les objets d'un air fasciné. Il se rendit soudain compte qu'elles n'avaient jamais vu une ville, et encore moins l'intérieur d'une maison plutôt cossue.

Mme Sylvie saisit la bourse et la soupesa en écarquillant les yeux, surprise par son poids. Elle l'ouvrit et versa une poignée de balles graisseuses et noircies dans sa paume. Elle releva un regard surpris vers Ian. Il lui sourit, cueillit l'une des balles dans sa main, la frotta vigoureusement avec son pouce et la laissa retomber dans sa paume. Un éclat d'or brillait au milieu de la masse noire.

Elle fronça les lèvres et soupesa à nouveau la bourse.

— Tout ça ? demanda-t-elle.

Il avait estimé qu'elle contenait plus de cinquante livres d'or ; la moitié de ce qu'il transportait avec lui. Il bondit et ôta des mains d'Hermione le bibelot en porcelaine qu'elle tripotait.

— Ce ne sera pas une tâche facile, déclara-t-il. Cela les vaut bien, je crois.

— Oui, en effet, répondit-elle en observant Trudy.

Cette dernière, avec une nonchalance extrême, avait baissé ses culottes et était en train de se soulager dans un coin de la grande cheminée. Depuis que le secret de leur sexe avait été révélé, les fillettes avaient perdu toute pudeur.

Mme Sylvie agita sa clochette en argent, faisant sursauter les deux enfants.

— Pourquoi moi ? demanda-t-elle.

— Je ne connais personne d'autre capable de les mater, répondit Ian.

— Vous m'en voyez très flattée.

— Alors, marché conclu ?

Elle soupira et se tourna vers les gamines. Elles étaient en train de faire des messes basses en l'observant avec une profonde suspicion. Mme Sylvie secoua la tête.

— Je fais sans doute une très mauvaise affaire… mais les temps sont durs.

— Comment, dans votre métier ? J'aurais cru que la demande était constante.

Il avait voulu plaisanter, mais elle le dévisagea gravement.

— Oh, ce ne sont pas les clients qui manquent, mais ils n'ont plus d'argent. Personne n'en a, d'ailleurs. J'accepte les poulets et les flèches de lard, mais beaucoup n'ont même plus ça à offrir. Ils me donnent de l'argent de la proclamation, des billets continentaux, voire des bons émis par une milice… Vous avez une idée de ce qu'ils valent sur le marché ?

— Oui, je…

Mais elle était lancée, frémissante d'indignation.

— Ou encore, ils ne me payent pas du tout ! Quand tout va bien, les hommes vont bien aussi, enfin… dans l'ensemble. Mais serrez-leur un peu la ceinture et, tout à coup, ils veulent tous prendre leur plaisir à l'œil. Après tout, qu'est-ce que ça me coûte, à moi ? Je ne peux même pas refuser, autrement ils viendront se servir de force puis brûleront ma maison ou nous battront pour avoir osé leur tenir tête.

Sa voix vibrait d'amertume, et Ian abandonna aussitôt son idée de lui proposer de conclure leur marché avec un arrangement en nature.

— Je vois, répondit-il prudemment. Mais ce genre d'incident n'est-il pas un des risques du métier ? Jusqu'à présent, ça ne vous a pas empêchée de prospérer, n'est-ce pas ?

Elle pinça les lèvres un instant.

— J'avais un… protecteur. Un gentleman qui s'occupait de moi.

— En échange de…

Elle rosit.

— Cela ne vous regarde pas.

Il pointa le menton vers la bourse qu'elle tenait.

— Peut-être que si. Si je place mes… mes… (il fit un geste vers les fillettes, occupées à tripoter le velours des rideaux) chez vous, j'ai le droit de savoir si elles courent un danger.

— Ce sont des filles. Elles sont nées dans le danger et il les accompagnera toute leur vie, quelles que soient leurs conditions.

Ses doigts s'étaient crispés sur la bourse, ses jointures blêmes. Il était légèrement impressionné par sa franchise, d'autant qu'elle semblait avoir vraiment besoin de cet argent. En dépit de l'amertume de la dame, cette petite joute ne lui déplaisait pas.

— Vous pensez peut-être que la vie est moins dangereuse pour un homme ? Qu'est-il arrivé à votre souteneur ?

Elle pâlit soudain, et des étincelles brillèrent au fond de ses yeux. Elle répondit dans un murmure féroce :

— C'était mon frère. Les Fils de la liberté l'ont enduit de goudron et de plumes et l'ont laissé mourir sur le pas de ma porte. À présent, monsieur, avez-vous d'autres questions concernant notre affaire ou en avons-nous terminé ?

Avant qu'il n'ait trouvé quoi répondre, une porte s'ouvrit et une jeune femme entra. Il ressentit un choc viscéral en l'apercevant, et les contours de sa vision devinrent flous. Puis la pièce se stabilisa autour de lui et il parvint à inspirer à nouveau.

Ce n'était pas Emily. La jeune femme, dont le regard intrigué passa de lui aux deux petites sauvageonnes drapées dans les rideaux, était à moitié indienne, petite et gracieuse, avec les longs cheveux de jais d'Emily lui tombant librement dans le dos. Elle avait aussi ses larges pommettes et son petit menton délicat et rond, mais ce n'était pas Emily.

Dieu soit loué ! pensa-t-il. Parallèlement, il ressentit un vide. En la voyant, il avait eu l'impression qu'un boulet de canon lui avait traversé le ventre, laissant un grand trou en son milieu.

Mme Sylvie donna quelques instructions à la jeune Indienne, dont les sourcils noirs se haussèrent un instant. Puis elle sourit aux deux fillettes et les invita à la suivre dans la cuisine pour leur donner à manger.

Les filles se dépêtrèrent rapidement des rideaux. Le petit déjeuner était déjà loin, et il n'avait rien eu d'autre à leur donner qu'un peu de *drammach* et de la viande d'ours séchée aussi dure que de la semelle.

Elles suivirent la jeune fille vers la porte sans broncher. Sur le seuil, Hermione se retourna, remonta ses culottes trop grandes, le dévisagea férocement et pointa un long doigt osseux vers lui d'un air accusateur.

— Si jamais on devient un jour des putains, espèce de salaud, je te retrouverai, te couperai les couilles et te les enfoncerai dans le cul !

Il prit congé le plus dignement possible. Les éclats de rire de Mme Sylvie le poursuivirent jusque dans la rue.

18

L'arracheuse de dents

New Bern, colonie de Caroline du Nord, avril 1777

Je détestais arracher des dents. C'était horriblement difficile. Même dans le meilleur des cas – une personne robuste avec une grande bouche et un tempérament placide, dont la dent atteinte se trouvait sur le devant et logée dans la mâchoire supérieure (donc plus facile d'accès et avec une racine moins profonde) –, l'intervention restait chaotique, glissante et délicate. Outre l'aspect très désagréable de la tâche, son issue probable vous laissait inévitablement un sentiment de déprime.

Au-delà de la douleur qu'il provoquait immanquablement, un abcès dentaire risquait de propager des bactéries dans le sang, entraînant une septicémie, voire la mort. Il fallait donc intervenir, mais extraire une dent sans pouvoir la remplacer revenait à altérer non seulement l'aspect du patient mais également la fonction et la structure de sa bouche. L'absence d'une dent faisait se déplacer les autres, modifiant la denture et rendant la mastication plus difficile. Cela pouvait affecter la nutrition du patient, sa santé générale et ses perspectives d'une vie longue et heureuse.

Je changeai à nouveau de position afin de mieux voir la dent qui me préoccupait tout en me disant, avec une pointe de cynisme, que l'extraction de plusieurs dents n'endommagerait pas outre mesure la dentition de la malheureuse fillette que j'étais en train de traiter.

Elle n'avait guère plus de huit ou neuf ans, avec une bouche étroite et les mâchoires prognathes. Ses canines de lait n'étaient pas tombées à temps et les dents définitives avaient poussé par-derrière, lui donnant l'allure sinistre d'un roquet affublé d'une double rangée de crocs. Cette situation était encore aggravée par l'étroitesse inhabituelle de sa mâchoire supérieure, qui avait contraint ses deux incisives à pousser de biais vers l'intérieur au point qu'elles se touchaient presque.

Je touchai l'abcès de l'une de ses molaires supérieures, et elle tira brusquement sur les sangles qui l'attachaient au siège, poussant un cri strident qui s'enfonça sous mes ongles comme des échardes de bambou.

Je me redressai avec l'impression que mes lombaires avaient été pressées dans une enclume. Cela faisait plusieurs heures que je travaillais dans l'imprimerie de Fergus. J'avais un petit bol rempli de dents sanglantes près de mon coude et un public fasciné de l'autre côté de la vitrine.

— Donne-lui-en encore un peu, Ian.

Ian émit un son dubitatif très écossais mais saisit néanmoins la bouteille de whisky et adressa un sourire encourageant à la petite fille. Celle-ci poussa un nouveau cri de terreur en voyant son visage tatoué puis serra les lèvres. Perdant patience, sa mère la gifla, arracha la bouteille des mains de Ian, l'inséra dans la bouche de sa fille puis, lui pinçant le nez de l'autre main, l'inclina.

L'enfant ouvrit des yeux ronds comme des billes et cracha une explosion de gouttelettes de whisky du coin des lèvres. Elle déglutit néanmoins, son petit cou maigrelet s'agitant convulsivement.

— Euh… je crois qu'elle en a eu assez, déclarai-je.

J'étais assez alarmée par la quantité d'alcool qu'elle ingurgitait. C'était du très mauvais whisky acheté localement. Jamie et Ian, après l'avoir goûté, avaient décrété qu'il ne rendait probablement pas aveugle, mais j'avais mes doutes.

La mère examina sa fille d'un œil critique sans pour autant retirer la bouteille.

— Mmm… fit-elle. Oui, je suppose que ça ira.

Le regard de l'enfant se révulsa soudain et elle devint toute molle. Sa mère écarta la bouteille, essuya soigneusement son goulot avec son tablier puis la rendit à Ian en le remerciant d'un signe de tête.

Je pris le pouls de ma petite patiente et vérifiai sa respiration. Sa santé semblait raisonnablement bonne ; pour le moment…

Je saisis mes pinces en marmonnant :

— *Carpe diem.* Ou je devrais plutôt dire : *carpe vinorum* ? Ian, vérifie qu'elle continue de respirer.

Ian se mit à rire et versa un peu de whisky sur un petit morceau de tissu propre.

— Je crois que vous avez le temps de lui arracher une autre dent, tante Claire. À vrai dire, vous pourriez les lui arracher toutes qu'elle ne broncherait pas.

Je tournai la tête de l'enfant.

— C'est une idée. Tu peux approcher le miroir ?

J'avais coupé un petit bout de miroir qui me permettait, avec un peu d'adresse, de diriger la lumière à l'intérieur de la bouche du patient. En travaillant derrière la vitrine, je disposais de lumière naturelle en abondance. Malheureusement, il y avait tellement de curieux se pressant contre la vitre qu'ils nous cachaient le soleil, frustrant les efforts de Ian pour projeter le faisceau là où j'en avais besoin.

Je repris le pouls de la fillette au cas où et appelai :

— Marsali !

— Oui ?

Elle sortit de l'arrière-boutique, essuyant ses doigts tachés d'encre sur un torchon.

— Vous avez encore besoin d'Henri-Christian ?

— Si ça ne te… ou si ça ne le dérange pas.

— Pensez-vous ! Il adore ça, ce petit cabotin. Joanie ! Félicité ! Allez chercher le petit. On a besoin de lui dehors !

Félicité et Joanie, ou « les chatonnes de Satan », comme les avait surnommées Jamie, ne se firent pas prier. Elles aimaient le numéro de leur petit frère presque autant que lui.

Joanie ouvrit la porte de la cuisine et lança :

— Tu viens, Bubbles ?

Henri-Christian accourut, se dandinant sur ses courtes jambes, l'air radieux et criant :

— Hop-là ! Hop-là ! Hop !

— Mets-lui son chapeau ! dit Marsali. Il va attraper froid aux oreilles !

Il faisait beau mais venteux, et Henri-Christian était sujet aux otites. Il portait un chapeau en laine noué sous le menton, avec des rayures bleu et blanc et orné d'une rangée de pompons rouges. C'était Brianna qui le lui avait tricoté, et de le voir me procura un petit pincement au cœur, mélange de plaisir et de peine.

Ses sœurs le prirent chacune par une main, Félicité attrapant au passage le chapeau mou de leur père suspendu à une patère afin de faire la manche. Ils furent accueillis à l'extérieur par des hourras et des sifflets. À travers la vitrine, je vis Joanie enlever les livres présentés sur l'étal devant la boutique et Félicité hisser Henri-Christian sur cette scène improvisée. Avec un sourire rayonnant, il ouvrit grand ses petits bras puissants, salua la foule d'une courbette. Puis il se pencha en avant, posa ses mains sur l'étal et, avec une grâce étonnante, souleva les pieds et fit le poirier.

Je n'attendis pas de voir le reste du spectacle – il s'agissait principalement de pas de danse et de bonds ponctués de sauts périlleux et autre figures acrobatiques, le tout rendu charmant par sa petite stature et sa personnalité enjouée. Il avait momentanément attiré la foule à l'écart de la vitrine, ce qui était le but du jeu.

Je me remis au travail. Grâce à la lumière vacillante du petit miroir, je voyais mieux ce que je faisais et parvins à agripper la dent presque du premier coup. Là commençait la vraie difficulté. Elle était fêlée et risquait de se casser quand je tenterais de la tordre. Le cas échéant…

Tout se passa bien. Il y eut un petit *crac* étouffé lorsque la racine se sépara du maxillaire, puis la petite dent blanche suivit sans résister, intacte.

La mère de la fillette, qui avait observé attentivement l'opération, poussa un soupir de soulagement et se détendit légèrement. L'enfant aussi, s'enfonçant dans le fauteuil. Je vérifiai à nouveau. Son pouls était normal, quoique sa respiration me parût un peu trop superficielle. Elle allait probablement dormir encore pendant…

Il me vint une idée, et je me tournai vers sa mère, déclarant sur un ton hésitant :

— Vous savez, je pourrais en profiter pour lui en extraire une ou deux autres sans lui faire mal. Regardez…

Je m'écartai, lui fis signe de se pencher sur la bouche ouverte et lui indiquai les canines de lait.

— Il faudrait les lui enlever tout de suite afin que celles de derrière puissent pousser normalement. Et vous voyez ces dents de devant ? J'ai déjà extrait la molaire bicuspide de gauche ; si j'enlevais celle de droite, les autres dents se déplaceraient peut-être, comblant le vide. En outre, si vous parvenez à la persuader de pousser avec sa langue contre ses dents de devant chaque fois qu'elle y pense…

Ce n'était pas de l'orthodontie et cela présentait quelques risques d'infection, mais j'étais très tentée. La pauvre petite ressemblait à une chauve-souris cannibale.

— Hmmm… fit la mère.

Elle examina la bouche ouverte de sa fille puis demanda :

— Vous me donnez combien pour les autres ?

— Combien… Quoi, vous voulez que je vous *paye* ?

— Ce sont de bonnes dents saines. Il y a un arracheur de dents près du port qui m'en donnera un shilling la pièce. Et Glory aura besoin d'argent pour sa dot.

— Sa dot ? répétai-je, interloquée.

— Personne ne va épouser cette pauvre chose pour sa beauté, rétorqua sa mère.

Je devais admettre qu'elle n'avait pas tort. En faisant abstraction de sa déplorable dentition, le moins qu'on pouvait dire de la pauvre enfant était qu'elle était sans grâce.

— Marsali ? appelai-je. Tu n'aurais pas quatre shillings ?

L'or cousu dans la doublure alourdissait ma jupe, mais je pouvais difficilement m'en servir dans la situation présente.

Marsali se détourna de la vitre à travers laquelle elle surveillait Henri-Christian et les filles.

— Non, je n'ai aucune monnaie.

— J'en ai, moi, tante Claire.

Ian posa le miroir et extirpa une poignée de pièces de son *sporran*. Il fixa la mère d'un regard sévère.

— Jamais vous n'obtiendrez plus de trois pennies par dent saine. Celle d'un enfant vaut probablement moins d'un penny !

La femme le toisa.

— Ah ! Vous avez beau être tatoué comme un sauvage, on reconnaît bien là un Écossais ! Six pennies la dent, espèce de pingre !

Ian lui sourit, lui montrant ses propres dents qui, bien que n'étant pas toutes droites, étaient en parfait état.

— Emmenez donc la petite au port et laissez ce boucher lui massacrer la bouche. D'ici là, elle sera sans doute réveillée et criera comme un goret. Trois pennies.

— Ian ! le réprimandai-je.

— Je ne vais pas la laisser vous embobiner, ma tante ! Non seulement elle ne veut pas débourser un sou pour que vous arrachiez les dents de sa fille, mais voilà maintenant qu'elle voudrait qu'on la paye pour l'honneur qu'elle nous fait !

Enhardie par mon intervention, la femme pointa le menton et insista :

— Six pennies !

Attirée par l'altercation, Marsali se pencha sur la bouche ouverte de l'enfant. Puis elle informa sa mère :

— Vous ne lui trouverez pas un mari pour moins de dix livres avec une bouche pareille ! Un homme aurait peur d'être mordu en l'embrassant. Ian a raison. En fait, vous devriez payer le double pour le service qu'on vous rend.

— En entrant, vous étiez bien d'accord pour payer, non ? renchérit Ian. Deux pennies pour lui extraire une dent. Et ma tante, par compassion pour la petite, vous offre une affaire.

— Vampires! s'exclama la femme. C'est vrai, ce qu'on dit à propos des Écossais : vous récupéreriez les pièces sur les yeux d'un mort!

De toute évidence, l'affaire n'était pas près de se régler. Je sentais Ian et Marsali se préparer pour une bonne séance de marchandage. Je repris le miroir des mains de Ian. Je n'en aurais pas besoin pour les canines et, le temps que j'en arrive à l'autre molaire, il serait peut-être de nouveau disponible.

En fait, les canines furent un jeu d'enfant. C'étaient des dents de lait, pratiquement sans racines et prêtes à tomber. J'aurais sans doute pu les extraire avec mes doigts. Une simple torsion et elles sortirent, la gencive saignant à peine. Satisfaite, je tamponnai les trous avec un linge imbibé de whisky puis me concentrai sur la molaire bicuspide.

En renversant la tête de l'enfant en arrière, j'y verrais assez clair pour pouvoir me passer du miroir. Je pris la main de Ian (il était tellement engagé dans la conversation qu'il le remarqua à peine) et la posai sur le front de la patiente pour qu'il la tienne fermement, puis j'introduisis méticuleusement ma pince.

Une ombre traversa mon champ de vision, disparut puis revint, l'obscurcissant totalement. Agacée, je me retournai et découvris un élégant gentleman regardant derrière la vitre, l'air intéressé.

Je lui fis signe de se pousser. Il cligna des yeux puis comprit et s'écarta avec un petit signe d'excuse. Sans attendre d'être interrompue à nouveau, je m'accroupis, saisis la dent, effectuai une torsion puis tirai, la libérant du premier coup.

Fredonnant de satisfaction, je versai un peu de whisky sur le trou et pressai un morceau de coton sur la gencive pour drainer l'abcès. Je sentis soudain le petit cou se relâcher et me figeai.

Ian le sentit aussi. Il s'interrompit au milieu d'une phrase et me lança un regard surpris.

— Détache-la, lui ordonnai-je. Vite.

Il la libéra en deux secondes. Je la soulevai par les aisselles et l'allongeai sur le sol, sa tête ballottant comme celle d'une poupée de chiffon. Sans prêter attention aux exclamations paniquées de sa mère et de Marsali, j'étirai son cou, essuyai sa bouche et, pinçant son nez entre deux doigts, collai mes lèvres contre les siennes et tentai de la ranimer.

C'était comme de souffler dans un petit ballon de baudruche neuf : un blocage, une résistance puis, enfin, sa poitrine se souleva. Hélas, les cages thoraciques ne sont pas comme le caoutchouc ; elle n'était pas ranimée pour autant.

Je posai les doigts sur sa gorge, cherchant la carotide. Là... En étais-je sûre ?... Oui ! Son cœur battait toujours, quoique faiblement.

Expiration, pause, expiration, pause... Je sentis le léger courant d'une exhalation, puis le petit torse se souleva et s'affaissa. J'attendis, un bourdonnement assourdissant dans mes oreilles, mais il cessa de bouger. Expiration, pause, expiration...

Il bougea à nouveau et, cette fois, continua de se soulever et de s'affaisser de lui-même. Je me dressai sur mes talons, mon propre souffle court et une sueur froide sur le front.

La mère de la petite fille me dévisageait, la bouche ouverte. Je remarquai au passage que sa propre dentition n'était pas si mauvaise. Dieu seul savait à quoi ressemblait son mari.

Son regard allait et venait de sa fille à moi.

— Elle est... elle est... demanda-t-elle.

— Elle va bien.

Je me redressai lentement, légèrement étourdie.

— Elle ne doit pas bouger avant que le whisky ait fini de faire son effet. Tout devrait bien se passer, mais il se pourrait qu'elle cesse de respirer à nouveau. Quelqu'un devra veiller sur elle jusqu'à ce qu'elle se réveille... Marsali ?

— Oui, je vais la coucher dans l'un des lits des filles. Ah, te voilà, Joanie ! Viens m'aider à surveiller cette pauvre petite. On va la mettre dans ton lit.

Les enfants venaient de rentrer, les joues roses et l'air hilare. Leur chapeau était rempli de pièces et de boutons. Apercevant la fillette étendue sur le sol, ils se précipitèrent vers elle.

— Hop-là! dit Henri-Christian, impressionné.

Plus pratique, Félicité demanda :

— Elle est morte ?

— Si elle était morte, maman ne me demanderait pas de veiller sur elle, répliqua Joanie. Elle ne va pas vomir dans mon lit, hein ?

— Nous mettrons une serviette, promit Marsali.

Elle s'accroupit pour attraper l'enfant, mais Ian la prit de vitesse, la soulevant délicatement. Il se tourna vers sa mère.

— On ne vous prendra que deux pennies, l'informa-t-il. Mais vous pourrez garder toutes ses dents. Cela vous va ?

Elle acquiesça, l'air hébété, puis suivit le petit groupe vers l'arrière-boutique. J'entendis leurs pas dans l'escalier mais ne bougeai pas. Mes propres jambes étaient toutes molles ; je me laissai tomber sur un siège.

— Vous ne vous sentez pas bien, madame ?

Relevant les yeux, j'aperçus l'élégant gentleman qui m'avait observée plus tôt, de l'autre côté de la vitre. Je saisis la bouteille de whisky à moitié vide et en bus une longue rasade. Il me brûla la gorge et avait un goût d'os calcinés. J'émis des sons sifflants et larmoyai mais ne recrachai pas.

— Non, je vais très bien, répondis-je d'une voix rauque. Parfaitement bien.

Je m'éclaircis la gorge et m'essuyai les yeux.

— En quoi puis-je vous être utile ?

Il parut légèrement amusé.

— Je n'ai pas besoin qu'on m'arrache une dent, ce qui est probablement une bonne nouvelle pour vous comme pour moi. Cependant, si je puis me permettre…

Il sortit une mince flasque en argent de sa poche, me la tendit puis s'assit.

— Ce sera sans doute plus fortifiant que ce…

Il indiqua la bouteille de whisky en fronçant le nez.

Je débouchai la flasque, et le bouquet puissant d'un excellent cognac en sortit tel un génie.

— Merci.

Je bus une gorgée en fermant les yeux.

— Merci infiniment, répétai-je.

Fortifiant, il l'était. Une chaleur envahit le centre de mon corps et s'enroula telles des volutes de fumée jusqu'au bout de mes membres.

— Tout le plaisir est pour moi, madame, répondit-il avec un sourire.

C'était un vrai dandy, et riche par-dessus le marché, avec une avalanche de dentelles, des boutons dorés sur le gilet, une perruque poudrée et deux mouches en soie noire sur le visage, l'une en forme d'étoile près de son sourcil gauche, l'autre représentant un cheval ruant sur sa joue droite. Ce n'était pas un accoutrement fréquent en Caroline du Nord, surtout par les temps qui couraient.

En dépit de ces affèteries, c'était un bel homme. Il devait avoir une petite quarantaine, avec des yeux sombres et doux où brillait une lueur d'humour ; des traits délicats et intelligents. Il parlait parfaitement l'anglais avec un accent nettement parisien.

— Ai-je l'honneur de m'adresser à Mme Fraser ? demanda-t-il.

Je vis son regard passer sur ma tête scandaleusement nue, mais il s'abstint poliment de tout commentaire.

— En effet, répondis-je, sur mes gardes. Mais je ne suis peut-être pas celle que vous cherchez. Ma bru s'appelle également Fraser. Elle et son mari possèdent cette imprimerie. Si vous souhaitez faire imprimer quelque chose…

— Madame James Fraser ?

J'hésitai un instant, mais il fallait bien que je réponde.

— Oui, c'est bien moi. Vous cherchez mon mari, peut-être ?

Beaucoup de gens cherchaient Jamie pour un tas de raisons, et il n'était pas toujours souhaitable qu'ils le trouvent.

Il sourit, plissant des yeux avec un air malicieux.

— En effet, madame Fraser. Le capitaine de mon navire m'a appris que M. Fraser était venu le trouver ce matin pour savoir s'il prenait des passagers.

Mon cœur fit un bond.

— Ah ! Vous avez un navire, monsieur… ?

— Beauchamp.

Il s'inclina et me fit un baisemain.

— Percival Beauchamp, pour vous servir, madame. Mon navire s'appelle *Huntress*.

Je crus un instant que mon cœur s'était arrêté.

— Beauchamp… répétai-je. Bitcheume?

Il avait prononcé son nom à la française. En m'entendant le reprendre à l'anglaise, son sourire s'élargit encore.

— Effectivement, c'est ainsi que le prononcent les Anglais. Vous avez dit votre bru… Donc, le M. Fraser propriétaire de cette boutique est le fils de votre époux?

— Oui, répondis-je machinalement.

Intérieurement, je tentais de me ressaisir. *Ne sois pas idiote! C'est un patronyme courant. Il n'a probablement rien à voir avec ta famille.* Et pourtant… ce lien anglo-français… Je savais que la famille de mon père était venue de France au cours du XVIIIe siècle, mais j'ignorais tout des détails. Je l'observai avec fascination, cherchant un trait familier, une vague ressemblance avec le peu dont je me souvenais de mes parents, de l'un de mes oncles.

Il avait comme moi la peau pâle, mais c'était le cas de la plupart des membres des classes supérieures, chacun prenant grand soin de ne pas exposer son visage au soleil. Ses yeux étaient beaucoup plus sombres que les miens; très beaux et d'une forme différente, plus ronds. Ses sourcils… oncle Lamb avait-il eu les mêmes, fournis près de la racine du nez et s'étirant en une arche gracieuse?

Absorbée par mes pensées, je n'entendis pas ce qu'il me disait.

— Je vous demande pardon?

Il indiqua la porte par laquelle les enfants avaient disparu.

— Ce petit garçon, je l'ai entendu crier « Hop-là ». C'est ce que disent les artistes de rue français. Sa famille a-t-elle quelque lien avec la France?

Une alarme retentit dans ma tête, quoiqu'un peu tard. Je m'efforçai d'adopter une expression poliment curieuse.

— Non. Il a dû l'entendre dans la rue. Une petite troupe d'acrobates français a traversé les Carolines l'année dernière.

— Ah, voici sans doute ce qui explique cela.

Il se pencha en avant, le regard concentré.

— Et vous-même, vous les avez vus ?

— Non, mon mari et moi… n'habitons pas ici.

J'avais été sur le point de lui révéler où nous vivions, mais j'ignorais ce qu'il savait sur l'histoire de Fergus. Il se redressa sur son siège et pinça les lèvres, l'air déçu.

— Dommage. J'ai pensé que le monsieur que je recherche appartenait peut-être à cette troupe. De toute manière, même si vous les aviez vus, vous ne connaîtriez sans doute pas leurs noms.

— Vous cherchez quelqu'un ? Un Français ?

Je pris mon bol de dents arrachées et me mis à les trier avec une nonchalance feinte.

— Un certain M. Claudel. Il est né à Paris… dans un bordel.

Il ajouta ce dernier détail en semblant s'excuser d'utiliser un terme aussi indélicat devant moi.

— Il aurait la quarantaine aujourd'hui. Quarante et un ou quarante-deux ans.

Je tendis l'oreille, guettant les pas de Marsali dans l'escalier.

— Paris, répétai-je. Qu'est-ce qui vous fait penser qu'il se trouve en Caroline du Nord ?

— À vrai dire, rien n'est moins sûr. Je sais qu'il y a environ trente ans, il a été sorti du bordel par un Écossais qui m'a été décrit comme ayant un physique frappant, très grand avec des cheveux roux flamboyants. Au-delà de cela, ce ne sont plus que des conjectures…

Il esquissa un sourire ironique.

— Selon différentes sources, ce Fraser était un marchand de vins et spiritueux, un jacobite, un loyaliste, un traître, un espion, un aristocrate, un agriculteur, un importateur… ou un contrebandier, les deux termes étant interchangeables… avec des relations allant du couvent à la cour royale.

C'était un portrait très exact de Jamie, mais je comprenais qu'il ne l'ait pas beaucoup aidé à le retrouver. D'un autre côté… Beauchamp était arrivé jusqu'ici.

— J'ai bien découvert un marchand de vins s'appelant Michael Murray qui, quand je lui ai décrit Fraser, m'a dit qu'il ressemblait fortement à son oncle, James Fraser. Ce dernier a émigré en Amérique dix ans plus tôt.

Les yeux sombres me dévisageaient à présent gravement.

— Toutefois, quand je l'ai interrogé sur cet enfant, Claudel, M. Murray m'a répondu qu'il ne savait strictement rien à son sujet. En des termes assez véhéments.

— Vraiment ?

Je saisis une grosse molaire fortement cariée et l'examinai de près. *Bon sang !* Je ne connaissais Michael que de nom. C'était l'un des grands frères de Ian. Il était né après mon départ et, lorsque j'étais revenue à Lallybroch, il était déjà parti en France apprendre le métier de marchand de vins auprès de Jared Fraser, un cousin de Jamie âgé et sans enfant. Michael, qui avait grandi à Lallybroch avec Fergus, connaissait fort bien son vrai nom. Apparemment, il avait détecté quelque chose de louche dans la démarche de cet inconnu et choisi de se taire.

Je pris un air légèrement incrédule.

— Vous voulez dire que vous avez fait tout ce chemin jusqu'en Amérique en ne connaissant que le nom d'un homme et le fait qu'il était roux ? Doux Jésus, vous devez vraiment tenir à le trouver, ce Claudel !

Il inclina la tête sur le côté et me regarda avec un petit sourire.

— En effet, madame. Dites-moi, votre époux ne serait-il pas roux ?

— Si.

Je pouvais difficilement le nier dans la mesure où n'importe qui à New Bern pourrait le lui confirmer, et l'avait sans doute déjà fait. J'ajoutai nonchalamment :

— Tout comme bon nombre de ses relations et une bonne moitié de la population des Highlands.

C'était un peu exagéré, mais il y avait de bonnes chances que M. Beauchamp n'ait pas passé personnellement les Highlands au peigne fin.

J'entendais des voix à l'étage. Marsali redescendrait d'un instant à l'autre, et je ne tenais pas à ce qu'elle débarque au beau milieu de cette conversation.

Je me relevai, affichant un air décidé.

— Je suis sûre que vous voudrez parler à mon mari, et inversement. Il est sorti, malheureusement, et ne reviendra pas avant demain. Vous avez pris une chambre en ville ?

— Je suis au King's Inn, répondit-il en se levant à son tour. Si vous voulez bien demander à votre époux de passer me voir... Je vous remercie, madame.

Il s'inclina profondément, prit à nouveau ma main et la baisa. Puis, sans cesser de sourire, il sortit de l'imprimerie, laissant dans son sillage un parfum à la bergamote et à l'hysope mêlé aux effluves d'un excellent cognac.

✳

En raison du chaos politique, bon nombre de marchands et d'hommes d'affaires avaient quitté New Bern ; en l'absence d'autorité civile, la vie publique s'était arrêtée, à l'exception des transactions commerciales les plus simples, et la violence avait fait fuir de la colonie une grande partie de ses habitants – loyalistes et sympathisants des rebelles confondus. Il n'y avait que deux bonnes auberges en ville ; le King's Inn et le Wilsey Arms. Fort heureusement, Jamie et moi avions pris une chambre dans la seconde.

— Tu vas aller lui parler ?

Je venais de raconter à Jamie la visite de M. Beauchamp, un récit qui l'avait profondément préoccupé.

— Merde ! Comment a-t-il découvert tout ça ?

— Il est sans doute parti du fait que Fergus se trouvait dans un bordel et a commencé son enquête par là. Il n'a pas dû lui être très difficile de trouver quelqu'un qui t'y avait vu ou avait entendu parler de l'incident. Tu ne passes pas vraiment inaperçu, tu sais.

En dépit de mon inquiétude, je souris en songeant à Jamie, alors âgé de vingt-cinq ans, réfugié dans un bordel et armé, par une pure coïncidence, d'une énorme saucisse. Il s'en était ensuite échappé par une fenêtre, emmenant avec lui un petit pickpocket et prostitué occasionnel âgé de dix ans et prénommé Claudel.

Il haussa les épaules, l'air embarrassé.

— Oui, peut-être. Mais quand même, il en sait beaucoup…

Il se gratta le crâne.

— Pour répondre à ta question, non. Je ne compte pas lui parler avant d'en avoir discuté avec Fergus. Je crois que nous avons besoin d'en apprendre un peu plus sur ce M. Beauchamp avant de nous jeter dans la gueule du loup.

— J'aimerais moi aussi en savoir plus sur lui. Je me demande si… les chances sont très ténues, c'est un nom assez courant… mais je me demande s'il n'est pas apparenté à ma famille. Je sais qu'elle vivait en France au XVIIIe siècle mais guère plus.

Il me sourit.

— Et que ferais-tu, *Sassenach*, si tu apprenais qu'il était ton ascendant de la sixième génération ?

— Je…

Je m'interrompis brusquement, n'y ayant pas pensé.

— Eh bien… probablement rien, admis-je. De toute manière, on ne peut pas en être sûr, puisque je n'ai jamais su le prénom de mes ancêtres. C'est juste que… j'aurais été intéressée d'en apprendre plus.

— Bien sûr, je comprends. Mais pas si, en l'interrogeant sur sa famille, je mettais Fergus en danger, n'est-ce pas ?

— Oh non ! Bien sûr que non !

Je me figeai en entendant frapper à la porte. Je lançai un regard interrogateur à Jamie, qui hésita un instant puis haussa les épaules et alla ouvrir.

La chambre était petite et, de là où j'étais assise, j'apercevais le couloir. Il semblait avoir été envahi par une délégation de femmes ; je ne voyais qu'une mer de bonnets blancs flottant dans la pénombre tel un banc de méduses.

L'un des bonnets se souleva brièvement.

— Monsieur Fraser ? Je… je m'appelle Abigail Bell. Mes filles…

Elle se tourna et je pus distinguer deux visages pâles et tendus.

— Lillian et Miriam.

Les deux autres bonnets (elles n'étaient que trois, finalement) s'inclinèrent chacun à son tour.

— Puis-je vous parler un instant ?

Jamie s'effaça pour les laisser entrer et me lança un regard perplexe tandis qu'il refermait la porte derrière lui.

— Mon épouse, me présenta-t-il.

Je me levai et échangeai quelques courtoisies. La chambre ne contenant qu'un lit et un tabouret, nous restâmes debout, nous souriant et nous saluant maladroitement.

Mme Bell était petite et corpulente mais avait dû être un jour aussi jolie que ses filles. Ses joues autrefois rondes s'étaient affaissées, comme si elle avait perdu du poids brusquement, et ses traits étaient creusés par le souci. Ses filles paraissaient inquiètes, elles aussi ; l'une d'elles tordait un coin de son tablier et l'autre lançait des regards à Jamie par en dessous comme si elle craignait une réaction violente de sa part.

— Je vous demande pardon, monsieur, de m'imposer de cette manière si cavalière.

Les lèvres de Mme Bell tremblaient. Elle dut s'interrompre un instant avant de pouvoir reprendre.

— J'ai… j'ai entendu dire que vous cherchiez un navire en partance pour l'Écosse.

Jamie acquiesça, méfiant. Il se demandait visiblement comment cette femme avait appris la nouvelle. Il avait prédit que tout le monde en ville serait au courant au bout de deux jours. Il ne s'était pas trompé. Il demanda :

— Vous connaissez quelqu'un qui envisage de faire le voyage ?

— Non, pas exactement. C'est… en fait… Il s'agit de mon mari.

Sa voix se brisa et elle plaqua une main sur sa bouche. Une de ses filles la prit doucement par le bras et l'écarta, puis elle se redressa et fit face au redoutable M. Fraser.

— Mon père se trouve en Écosse, monsieur. Ma mère souhaiterait que vous le retrouviez et l'aidiez à rentrer chez nous.

— Ah, fit Jamie. Et votre père est...

— Oh, pardon ! M. Richard Bell, de Wilmington.

Elle esquissa une petite révérence.

— Il est... il était...

— Il *est* ! rectifia sa sœur avec insistance.

La première lui lança un regard torve puis reprit :

— Mon père était marchand à Wilmington. Il possédait des affaires dans de nombreux secteurs et, à travers celles-ci... il était en contact avec divers officiers britanniques, qui s'adressaient à lui pour leur approvisionnement. Mais il ne s'agissait que de transactions purement commerciales !

S'étant ressaisie, Mme Belle vint se placer au côté de sa fille.

— Hélas, en des temps aussi troubles, le commerce se mêle à la politique. Ils ont dit... les ennemis de mon mari... ils ont dit qu'il était loyaliste.

— Parce qu'il l'était !

La seconde fille, aussi blonde que sa sœur était brune, ne tremblait pas. Elle toisa Jamie le menton haut et le regard brillant.

— Mon père était fidèle à son roi ! Personnellement, je ne vois rien là qui mérite des excuses ! Et je ne pense pas qu'il soit honnête de prétendre le contraire uniquement pour s'attirer les bonnes grâces d'un homme qui a violé tous les serments que...

— Oh, Miriam ! s'exclama sa sœur, exaspérée. Tu ne pouvais donc pas te taire rien qu'un instant ? Tu as tout gâché !

— Absolument pas ! rétorqua Miriam. De toute manière, ça n'aurait jamais marché ! Pourquoi un homme tel que lui...

— Si, ç'aurait marché ! M. Forbes a dit...

— Oh, qu'il aille au diable, ton M. Forbes ! Qu'est-ce qu'il en sait, d'abord ?

Mme Bell se mit à gémir doucement dans son tablier.

Jamie leva les mains pour les faire taire.

— Pourquoi votre père est-il allé en Écosse ?

Prise par surprise, Miriam Bell lui répondit malgré elle :

— Il n'est pas parti en Écosse de son plein gré. Il a été enlevé dans la rue et jeté sur le pont d'un navire partant pour Southampton.

Tout en me faufilant à travers la forêt de jupons en direction de la porte, je demandai :

— Enlevé par qui ? Et pourquoi ?

Je sortis la tête dans le couloir et fis signe au garçon qui cirait des souliers sur le palier de descendre nous chercher une carafe de vin dans la salle de l'auberge. Compte tenu de l'état des Bell, je sentais que nous en aurions tous besoin.

Je refermai la porte juste à temps pour entendre Lillian Bell nous expliquer qu'elles ignoraient qui avait kidnappé leur père.

— En tout cas, je ne connais pas leur nom. Ces mécréants portaient des capuches. Mais ce sont des Fils de la liberté, ça ne fait aucun doute !

— C'est vrai ! renchérit Miriam. Père avait reçu des menaces de leur part ; des billets cloués sur notre porte, un poisson mort enveloppé dans un morceau de flanelle rouge et abandonné sur notre seuil, ce genre de choses.

À la fin du mois d'août précédent, les menaces avaient été mises à exécution. Alors qu'il rentrait de son entrepôt, des hommes encapuchonnés avaient surgi d'une allée, l'avaient maîtrisé, transporté jusqu'aux quais et jeté à bord d'un navire qui venait de larguer ses amarres, toutes voiles dehors.

J'avais déjà entendu parler de ces « déportations » sommaires de loyalistes, mais c'était la première fois que j'étais confrontée à un cas précis. Je demandai :

— Si le navire se rendait en Angleterre, comment se fait-il que votre père se soit retrouvé en Écosse ?

Les trois Bell se mirent à répondre en même temps, ce qui engendra une certaine confusion. Une fois de plus, ce fut Miriam qui l'emporta.

— Il est arrivé en Angleterre sans le sou, avec uniquement les vêtements qu'il portait sur le dos. Il n'avait pas d'argent pour se nourrir ni rembourser la traversée. Heureusement, le capitaine du navire s'est lié d'amitié avec lui et l'a conduit de Southampton à Londres. Là, mon père a recherché des hommes avec qui il avait fait commerce par le passé. L'un d'eux lui a prêté de quoi rembourser le capitaine et lui a promis un passage jusqu'en Géorgie, à condition qu'il s'occupe du fret d'un navire se rendant d'Édimbourg aux Antilles puis en Amérique. Il a donc accompagné son bienfaiteur à Édimbourg mais, une fois là-bas, a découvert que ce qu'il devait charger aux Antilles était en fait une cargaison d'esclaves.

Mme Bell intervint avec une fierté timide :

— Mon mari est abolitionniste, monsieur Fraser. Il refuse catégoriquement de tolérer l'esclavage et d'aider sa pratique, quel qu'en soit le prix.

Lillian reprit, le front anxieux :

— Quand M. Forbes nous a raconté ce que vous aviez fait pour cette esclave… la ca123tiste de Mme Cameron, nous nous sommes dit que… bien que vous soyez…

— Un rebelle parjure, l'interrompit sèchement Jamie. Je vois. Ce M. Forbes… il ne s'agirait pas de Neil Forbes, l'avocat ?

Il paraissait légèrement incrédule, à juste titre.

Quelques années plus tôt, Neil Forbes, encouragé par Jocasta Cameron, avait demandé la main de Brianna. Elle l'avait éconduit sans beaucoup de délicatesse, il fallait le reconnaître. Il s'était vengé plus tard en la faisant enlever par un pirate notoire. Il s'était ensuivi une situation confuse au cours de laquelle Jamie avait à son tour enlevé la mère de l'avocat (la vieille dame s'était follement amusée) et Ian avait tranché une des oreilles de Forbes. Le temps avait peut-être pansé ses plaies, mais je l'imaginais difficilement en train de chanter les louanges de Jamie.

— Oui, c'est bien lui, confirma Miriam.

Je surpris un échange de regards incertains entre Mme Bell et Lillian.

— Et que vous a dit M. Forbes à mon sujet, exactement ? demanda Jamie.

Les trois femmes pâlirent et se turent. Il se tourna vers Mme Bell, ayant identifié le maillon faible de la chaîne familiale, et répéta sur un ton plus dur :

— Que vous a-t-il dit ?

Elle répondit d'une petite voix faible :

— Que c'était une bonne chose que vous soyez mort.

Là-dessus, ses yeux roulèrent dans leurs orbites et elle s'effondra sur le plancher tel un sac de grains d'orge.

✳

Heureusement, je m'étais procuré de l'ammoniaque chez le docteur Fentiman. Il ranima rapidement Mme Bell, qui fut prise d'une quinte de toux. Ses filles l'aidèrent – car elle était sur le point de s'étrangler – à s'allonger sur le lit. Le vin arriva à point nommé, et j'en servis à tout le monde, me réservant une tasse pleine.

Jamie fixa les trois femmes de son regard froid et pénétrant qui faisait généralement mollir les genoux des plus scélérats et les faisait tout avouer en bloc.

— À présent, racontez-moi où vous avez entendu M. Forbes dire que j'étais mort.

Mlle Lillian, assise sur le lit, un bras protecteur autour des épaules de sa mère, rassembla son courage.

— C'est moi qui l'ai entendu. C'était dans l'estaminet de M. Symonds. Nous étions encore à Wilmington ; c'était avant que nous venions vivre ici chez ma tante Burton. J'étais allée chercher une cruche de cidre chaud. Nous étions en février et il faisait encore très froid. Quoi qu'il en soit... cette femme – elle s'appelle Phaedre – travaille là-bas. Elle est allée dans la réserve tirer le cidre et le réchauffer pour moi. Entre-temps, M. Forbes est entré et m'a parlé. Il était au courant pour mon père et s'est montré prévenant, me demandant comment nous nous en sortions. Puis Phaedre est revenue avec la cruche.

Naturellement, Forbes l'avait reconnue pour l'avoir vue de nombreuses fois à River Run, la plantation de Jocasta. Fort surpris par sa présence, il lui avait demandé des explications. Phaedre avait alors fait grand cas de la bonté de Jamie grâce à qui elle avait été affranchie.

Je manquai d'avaler une gorgée de travers. Phaedre savait pertinemment ce qui était arrivé à l'oreille de Forbes. C'était une femme discrète et douce, mais elle ne détestait pas lancer des piques aux gens qu'elle n'aimait pas… et je savais qu'elle n'appréciait guère Neil Forbes.

— M. Forbes était tout rouge, mais peut-être était-ce à cause du froid, poursuivit Lillian avec tact. Il a déclaré qu'effectivement M. Fraser avait toujours eu un faible pour les Nègres…

Elle ajouta en regardant Jamie d'un air contrit :

— Je crains qu'il l'ait dit assez méchamment. Puis il s'est mis à rire, bien qu'il ait tenté de le déguiser avec une quinte de toux. Il a dit alors que c'était regrettable que vous et votre famille ayez été réduits en cendres et qu'ils avaient dû beaucoup vous pleurer dans les quartiers des esclaves.

Ce fut au tour de Jamie de s'étrangler sur sa gorgée de vin.

— Pourquoi a-t-il dit ça ? demandai-je. Il vous l'a expliqué ?

— Oui, madame. Phaedre le lui a demandé. Elle pensait sans doute qu'il ne l'avait dit que pour la blesser. Il a répondu qu'il l'avait lu dans le journal.

— *La Gazette de Wilmington*, précisa Miriam qui n'appréciait visiblement pas que sa sœur monopolise le devant de la scène. Nous ne lisons pas les journaux, bien entendu, et depuis que papa est… Disons que nous ne recevons plus beaucoup de visites.

Baissant les yeux, elle tira machinalement sur son tablier pour cacher une tache sur sa jupe. Les Bell étaient propres et soignées. Leurs vêtements étaient de bonne qualité mais commençaient à être élimés aux ourlets et aux manches. Les affaires de M. Bell avaient dû considérablement souffrir de son absence et de la guerre.

Mme Bell s'était suffisamment remise pour se redresser en position assise ; elle tenait fermement sa tasse de vin des deux mains.

— Ma fille m'a parlé de cette rencontre. Aussi, quand notre voisin m'a appris hier soir qu'il vous avait rencontré sur les quais… je ne savais plus quoi penser. J'ai supposé qu'il y avait eu une erreur… Sincèrement, on ne peut plus croire ce qu'on lit dans la presse de nos jours, les journaux racontent n'importe quoi. Notre voisin a également mentionné que vous cherchiez des places à bord d'un navire pour l'Écosse. Cela nous a donné des idées…

Elle se tut et fixa le fond de sa tasse, l'air gêné.

Jamie se passa un doigt sur l'arête du nez, réfléchissant.

— Il est vrai que nous cherchons à nous rendre en Écosse, dit-il lentement. Naturellement, si nous y parvenons, j'essaierai de retrouver votre mari et de l'aider dans la mesure du possible, mais, pour le moment, nous n'avons trouvé aucun moyen d'effectuer la traversée. Le blocus…

— Mais nous pouvons vous trouver un navire ! l'interrompit Lillian. Voilà pourquoi nous sommes là.

— Nous *pensons* pouvoir vous orienter vers un bateau, rectifia Miriam.

Elle examina Jamie d'un œil critique, évaluant sa personnalité. Il lui sourit légèrement, acceptant son examen. Au bout de quelques instants, elle lui retourna son sourire à contrecœur.

— Vous me rappelez quelqu'un, dit-elle.

Ce devait être quelqu'un qu'elle aimait bien, car elle se tourna vers sa mère et lui fit signe de parler. Mme Bell poussa un soupir soulagé et laissa retomber ses épaules. Elle déclara avec une pointe de défi :

— J'ai encore quelques amis malgré… tout ce qui s'est passé.

Parmi eux se trouvait un certain DeLancey Hall, qui possédait un ketch de pêche et, comme la moitié des habitants de la ville, augmentait ses revenus en faisant un peu de contrebande.

Il avait déclaré à Mme Bell attendre un navire en provenance d'Angleterre. Il devait arriver dans le courant de la semaine suivante, à condition de n'avoir pas été saisi ni coulé en route. Le bateau et sa cargaison appartenant à un membre des Fils de la liberté, il ne pourrait s'aventurer dans le port de Wilmington, où deux navires de guerre britanniques montaient la garde. Il resterait donc au large, et de petites embarcations locales assureraient discrètement son déchargement. Après quoi, il voguerait vers le nord afin de reprendre une cargaison à New Haven.

— Puis il mettra le cap sur Édimbourg ! lança Lillian enthousiaste.

Miriam reprit, défiante :

— Mon père y a un parent, Andrew Bell. Il est très connu, je crois. C'est un imprimeur et...

Le visage de Jamie s'illumina.

— Le petit Andy Bell ? Celui qui a imprimé la grande encyclopédie ?

— Lui-même, répondit Mme Bell, surprise. Ne me dites pas que vous le connaissez, monsieur Fraser !

Jamie éclata de rire.

— Combien de soirées j'ai passées avec Andy Bell dans une taverne ! C'est lui, l'homme que je compte aller voir en Écosse. Il a gardé ma presse d'imprimerie à l'abri dans son atelier ; du moins je l'espère.

Cette nouvelle, ainsi qu'une deuxième tournée de vin, eut un effet magique sur les Bell. Lorsqu'elles nous quittèrent, elles caquetaient comme un groupe de poules excitées, les joues rosies par l'espoir et l'animation. Je les observai descendre la rue depuis la fenêtre, blotties les unes contre les autres, titubant sous les effets conjugués de l'alcool et de l'émotion. Je demandai à Jamie :

— Tu penses que c'est raisonnable, ce bateau ?

— Mon Dieu, non !

Il déposa un baiser sur le sommet de mon crâne avant de reprendre :

— En faisant abstraction des tempêtes, des termites, d'un mauvais calfatage, de poutres qui lâchent – et j'en passe –, il y a encore les navires anglais dans le port, les corsaires au large...

— Ce n'est pas ce que j'ai voulu dire. Tout cela fait plus ou moins partie des risques de la traversée, non ? Je voulais parler du propriétaire, ce M. DeLancey Hall. Mme Bell croit connaître ses penchants politiques, mais…

L'idée de nous livrer, nous et notre or, à la merci d'inconnus m'angoissait.

— Je sais. J'irai parler à ce M. Hall à la première heure demain matin. Ainsi peut-être qu'à M. Beauchamp. Mais pour le moment…

Il glissa une main le long de mon dos et me caressa une fesse.

— … Ian et son chien ne seront pas de retour avant une heure au moins. Que dirais-tu d'un autre verre de vin, *Sassenach* ?

※

Il avait bien l'air d'un Français, c'est-à-dire totalement déplacé dans un lieu comme New Bern. Beauchamp venait de sortir de l'entrepôt de Thorogood Northrup et discutait avec ce dernier devant la porte. La brise marine faisait voler le ruban de soie qui retenait ses cheveux bruns. « Élégant. » C'était ainsi que Claire l'avait décrit. Il l'était, à la limite de la préciosité. Ses vêtements étaient de bon goût et luxueux. Il avait des moyens, conclut Jamie ; beaucoup de moyens.

— Il a l'air français, déclara Fergus, faisant écho à ses pensées.

Ils étaient assis près de la fenêtre du Whinbush, une taverne un peu louche dont la clientèle était composée de pêcheurs et d'ouvriers des entrepôts. Il y flottait une odeur de bière, de sueur, de tabac, de goudron et de poisson pourri.

Fergus indiqua un sloop élancé noir et jaune se balançant au bout de son ancre à quelque distance des quais.

— C'est son bateau ?

— C'est celui sur lequel il est venu. J'ignore qui en est le propriétaire. Son visage te dit quelque chose ?

Fergus se pencha et colla son nez contre un des épais carreaux pour tenter de mieux apercevoir M. Beauchamp.

Une bière à la main, Jamie, lui, examinait Fergus. Bien qu'il ait vécu en Écosse depuis l'âge de dix ans et qu'il fût en Amérique depuis une dizaine d'années au moins, il paraissait lui aussi très français. Cela ne venait pas uniquement de son physique ; ce devait être dans sa nature.

Fergus avait des traits saillants, une mâchoire pointue comme une lame, un nez aquilin et des yeux profondément enfoncés dans leurs orbites sous un front haut. Ses épais cheveux noirs étaient désormais striés de fils d'argent, à la vue desquels Jamie eut un petit pincement au cœur. Il portait en lui l'image du petit orphelin pickpocket de dix ans qu'il avait sorti d'un bordel parisien ; une image qui cadrait mal avec le beau visage émacié et viril devant lui.

Fergus se cala de nouveau sur sa chaise, concluant :

— Non, je ne l'ai jamais vu.

Ses yeux noirs brillaient de curiosité et de suppositions.

— Personne d'autre en ville ne le connaît, mais j'ai entendu dire qu'il avait également interrogé des gens à propos de Claudel Fraser à Halifax et à Edenton.

Il avait prononcé « Claudel » avec une pointe d'amusement. Son nom de baptême n'avait probablement jamais été utilisé depuis trente ans, et encore, jamais en dehors de Paris.

Jamie espérait qu'il avait été prudent dans son enquête. Il s'apprêtait à le lui dire mais se ravisa et but plutôt une gorgée de bière. Fergus n'avait pas survécu toutes ces années comme imprimeur en des temps si troubles en manquant de discrétion. Il demanda plutôt :

— Il ne te rappelle pas quelqu'un ?

Fergus parut surpris puis étira le cou pour regarder à nouveau au-dehors.

— Non, il devrait ? demanda-t-il enfin.

— Je ne crois pas.

Il était soulagé. Quand Claire lui avait confié que le Français pouvait être de sa famille, voire un ancêtre direct, il avait lu la lueur avide dans son regard, même si elle avait affecté un ton détaché. Le fait qu'elle n'ait eu aucun parent proche dans son propre temps lui avait toujours paru une chose terrible. Il était également conscient que cela expliquait en partie sa dévotion à son égard.

Il avait examiné le visage et l'allure de Beauchamp du mieux qu'il le pouvait mais n'avait rien vu qui lui rappelât Claire, et encore moins Fergus.

Il doutait que cette dernière idée – que Beauchamp pût lui être apparenté – ait traversé l'esprit de Fergus. Il était raisonnablement certain que ce dernier considérait les Fraser de Lallybroch comme sa seule famille, avec Marsali et les enfants, qu'il aimait avec toute l'ardeur de son tempérament passionné.

Beauchamp était justement en train de prendre congé de Northrup avec une courbette toute parisienne et un petit geste gracieux du bout de son mouchoir en dentelle. De l'apercevoir ainsi alors qu'il sortait de l'entrepôt avait été un pur hasard. Fergus et lui avaient projeté d'aller l'espionner plus tard dans la journée, mais cette apparition fortuite leur avait épargné de le rechercher.

— C'est un beau vaisseau, observa Fergus.

Il contemplait le *Huntress*.

— Vous êtes sûr de ne pas vouloir vous renseigner sur la possibilité de voyager avec M. Beauchamp ?

— Sûr et certain, répliqua Jamie. Nous mettre, ma femme et moi, entre les mains d'un inconnu dont les intentions sont suspectes, sur un tout petit bateau au milieu d'une mer très grande ? Même un homme ne souffrant pas du mal de mer hésiterait, tu ne crois pas ?

Fergus lui adressa un large sourire.

— Milady a l'intention de vous transformer à nouveau en pelote d'épingles ?

— En effet.

L'idée d'être transpercé de part en part et d'apparaître en public hérissé d'épingles tel un porc-épic extravagant lui faisait horreur. S'il se pliait à cette torture humiliante, c'était uniquement parce que autrement il passerait toute la traversée à vomir par-dessus le bastingage.

Fergus ne sembla pas remarquer sa mauvaise humeur ; il était de nouveau tourné vers la fenêtre, l'air inquiet.

— *Nom de nom*[4] !

Jamie se pencha à son tour.

Beauchamp s'était éloigné dans la rue mais était toujours visible. Il venait de s'arrêter et exécutait un étrange pas de danse. C'était déjà déconcertant en soi mais, le plus bizarre, c'était que Germain, le fils de Fergus, était accroupi juste devant lui et faisait de petits sauts d'un côté puis de l'autre comme une sorte de crapaud énervé.

Cet étrange manège dura encore quelques secondes, puis Beauchamp s'immobilisa, semblant protester en agitant les bras tandis que Germain rampait à ses pieds. L'enfant se releva, glissa un objet sous sa chemise puis, après quelques instants de conversation, Beauchamp se mit à rire. Ils échangèrent une courbette, se serrèrent la main, puis le Français poursuivit son chemin et Germain se dirigea vers le Whinbush.

Il entra, les aperçut et se glissa sur le banc à côté de son père, l'air très satisfait de lui-même.

— Je l'ai rencontré, déclara-t-il sans préambule. L'homme qui veut papa.

— C'est ce que nous avons vu, répondit Jamie. À quoi diable jouiez-vous tous les deux ?

— Eh bien, je l'ai vu venir vers moi, mais je ne savais pas comment faire pour qu'il s'arrête et me parle. Alors je lui ai lancé Simon et Peter dans les pattes.

— Qui… commença Jamie.

Il s'interrompit en voyant Germain fouiller dans les profondeurs de sa chemise. Il en sortit deux grenouilles de bonne taille, l'une verte et l'autre d'un horrible jaune sale. Elles se blottirent l'une contre l'autre sur la table, roulant de gros yeux inquiets.

Fergus donna une tape sur la tête de son fils.

— Veux-tu ôter ces maudites bestioles de sur la table avant qu'on nous jette dehors ? Je comprends maintenant

---

4. En français dans le texte (*N.d.T.*).

312

que tu sois couvert de verrues à force de frayer avec *les grenouilles*[5] !

— C'est grand-mère qui m'a dit de le faire, protesta Germain.

Il récupéra néanmoins ses amies et les rangea sous sa chemise.

— Vraiment ? demanda Jamie.

Il était rarement surpris par les remèdes de sa femme mais, même pour elle, celui-ci paraissait étrange.

— Oui, elle a dit qu'il n'y avait rien à faire pour la verrue sur mon coude à part la frotter avec un crapaud mort puis l'enterrer, le crapaud bien sûr, à un croisement de chemins à minuit.

— Ah. Je crois qu'elle plaisantait. Que t'a dit le Français, alors ?

— Il n'est pas français, grand-père.

Jamie tressaillit.

— Comment ? Tu en es sûr ?

— Oh oui ! Quand Simon a atterri sur son soulier, il a dit un très, très gros mot, mais pas comme ceux de papa.

Il lança un regard innocent vers son père, qui sembla sur le point de lui donner une autre tape mais changea d'avis sur un signe de Jamie.

— C'est un Anglais, j'en suis sûr, reprit l'enfant.

— Il a juré en *anglais* ? demanda Jamie.

Les Français utilisaient souvent des légumes dans leurs jurons, le plus souvent accompagnés de références sacrées. Les jurons anglais n'avaient généralement rien à voir avec les saints, les sacrements ni les concombres, mais avaient trait à Dieu, aux prostituées et aux excréments.

— Oui, mais je ne peux pas répéter ce qu'il a dit, car papa serait offensé. Il a les oreilles très pures, papa.

Il adressa un sourire angélique à son père.

— Arrête d'asticoter ton père et dis-moi plutôt ce que cet homme t'a dit d'autre.

---

5. En français dans le texte (N.d.T.).

— Quand il a vu que ce n'étaient que de petites grenouilles, il a ri puis m'a demandé si je les emmenais chez moi pour mon dîner. J'ai répondu que non, que c'étaient mes amies, puis je lui ai demandé si le bateau là-bas était à lui. Parce que tout le monde le disait et qu'il était très beau.

Au cas où son grand-père n'aurait pas compris son stratagème, il précisa :

— C'est que j'essayais de me faire passer pour un simplet, tu vois ?

Jamie réprima un sourire.

— C'était très malin de ta part. Quoi d'autre ?

— Il a dit que le bateau appartenait à un grand noble de France. Alors j'ai dit : « Oh ! Qui donc ? » Il a répondu que c'était le baron Amandine.

Jamie lança un regard interrogateur à Fergus, mais celui-ci n'avait jamais entendu ce nom.

— Je lui ai demandé combien de temps il resterait chez nous parce que je voulais amener mon petit frère voir le bateau. Il a dit qu'il partait demain avec la marée du soir et m'a demandé – sauf qu'il blaguait – si je voulais partir avec lui comme garçon de cabine. Je lui ai répondu que je ne pouvais pas parce que mes grenouilles avaient le mal de mer, comme mon grand-père.

Il tourna son sourire satisfait vers Jamie, qui lui adressa un regard noir.

— Ton père ne t'a pas appris qu'il ne fallait pas *péter plus haut que son cul*[6] ?

Germain prit un air vertueux.

— Maman te lavera la bouche avec du savon si elle t'entend dire des choses comme ça. Vous voulez que je lui fasse les poches ? Je l'ai vu entrer dans la taverne de Cherry Street. Je pourrais…

— Certainement pas ! l'interrompit précipitamment Fergus. Et ne dit jamais ce genre de choses là où on pourrait nous entendre. Ta mère va nous étriper tous les deux.

---

6. En français dans le texte (N.d.T.).

Jamie sentit un frisson glacé lui parcourir l'échine et lança un regard à la ronde pour s'assurer que personne n'écoutait.

— Tu lui as appris à…

Fergus parut mal à l'aise.

— J'ai pensé qu'il était dommage de perdre un tel savoir-faire. Après tout, c'est une tradition familiale. Naturellement, je ne le laisse rien voler. On remet tout à sa place.

Jamie les dévisagea tous les deux d'un regard menaçant.

— Il va falloir qu'on en discute plus tard en privé.

Morbleu ! Si Germain se faisait prendre… Il avait intérêt à les sermonner vertement avant qu'ils ne finissent tous les deux sur le pilori, voire pendus à un arbre.

Cherchant à changer de sujet de conversation, Fergus demanda à son fils :

— Et l'homme qu'on t'avait envoyé chercher ?

— Je l'ai trouvé, répondit Germain en indiquant la porte. Le voilà.

✳

DeLancey Hall était un petit homme soigné aux manières discrètes et pincées de bigot. On aurait difficilement pu imaginer quelqu'un ressemblant moins à un contrebandier, ce qui était sans doute une qualité précieuse dans ce secteur d'activité.

Il définit sa profession laconiquement comme « exportateur d'articles de mercerie ».

— Je facilite également la recherche de navires pour des cargaisons spécifiques. Ce qui n'est pas simple de nos jours, comme vous pouvez l'imaginer.

— En effet, répondit Jamie avec un sourire. Je n'ai pas de chargement à acheminer, mais j'espère que vous pourrez m'aider néanmoins. Mon épouse, mon neveu et moi souhaitons nous rendre à Édimbourg.

Tout en parlant, il fouillait dans son *sporran* sous la table. Il avait aplati au marteau plusieurs billes d'or jusqu'à obtenir des disques irréguliers. Il en saisit trois et les déposa discrètement sur les genoux de Hall.

L'homme conserva un visage de marbre, mais Jamie sentit sa main se refermer sur les pièces, les soupeser puis les glisser dans une poche.

— Cela devrait pouvoir se faire, déclara Hall comme si de rien n'était. Je connais justement un capitaine qui quitte Wilmington dans environ deux semaines et pourrait être convaincu d'emmener des passagers... moyennant une compensation.

Quelque temps plus tard, Jamie et Fergus reprirent la direction de l'imprimerie, discutant des probabilités de trouver un navire par l'intermédiaire de Hall. Germain marchait devant eux, zigzaguant dans la rue au gré des inventions de son esprit remarquablement fécond.

L'esprit de Jamie était lui aussi fort occupé. Le baron Amandine. Ce nom lui disait quelque chose, cependant il ne pouvait mettre un visage dessus. Il était sûr de l'avoir rencontré, mais dans quel contexte ? C'était à Paris, mais quand ? Lorsqu'il était à l'université ? Non, plus tard, lorsqu'il y était retourné avec Claire. Oui, voilà ! Il avait entendu ce nom à la cour... Il eut beau fouiller sa mémoire il n'y trouva rien de plus.

Il demanda brusquement à Fergus :

— Tu veux que j'aille parler à ce Beauchamp ? Je pourrais peut-être découvrir ce qu'il te veut.

Fergus fronça les lèvres, réfléchit, puis fit non de la tête.

— Je vous ai dit que cet homme avait posé des questions sur Claudel Fraser à Edenton ?

— Oui, mais... es-tu bien sûr qu'il s'agit de toi ?

Non pas que la Caroline du Nord grouillât de Claudel, mais enfin...

Fergus acquiesça tout en surveillant Germain, qui s'était mis à croasser doucement, conversant vraisemblablement avec les grenouilles dans sa chemise.

— La personne qui me l'a rapporté m'a dit que Beauchamp savait également que Claudel Fraser avait été trouvé dans une maison close parisienne par un grand Écossais roux s'appelant James Fraser. Voilà pourquoi je pense que vous ne devriez pas lui parler.

— Effectivement, il ne tarderait pas à faire le rapprochement. Mais nous ignorons ce qu'il veut. Et s'il avait une bonne nouvelle à t'annoncer ? Pourquoi quelqu'un en France se donnerait le mal et les moyens d'envoyer un homme tel que lui à ta recherche uniquement pour te nuire ? Il pourrait se contenter de te savoir au loin en Amérique.

Il hésita puis demanda :

— Et si... le baron Amandine était de ta famille ?

Cette idée semblait sortie tout droit d'un roman, de la pure fantaisie, mais Jamie ne voyait aucune raison logique pour laquelle un aristocrate français traquerait à travers deux continents un gamin issu d'un bordel.

Fergus ne répondit pas tout de suite. Il portait son crochet, et non le gant bourré de son, qu'il ne mettait que pour les grandes occasions. Il se gratta délicatement le nez avec sa pointe puis déclara enfin :

— Quand j'étais petit, je m'étais convaincu d'être le fils bâtard d'un grand homme. Je suppose que tous les orphelins rêvent la même chose. Cela rend la vie plus supportable de se dire qu'elle changera un jour, que quelqu'un viendra et vous rendra votre juste place dans le monde. Ensuite, j'ai grandi et j'ai abandonné mes illusions. Personne ne viendrait me sauver. Puis...

Il se tourna vers Jamie, affichant un sourire d'une profonde tendresse.

— ... j'ai encore grandi et j'ai découvert qu'après tout j'étais bien le fils d'un grand homme.

Il effleura la main de Jamie du bout de son crochet.

— Je n'en demande pas plus.

19

Juste un baiser

Wilmington, colonie de Caroline du Nord, 18 avril 1777

Le quartier général de *La Gazette de Wilmington* était facile à trouver. Les décombres avaient refroidi, mais une forte odeur de brûlé, hélas familière, flottait encore dans l'air. Un homme portant une veste informe et un chapeau mou fouillait les gravats sans grande conviction. En entendant Jamie l'appeler, il sortit des ruines, levant haut les pieds d'un air dégoûté.

Jamie lui tendit la main pour l'aider à franchir une haute pile de livres à demi calcinés.

— Vous êtes le propriétaire du journal, monsieur ? Dans ce cas, toutes mes condoléances.

L'homme essuya ses doigts noirs de suie sur un grand mouchoir qu'il tendit ensuite à Jamie.

— Non, le journal appartenait à Amos Crupp, l'imprimeur. Il s'est envolé quand son atelier est parti en fumée. Je m'appelle Herbert Longfield, je suis le propriétaire du terrain…

Il ajouta en lançant un regard contrit derrière lui.

— … ainsi que des murs. Vous ne seriez pas un récupérateur, par hasard ? J'ai un beau morceau de ferraille, là.

La presse de Fergus et de Marsali était désormais la seule en opération entre Charleston et Newport. Celle de *La Gazette de Wilmington* gisait au milieu des décombres, tordue et noircie : reconnaissable mais irréparable.

— Quand est-ce arrivé ? demandai-je.

— Avant-hier, peu après minuit. Tout était parti en fumée longtemps avant l'arrivée de la carriole des pompiers.

Jamie se pencha et ramassa un des pamphlets éparpillés autour des ruines.

— Un accident avec le four ?

Longfield émit un petit rire cynique.

— Vous n'êtes pas d'ici, hein ? Vous disiez que vous cherchiez Amos ?

Son regard méfiant alla de Jamie à moi. Il n'avait pas l'intention de faire des confidences à des inconnus dont il ignorait les affiliations politiques.

Jamie tendit la main et serra fermement la sienne.

— James Fraser. Et voici mon épouse, Claire. Qui était-ce ? Les Fils de la liberté ?

Longfield haussa les sourcils puis sourit d'un air las.

— On voit bien que vous n'êtes pas du coin. Amos était du côté des Fils. Il n'en faisait pas partie mais partageait leurs idées. Je l'avais prévenu de faire attention à ce qu'il écrivait et publiait dans son journal et, généralement, il était prudent. Mais de nos jours, il n'en faut pas beaucoup. Au moindre soupçon de trahison, on est roué de coups dans la rue, on se retrouve enduit de goudron et de plumes, on se fait incendier sa maison ; on peut même se faire tuer.

Il dévisagea Jamie attentivement.

— Puis-je demander ce que vous voulez à Amos, puisque vous ne le connaissiez pas ?

— Juste l'interroger au sujet d'une notice parue dans *La Gazette*. Vous ne sauriez pas où je peux le trouver ? Je vous assure que nous ne lui voulons aucun mal.

M. Longfield me regarda d'un air songeur, se demandant sans doute si un homme animé d'intentions violentes se ferait accompagner par sa femme. Je lui souris, tâchant de paraître le plus respectable possible, et il me répondit d'un sourire incertain. Sa longue lippe lui donnait l'air d'un chameau inquiet, une image qui n'était guère améliorée par sa dentition excentrique.

Il se tourna enfin vers Jamie, affichant un air décidé.

— Non, je l'ignore, mais il avait un associé ainsi qu'un apprenti imprimeur. Peut-être que l'un d'eux pourra vous renseigner.

Ce fut au tour de Jamie de jauger Longfield. Il prit sa décision en un clin d'œil et me tendit le pamphlet.

— C'est possible. Il s'agit d'un encart concernant l'incendie d'une maison dans les montagnes. Il a été publié l'année dernière. J'aimerais savoir qui a transmis l'information au journal.

Longfield réfléchit, l'air perplexe, et gratta sa lippe, laissant une traînée de suie sur son menton.

— Je ne m'en souviens pas, mais… Tenez, j'allais justement voir George Humphries, l'associé d'Amos. Pourquoi ne m'accompagnez-vous pas ? Vous pourrez lui poser la question.

— C'est très aimable de votre part, monsieur.

Jamie me lança un bref regard signifiant qu'il n'avait plus besoin de moi pour jouer les potiches et que je pouvais vaquer à mes occupations. Je saluai courtoisement M. Longfield et m'éloignai pour aller explorer les charmes de Wilmington.

Les affaires ici semblaient aller mieux qu'à New Bern. Wilmington était un port en eaux profondes et, bien que le blocus anglais affectât gravement les mouvements de marchandises, il était encore utilisé par les bateaux locaux et les malles costales. La ville était également plus grande et jouissait d'un marché florissant sur la place centrale. J'y passai une heure fort plaisante à glaner des herbes et des potins locaux, puis m'achetai une pâtisserie au fromage et me dirigeai vers le port pour aller la manger.

Je m'assis sur une bitte d'amarrage, attirant une foule de mouettes intéressées qui voletaient autour de moi tels des flocons de neige obèses.

J'agitai un doigt vers l'une d'elles, particulièrement entreprenante, qui s'avançait à petits bonds discrets vers mon panier.

— Toi, je t'ai à l'œil ! C'est *mon* déjeuner.

J'avais encore le pamphlet à moitié brûlé que m'avait donné Jamie et l'agitai vigoureusement vers ses consœurs. Elles s'envolèrent en poussant des cris d'alarme mais se reposèrent bientôt autour de moi, à une distance à peine plus respectueuse, leurs petits yeux ronds concentrés sur ma collation.

Je coinçai mon panier entre mes jambes, au cas où. Tenant fermement ma pâtisserie, je contemplai le port. Un navire de guerre britannique était ancré à une certaine distance. La vue de l'Union Jack flottant à sa proue me procurait des sentiments contradictoires, mélange de fierté et d'angoisse.

J'avais toujours été anglaise. J'avais servi la Grande-Bretagne dans les hôpitaux, sur les champs de bataille, faisant honorablement mon devoir. J'avais également vu beaucoup de mes compatriotes tomber au cours de ces années, des hommes comme des femmes. Si l'Union Jack que je voyais à présent était légèrement différent du drapeau que j'avais connu autrefois, il n'en était pas moins reconnaissable, et je ressentais toujours le même élan d'orgueil en le voyant.

Parallèlement, j'étais ô combien consciente de la menace qu'il représentait à présent pour les miens. Les sabords du pont supérieur du navire étaient ouverts. Des manœuvres devaient être en cours, car je vis des bouches de canon apparaître et disparaître en succession rapide, leur gueule noire pointant hors de la coque puis se rétractant tels des museaux craintifs. La veille, il y avait eu deux vaisseaux de guerre dans les mêmes eaux. Où était passé l'autre ? Parti en mission ou montant la garde à l'entrée du port, prêt à aborder, à saisir, à canonner ou à saborder tout navire suspect ?

Rien ne paraîtrait plus suspect que le navire du contrebandier ami de M. Hall.

Je songeai de nouveau au mystérieux M. Beauchamp. La France était toujours neutre. Il serait nettement plus sûr de voyager à bord d'un navire arborant le drapeau français. Du moins, nous serions à l'abri des déprédations de la marine anglaise. Quant aux motivations de Beauchamp… Je respectais la décision de Fergus de ne rien savoir sur cet homme mais ne pouvais m'empêcher de me demander ce qu'il lui voulait.

En outre, l'idée qu'il pût avoir un lien avec les Beauchamp de ma famille me hantait. Je n'avais aucun moyen de m'en assurer. Oncle Lamb avait autrefois réalisé un arbre généalogique rudimentaire, principalement à mon intention, mais je n'y avais pas accordé d'importance. Où se trouvait-il à présent ? Il me l'avait offert lorsque je m'étais mariée avec Frank, soigneusement tapé à la machine et rangé dans une chemise en papier kraft.

Peut-être en parlerais-je à Brianna dans ma prochaine lettre. Elle devait posséder toutes nos archives familiales, les cartons remplis de vieilles déclarations de revenus, de ses cahiers d'écolière et de ses dessins d'enfant... Je souris en me souvenant du dinosaure en pâte à modeler qu'elle avait réalisé à l'âge de huit ans, une créature toute en dents qui penchait d'un côté tel un vieux soûlard et tenait un objet cylindrique entre ses mâchoires.

— C'est un mammifère, qu'il est en train de dévorer, m'avait-elle expliqué.

— Qu'est-il arrivé aux pattes de ton mammifère ? avais-je demandé.

— Elles sont tombées quand le dinosaure lui a marché dessus.

Ce souvenir m'avait distraite un instant, et une mouette effrontée en profita pour plonger en piqué, heurter ma main et faire tomber les restes de ma pâtisserie sur le sol. Elle fut aussitôt encerclée par un groupe de volatiles excités.

Je lâchai un juron en constatant que la voleuse m'avait écorché la main. Je saisis le pamphlet et le lançai dans la mêlée. Il atterrit sur la tête d'une mouette, qui tituba dans un battement d'ailes paniqué. Cela dispersa la curée, et ses consœurs s'envolèrent en poussant des insultes d'oiseaux, ne laissant pas une miette derrière elles.

— Ha ! fis-je avec une sombre satisfaction.

Avec une obscure aversion du xxe siècle pour les déchets sur la voie publique (un concept inexistant ici), j'allai récupérer le pamphlet, qui s'était défait en plusieurs morceaux, et le rassemblai tant bien que mal.

Il était intitulé *Un examen de la miséricorde* et avait pour sous-titre : *Pensées sur la nature de la compassion divine, sur ses manifestations dans le cœur humain et sur ses enseignements pour l'élévation de l'individu et de l'humanité.* Ce ne devait pas être le titre le plus vendu de M. Crupp.

Tout en le rangeant dans mon panier, je me fis la réflexion que Roger le retrouverait peut-être un jour dans des documents anciens.

Cela voulait-il dire que nous devions faire en sorte d'apparaître, nous aussi, le plus souvent possible dans les archives ? Dans la mesure où la plupart des sujets publiés dans la presse traitaient de la guerre, de la criminalité, de tragédies et autres catastrophes épouvantables, sans doute pas. Mes quelques rapports avec la notoriété n'avaient guère été plaisants, et je ne tenais pas à ce que Roger découvre que j'avais été pendue pour avoir volé une banque, exécutée pour sorcellerie ou picorée à mort par une bande de mouettes assassines.

Non, conclus-je. *Je me contenterai de mentionner M. Beauchamp et l'arbre généalogique d'oncle Lamb à Bree et, si Roger décide d'enquêter là-dessus, grand bien lui fasse !* Certes, je ne saurais jamais s'il avait trouvé un Percival dans la liste mais, le cas échéant, Jem et Mandy en sauraient un peu plus sur leurs ancêtres.

Mais où était donc cette chemise en papier kraft ? La dernière fois que je l'avais vue, c'était dans le bureau de Frank, sur son classeur. Je m'en souvenais très bien, car oncle Lamb avait malicieusement dessiné dessous ce que je présumais être des armoiries fami...

— Je vous demande pardon, madame, dit une voix respectueuse derrière moi. Je constate que vous...

Arrachée à mes pensées, je me retournai avec la vague impression d'avoir déjà entendu cette voix quelque part...

— Bon Dieu de merde !

Je fis un bond en arrière, trébuchai sur mon panier et manquai de tomber à la renverse dans le port, sauvée *in extremis* par Tom Christie, qui me retint par le bras.

Il me tira vers lui et je m'effondrai contre sa poitrine. Il recula précipitamment comme si j'étais un métal en fusion, puis me saisit fermement par les épaules, m'attira à nouveau à lui et m'embrassa fougueusement sur la bouche.

Il me libéra enfin, me dévisagea et haleta :

— Vous êtes morte !

— Euh… eh bien, non.

— Pardonnez-moi ! Pardonnez-moi ! Je… je…

Il laissa retomber les bras. Il était pâle comme un linge, et je crus un instant que c'était lui qui allait tomber dans le port. Je ne devais pas avoir l'air plus fraîche mais, au moins, je tenais sur mes deux jambes.

— Vous feriez mieux de vous asseoir, lui dis-je.

— Je… non, pas ici.

Il avait raison. Nous étions dans un lieu très public, et notre petite rencontre n'était pas passée inaperçue. Plusieurs badauds nous observaient ouvertement, se donnant des coups de coude, et nous étions en train d'attirer des regards de biais de la foule de marchands, de marins et de débardeurs qui travaillaient sur les quais. Je commençais à me remettre du choc, suffisamment pour penser en tout cas.

— Vous avez une chambre ? demandai-je. Oh, non… ce n'est pas une très bonne idée.

J'imaginais déjà les histoires qui circuleraient dès que nous aurions quitté le quai. Si l'on nous voyait nous diriger vers les quartiers de M. Christie… (Je ne pouvais penser à lui autrement que comme « monsieur » Christie.)

— À l'estaminet ! dis-je fermement. Suivez-moi.

✳

L'estaminet de M. Symonds se trouvait à quelques minutes à pied, minutes durant lesquelles nous n'échangeâmes pas un mot. J'en profitai pour lui lancer des regards en douce, tant pour m'assurer qu'il n'était pas un fantôme que pour évaluer sa situation présente.

Elle ne paraissait pas mauvaise. Il portait un costume gris sombre et du linge propre qui, sans être à la mode (je me mordis la lèvre à l'idée de Tom Christie « à la mode »), n'était point miteux.

Pour le reste, Il n'avait pas beaucoup changé… *Enfin, si,* rectifiai-je. Il paraissait en bien meilleure forme que lors de notre dernière rencontre. Il avait été alors écrasé de douleur, déchiré par la mort de sa fille et l'embrouillamini qui s'était ensuivi. C'était à bord du *Cruizer,* le navire britannique sur lequel s'était réfugié le gouverneur Martin après avoir été chassé de la colonie. Cela faisait presque deux ans.

À cette occasion, M. Christie avait déclaré, primo, son intention d'avouer être l'assassin de sa fille, ce dont on m'accusait ; secundo, son amour pour moi ; et tertio, son souhait d'être exécuté à ma place. Tout cela rendait sa soudaine résurrection non seulement surprenante mais également un peu délicate.

Pour ne rien arranger, je connaissais le sort de son fils, Allan, le vrai meurtrier de Malva Christie. Ce n'était pas un récit qu'un père devrait entendre, et je fus prise de panique à l'idée que je serais peut-être contrainte de lui dire la vérité.

Je l'observai à nouveau. Son visage était profondément ridé mais ni émacié ni particulièrement hanté. Il ne portait pas de perruque, et ses cheveux rêches poivre et sel étaient coupés courts, s'accordant avec sa barbe impeccablement taillée. Mon visage me picotait, et je dus me retenir de me frotter les lèvres pour effacer cette sensation. Il était visiblement troublé – je l'étais moi aussi – mais maître de lui-même. Il ouvrit la porte de l'estaminet et, avec galanterie, me laissa passer. Seul le sursaut d'un muscle sous son œil gauche trahissait son émotion.

J'étais moi-même très tendue, mais Phaedre, qui servait en salle, me salua d'un petit signe de tête cordial sans me prêter plus d'attention. Elle ne connaissait pas Thomas Christie et, si elle avait sûrement entendu parler du scandale qui avait suivi mon arrestation, ne ferait pas le rapprochement avec l'homme qui m'accompagnait.

Nous nous assîmes à une table près de la fenêtre, puis je demandai de but en blanc :

— Je vous croyais mort mais, *vous*, pour quelle raison pensiez-vous que j'étais morte, moi aussi ?

Il ouvrit la bouche mais fut interrompu par Phaedre.

— Je peux vous servir quelque chose, monsieur dame ? À manger ? Nous avons un bon jambon aujourd'hui, servi avec des pommes de terre rôties et la sauce spéciale de Mme Symonds à la moutarde et aux raisins.

— Non, merci, répondit M. Christie. Juste une chope de cidre, s'il vous plaît.

— Du whisky, demandai-je. Beaucoup.

M. Christie parut scandalisé, mais Phaedre se contenta de rire et s'éloigna, sa grâce attirant l'admiration discrète de la plupart des clients masculins.

— Vous n'avez pas changé, déclara-t-il.

Son regard se promena sur moi, intense, absorbant les moindres détails.

— J'aurais dû vous reconnaître à vos cheveux.

Son ton était réprobateur mais teinté d'amusement. Il avait toujours critiqué vertement mon refus de porter un bonnet ou d'attacher ma chevelure, qu'il qualifiait de « dévergondée ». L'incident sur le quai m'avait laissée encore plus échevelée que d'ordinaire, et je tentais d'y remettre un peu d'ordre du bout des doigts.

— C'est vrai, vous ne m'avez reconnue que lorsque je me suis retournée. Pourquoi m'avez-vous donc abordée ?

Il hésita puis indiqua le panier que j'avais posé sur le sol près de ma chaise.

— J'ai vu que vous possédiez un de mes textes.

— Pardon ?

Je suivis son regard et aperçus le pamphlet aux contours brûlés qui dépassait sous un chou. Je le sortis et remarquai effectivement le nom de l'auteur : Maître M. T. W. Christie, Université d'Édimbourg.

Je le reposai en demandant :

— À quoi correspond le « W » ?

Il cligna des yeux.

— À Warren, répondit-il sur un ton bourru. Mais, pour l'amour de Dieu, d'où sortez-vous ?

— Mon père me disait toujours qu'il m'avait trouvée sous une feuille de chou dans le potager, plaisantai-je. Oh, vous voulez dire aujourd'hui ? Du Wilsey Arms.

À mesure qu'il se remettait du choc, son irritation habituelle devant mon manque de bienséance féminine reprenait le dessus, et il retrouvait son masque austère d'autrefois.

— Ne soyez pas facétieuse. On m'a dit que vous étiez morte ; que vous et toute votre famille aviez péri dans un incendie.

Phaedre, qui était en train de nous servir nos boissons, déclara d'un air narquois :

— Pourtant, elle n'a pas l'air trop roussie aux entournures, si je peux me permettre.

— Je vous remercie, ce sera tout, rétorqua Christie.

Phaedre me lança un regard amusé puis s'éloigna à nouveau.

— Qui vous a raconté ça ? demandai-je.

— Un certain McCreary.

Comme je ne réagissais pas, il précisa :

— De Brownsville. Je l'ai rencontré ici, à Wilmington, à la fin janvier. Il revenait des montagnes et m'a parlé de l'incendie. Il a bien eu lieu, non ?

— Oui, en effet.

Je me demandais si je pouvais lui dire la vérité, mais ce n'était sans doute pas une bonne idée, surtout dans un lieu public.

— Ce doit donc être ce M. McCreary qui a fait paraître l'annonce dans le journal… Mais non, c'est impossible.

Selon Roger, l'annonce avait paru en 1776, soit près d'un an avant les faits.

— C'est moi, déclara Christie.

— Vous ! Quand ?

Je bus une grande gorgée de whisky, sentant que j'allais en avoir besoin.

— Dès que j'ai appris la nouvelle. Ou non… quelques jours plus tard.

Pour la première fois depuis que nous nous étions assis, il fuit mon regard.

— La nouvelle m'avait bouleversé. Je ne pouvais imaginer que vous disparaissiez de notre monde, comme ça, sans qu'aucune mention formelle ne soit faite de votre… passage.

Il ajouta un peu tard :

— Le vôtre et celui de vos proches.

Il prit une profonde inspiration.

— Même si des funérailles en bonne et due forme avaient eu lieu, il était trop tard pour que je retourne à Fraser's Ridge ; et puis… je n'aurais pas pu. J'ai donc voulu faire un petit geste ici. Après tout… (il baissa la voix et détourna à nouveau les yeux)… je ne pouvais pas aller déposer des fleurs sur votre tombe.

Le whisky m'avait remise d'aplomb, mais il m'avait également brûlé la gorge, et j'avais d'autant plus de mal à m'exprimer puisque j'étais en proie à l'émotion. Je tendis la main et touchai brièvement la sienne, puis je m'éclaircis la voix et trouvai un terrain neutre.

— Comment va votre main ?

Il releva les yeux, surpris, puis se détendit légèrement.

— Très bien, merci. Regardez.

Il retourna sa main droite et me montra la cicatrice en Z en travers de sa paume.

— Laissez-moi voir.

Sa main était froide. M'efforçant de paraître détachée, je la pris, la retournai, pliai ses doigts pour évaluer leur flexibilité et l'ampleur de leur mobilité. Il avait raison : elle était guérie ; les mouvements étaient presque normaux.

— Je… fais les exercices que vous m'avez montrés. Tous les jours.

Je relevai les yeux. Il me dévisageait avec une gravité anxieuse, le teint légèrement rougi. Ce terrain n'était pas aussi neutre que je l'avais cru. Avant que j'aie pu lâcher sa main, il saisit mes doigts et les pressa ; pas fort mais suffisamment pour que je ne puisse me libérer sans un effort visible.

— Votre mari…

Il s'interrompit abruptement, n'ayant sans doute pas pensé une seule fois à Jamie jusque-là.

— Il est vivant, lui aussi ?

— Euh… oui.

À son honneur, il ne grimaça pas.

— Je… je suis soulagé de l'entendre.

Il se tut un instant, fixant son cidre intact. Il tenait toujours ma main. Sans relever les yeux, il reprit à voix basse :

— Sait… sait-il ? Ce que… comment je… Je ne lui ai pas donné la raison de mes aveux. Et vous ?

— Vous voulez dire votre…

Je cherchai une forme appropriée de présenter la chose.

— … vos, euh… sentiments galants à mon égard ? Oui, il est au courant et il ne vous en veut pas. Il comprend.

J'ajoutai, un peu acerbe :

— Il est bien placé pour savoir ce que m'aimer signifie.

Il faillit se mettre à rire, et j'en profitai pour retirer ma main. Cependant, il ne m'informa pas qu'il ne m'aimait plus. *Bigre !*

— Enfin, nous sommes toujours vivants, conclus-je. Parlez-moi de vous. La dernière fois que nous nous sommes vus…

— Ah…

Il se rembrunit puis rassembla ses forces et hocha la tête, prêt à se lancer.

— Votre départ plutôt précipité du *Cruizer* avait laissé le gouverneur Martin sans secrétaire. Découvrant que je n'étais pas totalement illettré (il esquissa un petit sourire) et que, grâce à vos bons soins, mon écriture était lisible, il m'a fait venir du brick.

Je n'étais pas surprise. Chassé de sa colonie, le gouverneur Martin était contraint de diriger ses affaires depuis la minuscule cabine de capitaine du navire britannique à bord duquel il s'était retranché. Ces affaires consistaient exclusivement à écrire des lettres, lesquelles devaient être composées, ébauchées sur le papier, rédigées proprement puis copiées en plusieurs exemplaires. Il en fallait un exemplaire pour les archives du gouverneur et un autre pour toutes les personnes ou entités concernées par la lettre. Lorsque celle-ci devait être envoyée en Europe, il fallait en faire toute une série de copies supplémentaires qui seraient acheminées par différents navires afin que l'une d'elles, au moins, parvienne à son destinataire, au cas où les autres seraient coulées, saisies par des pirates ou simplement perdues en route.

J'avais la main endolorie rien qu'au souvenir de toutes ces heures d'écriture. Les exigences de la bureaucratie à une époque qui ne connaissait pas encore la magie de la photocopieuse m'avaient évité de pourrir en prison ; il n'y avait rien d'étonnant à ce qu'elles aient sorti Thomas Christie des geôles.

— Vous voyez ? dis-je, satisfaite. Si je n'avais pas opéré votre main, il vous aurait probablement fait exécuter ou, au mieux, expédié sur la terre ferme pour y être emmuré dans un cachot.

— Je vous en suis reconnaissant, répliqua-t-il sèchement. Même si, sur le moment, je ne l'étais pas.

Christie avait passé plusieurs mois comme secrétaire *de facto* de Martin. Puis, à la fin novembre, un navire était arrivé d'Angleterre, apportant ses ordres au gouverneur ; à savoir le sommant de reprendre la colonie sans pour autant lui offrir de troupes, d'armements, ni de conseils utiles pour y parvenir. On lui envoyait cependant un secrétaire officiel.

— Le gouverneur devait donc se débarrasser de moi. Nous… nous nous étions habitués l'un à l'autre, à force de vivre dans des quartiers si exigus.

— En outre, vous n'étiez plus un assassin anonyme. Il ne pouvait pas vous arracher la plume des mains pour vous faire pendre au bout de la vergue. Je sais… au fond, c'est un homme assez bon.

— En effet, dit Christie, songeur. Il n'a pas eu une vie facile, le pauvre.

— Il vous a parlé de ses fils ?

— Oui.

Il pinça les lèvres… non par colère, mais pour contrôler ses émotions. Martin et sa femme avaient perdu trois petits garçons, emportés par les épidémies qui avaient décimé la colonie. D'écouter le chagrin du gouverneur avait dû raviver les plaies de Tom Christie.

— Je… je lui avais parlé un peu de… de ma fille.

Il saisit son cidre et vida la moitié de la chope d'une traite, semblant soudain mort de soif.

— Je lui ai avoué en privé que ma confession était fausse. Naturellement, je lui ai également déclaré que j'étais certain de votre innocence et que, si vous veniez à être arrêtée à nouveau pour ce crime, je réitérerais mes aveux.

— Je vous en remercie.

Avec un certain malaise, je me demandais s'il savait qui avait tué Malva. Il devait avoir des soupçons, mais cela ne signifiait en rien qu'il voulait savoir, et encore moins savoir pourquoi. Mis à part Jamie, Ian et moi, tout le monde ignorait où était Allan à présent.

Le gouverneur Martin avait accueilli avec soulagement sa déclaration et décidé que la seule chose à faire était de le renvoyer sur la terre ferme, où son cas serait examiné par les autorités civiles.

— Mais il n'y a plus d'autorités civiles, déclarai-je. N'est-ce pas ?

Il confirma d'un signe de tête.

— Aucune capable de régler une telle affaire. Certes, il y a toujours des geôles et des shérifs, mais ni tribunaux ni magistrats. Compte tenu des circonstances, chercher quelqu'un à qui me rendre m'a paru une perte de temps.

Il sourit presque, en dépit de son expression amère.

— Mais vous m'avez dit avoir envoyé une copie de vos aveux au journal. N'avez-vous pas été accueilli un peu froidement à New Bern ?

— Par la grâce de la divine providence, le journal avait cessé de paraître avant que ma confession ne lui parvienne, l'imprimeur étant un loyaliste. Je crois savoir que M. Ashe et ses amis lui ont rendu une petite visite à l'issue de laquelle il a jugé préférable de changer d'activité.

— Très sage de sa part, en effet.

John Ashe était un ami de Jamie et l'une des sommités de la branche locale des Fils de la liberté. C'était lui, l'instigateur de l'incendie du fort Johnston, et lui encore qui avait contraint le gouverneur à fuir par la mer.

Détournant à nouveau les yeux, il poursuivit :

— Il y a eu des rumeurs sur mon compte, mais elles ont été occultées par le déferlement d'événements. Personne ne savait au juste ce qu'il s'était passé à Fraser's Ridge et, après un temps, les gens se sont simplement dit qu'il avait dû m'arriver une tragédie. On me considérait avec une sorte de… compassion.

Ses lèvres se tordirent. Il n'était pas du genre à accepter la pitié des autres.

J'indiquai son costume.

— Vous avez pourtant l'air prospère. En tout cas, on voit bien que vous ne dormez pas dans le caniveau et ne vous nourrissez pas de têtes de poissons jetées sur les docks. J'ignorais que rédiger des pamphlets était aussi lucratif.

Il prit un air agacé.

— Ça ne l'est pas, répliqua-t-il. J'ai des élèves. Et… je prêche le dimanche.

— Je ne peux imaginer quelqu'un de mieux adapté à cette tâche, dis-je, amusée. Vous avez toujours eu l'art d'expliquer en termes bibliques ce qui clochait chez les autres. Vous êtes donc entré dans les ordres ?

Sa gêne s'accentua, mais il me répondit sur un ton calme :

— Lorsque je suis arrivé ici, j'étais pratiquement indigent. Des têtes de poissons, oui, comme vous dites, et parfois un morceau de pain et une soupe offerts par la congrégation de la Nouvelle Lumière. J'y suis allé pour manger et suis resté pour assister à leur messe, par courtoisie. C'est ainsi que j'ai entendu un sermon prêché par le révérend Peterson. Il m'a profondément touché. Je suis allé le trouver et nous avons… discuté. Une chose en a entraîné une autre…

Il releva vers moi des yeux ardents.

— Vous savez, le Seigneur répond à nos prières.

— Et qu'aviez-vous demandé dans vos prières ?

Il fut pris de court.

— Je… je… Vous êtes vraiment une femme impossible !

— Vous n'êtes pas le premier à le penser, l'assurai-je. Je ne voulais pas être indiscrète. Je suis juste intriguée.

Je sentais qu'il était tiraillé entre l'envie de partir et le besoin de témoigner de ce qu'il avait vécu. C'était un homme têtu ; il ne bougea pas.

— Je lui ai demandé… pourquoi, répondit-il enfin. C'est tout.

— Ç'a marché pour Job, observai-je.

Il sursauta, manquant de me faire rire. Il était toujours stupéfait que quelqu'un d'autre que lui ait lu la Bible. Il se ressaisit aussitôt et reprit, sur un ton presque accusateur :

— Et maintenant, vous êtes là. Je suppose que votre mari a formé une milice ou en a rejoint une. J'en ai assez de la guerre. Je m'étonne que votre époux ne s'en soit pas lassé lui aussi.

— Ce n'est pas qu'il aime la guerre, répondis-je, sur la défensive. Mais il a le sentiment d'être né pour ça.

Une lueur étrange brilla au fond des yeux de Tom Christie.

— Oui, sans doute, dit-il doucement. Mais pourtant…

Il n'acheva pas sa pensée, demandant plutôt :

— Mais au fait, que faites-vous ici ? À Wilmington ?

— Nous cherchons un navire. Nous partons pour l'Écosse.

J'avais toujours eu le don de le surprendre mais, cette fois, je venais de battre un record. Il recracha le cidre qu'il était en train de boire et s'étrangla. La quinte de toux qui s'ensuivit attira considérablement l'attention, et je tentais de me faire le plus petite possible.

— Euh… nous allons à Édimbourg chercher la presse d'imprimerie de mon mari. Y a-t-il là-bas quelqu'un à qui vous voudriez que je transmette un message ? Je crois me souvenir que vous y avez un frère…

Les yeux larmoyants, il redressa brusquement la tête et me fusilla du regard. Le souvenir me revint soudain, et un spasme d'horreur me parcourut. J'aurais pu me mordre la langue jusqu'au sang. Pendant que Tom était en prison dans les Highlands à la suite du Soulèvement, son frère avait eu une liaison avec sa femme. Celle-ci avait ensuite empoisonné son amant et été exécutée pour sorcellerie.

— Je suis désolée, dis-je à voix basse. Pardonnez-moi, je n'ai pas voulu…

Il saisit ma main dans les siennes, la pressant si fort que je poussai un petit cri étouffé qui fit tourner quelques têtes dans notre direction. Il n'y prêta pas attention et se pencha vers moi au-dessus de la table, déclarant d'une voix basse et féroce :

— Écoutez-moi bien : j'ai aimé trois femmes dans ma vie. La première était une sorcière et une putain ; la deuxième n'était que putain. Vous êtes peut-être une sorcière, mais peu m'importe. L'amour que j'ai pour vous m'a conduit au salut et à ce que je pensais être la paix intérieure tant que je vous croyais morte.

Il me dévisagea fixement et secoua la tête, ses lèvres disparaissant un instant dans les poils de sa barbe.

— Et voici que vous réapparaissez.

— Euh… oui.

Je sentais presque que je devais m'excuser d'être en vie.

Il inspira profondément puis poussa un long soupir.

— Je ne connaîtrai pas la paix tant que tu vivras, femme.

Il baisa ma main, puis il se leva et partit.

Sur le pas de la porte, il se retourna et ajouta :

— Ce qui ne signifie pas que je le regrette.

Je pris mon verre de whisky et le vidai d'un trait.

✵

Je repartis faire mes emplettes dans un état d'hébétude qui n'était pas uniquement dû au whisky. Je ne savais pas quoi penser de la résurrection de Tom Christie, mais elle m'avait profondément perturbée. Néanmoins, n'y pouvant rien, je me dirigeai vers l'échoppe de Stephen Moray, un orfèvre originaire de Fife, afin de lui commander une paire de ciseaux chirurgicaux. Fort heureusement, c'était un homme intelligent qui comprit exactement ce que je voulais et pourquoi. Il me promit de me les confectionner en trois jours. Encouragée, j'osai lui passer une commande un peu plus délicate.

— Des aiguilles ? s'étonna-t-il. Vous n'avez pas besoin d'un orfèvre pour…

— Ce ne sont pas des aiguilles de couture. Elles sont plus longues, très fines et sans chas. Elles ont un but médicinal. Et je voudrais que vous les réalisiez avec ça.

Il écarquilla les yeux quand je posai sur son comptoir une pépite d'or de la taille d'une noix. C'était un fragment de lingot, prélevé dans le trésor du Français, taillé, martelé en un amas informe puis frotté avec de la terre.

— Mon mari l'a gagné aux cartes.

Je pris un air à la fois fier et navré qui me semblait approprié. Je ne voulais pas que l'on pense qu'il y avait de l'or à Fraser's Ridge, et la réputation de Jamie au jeu n'était plus à faire. Moray fronça les sourcils en examinant mes spécifications écrites pour les aiguilles d'acupuncture mais accepta de les réaliser. Heureusement, il ne semblait pas avoir entendu parler des poupées vaudou, ou j'aurais peut-être rencontré quelques problèmes.

En raison de la visite chez l'orfèvre et d'un détour au marché pour acheter de la ciboule, du fromage, de la menthe poivrée et tout ce que je pouvais trouver d'autre comme herbes pour confectionner mes remèdes, il était tard dans l'après-midi quand je rentrai enfin au Wilsey Arms.

Jamie jouait aux cartes dans la salle à manger, Ian suivant la partie par-dessus son épaule. Quand il me vit entrer, il tendit son jeu à son neveu, vint prendre mon panier et me suivit dans notre chambre à l'étage.

Dès que j'eus refermé la porte derrière lui, il déclara :

— Je sais que Tom Christie est vivant. Je l'ai rencontré dans la rue.

— Il m'a embrassée, lâchai-je.

— Oui, c'est ce que j'ai entendu dire.

Pour une raison obscure, son air amusé m'agaça au plus haut point. Il le sentit et son amusement s'accrut encore.

— Ça t'a plu, hein ?

— Ce n'est pas drôle !

Son sourire narquois s'effaça un peu sans pour autant disparaître.

— Alors, ça t'a plu ? répéta-t-il.

Il y avait cette fois de la curiosité dans sa voix plutôt que de la taquinerie.

— Non.

Je lui tournai le dos, puis ajoutai :

— Je... je n'ai pas eu le temps d'y réfléchir.

Il posa soudain une main sur ma nuque, me retourna et m'embrassa. Par simple réflexe, je le giflai. Pas fort : j'avais tenté de retenir ma main en sentant le coup partir et je ne lui avais pas fait mal. Pourtant, j'étais aussi surprise et déconfite que si je l'avais envoyé au tapis.

Il recula et m'observa avec intérêt.

— Ça ne t'a pas demandé beaucoup de réflexion, n'est-ce pas ?

— Je suis désolée.

J'étais à la fois mortifiée et en colère... et rendue encore plus furieuse par le fait que je ne comprenais pas ma colère.

— Je... je n'ai pas voulu... Pardon.

Il inclina la tête sur le côté, songeur.

— Dois-je me lancer à sa recherche et le tuer ?

— Mais non, ne sois pas ridicule !

— C'était une question honnête, *Sassenach*, dit-il calmement. Peut-être pas sérieuse mais sincère. Je crois que tu me dois une réponse honnête.

— Bien sûr que je ne veux pas que tu le tues !

— Veux-tu que je te dise plutôt pourquoi tu m'as giflé ?

— Que...

Je gardai la bouche ouverte quelques secondes puis la fermai.

— Oui, dis-moi.

— Je t'ai touchée contre ton gré. Ce n'est pas ça ?

— Si. Tom Christie aussi, et non, ça ne m'a pas plu.

— Mais pas à cause de Tom. Le pauvre !

— Il ne voudrait pas de ta pitié.

Mon ton acerbe le fit sourire.

— Sans doute pas, mais il l'a quand même. En tout cas, je suis content.

— Content de quoi ? Qu'il soit en vie, peut-être, mais certainement pas qu'il s'imagine être toujours amoureux de moi !

— Ne méprise pas ses sentiments, *Sassenach*. Il a un jour offert sa vie pour sauver la tienne. Je suis sûr qu'il le referait.

— Je n'en voulais pas la première fois !

— Tu es perturbée, dit-il avec un détachement clinique.

— Un peu que je suis perturbée ! Et toi aussi, d'ailleurs !

Cette dernière pensée m'était venue soudain, et je lui lançai un regard noir. Je me souvins qu'il avait dit avoir rencontré Tom Christie dans la rue. Que lui avait raconté ce dernier ?

Il prit un air innocent mais ne nia pas.

— Je ne peux pas dire que j'aime Tom Christie, déclarat-il. Mais je le respecte. Et je suis effectivement très content qu'il soit en vie. Tu as eu raison d'avoir de la peine pour lui, *Sassenach*. Moi aussi, j'en ai eu.

Sous le choc de notre rencontre, je n'y avais pas pensé mais, effectivement, j'avais pleuré pour lui et pour ses enfants.

— Je ne le regrette pas, dis-je.

— Le problème de Tom Christie, reprit-il, c'est qu'il te veut, de tout son cœur, mais qu'il ne sait rien de toi.

— Et toi si…

Je laissai ma phrase en suspens, entre une question et un défi, ce qui le fit sourire. Il poussa le verrou de la porte, traversa la pièce et ferma le rideau en calicot devant la petite fenêtre, plongeant la chambre dans une agréable pénombre bleutée.

— Oh, ce n'est pas le besoin ni l'envie de toi qui me manquent… mais je te connais, oui.

Il se tenait tout près de moi, si près que je devais lever la tête pour le regarder.

— Je ne t'ai jamais embrassée sans savoir qui tu étais… et c'est une chose que ce pauvre Tom ne connaîtra jamais.

Seigneur, mais qu'est-ce que Christie a pu lui raconter ?

Les battements erratiques de mon cœur se stabilisèrent en une pulsation rapide et légère que je pouvais sentir jusqu'au bout de mes doigts.

— Tu ne savais absolument rien de moi quand nous nous sommes mariés.

Sa main se referma doucement sur ma fesse.

— Ah non ?

— Je veux dire, en dehors de ça !

Il émit un petit son écossais du fond de la gorge, presque un petit rire.

— Sage est l'homme qui sait ce qu'il ignore… et j'apprends vite, *a nighean*.

Il m'attira à lui et m'embrassa, avec considération et tendresse, en connaissance de cause… et avec mon plein consentement. Cela n'effaça pas le souvenir du baiser passionné et maladroit de Tom Christie, mais ce n'était pas son intention. Il voulait me montrer la différence.

— Tu ne peux quand même pas être jaloux, dis-je quelques instants plus tard.

— Si, je le peux.

Il était sérieux.

— Tu ne crois tout de même pas que…

— Non.

— Alors ?

— Alors.

Dans la pénombre, ses yeux étaient aussi sombres que le fond de l'océan, mais son expression était limpide. Mon pouls s'accéléra un peu.

— Je sais ce que tu ressens pour Tom Christie, dit-il. Et il m'a dit on ne peut plus clairement ce qu'il ressentait pour toi. Tu ne sais donc pas que l'amour n'a rien à voir avec la logique, *Sassenach* ?

Plutôt que de lui répondre, je déboutonnai sa chemise. Je n'avais rien à dire sur les sentiments de Tom Christie, mais je possédais mon propre langage pour exprimer les miens. Son cœur battait vite, je pouvais le sentir comme si je le tenais dans le creux de ma main. J'inspirai profondément, puisant un réconfort dans la familiarité et la chaleur de son corps, dans la douce toison cannelle de son torse, dans la chair de poule qui se manifestait sous mes doigts. Il passa une main dans mes cheveux, isolant une mèche qu'il examina attentivement.

— Ils ne sont pas encore blancs. Il me reste donc encore un peu de temps avant qu'il devienne dangereux pour moi de t'emmener dans mon lit.

— Dangereux? Peuh!

Je m'attaquai aux boutons de ses culottes. Je regrettai qu'il ne porte pas son kilt.

— Que crains-tu exactement que je te fasse au lit?

Il se gratta le crâne, réfléchissant, puis frotta d'un geste distrait la petite cicatrice noueuse qu'il s'était faite lui-même en découpant la marque au fer rouge de Jack Randall.

— Jusqu'à présent, tu m'as griffé, mordu, transpercé le corps... à maintes reprises... et...

— Je ne t'ai jamais transpercé le corps!

— Si! Tu m'as enfoncé tes vilaines petites aiguilles dans les fesses... quinze fois! Je les ai comptées! Et puis encore une douzaine de fois dans la jambe avec des crocs de serpent à sonnette.

— C'était pour te sauver la vie!

— Ai-je dit le contraire? Cela dit, tu ne nieras pas que tu y as pris du plaisir, n'est-ce pas?

— Eh bien... pas avec le croc de serpent à sonnette. Quant à ma seringue hypodermique... tu l'avais méritée!

Il me dévisagea avec un profond cynisme.

— Mais bien sûr!

— Et puis, tu énumérais ce que je t'avais fait au lit. Tu ne peux pas compter les piqûres.

— Mais j'étais au lit!

— Moi pas!

— Tu as profité de ma faiblesse.

Il m'avait ôté ma veste et, tête baissée, était occupé à dénouer les lacets de mon corset. Je demandai au sommet de son crâne :

— Que dirais-tu si j'étais jalouse, moi ?

— Ça ne me déplairait pas.

Son souffle chaud caressa ma peau nue.

— D'ailleurs, tu l'as été, reprit-il. De Laoghaire. Peut-être l'es-tu encore ?

Cette fois, je le giflai volontairement. Il aurait pu arrêter ma main mais ne le fit pas.

— Oui, c'est bien ce qu'il me semblait, dit-il en se frottant la joue. Veux-tu bien venir au lit avec moi, *Sassenach* ? Il n'y aura que nous deux.

✳

Il était tard quand je me réveillai. Il faisait sombre dans la chambre bien qu'un fragment de ciel gris fût encore visible au-dessus des rideaux. Le feu n'avait pas encore été allumé et il faisait frisquet, mais j'étais douillettement blottie contre Jamie sous les couvertures. Il s'était tourné sur le flanc et je m'étais lovée en chien de fusil contre lui, un bras par-dessus son torse, le sentant se soulever et s'affaisser au rythme de sa respiration.

Nous n'avions effectivement été rien que tous les deux. J'avais d'abord craint que le souvenir de Tom Christie et de sa passion encombrante ne se mît entre nous, mais Jamie, ayant sans doute pensé la même chose, et déterminé à éviter tout écho du baiser de Tom, avait commencé par l'autre extrémité, en me suçant les orteils.

Compte tenu de l'exiguïté de la chambre et du fait que le lit était poussé dans un angle, il avait dû se mettre à califourchon sur moi. Entre la titillation de mes orteils et la vue en gros plan et par-dessous d'un grand Écossais nu, je n'avais plus pensé à rien.

Calmée et confortablement installée, je pouvais à présent repenser à la rencontre du midi sans me sentir menacée.

Parce que je *m'étais* sentie menacée ; Jamie l'avait bien perçu. *Veux-tu que je te dise pourquoi tu m'as giflé ? Parce que je t'ai touchée contre ton gré.*

Il avait raison. C'était là un des effets secondaires mineurs de ce qu'il m'était arrivé lorsque j'avais été enlevée. Les rassemblements d'hommes me rendaient nerveuse sans raison, et qu'on m'agrippe par surprise me faisait bondir et paniquer. Pourquoi ne l'avais-je pas compris plus tôt ?

Parce que je n'avais pas voulu y penser, tout simplement. Et je ne le voulais toujours pas. À quoi bon ? Il valait mieux laisser les plaies guérir d'elles-mêmes, si elles le pouvaient.

Mais même les plaies guéries laissaient des cicatrices. J'en avais la preuve sous le nez… pressée contre mon nez, à vrai dire.

Les zébrures sur le dos de Jamie s'étaient estompées en un pâle réseau de lignes avec à peine, ici et là, une petite boursouflure que je sentais sous mes doigts quand nous faisions l'amour, tels des nœuds de barbelés sous sa peau. Je me souvins que Tom Christie s'en était moqué un jour, et mes mâchoires se crispèrent.

Je posai doucement une main sur son dos, suivant une courbe pâle du bout de mon pouce. Il remua dans son sommeil et je m'arrêtai.

De quoi demain serait fait ? Pour lui ? Pour moi ? J'entendis à nouveau la voix, le ton sarcastique de Tom Christie : *J'en ai assez de la guerre. Je m'étonne que votre époux ne s'en soit pas lassé lui aussi.* Je marmonnai dans ma barbe :

— C'est facile à dire pour toi, lâche !

Christie avait été emprisonné comme jacobite, ce qu'il était, mais pas comme soldat. Il avait été officier d'intendance dans l'armée de Charles Édouard Stuart. Il avait risqué sa richesse et sa position – et les avait perdues toutes les deux –, mais pas son corps ni sa vie.

Néanmoins, Jamie le respectait, ce qui n'était pas rien, car il était fin psychologue. Pour avoir observé Roger, je savais qu'entrer dans les ordres n'était pas la voie facile que certains imaginaient. Roger n'était pas un lâche, lui non plus. Comment trouverait-il sa voie dans le futur ?

Je me retournai, énervée. On préparait le dîner ; je sentais le riche bouquet iodé des huîtres frites monter de la cuisine au rez-de-chaussée. Il s'accompagnait d'une odeur de feu de bois et de pommes de terre rôties.

Jamie remua légèrement puis se tourna sur le dos sans se réveiller. Il nous restait assez de temps. Il rêvait ; je pouvais voir ses yeux s'agiter sous ses paupières et ses lèvres trembler légèrement.

Soudain, tout son corps se tendit et je sursautai, surprise. Il émit un grondement sourd et cambra les reins, tous ses muscles bandés par l'effort. Il faisait des bruits étranglés, comme s'il criait ou hurlait dans son rêve.

— Jamie, réveille-toi !

J'évitai soigneusement de le toucher, sachant qu'il fallait l'éviter lorsqu'il était en proie à un violent cauchemar. Il avait déjà failli me briser le nez une ou deux fois.

— Réveille-toi !

Il haleta, puis retint son souffle et ouvrit les yeux, le regard flou. Il ne savait visiblement pas où il était. Je lui parlais doucement, répétant son nom, le rassurant. Il cligna des yeux, déglutit, puis tourna la tête et me vit.

Le voyant chercher mon nom, je l'aidai :

— C'est moi, Claire.

— Tant mieux.

Il ferma les yeux à nouveau, secoua la tête et les rouvrit.

— Tu vas bien, *Sassenach* ?

— Oui. Et toi ?

Il acquiesça.

— J'ai rêvé de l'incendie de la maison. On se battait.

Il huma l'air.

— Il y a quelque chose qui brûle ?

— Le dîner, peut-être.

Les effluves appétissants qui étaient montés du rez-de-chaussée avaient effectivement cédé la place à une odeur âcre de fumée et de nourriture brûlée.

— Je crois que quelqu'un a oublié la marmite sur le feu.

— On ferait mieux d'aller dîner ailleurs, ce soir.

— À midi, Phaedre a dit que Mme Symonds avait préparé du jambon avec une sauce à la moutarde et aux raisins. Il en reste peut-être. Tu es sûr que tu vas bien ?

En dépit du froid dans la chambre, son front et son torse luisaient de transpiration.

— Oui.

Il s'assit et se frotta vigoureusement le crâne.

— Ce genre de cauchemar, c'est encore tolérable.

Il écarta ses mèches de devant ses yeux et me sourit.

— Tu ressembles à un laiteron des champs, avec tes cheveux dressés sur la tête, *Sassenach*. Toi aussi, tu as eu un sommeil agité ?

J'enfilai ma chemise et cherchai ma brosse à cheveux.

— Non, c'est plutôt à cause de l'agitation avant qu'on s'endorme. Tu as oublié cette partie ?

Il se mit à rire et se leva à son tour pour utiliser le pot de chambre et s'habiller.

— Et les autres cauchemars ? demandai-je.

Sa tête surgit du col de sa chemise.

— Pardon ?

— Tu as dit : « Ce genre de cauchemar est encore tolérable. » Qu'en est-il des autres, les intolérables ?

Je vis les lignes de son visage frissonner comme la surface de l'eau dans laquelle on a lancé un caillou. D'instinct, je saisis son poignet.

— Ne te cache pas, murmurai-je.

Je soutins son regard, l'empêchant d'enfiler son masque.

— Fais-moi confiance.

Il détourna les yeux le temps de se ressaisir. Il ne se cacha pas. Lorsqu'il se tourna à nouveau vers moi, tout était encore là, au fond de son regard : la confusion, la gêne, l'humiliation et les vestiges d'une douleur longuement refoulée. Il commença d'une voix saccadée :

— Parfois… je rêve… de choses, de choses qu'on m'a faites contre mon gré. (Il poussa un soupir exaspéré.) Puis je me réveille avec la bite au garde-à-vous et les couilles en feu… et ça me donne envie de tuer quelqu'un, à commencer par moi-même.

Il grimaça avant de reprendre :

— Ça n'arrive pas souvent. Et jamais… jamais je ne chercherai à te prendre en me réveillant d'un de ces rêves. Je tiens à ce que tu le saches.

Je serrai son poignet un peu plus fort. J'avais envie de lui répondre : « Tu pourrais… je ne t'en voudrais pas », car c'était la vérité. Il fut un temps où je le lui aurais dit sans hésiter, mais j'en savais beaucoup plus à présent. Si j'avais été à sa place, si j'avais rêvé d'Harley Boble ou de l'autre homme au corps lourd et mou, et que je m'étais réveillée sexuellement excitée (Dieu soit loué, cela ne m'était jamais arrivé)… non, je ne me serais jamais tournée vers Jamie pour tenter de purger cette sensation.

— Merci, dis-je doucement. Merci de me l'avoir dit… et pour le couteau.

Il acquiesça puis ramassa ses culottes.

— J'aime bien le jambon, dit-il.

◄O►

20

Je regrette...

William aurait aimé pouvoir parler à son père. Non pas pour que lord John fasse jouer de son influence, certainement pas! Il aurait juste souhaité quelques conseils pratiques. Mais lord John était rentré en Angleterre, et il se retrouvait seul.

Enfin, pas complètement seul. Il était à la tête d'un détachement de soldats gardant le poste de douane à l'entrée de Long Island. Il donna une claque sur un moustique qui venait de se poser sur son poignet et, une fois n'étant pas coutume, le tua. Si seulement il avait pu en faire autant avec Clarewell!

Le lieutenant Edward Markham, marquis de Clarewell, également connu de William et de quelques-uns de ses amis intimes comme « Ned la chiffe molle » ou « le Planqué ». Sentant un chatouillis suspect sur son menton, William se donna une autre tape ; il remarqua que deux de ses hommes avaient disparu et se dirigea vers la carriole qu'ils étaient normalement en train d'inspecter, criant leurs noms.

Le première classe Welch jaillit de derrière le véhicule tel un diable à ressort, s'essuyant la bouche d'un air surpris. William se pencha vers lui, huma son haleine et déclara :

— Aux arrêts ! Où est Launfal ?

Dans la carriole, négociant hâtivement avec son propriétaire l'échange de trois bouteilles d'eau-de-vie importées illégalement contre un laissez-passer. William, sans cesser de chasser les hordes de moustiques assoiffés de sang qui arrivaient en masse des marécages voisins, arrêta le contre-bandier, appela trois autres membres de son détachement et leur ordonna d'escorter le marchand, Welch et Launfal chez le sergent. Puis il saisit un mousquet et se planta au milieu de la route, seul et féroce, défiant quiconque de passer.

Cependant, alors que la circulation avait été dense toute la matinée, il ne passait plus personne ; il eut donc tout le loisir de recentrer sa mauvaise humeur sur Clarewell.

Héritier d'une famille *très* influente qui entretenait des liens étroits avec lord North, Ned la chiffe molle était arrivé à New York une semaine avant William et avait été affecté comme lui à l'état-major du général Howe. Là, il s'était confortablement fondu dans les boiseries, ne s'en détachant que pour flagorner Howe (qui clignait des yeux et le dévisageait en se demandant qui il pouvait bien être) et son aide de camp, le capitaine Pickering, un homme vaniteux beaucoup plus sensible à son léchage de bottes enthousiaste.

C'était ainsi que le Planqué s'appropriait toutes les missions les plus intéressantes, accompagnant le général lors de brèves expéditions d'exploration, l'assistant lors de rencontres, avec des dignitaires indiens notamment, tandis que William et plusieurs autres jeunes officiers se coltinaient la paperasserie et les corvées de garde. Après la liberté et les sensations fortes de sa mission de renseignements, William broyait du noir.

Les contraintes de la vie de caserne et de la bureaucratie militaire n'étaient pas le pire. Son père l'avait dûment préparé à la nécessité de faire preuve de retenue dans des situations éprouvantes, à combattre l'ennui, à traiter avec des balourds ainsi qu'à manier la politesse glaciale comme une arme. Un camarade qui n'avait pas sa force de caractère avait fini par succomber un jour et, inspiré par le profil de Ned, avait réalisé une caricature. On y voyait Pickering, ses culottes autour des chevilles, sermonnant de jeunes officiers tandis que le Planqué émergeait de son derrière avec un large sourire.

William n'y était pour rien, même s'il aurait aimé l'avoir dessiné lui-même, mais il avait été surpris par Ned lui-même en train de regarder la caricature en s'esclaffant. Dans un rare élan de virilité, la Chiffe molle lui avait envoyé son poing dans le nez. La bagarre qui s'était ensuivie avait vidé le quartier des officiers, brisé quelques meubles sans importance et conduit William, la chemise maculée de sang, au garde-à-vous devant le capitaine Pickering, le dessin calomnieux posé sur son bureau.

Naturellement, William avait nié en être l'auteur tout en refusant de désigner l'artiste. Il avait eu recours à la fameuse politesse glaciale, qui avait plutôt bien fonctionné puisqu'il n'avait pas été envoyé au trou. Uniquement à Long Island.

— Sale lèche-cul, marmonna-t-il.

Il fixa une jeune laitière qui approchait avec une telle hargne qu'elle s'arrêta net puis le contourna prudemment en roulant des yeux affolés. Il lui montra les dents et elle poussa un petit cri avant de partir en courant, renversant du lait des seaux qu'elle portait à chaque extrémité de sa palanche.

Pris de remords, il songea à la rattraper pour s'excuser mais n'en eut pas le temps, car deux gardiens de troupeau approchaient avec leurs cochons. William lança un regard vers la masse grouillante et bruyante de chair rose tachetée de brun, l'océan d'oreilles déchiquetées et de flancs maculés de boue, et sauta lestement sur le seau retourné qui lui servait de poste de commandement. Les fermiers agitèrent gaiement la main en passant, lui lançant ce qui pouvait être des salutations aussi bien que des insultes dans cette langue qu'il ne sut reconnaître.

Les cochons s'éloignèrent en le laissant au milieu d'une mer de boue copieusement parsemée d'excréments. Il chassa le nuage de moustiques qui s'était reformé autour de son visage et se dit qu'il avait eu son compte. Il était à Long Island depuis deux semaines, soit treize jours et demi de trop. Mais pas encore assez pour qu'il présente ses excuses à Chiffe molle ou au capitaine.

— Fayot ! répéta-t-il.

Il avait pourtant une autre option et, plus il passait de temps dans ce trou perdu au milieu des moustiques, plus cette dernière lui paraissait alléchante.

La route du poste de douane au quartier général était trop longue pour qu'il la parcoure deux fois par jour. Par conséquent, il était cantonné chez un fermier nommé Culper, qui vivait avec ses deux sœurs. Culper n'était pas franchement ravi de cet arrangement et avait l'œil gauche qui tressaillait dès qu'il apercevait William, mais les deux dames âgées le choyaient. Il s'efforçait de les remercier dès qu'il le pouvait en leur apportant des biens confisqués, tantôt un jambon, tantôt un rouleau de batiste. Quand il était rentré la veille avec une flèche de bon bacon, Mlle Abigail Culper l'avait informé qu'il avait un visiteur.

Elle avait incliné son bonnet en direction du flanc de la maison.

— Il est en train de fumer dans le jardin. Ma sœur ne supporte pas l'odeur du tabac dans la maison.

Il s'était attendu à trouver l'un de ses amis venu lui tenir compagnie ou l'informer qu'il avait été pardonné et que son exil à Long Island était terminé. Il découvrit plutôt le capitaine Richardson, sa pipe à la main, en train d'observer le coq des Culper monter une poule.

— Ah, les plaisirs bucoliques! s'extasia-t-il.

Le coq tomba à la renverse, puis se redressa et chanta triomphalement tandis que la poule secouait ses plumes et se remettait à picorer comme si de rien n'était.

— C'est très calme, ici, observa encore le capitaine. N'est-ce pas?

— Un peu trop, répondit William. À votre service, capitaine.

En fait, le calme était très relatif. Mlle Beulah Culper élevait une demi-douzaine de chèvres qui bêlaient nuit et jour; elle affirmait à William qu'elles éloignaient les intrus du séchoir à maïs. L'une des créatures émit soudain un bêlement dément dans son enclos, faisant sursauter le capitaine, qui en laissa tomber sa blague à tabac. Aussitôt, plusieurs autres biques se mirent à brailler joyeusement, semblant se gausser du poltron.

William ramassa la blague tout en conservant un visage impassible, bien que son pouls se soit accéléré. Richardson n'avait certainement pas fait tout ce déplacement pour rien.

Le capitaine lança aux chèvres un regard dépité en lâchant un juron. Puis il indiqua la route.

— Si nous marchions un peu, lieutenant ?

William accepta volontiers.

— J'ai entendu parler de votre petite mésaventure, déclara Richardson en souriant. Si vous voulez, j'en parlerai au capitaine Pickering.

— C'est très aimable à vous, capitaine, mais je ne présenterai pas des excuses pour ce que je n'ai pas fait.

Richardson chassa cette idée d'un geste de sa pipe.

— Pickering a un sale caractère, mais il n'est pas rancunier. Je m'en occuperai.

— Merci, capitaine.

En échange de quoi ?

Richardson reprit sur un ton détaché :

— Il y a ce capitaine Randall-Isaacs qui part ce mois-ci pour le Canada, où il doit régler quelques questions militaires. Lors de son séjour, il est possible qu'il rencontre un… certain gentleman qui aurait des informations précieuses à transmettre à l'armée. J'ai de bonnes raisons de penser que ce monsieur maîtrise fort mal notre langue, et le capitaine Randall-Isaacs, hélas, ne parle pas le français. Il serait donc… utile qu'il soit accompagné dans son voyage par quelqu'un le parlant couramment.

William acquiesça sans poser de questions. Il serait toujours temps… s'il acceptait la mission de Richardson.

Ils poursuivirent leur promenade en échangeant des banalités, puis, revenus à leur point de départ, Richardson déclina poliment l'offre de Mlle Beulah de rester à dîner et prit congé en réitérant sa promesse de parler au capitaine Pickering.

Ce soir-là, alors qu'il écoutait les ronflements sonores d'Abel Culper au-dessous de lui, William se demanda s'il devait accepter la proposition qui lui avait été faite. La lune était pleine et, bien qu'il ne pût pas la voir du grenier sans lucarne, il sentait son appel ; il ne pouvait jamais fermer l'œil les nuits de pleine lune.

Devait-il rester à New York dans l'espoir d'obtenir de l'avancement ou, au moins, de voir un peu d'action ? Ou faire la part du feu et accepter la mission de Richardson.

Son père lui aurait sûrement conseillé la première option : un officier avait bien plus de chances de progresser dans sa carrière en s'illustrant dans la bataille qu'en participant à des activités louches (et mal vues) d'espionnage. D'un autre côté, après ses semaines de liberté, la routine et les contraintes de la vie militaire lui pesaient terriblement. En outre, sa mission précédente avait été utile, il le savait.

Quelle différence pouvait faire un petit lieutenant écrasé par les rangs d'officiers au-dessus de lui ? Certes, on lui avait confié le commandement d'une compagnie, mais il était toujours obligé d'obéir aux ordres et ne pouvait agir en se reposant sur son seul jugement... Il sourit en direction des poutres, à peine visibles trente centimètres au-dessus de lui, en songeant à ce qu'oncle Hal aurait à dire sur le bon jugement des officiers subalternes.

Mais oncle Hal était beaucoup plus qu'un simple militaire de carrière. Il aimait passionnément son régiment, défendant corps et âme son bien-être, son honneur et tous les hommes sous son commandement. William n'avait pas encore réfléchi à sa carrière dans l'armée au-delà de son avenir proche. La campagne américaine ne durerait pas longtemps. Que se passerait-il ensuite ?

Il était riche, ou le serait quand il atteindrait la majorité, à savoir très bientôt, même si cela ressemblait à une de ces images tant prisées par son père : une perspective entraînant le regard vers l'impossible infini. Néanmoins, une fois en possession de sa fortune, il pourrait s'acheter une meilleure commission, peut-être un grade de capitaine dans les lanciers... Peu importerait alors qu'il se soit illustré ou pas à New York.

Il pouvait entendre son père lui rétorquer qu'une réputation dépendait souvent des gestes les plus simples, des décisions prises au jour le jour avec honneur et responsabilité, plutôt que du grand spectacle des batailles héroïques. Il se couvrit le visage de son oreiller pour étouffer cette voix. Il se fichait pas mal des responsabilités quotidiennes.

Il étouffait sous l'oreiller et le rejeta quelques instants après avec un grognement irrité.

— Peu m'importe, répondit-il à voix haute à son père. Je pars au Canada.

Il se laissa retomber sur son lit moite, fermant les yeux et les oreilles pour ne pas entendre d'autres conseils avisés.

✳

Une semaine plus tard, les nuits s'étaient rafraîchies, et William commença à apprécier les feux de cheminée et le ragoût aux huîtres de Mlle Beulah. En outre – *Dieu merci !* –, les moustiques n'aimaient pas le froid. Néanmoins, il faisait encore très chaud durant la journée, et il fut presque ravi quand son détachement reçut l'ordre de passer la grève au peigne fin à la recherche d'une cachette de contrebandier dont le capitaine Hanks avait eu vent.

— Une cachette de quoi ? demanda Perkins la bouche ouverte comme à son habitude.

— De homards, rétorqua William.

Il avait voulu plaisanter mais, en voyant l'air perplexe du soldat, il se reprit :

— Je l'ignore, mais vous le saurez certainement quand vous la trouverez. Et ne buvez pas ce qu'il y a dedans ! Venez me chercher.

Les barques de contrebandiers débarquaient tout et n'importe quoi sur Long Island, mais il était peu probable que la cachette en question recelât des draps et de la vaisselle hollandaise, comme le laissait croire la dernière rumeur. Il s'agirait plutôt de whisky, de bière ; presque certainement d'un liquide alcoolisé, l'alcool étant de loin la contrebande la plus lucrative. William organisa ses hommes en équipes de deux, puis attendit qu'ils fussent tous à une certaine distance avant de s'adosser à un arbre avec un profond soupir.

Sur cette partie de la côte ne poussaient que de petits sapins aux troncs tortueux, mais la brise marine qui agitait leurs aiguilles émettait un son doux et apaisant. Il soupira à nouveau, mais d'aise cette fois, se rappelant à quel point il aimait la solitude. Il n'en avait pas eu beaucoup depuis un mois. Mais s'il acceptait l'offre de Richardson… Certes, il y aurait ce Randall-Isaacs, mais cela signifiait néanmoins des semaines sur la route, loin de contraintes militaires. Le silence pour s'entendre penser. Plus de Perkins !

Il se demanda s'il parviendrait à se glisser dans le quartier des officiers subalternes et à réduire en bouillie la face de rat de Chiffe molle avant de disparaître dans la nature tel un Peau-Rouge. Aurait-il besoin de se déguiser ? Pas s'il agissait la nuit. Ned le soupçonnerait peut-être mais ne pourrait rien prouver. Était-ce lâche d'attaquer Ned dans son sommeil ? Cela pouvait s'arranger : il lui jetterait le contenu de son pot de chambre à la figure pour le réveiller avant de lui donner sa raclée.

Une sterne passa à quelques centimètres de sa tête, l'extirpant de ses cogitations jouissives. Son mouvement effraya l'oiseau qui, découvrant qu'après tout il n'était pas comestible, s'enfuit vers le large en poussant des cris indignés. William saisit une pomme de pin et la lança vers le volatile, le ratant de très loin. Il avait envoyé un billet à Richardson le matin même, acceptant son offre. Cette seule idée le rendait euphorique, et il se sentait aussi léger que l'oiseau.

Il essuya ses mains sablonneuses sur ses culottes puis se raidit, apercevant un mouvement sur l'eau. Un sloop se balançait sur les vagues à quelques dizaines de mètres du rivage. Puis il le reconnut et se détendit. Ce n'était que ce vaurien de Rogers.

— Qu'est-ce que tu viens faire par ici ? marmonna-t-il dans sa barbe.

Il s'avança sur la plage et se tint au milieu des oyats, les poings sur les hanches, exhibant son uniforme au cas où

Rogers n'aurait pas aperçu ses hommes : de petits points rouges s'affairant dans les dunes telles des punaises. Si Rogers avait lui aussi entendu parler de la cache du contrebandier, William tenait à ce qu'il sût que ses soldats avaient des droits sur le butin.

Robert Rogers était un individu louche qui était apparu à New York quelques mois plus tôt. En ce court laps de temps, il était parvenu à convaincre le général Howe de lui donner une commission de major, et son frère l'amiral, de lui confier un sloop. Il affirmait être un combattant indien et ne détestait pas s'habiller comme tel. Il était plutôt efficace : il avait recruté suffisamment d'hommes pour former dix compagnies de patrouilleurs parés de beaux uniformes. Toutefois, son dada était de rôder le long de la côte dans son sloop avec un petit groupe d'hommes à la mine tout aussi patibulaire que la sienne, à la recherche de recrues, d'espions, de contrebandiers et, William en était convaincu, de tout ce qui n'était pas solidement fixé au sol.

Le sloop s'approcha et il reconnut Rogers sur le pont ; un homme d'une bonne quarantaine d'années au teint mat, au visage buriné et balafré et présentant une ombre mauvaise sur le front. Il repéra William et agita la main chaleureusement. William lui répondit d'un petit signe. Si ses hommes découvraient la cache, il aurait peut-être besoin de Rogers pour emporter le butin à New York... accompagné d'un garde pour éviter qu'il ne disparût en cours de route.

Il circulait beaucoup d'histoires sur Rogers, certaines manifestement diffusées par lui-même. Toutefois, pour autant que William le sût, sa principale qualification était d'avoir tenté de présenter ses respects au général Washington, qui non seulement avait refusé de le voir, mais l'avait fait expulser du camp des continentaux avec interdiction d'y revenir. Pour William, c'était la preuve que le Virginien était un homme plein de bon sens.

Que mijotait-il à présent ? Sur le sloop, ils avaient affalé les voiles et mis un canot à la mer. C'était Rogers, ramant seul vers la berge. La méfiance de William ne fit que s'accroître, mais il avança néanmoins dans les vagues, saisit le plat-bord et aida Rogers à tirer l'embarcation sur la grève.

Rogers lui sourit, sûr de lui en dépit de ses dents écartées. William lui adressa un salut militaire formel.

— Ravi de vous voir, lieutenant.

— Major.

— Vos hommes ne seraient pas en train de rechercher une cargaison illégale de vin français, par hasard ?

Fichtre, ils l'ont découvert avant nous !

— Nous avons entendu dire que des activités de contrebande se déroulaient dans le voisinage, répondit sèchement William. Nous enquêtons.

— Oui, naturellement, déclara Rogers cordial. Si vous voulez gagner un peu de temps, cherchez plutôt de l'autre côté, là-bas…

Il pointa le menton vers un groupe de huttes de pêcheurs à environ cinq cents mètres de distance.

— Il est…

— Nous avons déjà fouillé par là, le coupa William.

— … enfoui dans le sable derrière les huttes, acheva Rogers sans sourciller.

William s'efforça d'être le plus aimable possible.

— Je suis votre obligé, major.

— J'ai vu deux hommes enterrer des caisses hier soir, expliqua Rogers. Je ne pense pas qu'ils soient déjà revenus les chercher.

— Je vois que vous surveillez attentivement la côte. Vous cherchez quelque chose en particulier, major ?

Rogers sourit.

— Justement, puisque vous en parlez, lieutenant… Il y a un individu qui se promène dans la région en posant des questions diablement indiscrètes. J'aimerais beaucoup lui toucher deux mots. Si vous ou l'un de vos hommes l'apercevez…

— Mais certainement, major. Vous connaissez son nom ou de quoi il a l'air ?

— Les deux. C'est un grand gaillard avec des cicatrices sur la figure dues à une explosion de poudre. Si vous le voyez, vous le reconnaîtrez forcément. C'est un rebelle, issu d'une famille de séditieux du Connecticut. Il s'appelle Hale.

William se raidit, et le regard sombre de Rogers s'aiguisa.

— Ah ! Vous l'avez donc vu ?

Agacé de s'être trahi si facilement, William acquiesça.

— Il a franchi notre poste de douane hier. Un homme très volubile.

Il essaya de se remémorer des détails de la rencontre. Il avait effectivement remarqué les cicatrices qui parsemaient son front et ses joues.

— Il était nerveux. Il transpirait à grosses gouttes et sa voix tremblait. Le soldat qui l'a arrêté a pensé qu'il cachait du tabac ou quelque chose d'autre. Il lui a fait retourner ses poches, mais il n'avait rien.

William ferma les yeux, fouillant sa mémoire.

— Ah ! Il avait des papiers, je les ai vus.

Il les avait vus mais ne les avait pas examinés lui-même. Il était occupé avec un marchand poussant une carriole de fromages destinés, soutenait-il, au bureau de l'intendance britannique. Le temps d'en avoir fini avec lui, l'homme avait passé son chemin.

Rogers se tourna vers les soldats au loin qui inspectaient les dunes.

— L'homme qui l'a interrogé, lequel est-ce ?

— Un première classe du nom de Hudson. Je peux l'appeler, si vous voulez. Mais il ne vous sera guère utile, il ne sait pas lire.

Rogers parut contrarié mais lui fit néanmoins signe de faire venir Hudson. Ce dernier confirma le récit de William mais ne put rien leur dire concernant les papiers, mis à part qu'ils contenaient des chiffres.

— Et un dessin, je crois, ajouta-t-il. Mais je n'ai pas bien regardé, désolé.

Rogers se frotta les mains, l'air plus satisfait.

— Des chiffres, hein ? Fort bien, fort bien ! Il vous a dit où il allait ?

— Rendre visite à un ami qui vit près de Flushing, major.

Hudson était respectueux mais examinait Rogers d'un air méfiant. Ce dernier était pieds nus et portait des culottes en lin miteuses ainsi qu'un gilet en fourrure de rat musqué.

— Je n'ai pas demandé le nom de son ami, major. Je ne pensais pas que c'était important.

— Oh, ça ne l'était probablement pas. Je doute que cet ami existe.

Rogers ricana, apparemment ravi de la nouvelle. Il fixa un point au loin, plissant des yeux comme s'il espérait apercevoir l'espion dans les dunes, puis il hocha la tête.

— Parfait, murmura-t-il encore.

Il s'apprêtait à partir, mais William l'arrêta.

— Je vous remercie pour l'information sur la cache du contrebandier, major.

Pendant que Rogers et William interrogeaient Hudson, Perkins avait dirigé l'excavation. Il harcelait à présent un petit groupe de soldats qui faisaient rouler les caisses en bas des dunes. L'une d'elles percuta une pierre, rebondit puis atterrit lourdement sur un angle.

William tiqua. Si le vin survivait à son sauvetage, il ne serait pas buvable avant quinze jours au moins. Non pas que cela empêcherait quiconque d'y goûter.

Il se tourna à nouveau vers Rogers.

— Je vous demande la permission de charger la contrebande à bord de votre sloop. Je l'accompagnerai et la livrerai moi-même au quartier général.

— Mais bien sûr.

Rogers paraissait amusé. Il se gratta le nez, réfléchissant.

— Cependant, nous ne mettrons pas les voiles avant demain. Pourquoi ne pas nous accompagner, ce soir ? Vous pourrez nous aider, puisque vous avez vu l'homme que nous recherchons.

Le cœur de William fit un bond. Le ragoût de Mlle Beulah faisait soudain pâle figure face à la traque palpitante d'un dangereux espion. En outre, contribuer à sa capture pouvait ne faire que du bien à sa réputation, même si le plus gros du mérite reviendrait à Rogers.

— Je serai plus que ravi de vous assister, major !

Rogers sourit tout en l'examinant des pieds à la tête.

— Parfait, mais vous ne pouvez pas chasser l'espion dans cette tenue, lieutenant. Venez à bord, nous allons vous trouver quelque chose à vous mettre.

✳

Mesurant quinze centimètres de plus que le plus grand des hommes de Rogers, William se retrouva affublé d'une chemise en lin grossier, dont les pans étaient volontairement laissés flottants pour cacher les premiers boutons ouverts de sa braguette, et de culottes en toile qui menaçaient de l'émasculer au moindre mouvement brusque. William préféra imiter Rogers et marcher pieds nus plutôt que de subir l'indignité de porter des bas rayés s'arrêtant sous le genou et révélant une vingtaine de centimètres de chair nue et velue.

Le sloop les conduisit jusqu'à Flushing, où Rogers, William et quatre autres hommes débarquèrent. Rogers possédait un bureau de recrutement informel dans l'arrière-boutique d'un marchand de la rue principale. Il disparut momentanément dans l'établissement et réapparut avec la nouvelle que personne n'avait vu Hale dans le village. Il s'était donc probablement arrêté dans l'une des deux auberges d'Elmsford, à environ cinq kilomètres de là.

Les hommes se mirent en route dans cette direction, se séparant en petits groupes pour ne pas attirer l'attention. William marchait aux côtés de Rogers, un châle miteux autour des épaules pour se protéger de la fraîcheur. Il ne s'était pas rasé pour l'occasion et trouvait qu'il formait une belle paire avec le major. Ce dernier avait ajouté à sa panoplie un grand chapeau mou orné d'un poisson séché.

— Que sommes-nous censés être ? demanda-t-il. Des pêcheurs d'huîtres ou des charretiers, peut-être ?

Rogers émit un petit bruit amusé.

— Vous ne passerez pour ni l'un ni l'autre si vous parlez, mon garçon. N'ouvrez la bouche que pour mettre quelque chose dedans. Mes hommes et moi réglerons cette affaire. Tout ce que vous avez à faire, c'est de hocher la tête si vous reconnaissez Hale.

Le vent venant de la mer poussait vers eux des relents de marécage épicés d'une vague et lointaine odeur de feu de cheminée. William ne voyait encore aucune habitation, et le paysage autour d'eux était désert. La poussière sablonneuse et froide de la route était agréable sous ses pieds. L'environnement austère ne lui paraissait pas déprimant le moins du monde : il était trop excité par ce qui l'attendait.

Rogers était silencieux, marchant à grands pas la tête baissée contre le vent. Au bout d'un moment, il annonça sur un ton détaché :

— C'est moi qui ai amené le capitaine Richardson depuis New York. Et qui l'ai ramené.

William envisagea un instant de demander « Le capitaine qui ? » mais se rendit compte que cela ne passerait pas.

— Vraiment ? dit-il simplement.

Rogers se mit à rire.

— On est une vraie tombe, à ce que je vois ! Finalement, il a sans doute eu raison de vous choisir.

— Il vous a dit qu'il m'avait choisi pour… quelque chose ?

— C'est bien, mon garçon. Ne jamais rien donner pour rien ; mais, parfois, il est payant de mettre un peu d'huile dans les rouages. Non, Richardson est un vieux renard. Il ne m'a pas dit un mot à votre sujet. Mais je sais qui il est et ce qu'il fait. Je sais également où je l'ai débarqué. Je doute fort qu'il soit venu jusqu'ici pour rendre visite aux Culper.

William émit un son vaguement intéressé. Rogers avait visiblement l'intention de lui confier quelque chose. Qu'il se confie donc.

— Quel âge avez-vous, mon garçon ?

William répondit avec une pointe de défi :

— Dix-neuf ans, pourquoi ?

Rogers haussa les épaules. Il n'était plus qu'une silhouette parmi tant d'autres dans le crépuscule.

— Vous êtes sans doute assez grand pour risquer votre peau, mais vous devriez y réfléchir à deux fois avant de dire oui à tout ce que Richardson vous propose.

— En supposant qu'il m'ait effectivement proposé quelque chose, je vous repose la question : pourquoi ?

Rogers lui donna une tape dans le dos, l'incitant à avancer.

— Vous êtes sur le point de le découvrir par vous-même. Venez

∗

La chaude lumière enfumée et les odeurs de cuisine étreignirent William. Absorbé par son aventure, il n'avait prêté attention ni au froid, ni à l'obscurité, ni à la faim. Il inspira une grande goulée d'air parfumé au pain frais et au poulet rôti et se sentit tel un cadavre s'élevant de sa tombe le jour de la résurrection.

Sa seconde inspiration fut toutefois interrompue et resta coincée dans sa gorge. Un frisson électrique parcourut tout son corps. Rogers, à ses côtés, le rappela à l'ordre avec un léger grognement, puis lança un regard nonchalant à la ronde avant de se diriger vers une table.

L'homme, l'espion, était assis près du feu, mangeant du poulet et bavardant avec deux fermiers. La plupart des clients de la taverne avaient lancé un regard curieux vers les nouveaux venus, notamment vers William, mais l'espion, tout occupé à son repas et à la conversation, ne leva pas le nez.

Bien qu'il l'eût à peine regardé lors de leur première rencontre, William le reconnut sur-le-champ. Il était moins grand que lui mais mesurait quelques centimètres de plus que la moyenne. Il ne passait pas inaperçu avec ses cheveux blond paille et son haut front parsemé de cicatrices. Il avait un chapeau rond à larges bords, qu'il avait posé sur la table à côté de son assiette, et portait un costume marron insignifiant.

Rogers s'installa à la table voisine et fit signe à William de s'asseoir sur le tabouret d'en face. Il arqua des sourcils interrogateurs, et William lui répondit d'un hochement de tête en évitant de regarder à nouveau vers Hale.

Le tavernier leur apporta de la bière et de la nourriture. William se consacra à son repas, soulagé de ne pas avoir à participer à la conversation. Hale paraissait détendu et bavard, expliquant à ses compagnons qu'il était un instituteur hollandais établi à New York.

Il secoua la tête avec air navré, déclarant :

— Hélas ! Les conditions là-bas sont devenues tellement difficiles que la majorité de mes élèves sont partis. Ils se sont réfugiés avec leur famille chez des parents dans le Connecticut ou le New Jersey. Je me demandais s'il en allait de même ici ?

Un des hommes à sa table se contenta de grogner, mais son voisin fit claquer ses lèvres, affichant un air dépité.

— Vous pouvez le dire ! Ces ordures de grivetons anglais saisissent tout ce qu'on n'a pas pu enterrer. Tory, whig ou rebelle, ces rapaces ne font aucune différence. Si vous osez protester, vous vous prenez un coup de gourdin sur le crâne ou vous vous retrouvez derrière des barreaux pour qu'ils puissent mieux vous dévaliser. Tenez, la semaine dernière, au poste de douane, une grande brute m'a piqué tout mon chargement de cidre et ma carriole avec ! Il…

William s'étrangla sur sa bouchée de pain mais n'osa pas la recracher. Il n'avait pas reconnu l'individu qui lui tournait le dos, mais il se souvenait fort bien de son cidre. Une grande brute ?

Il avala une gorgée de bière pour tenter de déloger le morceau de pain, en vain. Il toussa en silence, sentant son visage s'empourprer. Rogers le fusilla du regard. William indiqua discrètement du coude le fermier en colère, se donna une tape sur la poitrine puis se leva et sortit de la salle le plus calmement possible. Son déguisement, aussi excellent fût-il, ne pouvait cacher sa taille. Si l'homme le reconnaissait et l'identifiait comme un soldat britannique, tout leur plan tomberait à l'eau.

Il parvint à retenir sa respiration jusqu'à ce qu'il soit dehors, puis toussa au point que son estomac manqua de lui remonter dans la gorge. Quand il cessa enfin, il s'adossa au flanc de la taverne et prit de grandes inspirations saccadées. Il aurait aimé avoir eu la présence d'esprit d'emporter un peu de cidre avec lui au lieu de la cuisse de poulet qu'il tenait à la main.

Le dernier groupe d'hommes de Rogers venait d'arriver. Ils lancèrent un regard perplexe à William puis entrèrent dans la taverne. Il s'essuya la bouche du dos de la main, se redressa puis fit le tour du bâtiment à pas de loup jusqu'à atteindre une fenêtre.

Les nouveaux arrivants s'installèrent à une autre table, près de celle de Hale. Se tenant sur le côté pour éviter d'être vu, William constata que Rogers était parvenu à s'immiscer dans la conversation de ses voisins. Il dut leur raconter une blague, car l'homme au cidre s'esclaffa en tapant sur la table. Hale esquissa un sourire mais paraissait franchement choqué. La plaisanterie n'avait pas dû être très délicate.

Rogers se redressa et, d'un grand geste de la main qui englobait toute la tablée, déclara quelque chose auquel les hommes répondirent par des hochements de tête et des assentiments murmurés. Puis il se pencha en avant sur la table, l'air concentré, et posa une question à Hale.

William n'entendait que des bribes de leur conversation par-dessus le brouhaha général de la taverne et le vent froid qui sifflait dans ses oreilles. Pour autant qu'il pouvait comprendre, Rogers se faisait passer pour un rebelle. Ses propres hommes acquiesçaient depuis leur table et se rapprochèrent, formant un conciliabule. Hale paraissait sérieux, excité et très intéressé. Il aurait fort bien pu être instituteur. Rogers affirmait qu'il était capitaine dans l'armée continentale mais, aux yeux de William, il n'avait rien d'un soldat.

D'un autre côté, il ne ressemblait pas non plus à un espion. Il était facilement repérable avec ses traits séduisants, ses cicatrices, ses cheveux blonds, sa... taille.

William sentit son sang se figer. Était-ce ce que Rogers avait voulu dire plus tôt en le mettant en garde contre les missions de Richardson ? Puis en ajoutant qu'il le constaterait par lui-même ?

William était habitué à sa taille et à l'effet qu'elle produisait sur les autres. Il ne détestait pas être admiré. Lors de sa première expédition pour Richardson, il ne lui était pas venu à l'esprit que les gens se souviendraient de lui parce qu'il était plus grand que la normale et qu'ils n'auraient aucun mal à le décrire grâce à ce détail. « Grande brute » n'était guère un compliment, mais cela marquait les esprits.

Incrédule, il entendit Hale non seulement révéler son nom et ses sympathies pour les rebelles, mais confier également qu'il cherchait à s'informer sur l'étendue de la présence britannique. Puis il demanda à ses compagnons s'ils avaient remarqué des soldats anglais dans le voisinage.

William fut tellement choqué par une telle imprudence qu'il colla son œil contre le bord de la vitre, juste à temps pour voir Rogers rouler des yeux exagérément inquiets autour d'eux puis se pencher vers Hale, lui tapoter l'avant-bras et déclarer :

— Effectivement, j'en ai vu, mais faites attention à ce que vous dites dans un lieu public. N'importe qui pourrait vous entendre.

— Peuh ! fit Hale en riant. Nous sommes entre amis. Ne venons-nous pas de boire à la santé du général Washington et à la déroute du roi ?

Il poussa son chapeau et fit signe au tavernier d'apporter plus de bière.

— Laissez-moi vous offrir une autre tournée et racontez-moi ce que vous avez vu.

William eut envie de crier : « Mais vas-tu te taire, pauvre sot ! » ou de lui lancer quelque chose à travers la fenêtre. Quand bien même il aurait pu, il était déjà beaucoup trop tard. Il remarqua qu'il tenait toujours le pilon de poulet à la main et le jeta plus loin. Son estomac était noué, et il avait un goût de bile au fond de la gorge.

Hale continuait à s'enfoncer dans la gueule du loup, encouragé par les commentaires admiratifs et les exclamations patriotiques des hommes de Rogers qui, il fallait le reconnaître, jouaient leur rôle à merveille. Jusqu'où Rogers le laisserait-il aller ? L'arrêteraient-ils dans la taverne ? Probablement pas. Il y avait sans doute parmi les clients d'autres sympathisants des rebelles qui risquaient de prendre sa défense.

Rogers ne semblait pas pressé. Il s'ensuivit près d'une demi-heure de badinage monotone, Rogers lançant de petits aveux, Hale en faisant de bien plus graves en retour, tout excité par les informations qu'on lui donnait. La bière faisait luire ses joues. Les jambes, les pieds et les mains de William étaient engourdis, et ses épaules étaient endolories par la tension. Un craquement à proximité détourna un instant l'attention de William, et il prit soudain conscience d'une odeur pénétrante qui flottait autour de lui depuis un certain temps déjà.

— Foutre !

Il fit un bond en arrière, manquant de briser la vitre d'un coup de coude, et percuta le mur de la taverne avec un bruit sourd. La moufette, dérangée dans sa dégustation de la cuisse de poulet, leva aussitôt la queue, sa raie blanche rendant le mouvement clairement visible. William se figea.

— Qu'est-ce que c'était que ça ? demanda quelqu'un à l'intérieur.

Il entendit le crissement d'un banc qu'on repoussait. Retenant son souffle, il avança un pied sur le côté et se figea à nouveau en entendant un battement sourd. La raie blanche oscillait dans le noir. Merde, cette maudite bestiole grattait le sol, signe d'une attaque imminente (lui avaient dit des gens dont le piètre état indiquait qu'ils se basaient sur une expérience vécue).

Des pas se dirigeaient vers la porte de la taverne ; quelqu'un venait voir ce qu'il se passait. Si on le trouvait en train d'espionner à la fenêtre… Il serra les dents, rassemblant son courage pour accomplir un geste d'autosacrifice en plongeant hors de vue. Mais ensuite ? Il ne pouvait pas retrouver Rogers et les autres empestant le putois. Mais si…

Le bruit de la porte mit un terme à ses tergiversations ; par réflexe, il bondit vers le coin du bâtiment. La moufette réagit également par réflexe mais, surprise par la nouvelle intrusion, ajusta son tir. William trébucha contre une branche et s'affala de tout son long dans un tas d'ordures, tout en entendant derrière lui un long cri d'horreur.

William toussa, s'étrangla puis tenta de retenir son souffle jusqu'à être parvenu hors de portée. Quand il fut contraint d'inspirer, ses poumons se remplirent d'une substance qui dépassait tant le concept d'odeur qu'elle aurait nécessité une description sensorielle totalement inédite. Haletant et crachant, les yeux brûlants mouillés de larmes, il parvint tant bien que mal à rejoindre l'autre côté de la route. Depuis cette position stratégique, il put voir la moufette s'éloigner d'une démarche outrée tandis que sa victime gisait en tas sur le seuil de la taverne, émettant des sons traduisant un désarroi extrême.

Il espérait que ce n'était pas Hale. Au-delà du problème pratique d'arrêter et de transporter un homme d'une puanteur insoutenable, pendre la victime d'un tel outrage aurait paru le comble de la cruauté.

Ce n'était pas lui. À la lueur de la torche accrochée près de l'entrée, il aperçut sa chevelure blonde dans le groupe de curieux qui s'étaient pressés à l'extérieur pour battre en retraite aussitôt.

Il entendit des voix qui tentaient d'établir la meilleure manière de procéder. Il fallait du vinaigre, et en grandes quantités. Entre-temps, la victime s'était suffisamment remise pour ramper vers les hautes herbes, d'où des bruits de vomissements violents parvinrent à William. Cela, ajouté à l'odeur infecte toujours dans l'air, fit rendre leurs tripes à plusieurs autres messieurs. William sentit sa propre bile lui remonter dans la gorge, mais il la refoula en se pinçant fermement le nez.

Le temps que le malheureux soit emmené par ses amis, ou plutôt accompagné de loin sur la route telle une vache, personne ne voulant l'approcher, William était transi. Fort heureusement, la taverne se vida rapidement, la puanteur ayant fait passer aux clients toute envie de manger ou de boire. Le tavernier se pencha au-dehors en grommelant des imprécations, décrocha la torche qui brûlait près de son enseigne et la plongea dans le tonneau d'eau de pluie.

Hale salua tout le monde, sa voix cultivée reconnaissable dans l'obscurité, puis s'engagea sur la route en direction de Flushing, où il avait sans doute l'intention de chercher un lit. Rogers – William le reconnut à son gilet en fourrure – s'attarda près de la route, rassemblant ses hommes en silence pendant que les derniers clients se dispersaient. William attendit qu'il n'y ait plus personne pour les rejoindre.

— C'est bon ? demanda Rogers en l'apercevant. Nous sommes tous là ? Alors allons-y.

Ils se mirent en route telle une meute silencieuse sur les traces d'une proie qui ne se doutait de rien.

✳

Ils aperçurent les flammes depuis la mer. La ville brûlait, notamment le quartier bordant l'East River, mais le vent propageait rapidement l'incendie. À bord du sloop, les hommes de Rogers émettaient des hypothèses survoltées. Les rebelles avaient-ils mis le feu à New York ?

Rogers répondit d'une voix indifférente :

— Ce pourrait aussi bien être des soldats ivres.

William observait la lueur rouge dans le ciel avec un certain malaise. Le prisonnier se taisait.

Ils finirent par trouver le général Howe dans son quartier général de Beekman House, situé en dehors de la ville. Ses yeux étaient rouges en raison de la fumée, du manque de sommeil et d'une rage profonde. Heureusement, il maîtrisait encore cette dernière. Il convoqua Rogers et son prisonnier dans la bibliothèque où il avait établi son bureau et, après un bref regard surpris à la tenue de William, envoya ce dernier se coucher.

Fortnum se trouvait dans le grenier, observant l'incendie depuis la lucarne. Il n'y avait rien à faire. William vint se placer à ses côtés, se sentant étrangement vide et désincarné. Il grelottait, bien que le parquet fût chaud sous ses pieds nus.

De temps à autre, un tourbillon d'étincelles s'élevait dans le ciel quand le feu atteignait quelque chose de particulièrement inflammable. Toutefois, ils étaient trop loin pour distinguer autre chose que cette lueur sanglante dans la nuit.

Au bout d'un moment, Fortnum déclara :

— Ils diront que c'est de notre faute, tu sais.

※

À midi le lendemain, l'air était encore lourdement chargé de fumée.

William ne pouvait quitter des yeux les mains de Hale. Elles s'étaient crispées involontairement quand un soldat les lui avait liées, mais il les avait tendues derrière son dos sans rechigner. À présent, il entrecroisait ses doigts, les serrant si fort que ses jointures étaient blêmes.

La chair protestait même si l'esprit s'était résigné. La propre chair de William s'indignait d'être là, des tics contractant sa peau comme un cheval assailli de mouches, ses entrailles se convulsant et se détendant dans une compassion horrifiée. On disait que les viscères d'un pendu se relâchaient. Serait-ce le cas de Hale ? Cette idée lui glaça le sang, et il baissa les yeux.

Des voix lui firent redresser la tête. Le capitaine Moore était en train de demander au condamné s'il avait quelque chose à dire. Hale acquiesça ; de toute évidence, il s'y était préparé.

William se dit qu'il aurait bien fait de se préparer, lui aussi. Hale avait passé les deux dernières heures dans la tente du capitaine Moore, écrivant des lettres à transmettre à sa famille pendant que les hommes assemblés pour l'exécution précipitée faisaient le pied de grue à l'extérieur. Pourtant, il n'était pas prêt du tout.

Pourquoi était-ce différent ? Il avait déjà vu des hommes mourir, certains d'une manière atroce. Mais cette courtoisie, cette formalité, cette… obscène civilité ; le tout conduit avec la certitude d'une mort imminente et honteuse. Le côté réfléchi, délibéré. Oui, c'était ça, le côté délibéré.

— Enfin ! marmonna Clarewell à ses côtés. Qu'on en finisse, bon Dieu ! Je crève de faim !

Billy Richmond, un jeune soldat noir que William connaissait vaguement, grimpa à l'échelle pour attacher la corde à une branche de l'arbre. Il en redescendit et fit un signe à l'officier.

Ce fut au tour de Hale de grimper à l'échelle que le sergent-major lui tenait. Le nœud avait été passé autour de son cou. C'était une corde épaisse qui paraissait neuve. Ne disait-on pas que les cordes neuves s'étiraient ? Mais c'était une si grande échelle…

William transpirait comme un porc en dépit de l'air frais. Il ne devait pas fermer les yeux ni détourner le regard, pas avec Clarewell l'observant.

Il serra les mâchoires et se concentra à nouveau sur les mains de Hale. Ses doigts se tordaient alors que son visage était calme. Ils laissaient des traces moites sur les pans de sa veste.

Il y eut un grognement d'effort et un raclement. On venait d'enlever l'échelle. Hale tomba en lâchant un râle surpris. Parce que la corde était neuve, ou autre chose encore, son cou ne se brisa pas net.

Il avait refusé la cagoule, si bien que les spectateurs furent contraints de regarder son visage pendant le quart d'heure que dura son agonie. William refoula un horrible rire nerveux en voyant les yeux bleus saillir de leurs orbites, la langue qui pendait hors des lèvres. Il paraissait perplexe tellement il était surpris.

Les hommes rassemblés pour l'exécution étaient peu nombreux. William aperçut Richardson non loin, observant la scène d'un air absent. Comme s'il avait senti son regard, il tourna les yeux vers lui et William détourna rapidement la tête.

———◄O►———

21

Le chat du révérend

Lallybroch, octobre 1980

Elle se leva de bonne heure, avant les enfants, même si elle savait que c'était inutile. Quelle que fût la démarche de Roger à Oxford, il y avait au moins quatre ou cinq heures de route pour y arriver et autant pour en revenir. Même en partant à l'aube, il ne serait pas à la maison avant midi. Toutefois, elle avait mal dormi, son sommeil perturbé par un de ces rêves récurrents et déplaisants. Cette fois, c'était une marée montante qui se rapprochait inexorablement, vague après vague après vague... Elle s'était réveillée dès la première lueur de l'aube, légèrement étourdie et nauséeuse.

L'espace d'un instant cauchemardesque, elle se crut enceinte. Puis elle se redressa dans son lit et le monde reprit sa place normale autour d'elle. Disparue, cette sensation d'avoir mis un pied de l'autre côté du miroir, typique des débuts d'une grossesse. Elle posa précautionneusement un orteil sur le sol, et son estomac ne broncha pas. Bon, tout allait bien, donc.

Néanmoins, que ce soit à cause du rêve, de l'absence de Roger ou du spectre de la grossesse, son malaise perdura. Elle vaqua à ses occupations ménagères l'esprit distrait.

Vers midi, alors qu'elle était en train de trier des chaussettes, elle se rendit compte que la maison était très calme. Un calme qui donnait la chair de poule.

— Jem? Mandy?

Silence total. Elle sortit de la buanderie, tendant l'oreille, guettant le raffut habituel à l'étage, les cris… Pas le moindre bruit de cubes renversés, ni pas de course, ni cris haut perchés, le vacarme ordinaire de la guerre continue entre frère et sœur.

— Jem? cria-t-elle encore. Où es-tu?

Pas de réponse. La dernière fois que cela s'était produit, deux jours plus tôt, elle avait retrouvé son réveil au fond de la baignoire, minutieusement démonté, et les deux enfants à l'autre bout du jardin, rayonnant d'une innocence suspecte.

Traîné dans la maison et mis devant le corps du délit, Jem avait nié avec véhémence :

— Ce n'est pas moi! Et Mandy est trop petite!

Mandy avait confirmé, acquiesçant vigoureusement en faisant retomber ses boucles brunes devant son visage et répétant :

— T'ot p'tite!

— Je doute que ce soit papa qui ait fait ça, avait déclaré Brianna. Et je suis sûre que ce n'est pas Annie Mac non plus. Il ne reste donc pas beaucoup de suspects, tu ne trouves pas?

— Des soupets, des soupets! s'était exclamée Mandy, ravie d'avoir appris un nouveau mot.

Jem avait contemplé les rouages et les aiguilles éparpillés puis haussé les épaules d'un air résigné.

— C'est qu'on doit avoir des *piskies*, maman.

— Picsiz, picsiz! gazouillait Mandy, qui avait relevé sa jupe par-dessus sa tête et tiré sur l'élastique de son slip à froufrous. Maman, j'ai picsiz!

Jem avait profité de l'urgence provoquée par cette déclaration pour s'éclipser adroitement. Il n'était pas réapparu avant le dîner, une fois l'affaire étouffée par l'enchaînement rapide et inexorable des tâches quotidiennes. Brianna avait raconté l'histoire à Roger à l'heure du coucher, lorsqu'il s'était aperçu de la disparition de son réveil. Elle lui avait montré le petit pot en terre cuite contenant les restes de l'appareil.

— C'est drôle, d'ordinaire, Jem ne ment pas, avait-il déclaré, songeur.

Brianna, occupée à se brosser les cheveux, lui avait lancé un regard torve.

— Quoi, toi aussi, tu crois qu'il y a des *pixies* dans la maison ?

Il remuait l'amas de rouages du bout du doigt.

— On dit des *piskies*, avait-il répondu sur un ton absent.

— Comment ? Tu veux dire qu'on les appelle vraiment des *piskies*, ici ? Je croyais que Jem prononçait mal le mot.

— Non, en fait, *pisky* est le terme cornouaillais ; on les appelle des *pixies* dans d'autres régions de l'Ouest.

— Comment les appelle-t-on en Écosse ?

Il avait saisi une pincée de mécanismes et les avait laissés retomber en tintant dans le pot.

— Nous n'en avons pas vraiment. Ce ne sont pourtant pas les fées et autres lutins qui manquent, dans notre folklore, mais les Écossais ont une prédilection pour les êtres surnaturels un peu plus sinistres, les chevaux des eaux, les *banshees*, les sorcières bleues et le Nuckelavee...

Il lui avait pris la brosse des mains tout en poursuivant :

— Les *piskies* sont un peu trop frivoles pour les Écossais. Nous avons bien des *brownies*, mais ils tiennent davantage de la fée du logis ; ils ne sont pas aussi espiègles et farceurs que les *piskies*. Tu crois pouvoir remonter le réveil ?

— Bien sûr, à condition que les *piskies* n'en aient pas égaré des pièces. Qu'est-ce que c'est encore que le Nuckelavee ?

— Une créature que vient des Orkneys, mais ce n'est pas une histoire que tu as envie d'entendre avant d'aller te coucher.

Il s'était penché vers elle et avait déposé un baiser dans son cou, juste sous le lobe de son oreille.

Le léger picotement à cet endroit réveilla le souvenir de ce qu'ils avaient fait ensuite, repoussant provisoirement ses soupçons sur ce que tramaient les enfants ; puis la sensation passa, remplacée par une inquiétude croissante.

Il n'y avait aucun signe de Jem ni de Mandy nulle part dans la maison. Annie MacDonald ne venait pas le samedi, et la cuisine… À première vue, elle paraissait en ordre, mais elle connaissait les méthodes de son fils.

Effectivement, la boîte de biscuits au chocolat et une bouteille de limonade avaient disparu. Tout le reste sur l'étagère était à sa place. L'étagère en question se trouvait à un peu moins de deux mètres du sol. Jem avait de l'avenir en tant que cambrioleur. Au moins, il aurait un métier s'il se faisait exclure de l'école une fois pour toutes à force de raconter à ses camarades des épisodes particulièrement pittoresques de sa vie au XVIIIᵉ siècle.

Elle était néanmoins légèrement soulagée. S'ils avaient pris de la nourriture, ils devaient être dehors en train de pique-niquer. Mandy ne pouvant marcher bien loin, ils étaient sûrement quelque part dans un rayon d'un kilomètre tout au plus.

C'était une très belle journée et, en dépit du besoin de retrouver les petits chenapans, Bree n'était pas fâchée de se trouver au soleil. Les chaussettes pouvaient attendre. Tout comme le bêchage de ses plans de légumes. Et son appel au plombier pour qu'il vienne réparer le chauffe-eau de la salle de bain du premier étage. Et aussi…

À la campagne, tu as beau te démener comme un diable, ton travail n'est jamais terminé. J'ai parfois l'impression que l'endroit va m'engloutir comme la baleine engloutit Jonas.

L'espace d'un instant, elle entendit la voix résignée de son père tandis qu'il découvrait une autre corvée à faire. Elle s'arrêta un instant, sentant l'émotion l'envahir, puis elle sourit en elle-même et reprit son chemin, plus lentement, ne voyant plus la carcasse d'une grande maison un peu délabrée mais un organisme vivant, vibrant de l'énergie de tous ceux de son sang qui en avaient fait partie… et qui étaient encore présents.

Les Fraser et les Murray avaient investi leur sueur, leur sang et leurs larmes dans les bâtiments et la terre de Lallybroch ; ils avaient tissé leur vie dans celle du domaine.

Oncle Ian, tante Jenny, les hordes de cousins qu'elle n'avait connus que brièvement. Le petit Ian. Tous étaient morts aujourd'hui… mais, étrangement, ils n'étaient pas partis.

— Pas partis du tout ! dit-elle à voix haute, éprouvant un certain réconfort à prononcer ces paroles.

Elle avait atteint la porte au fond du potager et s'arrêta à nouveau, contemplant la colline surmontée du broch[7] qui avait donné son nom au domaine. Le cimetière se trouvait non loin ; la plupart de ses stèles étaient tellement usées par le temps que les noms et les dates étaient indéchiffrables, les tombes elles-mêmes à demi englouties par les ajoncs et les genêts. Là-bas, parmi les taches grises, vert sombre et jaune vif, deux petits points rouge et bleu se déplaçaient.

Le sentier était envahi par les mauvaises herbes et les ronces, qui griffaient ses jeans. Elle découvrit ses enfants marchant à quatre pattes, suivant une colonne de fourmis, elles-mêmes suivant une piste de miettes de biscuits soigneusement placées en un parcours d'obstacles formés de cailloux et de brindilles.

Concentré sur le spectacle sous ses yeux, Jem la remarqua à peine.

— Regarde, maman !

Il lui indiquait l'endroit où il avait enfoncé une vieille tasse à thé dans la terre et l'avait remplie d'eau. Un groupe de fourmis leurrées par les miettes de chocolat se débattait au milieu.

— Jem ! C'est cruel ! On ne tue pas les insectes.

Se souvenant d'une récente infestation dans le garde-manger, elle ajouta :

— Sauf quand ils entrent dans la maison.

— Mais, maman, elles sont pas en train de se noyer. Tu vois ce qu'elles font ?

Elle s'accroupit près de lui. Effectivement, les fourmis isolées qui tombaient dans l'eau se dirigeaient vers le centre de

---

7. Tour fortifiée datant de la fin de l'âge de fer que l'on trouve en grand nombre dans le nord de l'Écosse et aux Orcades (N.d.T.).

la tasse, où leurs consœurs, s'accrochant les unes aux autres, formaient une masse flottante effleurant à peine la surface. Les fourmis de ce radeau improvisé bougeaient lentement de sorte à changer de place constamment, tandis qu'une ou deux d'entre elles, en périphérie, restaient immobiles. Ces dernières étaient peut-être mortes, mais les autres, soutenues par le corps de leurs congénères, ne couraient pas de danger immédiat. Le radeau se déplaçait progressivement vers le bord de la tasse, propulsé par les mouvements des individus qui le composaient.

— Incroyable ! s'émerveilla-t-elle.

Elle resta assise un moment près de son fils à observer les fourmis jusqu'à ce que, faisant acte de clémence, ils décident qu'elles en avaient fait assez. Jem les repêcha sur une feuille et les déposa sur le sol, où elles reprirent aussitôt leur travail.

— Tu penses qu'elles se regroupent ainsi consciemment ou qu'elles s'accrochent simplement à la première chose qui flotte ? demanda Brianna

— Je sais pas. Faudra que je regarde dans mon livre sur les fourmis.

Elle ramassa les vestiges du pique-nique, laissant quelques biscuits pour les fourmis, qui les avaient bien mérités. Mandy s'était éloignée pendant qu'ils observaient les insectes. Elle était assise à l'ombre d'un gros buisson un peu plus haut sur la colline, engagée dans une conversation animée avec un compagnon invisible. Jem déclara :

— Mandy voulait parler avec grand-père. C'est pour ça qu'on est montés ici.

— Ah ? Et pourquoi ici plutôt qu'ailleurs ?

Jem lança un regard surpris vers les vieilles stèles inclinées du cimetière.

— Il est pas ici ?

Une décharge électrique remonta la colonne vertébrale de Brianna, beaucoup trop puissante pour être qualifiée de frisson. C'était autant le ton détaché de son fils que la possibilité qu'il eût raison qui la sidérait.

— Je… je ne sais pas. Si, peut-être.

Bien qu'elle s'efforçât généralement de ne pas penser au fait que ses parents étaient morts, elle avait toujours supposé qu'ils étaient enterrés quelque part en Caroline du Nord, ou ailleurs dans les colonies si la guerre les avait éloignés de Fraser's Ridge.

Elle se souvint soudain des lettres. Son père avait écrit qu'ils comptaient se rendre en Écosse. Jamie Fraser étant un homme entêté, ils l'avaient donc probablement fait. Était-il reparti ensuite en Amérique ? Et, dans le cas contraire, sa mère reposait-elle ici, elle aussi ?

Elle se dirigea vers le haut de la colline, dépassa le vieux broch et s'avança entre les tombes. Elle y était déjà venue une fois avec sa tante Jenny. C'était en début de soirée ; une brise douce murmurait dans les herbes, et le paysage baignait dans une atmosphère paisible. Jenny lui avait montré les sépultures de ses grands-parents, Brian et Ellen, enterrés ensemble sous une même stèle. Oui, elle pouvait encore la distinguer enfouie sous la mousse, les noms rongés par le temps. L'enfant mort avec Ellen était enterré avec eux, son troisième fils, Robert. Son père, Brian, avait tenu à ce qu'il fût baptisé.

Elle se tenait au milieu des tombes. Il y en avait tant ! Bon nombre des plus récentes étaient encore lisibles, celles de la fin du XIXᵉ siècle. Il s'agissait pour la plupart de Murray, de McLachlan et de MacLean, avec, ici et là, un Fraser et un MacKenzie.

Les plus anciennes étaient trop abîmées pour être déchiffrables. On ne distinguait plus que l'ombre de lettres, oblitérées par les taches noires de lichen et la douce couche de mousse. Près de la tombe d'Ellen se trouvait une petite dalle carrée sous laquelle était ensevelie Caitlin Maisri Murray, le sixième enfant de Jenny et de Ian, qui n'avait vécu qu'une journée. Jenny l'avait montrée à Brianna puis s'était baissée pour la caresser doucement de la main et y déposer une rose jaune cueillie sur le sentier. Autrefois, il y avait eu un petit cairn… des cailloux empilés par ceux qui étaient venus se recueillir sur le site. Ils avaient été dispersés depuis longtemps, mais Brianna trouva une jolie pierre et la plaça près de la petite tombe.

Il y en avait une autre à côté, pas plus grande et donc abritant sans doute aussi un enfant. La pierre était moins abîmée, bien qu'elle parût aussi ancienne. Elle ne comportait que deux mots. Brianna ferma les yeux et passa lentement les doigts sur la stèle, tentant de déchiffrer les incisions érodées. Il y avait un « E » dans la première ligne ; un « Y » dans la seconde, et peut-être un « K ».

Quel nom dans les Highlands commence par un « Y » ? se demanda-t-elle, dubitative. *Il y a bien McKay, mais ça ne peut pas être ça.*

Elle demanda à Jem sur un ton hésitant :

— Tu… euh… tu sais quelle est la tombe de grand-père ?

Elle avait presque peur d'entendre la réponse.

— Non.

Il parut surpris et suivit son regard vers les stèles. Apparemment, il n'avait pas fait le rapprochement entre elles et son grand-père.

— Il a juste dit qu'il aimerait être enterré ici et que, si j'y venais, je devais lui laisser un caillou. Alors, c'est ce que j'ai fait.

— Où ?

— Là-haut. Il aime bien être en hauteur, là d'où il peut voir.

Il pointait le doigt vers le haut de la colline. Juste au-delà de l'ombre du broch, à travers une masse d'ajoncs, de bruyères et de pierres concassées, elle apercevait un passage qui n'était plus vraiment un sentier. Tout au bout, au sommet, se dressait un gros rocher irrégulier et, sur le côté, à peine visible, une pyramide de cailloux.

— Tu les as tous empilés là aujourd'hui ?

— Non, j'en rajoute chaque fois que je viens. C'est pas ce qu'on doit faire ?

Elle déglutit pour défaire le nœud dans sa gorge et sourit.

— Si, je vais aller en mettre un, moi aussi.

Mandy s'était assise sur une stèle couchée et avait disposé autour d'elle une dînette improvisée en feuilles de bardane.

Au centre, elle avait placé la vieille tasse à thé qu'elle était allée déterrer. Elle papotait poliment avec ses invités invisibles. Brianna décida qu'il était inutile de la déranger et suivit Jem le long du chemin escarpé, gravissant la dernière partie pratiquement à quatre pattes.

Si près du sommet, le vent était plus fort et les moucherons, moins nombreux. Moite de transpiration, Bree ajouta cérémonieusement sa pierre au petit cairn puis s'assit pour admirer la vue. De là, on pouvait voir la quasi-totalité du domaine de Lallybroch ainsi que la route qui menait à l'autoroute. Elle la fixa un moment mais ne vit aucun signe de la Mini Morris orange de Roger.

C'était agréable, là-haut. Paisible, avec juste le soupir du vent frais et le bourdonnement des abeilles s'affairant dans les fleurs jaunes. Pas étonnant que son père ait aimé…

— Jem?

Il était confortablement affalé contre le rocher, contemplant les collines environnantes.

— Oui?

Elle hésita, mais la question lui brûlait les lèvres.

— Tu… tu ne vois pas *vraiment* ton grand-père, n'est-ce pas.

Il lui lança un regard surpris.

— Non. Il est mort.

— Ah.

Elle était à la fois soulagée et légèrement déçue.

— Je sais. Je… me demandais simplement.

— Je crois que Mandy, elle, elle peut.

Il pointa le menton vers sa petite sœur, un point rouge vif dans la végétation en contrebas.

— Mais c'est difficile à dire. Les bébés discutent avec un tas de gens que les autres ne voient pas. C'est grand-mère qui le dit.

Elle ne savait pas si elle aurait préféré qu'il cesse de parler de ses grands-parents au présent ou pas. C'était assez déconcertant mais, puisqu'il avait déclaré ne pas voir Jamie… Elle ne voulait pas lui demander s'il voyait Claire… Il ne la voyait sans doute pas. Cependant, elle sentait ses parents tout proches chaque fois que Jem et Mandy les mentionnaient, et elle tenait à ce qu'ils les sentent, eux aussi.

Avec Roger, ils leur avaient expliqué ce qu'ils pouvaient. Apparemment, son père avait eu des discussions en tête à tête avec Jem, ce qui était aussi bien. Sa conception de la vie, de la mort et des mondes invisibles, façonnée par un mélange de profonde foi catholique et de fatalisme écossais, était bien mieux adaptée pour faire passer, entre autres, comment on pouvait être mort d'un côté des pierres et vivant de l'autre.

Jem se tourna vers elle.

— Grand-père a dit qu'il veillerait sur nous.

Elle se mordit la langue. Non, il ne lisait pas dans ses pensées, c'était juste qu'ils venaient de parler de Jamie et que Jem avait choisi ce site particulier pour lui rendre hommage. Il était donc tout naturel que son grand-père occupe ses pensées.

— Bien sûr qu'il veille sur nous.

Elle passa un bras autour de ses épaules et caressa du bout du pouce les vertèbres noueuses à la base de sa nuque. Il gloussa et se libéra, puis il bondit sur le sentier et le dévala, en parcourant une bonne partie sur les fesses, au détriment de son jean.

Elle resta encore au sommet quelques instants pour un dernier regard à la ronde avant de suivre son fils. Elle remarqua un amas de rochers au sommet d'une colline à cinq cents mètres. Cela n'avait rien d'inhabituel dans les Highlands, mais il y avait quelque chose de différent dans l'assortiment de pierres. Elle mit sa main en visière et plissa les yeux. Elle se trompait peut-être, mais elle était ingénieure. Elle savait reconnaître une construction humaine.

Une forteresse de l'âge de pierre, peut-être ? Elle était prête à parier qu'il y avait des blocs ordonnés sous cet amas informe. Des fondations ? Un de ces jours, il faudrait qu'elle grimpe là-haut pour y regarder de plus près. Demain, par exemple, si Roger… Elle lança à nouveau un regard vers la route. Toujours déserte.

Mandy s'était lassée de son goûter et était prête à rentrer. Tenant fermement sa fille d'une main et la tasse de l'autre,

Brianna redescendit le versant vers la grande maison blanche, dont les carreaux fraîchement lavés brillaient au soleil.

Annie avait fait les vitres ? Elle n'avait rien remarqué, pourtant ; compte tenu du nombre de fenêtres, c'était un véritable tour de force. D'un autre côté, elle avait été distraite, accaparée par les anticipations et les appréhensions de son nouveau travail. Son cœur fit un petit bond quand elle se dit que, dès le lundi suivant, elle recollerait un des morceaux de ce qu'elle avait été autrefois, poserait une nouvelle pierre de la fondation de ce qu'elle était à présent.

Elle déclara en riant :

— Ce sont peut-être les *piskies* qui s'en sont chargés !

— *Piksies* ! répéta Mandy.

Jem était presque arrivé au pied de la colline. Il se retourna vers elles d'un air impatient. Quand elles arrivèrent à sa hauteur, Brianna lui demanda :

— Au fait, Jem, tu sais ce qu'est le Nuckelavee ?

L'enfant écarquilla les yeux puis plaqua ses mains sur les oreilles de Mandy. Brianna eut l'impression qu'un mille-pattes lui remontait le long de l'échine.

— Oui, dit-il d'une petite voix faible.

— Qui t'en a parlé ?

Elle allait étrangler Annie MacDonald ! Jem lança par-dessus son épaule un regard craintif vers le broch.

— Lui, chuchota-t-il.

— Qui ça ?

Elle retint Mandy par le bras. La petite s'était libérée et tentait de donner des coups de pieds à son frère.

— Mandy ! Ne frappe pas ton frère. De qui parles-tu, Jem ?

L'enfant se mordit la lèvre.

— De lui, lâcha-t-il. Le Nuckelavee.

✳

La créature vivait au fond des mers mais s'aventurait sur terre pour dévorer des humains. Le Nuckelavee chevauchait alors un cheval dont le corps se fondait dans le sien. Sa tête était dix fois plus grosse que celle d'un homme et sa bouche énorme et large pointait en avant comme le museau d'un porc. Le monstre n'avait pas de peau, et ses veines jaunes, ses muscles et ses tendons étaient clairement visibles, tout juste recouverts d'une pellicule rouge et gluante. Il était armé de son haleine vénéneuse et de sa force colossale. Il avait toutefois une faiblesse : une aversion pour l'eau douce. Sa monture est décrite comme possédant un gros œil rouge, une gueule de la taille de celle d'une baleine et des nageoires autour de ses pattes avant.

— Beurk ! fit Brianna.

Elle reposa le livre sur le folklore écossais de Roger et se tourna vers son fils.

— Tu as vu un de ces monstres ? Là-haut près du broch ?

Jem se balançait d'un pied sur l'autre.

— Il a dit qu'il en était un et que, si je décampais pas, il reprendrait son véritable aspect, et que je voulais pas voir ça. Alors, j'ai couru.

— J'aurais fait pareil.

Les battements de cœur de Brianna s'étaient ralentis. Soit, il avait rencontré un être humain, pas un monstre. Non pas qu'elle ait cru en… Mais le fait qu'un individu rôdait autour du broch était déjà suffisamment inquiétant.

— Cet homme, à quoi ressemblait-il ?

— Ben… il était grand.

Jem, n'ayant que neuf ans, considérait que la plupart des hommes l'étaient.

— Aussi grand que papa ?

— Peut-être.

L'interrogatoire ne parvint à lui arracher que quelques détails. Jem savait ce qu'était un Nuckelavee ; il avait lu la plupart des contes les plus sensationnels de la collection d'ouvrages de son père. Terrifié à l'idée de se trouver face à un être capable à tout moment d'ôter sa peau et de le dévorer, il n'avait gardé qu'une image vague de l'intrus. Grand, avec une barbe courte, des cheveux qui n'étaient pas très bruns et des habits « comme ceux de M. MacNeil ». Des vêtements de travail, donc. Un fermier.

— Pourquoi n'en as-tu pas parlé à papa ni à moi ?

Jem semblait sur le point de fondre en larmes.

— Il a dit que, si je parlais, il reviendrait et mangerait Mandy.

— Oh !

Elle glissa un bras autour de lui et l'attira contre elle.

— Je comprends. N'aie pas peur, mon chéri. Tout va bien.

Elle caressa ses cheveux, le calmant. Il s'agissait sans doute d'un vagabond. Campant dans le broch ? Il était sûrement parti à présent. D'après ce qu'elle avait pu soutirer à Jem, la rencontre avait eu lieu plus d'une semaine plus tôt.

— Dis-moi, Jem : pourquoi êtes-vous remontés là-haut, aujourd'hui ? Tu n'as pas eu peur qu'il soit toujours là ?

Il releva des yeux surpris vers elle.

— Non. L'autre jour, j'ai décampé, mais ensuite je me suis caché pour l'observer. Il est parti vers l'est. C'est là-bas qu'il habite.

— Il te l'a dit ?

Il lui indiqua le livre.

— Non, mais ces monstres vivent tous à l'est. Et quand ils partent là-bas, ils reviennent pas. Et puis, je l'ai plus jamais revu. Pourtant, je l'ai guetté.

Si elle n'avait pas été aussi inquiète, elle aurait ri. Effectivement, bon nombre de contes de fées des Highlands se terminaient avec une créature surnaturelle partant vers l'est, ou retournant dans les rochers ou les eaux d'où elle était sortie. Naturellement, elle ne revenait pas, puisque l'histoire était terminée.

— Ce n'était qu'un vilain vagabond, dit-elle fermement.

Elle lui tapota le dos avant de le relâcher.

— N'y pense plus.

— Tu es sûre ?

Il avait visiblement envie de la croire mais n'était pas encore tout à fait convaincu.

— Sûre et certaine, confirma-t-elle.

— D'accord.

Il poussa un grand soupir et s'écarta d'elle. Puis, l'air plus détendu, il ajouta :

— Et puis grand-père ne le laisserait jamais nous manger, Mandy et moi. J'aurais dû y penser.

✳

Le soleil était presque couché quand Brianna entendit les cahots de la Mini Morris sur la route de terre de la ferme. Elle se précipita à l'extérieur. Roger était à peine descendu de voiture qu'elle se jeta dans ses bras.

Il ne perdit pas de temps en questions inutiles. Il l'étreignit fougueusement et l'embrassa avec une passion qui indiquait clairement que la querelle était terminée. Les excuses réciproques pouvaient attendre. L'espace d'un instant, elle s'abandonna totalement, se sentant en apesanteur, humant les effluves d'essence, de poussière et de bibliothèques remplies de vieux livres qui recouvraient son odeur naturelle, l'indéfinissable musc d'une peau mâle chauffée au soleil, même s'il n'avait pas été au soleil.

Revenant sur terre à contrecœur, elle déclara :

— On dit que les femmes ne peuvent pas reconnaître leurs maris à leur odeur. C'est faux. Je pourrais te repérer les yeux fermés au milieu de la foule du métro à King's Cross à l'heure de pointe.

— Je me suis pourtant douché ce matin.

— Oui, et tu as pris une chambre à l'université. Je reconnais l'odeur de cet horrible savon industriel qu'ils distribuent là-bas. Je m'étonne que ta peau ne parte pas avec. Et tu as mangé du boudin noir au petit déjeuner. Avec des tomates frites.

— Exact, Lassie, répondit-il avec un sourire. Ou peut-être devrais-je t'appeler Rintintin ? As-tu sauvé des petits enfants ou traqué des voleurs jusque dans leur repaire aujourd'hui ?

— Eh bien, en fait, plus ou moins.

Elle lança un regard vers la colline derrière la maison. L'ombre du broch était longue et noire.

— Mais j'ai pensé qu'il valait mieux attendre le retour du shérif avant de pousser mon enquête plus loin.

✴

Armé d'une robuste canne en prunellier et d'une torche électrique, Roger approcha du broch, en colère mais prudent. L'intrus, s'il était toujours là, n'était probablement pas armé. Brianna se tenait devant la porte de la cuisine, le téléphone à la main (son fil étiré au maximum), prête à composer le numéro de la police. Elle avait voulu l'accompagner, mais il l'avait convaincue que l'un d'eux devait rester auprès des enfants. Néanmoins, il aurait été réconfortant de l'avoir à ses côtés. Elle était grande et forte, et elle ne reculait jamais devant la violence physique.

La porte du broch était entrebâillée. Les anciens gongs en cuir s'étaient décomposés depuis longtemps et avaient été remplacés par d'autres en fer bon marché qui avaient rouillé à leur tour. L'épais panneau de bois fendillé de toutes parts tenait toujours au chambranle, mais tout juste. Il le souleva par le loquet et le poussa doucement pour éviter qu'il frottât contre le sol.

Dehors, il faisait encore jour ; la nuit ne tomberait pas avant une demi-heure. Cependant, à l'intérieur, il faisait aussi noir qu'au fond d'un puits. Il dirigea sa torche vers le sol et vit des traînées fraîches dans la poussière qui recouvrait les pavés. Oui, quelqu'un était venu ici. Jem aurait peut-être été capable de pousser la porte, mais les enfants n'avaient pas le droit de s'aventurer dans le broch sans la présence d'un adulte et il avait juré ne pas y être entré.

— Il y a quelqu'un ? cria-t-il.

Un mouvement brusque haut au-dessus de sa tête lui répondit. Il brandit sa canne par réflexe, mais il avait déjà reconnu le battement d'ailes. Des chauves-souris, suspendues au plafond conique. Il balaya à nouveau le sol du faisceau de sa torche et aperçut des bouts de papier journal froissés et tachés dans un coin. Il en ramassa un et le sentit.

Il était vieux, mais l'odeur de poisson et de vinaigre était encore discernable.

Il n'avait pas soupçonné Jem d'avoir inventé l'histoire du Nuckelavee, mais cette preuve d'une occupation humaine raviva sa colère. Déjà qu'un individu rôdât sur sa propriété... Mais qu'il menace son fils ! Il espérait presque qu'il serait encore là. Il avait deux mots à lui dire.

Il n'y avait personne. Aucun être doté de raison n'aurait tenté de grimper aux étages ; les planches étaient pourries. Dans la faible lumière filtrant des meurtrières au sommet de la tour, il distinguait de grands trous dans le plancher. Il n'y avait aucun bruit, mais le besoin d'en avoir le cœur net le poussa à gravir l'étroit escalier en pierre qui longeait le mur intérieur, testant chaque marche du bout du pied avant d'y poser son poids.

Parvenu au dernier étage, il sema la panique dans un groupe de pigeons, qui voletèrent à l'intérieur de la tour dans une tornade de plumes avant de trouver une sortie. Il se plaqua contre le mur, le cœur battant, les sentant frôler son visage. Quelque chose – un rat, une souris, un campagnol – lui courut sur le pied et il sursauta, manquant de lâcher sa torche.

Le broch était bien vivant. Les chauves-souris bruissaient au-dessus de lui, dérangées par le raffut des pigeons. Mais aucun signe d'un intrus, humain ou autre.

Une fois ressorti, il fit de grands signes à Brianna pour la rassurer, puis referma la porte et redescendit vers la maison, balayant la poussière et les plumes sur ses vêtements.

Adossé au vieil évier en pierre alors que Brianna préparait le dîner, il déclara :

— Je vais poser un nouveau moraillon et un cadenas sur cette porte, mais je doute qu'il revienne. Il devait simplement passer par là.

Elle était rassurée, mais il distinguait toujours cette fronce inquiète entre ses sourcils.

— Il venait peut-être des Orcades. Tu n'as pas dit que c'était de là-bas que venaient les histoires de Nuckelavee ?

— C'est possible. Le Nuckelavee n'est pas aussi connu ici que les soyeux et les fées, mais n'importe qui peut en avoir lu une description dans un livre. Qu'est-ce que c'est que ça ?

Elle venait d'ouvrir le réfrigérateur pour sortir le beurre et il avait aperçu l'étiquette brillante de la bouteille de champagne sur l'étagère.

— Ah, ça.

Elle se tourna vers lui, souriante mais avec une certaine appréhension dans le regard.

— J'ai… euh… décroché le poste. J'ai pensé que nous pourrions… fêter ça ?

Son hésitation lui fendit le cœur et il se frappa le front.

— Bon sang ! J'ai oublié de te le demander ! C'est formidable, Bree !

Il sourit, s'efforçant d'y mettre le plus de chaleur et de conviction possible, avant d'ajouter :

— Cela dit, je n'ai jamais douté un instant que tu l'aurais.

Il put voir la tension quitter le corps de Brianna et son visage s'illuminer, lui procurant une paix à lui aussi. Cette agréable sensation dura tout le temps de leur longue étreinte passionnée et du délicieux baiser qui s'ensuivit mais s'évapora quand elle s'écarta et, saisissant sa poêle à frire, demanda avec un détachement feint :

— Au fait… tu as trouvé ce que tu cherchais, à Oxford ?

— Ouais… répondit-il dans un croassement rauque.

Il s'éclaircit la gorge puis reprit :

— Plus ou moins. Écoute, le dîner peut attendre un peu. Je crois que j'aurai plus d'appétit si je te raconte d'abord.

— Bien sûr.

Elle le dévisagea d'un air intéressé mais légèrement inquiet.

— J'ai fait manger les enfants avant que tu n'arrives. Si tu n'es pas mort de faim…

Il avait sauté le déjeuner et son estomac gargouillait, mais peu importait. Il lui prit la main.

— Viens, sortons. La soirée est agréable.

Et puis, si elle le prenait mal, elle n'aurait pas de poêle à frire sous la main.

Dès qu'ils furent dehors, il annonça :

— Je suis passé voir le professeur Weatherspoon, le recteur de St. Stephen. C'était un ami du révérend, il me connaît depuis que je suis gamin.

— Et… ?

— Eh bien… j'ai moi aussi décroché un travail. Assistant chef de chœur.

Elle s'était attendue à tout sauf à ça. Son regard se baissa machinalement vers son cou et il devina sa pensée.

La première fois qu'ils s'étaient apprêtés à aller faire des courses à Inverness, elle avait demandé :

— Tu vas porter *ça* ?

— Oui, pourquoi, j'ai une tache ?

Il avait étiré le cou pour examiner sa chemise blanche. Il n'eût pas été étonné qu'elle fût sale. Mandy s'était précipitée pour l'accueillir couverte de la terre du jardin. Il l'avait époussetée avant de la prendre dans ses bras, mais quand même…

Brianna avait pincé les lèvres.

— Ce n'est pas ça. C'est juste que… que vont-ils dire en voyant *ça* ?

Elle se passa un doigt sur la gorge.

Il avait porté la main au col ouvert de sa chemise, touchant la ligne courbe laissée par la corde, tel un collier de petits cailloux sous la peau. La cicatrice s'était estompée mais était toujours visible.

— Rien.

— Mais que vont-ils penser ?

— Ils supposeront que je suis porté sur l'autoasphyxie érotique et qu'un jour je suis allé un peu trop loin.

Connaissant la mentalité dans la campagne des Highlands, il savait que c'était probablement l'idée la moins saugrenue qui traverserait l'esprit des gens. Sa congrégation putative pouvait sembler très convenable à première vue, mais il n'y avait pas plus dépravé qu'un Écossais presbytérien dévot.

— Écoute, Bree… avait-il repris ce même jour. Soit on raconte à tout le monde toute la vérité, soit on ne dit rien, ou le moins possible. Ils penseront ce qu'ils voudront. Inventer une histoire ne servirait à rien, on finirait par se trahir tôt ou tard.

Même si elle n'était pas satisfaite, elle avait dû reconnaître qu'il avait raison. Ils avaient donc décidé de ne rien expliquer et de ne rien justifier. Ils avaient bien dû mentir un peu, ne fût-ce que pour légaliser l'existence de Jem et de Mandy. Mais c'était la fin des années 1970. Les communautés abondaient aux États-Unis, et des hordes de « nomades » sillonnaient l'Europe à bord de bus rouillés et de camionnettes modifiées. Ils avaient emporté fort peu de choses à travers les pierres, mais parmi les petits trésors que Brianna avait enfouis dans ses poches se trouvaient deux certificats de naissance rédigés à la main par le docteur Claire Beauchamp Randall.

Tout en traçant minutieusement les boucles de sa signature, sa mère avait expliqué :

— C'est la formule consacrée pour une naissance à la maison. Et je suis… ou plutôt *j'étais*… un médecin assermenté, agréé par l'Ordre du Commonwealth du Massachusetts.

Brianna réfléchit un instant puis demanda :

— As-tu… euh… expliqué au professeur Weatherspoon… Que lui as-tu raconté, au juste ? Il a forcément remarqué ton cou.

— Oui. Mais je n'ai rien dit et lui non plus.

— Assistant chef de chœur… répéta-t-elle, songeuse.

L'air frais du soir était pur et doux mais commençait à attirer les moucherons. Il chassa un essaim de devant son visage.

— Je ne suis pas allé le voir pour un travail mais… pour m'éclaircir les idées. Au sujet de ma vocation de prêtre.

— Et… ?

Il la prit à nouveau par la main et l'entraîna.

— Viens. Si nous ne bougeons pas, nous allons être dévorés vivants par ces petites bestioles.

Ils traversèrent le potager puis dépassèrent la grange, suivant le petit sentier qui menait aux pâturages. Il avait déjà trait les deux vaches, Milly et Blossom, dont les deux silhouettes sombres ruminaient sur l'herbe, parées pour la nuit.

— Je t'ai déjà parlé de la Confession de Westminster, n'est-ce pas ? C'est l'équivalent presbytérien du Credo de Nicée catholique ; une profession de foi de la doctrine officielle.

— Mmm…

— Eh bien, pour être pasteur presbytérien, je dois pouvoir jurer que j'accepte tout ce que dit la confession de Westminster. Ce qui était le cas… enfin, je veux dire, avant.

Il était passé à deux doigts… Il avait été sur le point d'être ordonné prêtre quand le sort était intervenu en la personne de Stephen Bonnet. Roger avait dû tout abandonner pour aller sauver Brianna dans le repaire du pirate sur l'île d'Ocracoke. Il ne le regrettait pas…

Elle marchait à ses côtés, avançant à grands pas avec une grâce féline… l'idée qu'elle aurait pu si facilement disparaître de sa vie… et qu'il aurait pu ne jamais connaître sa fille…

Il toussa puis se racla la gorge, touchant sa cicatrice d'un air absent.

— J'y crois peut-être encore, mais je ne suis plus si sûr. Or, il faudrait que je le sois.

— Qu'est-ce qui a changé ? Que pouvais-tu accepter alors que tu ne peux plus aujourd'hui ?

Bonne question, pensa-t-il avec ironie.

— La prédestination… Enfin, façon de parler.

Il y avait encore suffisamment de lumière pour qu'il vît la lueur légèrement moqueuse dans son regard. Ils n'avaient jamais discuté de leurs croyances respectives – un terrain bien trop glissant –, mais chacun était conscient des convictions générales de l'autre.

Il lui avait expliqué le concept de la prédestination en termes simples. Il ne s'agissait pas d'un sort inexorable décidé par Dieu ni de l'idée que Dieu avait planifié de manière détaillée la vie de chaque être avant sa naissance (même si bon nombre de presbytériens de sa connaissance le voyaient sous cet œil). Il s'agissait du salut et de l'idée que Dieu choisissait une voie qui menait à la rédemption.

— Pour certains, avait-elle répliqué, sceptique. Et il choisit d'envoyer tous les autres à la damnation ?

Beaucoup étaient de cet avis, et des esprits mieux équipés s'étaient attelés à contredire cette notion.

— Il y a un tas de livres sur le sujet, mais l'idée fondamentale est que le salut ne résulte pas uniquement de tes choix... Dieu agit en premier. Puis il nous tend la main, si l'on peut dire, et nous donne une chance de réagir. Mais nous avons toujours notre libre arbitre. Au fond, la seule condition qui ne soit pas facultative pour être presbytérien, c'est de croire en Jésus-Christ. Ça, je ne l'ai pas perdu.

— Tant mieux. Mais pour être prêtre ?

— Tiens... lis ça.

Il fouilla dans sa poche et en sortit une photocopie pliée. S'efforçant de paraître léger, il déclara :

— J'ai jugé préférable de ne pas voler le bouquin. Au cas où je décide de devenir prêtre, ce serait un mauvais exemple pour mes ouailles.

Elle lut la page puis redressa la tête, arquant un sourcil.

— C'est...

Elle relut le texte, son front se plissant progressivement. Puis elle le regarda à nouveau, pâle.

— Ce n'est pas la même date.

Il sentit un léger relâchement de la tension qui l'oppressait depuis les dernières vingt-quatre heures. Il n'était donc pas devenu fou. Il tendit la main et elle lui rendit la copie de la coupure de *La Gazette de Wilmington* ; le faire-part de décès des Fraser de Fraser's Ridge.

— Il n'y a que la date qui ait changé, reprit-il. Le texte me semble le même. Il est tel que tu t'en souviens ?

Des années plus tôt, elle avait découvert la même information alors qu'elle effectuait des recherches sur le passé de sa famille. C'était sans doute ce qui l'avait incitée à traverser les pierres, et lui à la suivre. *Ce petit bout de papier a tout changé*, pensa-t-elle. *Merci, Robert Frost.*

Elle se serra contre lui et ils le relurent ensemble. Une fois, deux fois, une troisième fois pour la bonne mesure. Puis elle hocha la tête.

— Oui, il n'y a que la date qui ne soit plus la même, dit-elle, le souffle court.

— Quand j'ai commencé à me poser des questions… il fallait d'abord que je vérifie avant de t'en parler. Je devais le voir de mes propres yeux, parce que la coupure de presse que j'avais lue dans un livre… ce ne pouvait être vrai.

Elle acquiesça, toujours aussi pâle.

— Tu crois que, si je vais dans les archives à Boston, là où j'avais trouvé une reproduction du journal, la date dessus aura changé également ?

— Oui, j'en suis certain.

Elle resta silencieuse un long moment, fixant le papier dans ses mains. Puis elle releva les yeux vers lui.

— Tu as dit tout à l'heure : « Quand j'ai commencé à me poser des questions… » Qu'est-ce qui t'a mis la puce à l'oreille ?

— Ta mère.

✳

Cela s'était passé quelques mois avant qu'ils ne quittent Fraser's Ridge. Une nuit qu'il ne pouvait dormir, il était sorti et s'était promené dans la forêt, marchant de long en large jusqu'à ce qu'il tombât sur Claire agenouillée dans un creux rempli de fleurs blanches qui formaient comme une brume autour d'elle.

Il s'était assis et l'avait observée couper des tiges et cueillir des feuilles, qu'elle laissait tomber dans son panier. Elle ne touchait pas les fleurs mais tirait sur quelque chose qui poussait sous les pétales.

Au bout d'un moment, elle lui avait expliqué :

— Il faut les cueillir de nuit, de préférence quand il n'y a pas de lune.

— Je n'aurais jamais pensé que…

Il s'était interrompu brusquement.

— Tu n'aurais jamais pensé que je m'adonnais à ce genre de superstitions ? Attends un peu, mon garçon. Quand tu auras vécu aussi longtemps que moi, tu changeras peut-être d'avis. Quant à ça...

Elle avait avancé sa main, une ombre floue dans l'obscurité, et coupé une tige d'un petit coup sec. Un puissant arôme âcre s'était élevé soudain, recouvrant le parfum plus doux des fleurs.

— Les insectes pondent leurs œufs sur certaines plantes. Pour les repousser, elles sécrètent des substances odorantes et, plus le besoin est fort, plus ces sécrétions insecticides sont concentrées. Il se trouve que ces substances ont également de puissantes vertus médicinales.

Elle avait passé une tige duveteuse sous le nez de Roger, poursuivant :

— Or, ce qui dérange particulièrement cette espèce de plante, ce sont les larves de phalènes.

— J'en déduis donc qu'elle sécrète davantage de substance tard la nuit, car c'est à ce moment que les chenilles se nourrissent.

— Exactement.

Elle avait déposé la tige dans son panier dans un bruissement de mousseline, puis s'était penchée à nouveau sur sa tâche.

— D'un autre côté, les phalènes fertilisent également certaines plantes. Ces dernières, naturellement...

— ... fleurissent de nuit.

— Toutefois, la plupart des plantes sont dérangées par les insectes diurnes. Elles commencent donc à sécréter leur substance à l'aube. Sa concentration s'élève au fil du jour mais, quand le soleil devient trop chaud, certaines des huiles s'évaporent et la plante cesse de les produire. C'est pourquoi on cueille la plupart des espèces très aromatiques en fin de matinée. Le shaman et l'herboriste enseignent donc à leurs élèves de cueillir telle plante par les nuits sans lune et telle autre à midi... d'où la superstition, hmmm ?

Son ton était sec mais amusé.

Roger s'était assis sur ses talons et l'observait travailler. À présent que ses yeux s'étaient accoutumés à l'obscurité, il distinguait bien sa silhouette, même si les détails de son visage restaient cachés. Elle avait poursuivi sa cueillette encore un moment, puis s'était assise et étirée. Il avait entendu ses os craquer.

— Je l'ai vu un jour, tu sais.

Sa voix était étouffée. Elle venait de se tourner, cherchant sous les branches lourdes d'un rhododendron.

— Vu qui ?

— Le roi.

Elle avait trouvé quelque chose. Il avait entendu un bruissement de feuilles puis le craquement d'une tige.

— Il est venu à l'hôpital de Pembroke pour rendre visite aux soldats. Il nous a parlé à tous séparément, aux infirmières et aux médecins. C'était un homme calme, très digne mais chaleureux. Je ne saurais te répéter ce qu'il a dit mais, rien que le fait qu'il soit là était… incroyablement stimulant.

— Mmphm…

Était-ce l'approche de la guerre qui lui faisait penser à cette époque ?

— Un journaliste a demandé à la reine si elle comptait envoyer les enfants à l'abri à la campagne. C'était ce que faisaient la plupart des gens.

— Je sais.

Roger revoyait soudain deux enfants, un garçon et une fille, silencieux et les traits tirés, blottis l'un contre l'autre devant une cheminée qu'il connaissait bien.

— Nous en avons accueilli deux, chez nous, à Inverness, avait-il déclaré. C'est drôle, je les avais oubliés jusqu'à aujourd'hui.

Elle ne lui avait pas prêté attention et avait poursuivi :

— Elle a répondu… je ne me souviens pas exactement de ses mots, mais cela revenait plus ou moins à : « Les enfants ne peuvent pas se séparer de moi, je ne peux pas me séparer du roi et, naturellement, le roi ne peut pas partir. » Quand ton père a-t-il été tué, Roger ?

Il avait été pris de court. L'espace d'un instant, sa question lui avait paru tellement incongrue qu'il n'était pas sûr de l'avoir comprise.

— Pardon ? Ah, en octobre 1941. Je ne me souviens pas du jour exact. Oh, si ! Le révérend l'avait inscrit dans son arbre généalogique. Le 31 octobre 1941. Pourquoi ?

Qu'est-ce qui lui prend ?

— Tu m'as bien dit qu'il avait été abattu en Allemagne ?

— Au-dessus de la Manche alors qu'il volait vers l'Allemagne. Enfin, c'est ce qu'on m'a dit.

— Tu te rappelles qui te l'a dit ?

— Le révérend, sans doute. À moins que ce soit ma mère.

L'effet de surprise s'estompant, il commençait à être agacé.

— Quelle importance ?

— Ça n'en a peut-être pas. Quand on t'a rencontré la première fois, Frank et moi, à Inverness, le révérend nous a raconté que ton père avait été abattu au-dessus de la Manche.

— Ah bon ? Et…

Son impatience était audible, et un petit bruit qui n'était pas tout à fait un rire s'était élevé parmi les rhododendrons.

— Tu as raison, ça n'a pas d'importance. Mais le révérend et toi avez bien dit qu'il pilotait un Spitfire, non ?

— En effet.

Sans vraiment savoir pourquoi, Roger avait ressenti un certain malaise, comme s'il y avait eu une présence derrière lui. Il avait toussoté et cherché une excuse pour se retourner, mais n'avait rien vu que la forêt obscure. Il avait repris, légèrement sur la défensive :

— J'en suis sûr. Ma mère avait une photo de lui assis dans son avion. Il s'appelait *Rag Doll* et une poupée de chiffon avec une robe rouge et des boucles noires était peinte sur le nez.

Il était bien placé pour le savoir. Il avait dormi avec cette photo sous son oreiller pendant des années après la mort de sa mère. Le portrait en studio de cette dernière était trop grand et il avait craint qu'on remarque son absence s'il le subtilisait.

— *Rag Doll*, avait-il répété sur un ton surpris.

— Quoi ? Qu'y a-t-il ?

Il avait agité une main, mal à l'aise.

— Rien. C'est juste que… je viens de me rendre compte que « Rag Doll » était probablement le surnom que mon père avait donné à ma mère. J'ai lu quelques-unes des lettres qu'il lui avait envoyées; il l'appelait Dolly. Ce n'est que maintenant, en repensant aux boucles noires et au portrait de ma mère que... Mandy. Mandy a les cheveux de ma mère.

— Ah, tant mieux, dit Claire d'une voix un peu sèche. Je suis soulagée de savoir que je n'en suis pas entièrement responsable. Tu le lui diras quand elle sera plus grande, hein ? Les filles qui ont les cheveux très bouclés se trouvent affreuses, surtout à l'adolescence, quand elles veulent ressembler à tout le monde.

Il avait perçu la petite note de tristesse dans sa voix et tendu la main vers elle, oubliant qu'elle tenait toujours une plante.

— Je le lui dirai, avait-il promis doucement. Je lui raconterai tout. Ne croyez surtout pas que nous laisserons les enfants vous oublier.

Elle lui avait serré la main, fort, faisant tomber de petites fleurs blanches odorantes dans le creux de sa jupe.

— Merci.

Il l'avait entendue renifler; puis elle avait essuyé ses yeux de sa main libre.

— Merci, avait-elle répété un peu plus fermement.

Elle s'était redressée avant d'ajouter :

— Il est important de se souvenir. Si je n'en étais pas convaincue, je ne te le dirais pas.

— Me dire quoi ?

Ses mains, petites, froides et sentant le médicament, s'étaient refermées sur les siennes.

— Je ne sais pas ce qui est arrivé à ton père, mais ce n'est pas ce qu'on t'a raconté.

✳

— J'étais *là*, Roger, répéta-t-elle patiemment. J'ai lu les journaux, je soignais des pilotes, je leur parlais, j'ai vu les avions. Les Spitfire étaient petits et légers, conçus pour la défense. Ils n'ont jamais traversé la Manche. Ils n'avaient pas suffisamment de portée pour faire l'aller et retour entre l'Angleterre et le continent, même si on en a envoyé certains plus tard.

— Mais…

Il s'interrompit, ne trouvant pas d'arguments pour la réfuter. Ses poils s'étaient hérissés sur ses avant-bras. Comme si elle avait lu dans ses pensées, elle reprit :

— Naturellement, il y a toutes sortes d'explications. Les récits s'embrouillent avec le temps et la distance. Celui qui a informé ta mère peut s'être trompé ; le révérend l'a peut-être mal comprise quand elle lui a rapporté les faits. Tout est possible. Pendant la guerre, Frank m'écrivait le plus souvent possible, jusqu'à ce qu'il soit recruté par le service des renseignements généraux. Dans une de ses lettres, il a mentionné qu'il était tombé sur une information étrange dans un des rapports qu'il traitait. Un Spitfire s'était écrasé en Northumbria. Il n'avait pas été abattu, et ils ont supposé qu'il s'agissait d'une panne de moteur. Par miracle, il n'avait pas explosé, mais il n'y avait aucune trace du pilote. Je me souviens qu'il m'avait donné son nom : Jeremiah. Il trouvait que c'était un prénom prédestiné à la tragédie.

— Jerry, murmura Roger. Ma mère l'appelait Jerry.

— Or, il y a des cercles de menhirs éparpillés un peu partout en Northumbria.

— Près de l'endroit où l'avion…

— Je ne sais pas.

Il ferma les yeux et inspira longuement. L'air était chargé de l'odeur des tiges cassées. Il demanda d'une voix très calme :

— Vous me dites ça à présent parce que nous rentrons ?

— Cela fait des semaines que je m'interroge à ce sujet, répondit-elle sur un ton d'excuse. Je me penche rarement sur le passé mais, ces derniers mois, avec tout ce qui est en train de nous arriver…

Elle fit un geste qui représentait leur départ imminent et les discussions intenses qui l'entouraient.

— Je pensais à la guerre et essayais de la décrire à Jamie.

Jamie lui avait posé des questions sur Frank, voulant savoir quel rôle il avait joué durant le conflit.

— Frank l'intrigue, ajouta-t-elle brusquement.

— Je le serais aussi, à sa place. Et Frank, il n'était pas curieux à son sujet ?

Cette question sembla la troubler, et elle ne répondit pas, préférant remettre la conversation sur ses rails.

— Quoi qu'il en soit, cela m'a fait penser aux lettres de Frank. J'essayais de me souvenir de ce dont il me parlait quand cette phrase m'est brusquement revenue en mémoire… à propos du prénom Jeremiah et de son côté maudit. Je n'étais pas sûre… mais j'en ai parlé à Jamie, qui m'a dit qu'il fallait que je te le dise. Il pense que tu as le droit de savoir et que, armé de cette vérité, tu sauras ce qu'il faut faire.

— Je suis flatté.

Il était plutôt flapi.

✳

Les étoiles commençaient à poindre haut au-dessus des collines. Elles n'étaient pas aussi brillantes que celles de Fraser's Ridge, où la nuit était comme un grand drap de velours noir. Ils étaient rentrés vers la maison mais s'attardaient dans la cour, discutant.

— J'y réfléchis de temps en temps. Quelle est la place du voyageur dans le temps dans le plan de Dieu ? Les choses peuvent-elles être changées ? *Devraient-elles* être changées ? Tes parents… ils ont tout tenté pour modifier le cours de l'histoire et ont échoué. D'un point de vue presbytérien, j'ai trouvé presque réconfortant qu'on ne puisse rien changer, que tout soit tel que Dieu l'a voulu… Tu sais, *Dieu est au ciel et tout va bien dans le monde*, ce genre de chose.

— Mais…

Bree tenait toujours la photocopie pliée. Elle l'agita devant elle pour chasser un papillon de nuit.

— Mais… convint-il, on a à présent la preuve du contraire.

— J'en ai discuté un peu avec maman. Ça l'a fait rire.

— Vraiment ?

— Pas comme si elle trouvait ça drôle. Je lui ai demandé si, à son avis, le voyageur pouvait changer le cours des choses, l'avenir. Elle m'a répondu que oui, parce qu'elle modifiait le futur chaque fois qu'elle sauvait quelqu'un qui serait mort sans elle. Certains de ceux qu'elle a guéris ont ensuite eu des enfants qu'ils n'auraient pas dû avoir, et qui sait ce que ces enfants ont fait plus tard qu'ils n'auraient pas dû faire car, sans elle, ils n'auraient pas existé… C'est à ce moment-là qu'elle a ri. Elle a dit que c'était une bonne chose que les catholiques croient au Mystère et ne cherchent pas sans cesse à comprendre comment Dieu fonctionne, contrairement aux protestants.

— Ma foi, je ne sais pas comment je lui aurais répondu… Oh, elle parlait de moi ?

— Sans doute, je ne le lui ai pas demandé.

Ce fut au tour de Roger de rire. Elle s'était assise sur le banc près de la porte, tripotant nerveusement la feuille de papier de ses doigts agiles.

— La preuve… Tu es sûr que c'en est une ?

— Peut-être pas conformément à tes rigoureux critères d'ingénieure mais… Qu'est-ce que tu fabriques, un avion en papier ?

— Non, c'est… Oh là ! Mandy !

Elle avait bondi et s'était précipitée dans la maison avant qu'il n'ait enregistré le long vagissement provenant de la chambre d'enfant à l'étage. Il l'entendit grimper l'escalier quatre à quatre, le laissant seul pour fermer la maison. D'ordinaire, ils ne verrouillaient pas les portes ; personne ne le faisait dans les Highlands. Mais ce soir-là…

Son cœur fit un bond quand il vit une longue ombre grise traverser le sentier devant lui. Puis il sourit. Le petit Adso chassait. Le fils d'un voisin était passé quelques mois plus tôt avec un panier rempli de chatons à caser. Brianna en avait choisi un gris aux yeux verts, le sosie du chat de sa mère, auquel elle avait donné le même nom. S'ils avaient pris un chien de garde, l'auraient-ils baptisé Rollo ?

— *Le chat du révérend est un chat chasseur…* murmura-t-il. Bonne chasse, alors !

La queue grise disparut sous un hortensia, et il se pencha pour ramasser la feuille pliée que Brianna avait laissé tomber. Ce n'était pas un avion. Qu'était-ce ? Un chapeau ? Il le glissa dans la poche de sa chemise et rentra.

Il trouva Brianna et Mandy devant la cheminée du petit salon. Mandy, réconfortée et repue de lait, s'était déjà à moitié rendormie dans les bras de sa mère. Elle cligna des yeux vers lui, suçant son pouce.

Il écarta doucement les boucles de devant ses yeux et demanda d'une voix douce :

— Que t'est-il arrivé, *a leannan* ?

— Un mauvais rêve, répondit Brianna. Une vilaine chose au-dehors qui essayait d'entrer par sa fenêtre.

Brianna et lui avaient été assis juste sous la fenêtre en question. Il lança machinalement un regard vers celle du petit salon, apercevant son reflet : un homme à l'air las mais aux épaules voûtées comme s'il s'apprêtait à bondir. Il se redressa et tira les rideaux.

Il s'assit et tendit les bras vers sa fille, qui s'y installa avec la lenteur voluptueuse d'un paresseux descendant de son arbre, lui enfonçant son pouce baveux dans l'oreille par la même occasion. Brianna partit dans la cuisine leur chercher du chocolat chaud et revint quelques instants plus tard avec un plateau cliquetant et l'air de quelqu'un se demandant comment aborder une question délicate.

— Est-ce que tu as… enfin… compte tenu de la nature difficile de… euh… As-tu pensé à demander à Dieu ? Directement.

Mi-agacé, mi-amusé par son embarras, il répondit :

— Oui, je le lui ai demandé, à plusieurs reprises, notamment en route vers Oxford. C'est là que j'ai trouvé ça.

Il lui montra le papier plié.

— Au fait, qu'est-ce que ça représente ?

— Oh.

Elle reprit la feuille, plia les derniers angles avec des gestes rapides et sûrs, puis lui présenta le résultat posé sur la paume de sa main. Il fronça les sourcils un moment avant de comprendre : les enfants appelaient ça un « coin-coin ». Il y avait quatre poches dans lesquelles on passait ses pouces et ses index afin d'ouvrir la cocotte de quatre manières différentes à mesure que l'on posait des questions. Les réponses possibles étaient inscrites à l'intérieur des onglets : oui, non, parfois, jamais.

— Exactement ce qu'il me fallait, déclara-t-il en souriant.

Ils burent leur chocolat en silence, une question épineuse en suspens entre eux. Puis il déclara doucement :

— Dans la Confession de foi de Westminster, il est dit également que « Dieu est le seul seigneur de la conscience ». C'est à moi de faire la paix avec ça, ou pas. J'ai dit au professeur Weatherspoon qu'il me semblait étrange qu'il prenne un assistant chef de chœur qui ne pouvait pas chanter. Il s'est contenté de sourire et a répondu qu'il voulait me garder sous la main le temps que je me « retourne ». Il a sans doute peur que je déserte le navire et passe dans le camp des papistes.

— C'est bien, dit-elle en gardant le nez plongé dans la tasse de chocolat.

Il y eut un autre silence, et l'ombre de Jerry MacKenzie, pilote de la Royal Air Force, vint s'asseoir près du feu dans son blouson de cuir bordé de mouton, observant la lumière danser dans les cheveux noirs de sa petite-fille.

Brianna demanda enfin :

— Tu… tu vas essayer de le retrouver ? De savoir où est passé ton père ? Où il pourrait… être ?

Où il pourrait être. Ici, là-bas, aujourd'hui, hier ? Le cœur de Roger se serra soudain convulsivement lorsqu'il repensa au vagabond qui avait dormi dans le broch. *Seigneur… non.* Ce ne pouvait être lui. C'était juste un vœu pieux de sa part.

Il y avait beaucoup songé en route vers Oxford, entre deux prières. À ce qu'il lui dirait, ce qu'il lui demanderait si l'occasion se présentait. Il aurait voulu tout lui demander, tout lui dire, mais il n'y avait vraiment qu'une seule chose qu'il pouvait dire à son père, et cette chose était en train de ronfler dans ses bras telle une abeille ivre.

Mandy remua légèrement, émit un petit rot puis se recala contre sa poitrine. Ne relevant pas les yeux, il se perdit dans le labyrinthe noir de ses cheveux.

— Non, répondit-il. Je ne courrai pas le risque que mes enfants perdent leur père.

Sa voix n'était plus qu'un filet rauque ; ses cordes vocales grinçaient comme un rouage rouillé pour faire sortir les mots.

— C'est trop important. On n'oublie pas qu'on a eu un père.

Brianna lui lança un regard de biais, ses yeux à peine une étincelle dans la lueur du feu.

— Mais… tu étais si jeune. Tu te souviens de ton père ?

Roger baissa la tête, inhalant le parfum des cheveux de sa fille.

— Non. Mais je me souviens du tien.

22

Le papillon

Il était clair que Jamie avait à nouveau rêvé. Son regard était flou, tourné vers l'intérieur, comme s'il voyait autre chose que le boudin frit dans son assiette.

Je brûlais d'envie de lui demander ce qu'il avait vu mais me tus, craignant que, si je l'interrogeais trop tôt, il ne perde une partie de sa vision. En toute honnêteté, j'étais également un peu envieuse. J'aurais tout donné pour voir ce qu'il voyait, que ce soit réel ou non. Ce dernier point n'était pas important, il s'agissait d'un lien et, lorsque je lisais cette expression sur son visage, les terminaisons nerveuses qui m'avaient attachée à ma famille disparue fusaient et crépitaient tels des câbles électriques sectionnés.

N'y tenant plus, j'attendis que la serveuse se soit éloignée et demandai :

— Tu as rêvé d'eux, n'est-ce pas ?

Nous nous étions levés tard, épuisés par la longue route de la veille jusqu'à Wilmington. Nous étions les seuls clients dans la petite salle de restaurant de l'auberge.

Il acquiesça lentement, le front soucieux. Cela m'inquiéta. Lorsqu'il rêvait de Bree et des enfants, il se réveillait généralement paisible et serein.

— Quoi ? insistai-je. Que s'est-il passé ?

— Rien, *Sassenach*. J'ai vu Jem et la petite...

Son visage s'illumina soudain.

— Ah, la coquine ! C'est une sacrée petite polissonne ! Elle me fait penser à toi !

C'était un compliment douteux, mais il me réchauffa le cœur. J'avais passé des heures à observer Jem et Mandy, mémorisant les moindres détails de leur visage et de leur gestuelle, essayant d'extrapoler, de les imaginer à mesure qu'ils grandiraient. J'étais convaincue que Mandy avait hérité de ma bouche, et je savais déjà que ses yeux avaient la forme des miens.

— Que faisaient-ils ?

— Ils étaient dehors. Jem lui a dit quelque chose. Elle lui a flanqué un coup de pied dans le tibia et s'est mise à courir. Il s'est lancé à sa poursuite. Je crois que c'était le printemps. Il y avait de petites fleurs. Elle en avait dans les cheveux et il en poussait plein au pied des pierres.

— Quelles pierres ? m'inquiétai-je aussitôt.

— Oh, non, des pierres tombales. Oui, c'est ça ! Ils jouaient dans le cimetière sur la colline derrière Lallybroch.

Je poussai un soupir d'aise. C'était le troisième rêve où il les voyait à Lallybroch. C'était sans doute prendre nos désirs pour des réalités, mais je savais que de les imaginer vivant là-bas le rendait aussi heureux que moi.

— Ils pourraient très bien y être, déclarai-je. Roger s'y est rendu quand nous faisions des recherches pour te localiser. Il a dit que le domaine était à vendre. Bree doit avoir de l'argent ; ils l'ont peut-être acheté. Oui, ils pourraient fort bien y être !

Il acquiesça d'un sourire, son regard encore adouci par le souvenir des enfants courant sur la colline, se pourchassant entre les longues herbes et les stèles qui marquaient le repos de sa famille.

— Un papillon les suivait, dit-il soudain. Je l'avais oublié ! Un papillon bleu.

— Bleu ? Il y a des papillons bleus en Écosse ?

Je tentai de me souvenir mais, lors de mes séjours là-bas, il me semblait bien n'en avoir vu que des blancs et des jaunes.

Il me lança un regard légèrement exaspéré.

— C'est un rêve, *Sassenach*. Si je veux, je peux aussi voir des papillons avec des ailes aux couleurs de mon tartan !

Je ris mais refusai de me laisser distraire.

— Soit, mais qu'est-ce qui t'a dérangé alors ?

— Comment sais-tu que quelque chose m'a dérangé ?

— Tu n'es peut-être pas transparent, mais je suis mariée avec toi depuis plus de trente ans !

Il ne releva pas le fait que nous n'avions pas été physiquement ensemble pendant vingt de ces trente années et se contenta de sourire.

— Effectivement. Ce n'est sans doute rien, sauf qu'ils sont entrés dans le broch.

— Le broch ?

Je revis la vieille tour perchée sur la colline derrière la ferme, son ombre balayant quotidiennement le cimetière telle la progression majestueuse d'un cadran solaire géant. Jamie et moi y avions grimpé bien des soirées pour nous asseoir sur le banc au pied du bâtiment. De là-haut, à l'abri du remue-ménage de la maison, nous pouvions contempler le paysage paisible du domaine s'étirant en taches blanches et vertes caressées par la lumière du crépuscule.

Il avait repris son air soucieux.

— Le broch… répéta-t-il. Je ne sais pas pourquoi, mais je ne voulais pas qu'ils y entrent. J'avais une sensation étrange… comme s'il y avait quelque chose à l'intérieur. Quelque chose qui les attendait, et ça ne me plaisait pas du tout.

———◄O►———

Troisième partie

LES ACROBATES
DE LA FLIBUSTE

23

Des nouvelles du front

3 octobre 1776
Ellesmere, à lady Dorothea Grey

Chère cousine,
Je t'écris à la hâte avant la levée du courrier. Je pars pour un bref voyage en compagnie d'un autre officier, à la demande du capitaine Richardson, et j'ignore où je serai dans les prochaines semaines. Tu peux m'écrire aux bons soins de ton frère Adam, avec qui je tâcherai de rester en contact.
Je me suis acquitté de la mission que tu m'avais confiée et continuerai de te servir de mon mieux. Transmets mes respects affectueux à ton père et à toute la famille, en en gardant une bonne part pour toi-même.
Ton dévoué cousin,
William

✳

3 octobre 1776
Ellesmere, à lord John Grey

Cher père,
Après mûre réflexion, j'ai décidé d'accepter l'offre du capitaine Richardson d'accompagner un officier supérieur en mission à Québec afin de lui servir d'interprète. Le général Howe a donné son accord.

Je n'ai pas encore rencontré le capitaine Randall-Isaacs, devant le retrouver à Albany la semaine prochaine. J'ignore quand je serai de retour et quand j'aurai l'occasion de t'écrire à nouveau, mais je le ferai à la première occasion. En attendant, sois assuré de toute mon affection,
   Ton fils,
   William

✳

Québec, fin octobre 1776

William ne savait pas trop quoi penser du capitaine Denys Randall-Isaacs. En surface, c'était le genre de soldat cordial comme on en rencontrait dans tous les régiments. Âgé d'une trentaine d'années, il jouait plutôt bien aux cartes, avait la plaisanterie facile, était séduisant, ouvert et fiable. C'était un compagnon de voyage fort agréable qui possédait un remarquable fond d'histoires divertissantes ainsi qu'un inépuisable répertoire de chansons paillardes et de poèmes grivois.

Ce dont il ne parlait jamais, c'était de lui-même. Or, de l'expérience de William, c'était pourtant ce que les gens faisaient le mieux, ou du moins le plus souvent.

Il avait tenté de l'aiguillonner un peu, lui racontant notamment les circonstances plutôt tragiques de sa venue au monde, pour ne recevoir en retour que quelques données brutes : le père de Denys, un officier des dragons, était mort avant sa naissance lors de la campagne des Highlands. Sa mère s'était remariée un an plus tard.

— Mon beau-père est juif, avait-il expliqué à William.

Il avait ajouté avec un sourire ironique :

— Et riche de surcroît.

William s'était contenté de hocher la tête en souriant.

Cela ne faisait pas beaucoup d'informations mais expliquait en partie pourquoi Randall-Isaacs travaillait pour Richardson au lieu de chercher la gloire auprès des lanciers ou des fusiliers gallois. L'argent pouvait vous acheter une commission mais ne vous assurait pas un accueil chaleureux au sein d'un régiment. Il n'offrait pas non plus l'opportunité d'une famille au bras long.

L'espace d'un instant, William se demanda pourquoi lui-même préférait participer aux aventures douteuses du capitaine Richardson plutôt que d'exploiter le considérable réseau social de sa famille, mais il décida de reporter ses méditations à plus tard.

— Magnifique ! s'extasia Denys.

Ils venaient de s'arrêter sur la route menant du Saint-Laurent à la citadelle de Québec. De là, ils pouvaient voir la falaise abrupte que les troupes du général Wolfe avaient escaladée dix-sept ans plus tôt pour prendre la forteresse – et la province de Québec – aux Français.

S'efforçant de parler sur un ton détaché, William déclara :

— Mon père a fait cette escalade.

Randall-Isaacs se tourna vers lui, stupéfait.

— Quoi, vous voulez parler de lord John ? Il s'est battu sur les plaines d'Abraham aux côtés de Wolfe ?

— En effet.

William lui-même n'était pas peu impressionné. La falaise était couverte de végétation, mais la roche en dessous était en schiste argileux, et donc très friable. Il distinguait les crevasses sombres et les fissures quadrangulaires sous le feuillage. Ils avaient non seulement escaladé toute cette hauteur pendant la nuit, mais hissé avec eux toute l'artillerie !

— Il m'a raconté que la bataille en elle-même fut pratiquement terminée sitôt commencée... Ce ne fut que l'histoire d'une grande salve. En revanche, la grimpée qui l'avait précédée fut la pire expérience de sa vie.

Randall-Isaacs émit un petit bruit admiratif puis, après un instant, demanda :

— Vous avez bien dit que votre père connaissait sir Guy ? Je suis sûr qu'il serait ravi d'entendre cette histoire.

William lui lança un regard surpris. En réalité, il n'avait jamais mentionné que lord John connaissait le gouverneur général de l'Amérique du Nord, même si c'était le cas. Son père connaissait tout le monde. Ce ne fut qu'alors qu'il comprit sa véritable fonction dans cette expédition : il était la carte de visite de Randall-Isaacs.

Il était vrai que, contrairement à ce dernier, il parlait très bien le français (il avait toujours eu des facilités pour les langues étrangères). Sur ce point du moins, Richardson n'avait pas menti : il était toujours préférable d'avoir sous la main un interprète de confiance. Néanmoins, si Randall-Isaacs lui avait témoigné un intérêt flatteur, la plupart de ses questions avaient porté sur lord John : les hauts faits de sa carrière militaire, les lieux où il avait été stationné, les personnalités avec qui il avait servi ou qui avaient été ses supérieurs, ses relations…

Depuis leur départ, ils avaient rendu visite aux commandants des forts Saint-Jean et Chambly et, dans les deux cas, Randall-Isaacs avait glissé dans les présentations que William était le fils de lord John Grey. L'accueil officiel s'était alors considérablement réchauffé et transformé en longue soirée de réminiscences arrosées de bon cognac. Au cours de ces dernières, William n'en prenait conscience qu'à présent, les commandants et lui avaient monopolisé la conversation. Randall-Isaacs s'était contenté de rester en retrait en les écoutant avec fascination.

Aha ! Maintenant qu'il comprenait la situation, William était partagé. D'un côté, il était plutôt fier d'avoir flairé le stratagème. De l'autre, il était assez vexé de constater qu'on l'avait choisi pour ses relations plutôt que pour ses qualités propres.

Néanmoins, il était toujours bon de le savoir, même s'il se sentait rabaissé. Ce qu'il ignorait, c'était le rôle exact de Randall-Isaacs. Collectait-il uniquement des informations pour Richardson ou avait-il d'autres desseins plus secrets ? Il lui arrivait souvent de s'éclipser en laissant William livré à lui-même, déclarant qu'il avait une course privée pour laquelle son français serait amplement suffisant.

Selon le peu d'instructions que lui avait données le capitaine Richardson, ils étaient censés prendre le pouls politique des habitants français et des colons anglais du Québec. L'objectif était d'évaluer le soutien auquel la Couronne pouvait s'attendre en cas d'incursion des rebelles américains et de tentatives de menaces ou de séduction de la part du Congrès continental.

Jusque-là, les sentiments paraissaient clairs, bien qu'inattendus. Les Français de la région appréciaient sir Guy qui, en tant que gouverneur en chef d'Amérique du Nord, avait instauré l'Acte de Québec. Ce dernier légalisait le catholicisme et protégeait le commerce des catholiques français. Pour des raisons évidentes, les Anglais étaient mécontents de cet acte et avaient boudé en masse la demande de sir Guy de former des milices lors de l'attaque des Américains l'hiver précédent.

Tandis qu'ils traversaient la plaine s'étendant devant la citadelle, William observa à l'intention de Randall-Isaacs :

— Ils devaient être fous ! Je veux parler des Américains qui ont tenté de les envahir l'année dernière.

Ils avaient atteint le sommet de la falaise, et la forteresse se dressait devant eux, paisible et solide – très solide – dans la lumière automnale. Il faisait beau et chaud ; l'air était rempli des odeurs terreuses et riches du fleuve et de la forêt. Il n'avait encore jamais vu une telle végétation. Les arbres qui bordaient la plaine et les berges du Saint-Laurent formaient un écran impénétrable à présent embrasé de taches rouges et or. Se détachant sur les eaux noires et le ciel d'octobre d'un bleu profond, ils formaient un décor surréel, lui donnant l'impression de se promener dans une enluminure médiévale, étincelant de feuille d'or et brûlant d'une ferveur mystique.

Au-delà de la beauté du paysage, il ressentait également sa sauvagerie. Les journées étaient encore chaudes, mais l'air frais de l'hiver se faisait un peu plus mordant à chaque nouveau crépuscule. Il n'avait pas besoin de faire preuve de beaucoup d'imagination pour visualiser la plaine telle qu'elle serait d'ici quelques semaines, prise dans la glace, d'une blancheur hostile à toute vie. Après avoir parcouru plus de trois cents kilomètres et connaissant les problèmes d'approvisionnement de deux cavaliers sur les mauvaises routes du Nord par beau temps, il devinait aisément l'extrême difficulté de pourvoir aux besoins d'une armée en marche en plein hiver.

Randall-Isaacs l'extirpa de ses pensées.

— S'ils étaient sains d'esprit, ils ne se seraient jamais soulevés. Toutefois, c'est le colonel Arnold qui les a conduits jusqu'ici. Lui, il est bel et bien fou, mais c'est un sacré bon soldat.

Son ton admiratif surprit William.

— Vous le connaissez?

Randall-Isaacs se mit à rire.

— Pas personnellement. Allez, venez.

Il éperonna son cheval, et ils reprirent la route vers la porte de la citadelle. Le capitaine semblait plongé dans un souvenir et affichait un air mi-amusé mi-méprisant. Au bout de quelques instants, il reprit:

— Arnold aurait pu réussir. Je veux dire, il aurait pu prendre la ville. Sir Guy n'avait pratiquement pas de troupes. Si Arnold était arrivé au moment prévu, équipé de la poudre et des munitions nécessaires, l'histoire aurait été différente. Mais il n'a pas choisi l'homme qu'il fallait pour demander son chemin.

— Que voulez-vous dire?

Randall-Isaacs parut soudain méfiant puis sembla se dire: « Quelle importance? » Il était de bonne humeur, réjoui par la perspective d'un dîner chaud, d'un lit douillet et de draps propres après des semaines de campement dans des forêts sombres.

— Il ne pouvait arriver par voie de terre, expliqua-t-il. Cherchant un moyen d'acheminer une armée et son équipement en bateaux, il se mit en quête d'un homme ayant déjà entrepris ce voyage dangereux et connaissant les rivières. Il en trouva un... Samuel Goodwin.

Randall-Isaacs secoua la tête comme s'il n'en revenait pas d'une telle naïveté.

— Il ne lui est jamais passé par la tête que Goodwin pouvait être loyaliste. Goodwin est venu me trouver et m'a demandé ce qu'il devait faire. Alors, je le lui ai dit. Il a donné ses cartes à Arnold, après les avoir soigneusement redessinées.

En modifiant les distances, en effaçant les repères, en indiquant des passages qui n'existaient pas et en fournissant des cartes inventées de toutes pièces, M. Goodwin parvint à entraîner Arnold et son armée au plus profond d'une nature sauvage, les obligeant à porter leurs embarcations et leur équipement par voie de terre pendant des jours, les retardant jusqu'à ce que l'hiver les rattrape avant qu'ils ne parviennent enfin en vue de la ville de Québec.

Randall-Isaacs se mit à rire ; un rire où William perçut néanmoins une pointe de regret.

— J'étais stupéfait quand j'ai appris qu'il avait fini par arriver à bon port. Pour ne rien arranger, il avait été escroqué par les charpentiers qui avaient bâti ses navires. Je pense que c'était plus de l'incompétence de leur part qu'une volonté politique ; quoique, de nos jours, les deux soient souvent difficiles à dissocier. Les coques étaient en bois vert et mal ajustées. Plus de la moitié des embarcations se sont désintégrées et ont coulé quelques jours après avoir été mises à l'eau.

Il fit une pause méditative, puis ajouta :

— Cela a dû être un enfer.

Il se redressa sur sa selle.

— Pourtant, ils l'ont suivi. Tous ses hommes. Seule une compagnie a fait demi-tour. Affamés, à moitié nus, transis de froid… ils l'ont suivi.

Il lança un regard à William et lui demanda avec un sourire :

— Vous pensez que vos hommes vous suivront, lieutenant ? Dans de telles conditions ?

— J'espère avoir assez de bon sens pour ne pas les entraîner dans un tel cauchemar. Qu'est-il arrivé à Arnold ? A-t-il été capturé ?

— Non, répondit Randall-Isaacs, l'air songeur.

Il agita une main pour faire signe aux gardes de la porte de la citadelle, puis répéta :

— Non, il n'a pas été fait prisonnier. Quant à ce qu'il mijote aujourd'hui, Dieu seul le sait. Dieu ou sir Guy. J'espère que ce dernier pourra nous le dire.

24

Joyeux Noël[8]

Londres, 24 décembre 1776

La plupart des maquerelles prospères étaient corpulentes. Peut-être était-ce pour compenser les privations de leurs jeunes années, à moins que ce ne fût un bouclier contre le risque d'un retour aux bas échelons de leur métier mais, de l'expérience de lord John, presque toutes étaient bien en chair.

Sauf Nessie. Il distinguait sa silhouette maigrelette à travers la fine mousseline de sa chemise tandis qu'elle enfilait son peignoir japonais devant la cheminée (il l'avait tirée du lit sans le vouloir). Elle n'avait pas pris un gramme depuis qu'il l'avait rencontrée. Elle avait alors quatorze ans, selon ses dires (il soupçonnait plutôt qu'elle n'en avait que onze).

Elle devait avoir la trentaine aujourd'hui. Elle paraissait toujours avoir quatorze ans.

Cela le fit sourire, et elle lui sourit en retour tout en nouant sa cordelière. Du coup, elle parut plus vieille. Il lui manquait quelques dents, et celles qui restaient étaient noircies à la base. Si elle ne grossissait pas, c'était purement à cause de sa constitution physique, car elle adorait les sucreries. Elle pouvait avaler toute une boîte de violettes *candies* ou de loukoums en quelques minutes. C'était à croire qu'elle essayait de rattraper les années de famine de son enfance

---

8. En français dans le texte (*N.d.T.*).

413

dans les Highlands écossaises. Il lui avait apporté une livre de prunes confites.

Elle accepta le paquet joliment enveloppé qu'il lui tendait avec une moue ironique.

— Vous croyez qu'on peut m'acheter aussi facilement que ça ?

— En aucune manière. C'est pour me faire pardonner d'avoir troublé votre repos.

Il improvisait. En réalité, il s'était attendu à la trouver au travail, car il était plus de dix heures du soir.

— Que voulez-vous, c'est la nuit de Noël. Tous les hommes qui ont un foyer restent chez eux en famille.

Elle bâilla, ôta son bonnet et passa ses doigts dans la masse désordonnée de ses boucles noires.

— Pourtant, il semble que vous ayez des clients.

On entendait des chants deux étages plus bas et, lorsqu'il était passé devant, le salon semblait plein.

— Ah, eux. Ce sont les désespérés. Je les laisse à Maybelle. Ça me fait trop de peine de les voir. Ils ne cherchent pas vraiment une femme, ceux qui viennent la nuit de Noël, juste un feu dans l'âtre et un peu de compagnie.

Elle lui indiqua un siège, s'assit et tira sur le ruban du paquet avec des doigts avides.

— Dans ce cas, permettez-moi de vous souhaiter un joyeux Noël.

Il l'observait avec un amusement teinté d'affection. Elle enfourna une des confiseries, ferma les yeux et poussa un soupir extatique. Elle n'avait même pas avalé la première qu'elle en engloutissait une deuxième.

— Mmmm…

Il supposa que l'intonation cordiale de cette remarque signifiait qu'elle lui en souhaitait autant.

Naturellement, il avait été conscient de la date, mais il s'était efforcé de ne pas y penser tout au long de cette longue journée glacée. Il était tombé des cordes sans interruption, une pluie gelée entrecoupée de rafales de grêle. Il était transi depuis l'aube, alors qu'il avait été réveillé par le valet de Minnie venu le convoquer à Argus House.

La chambre de Nessie était petite mais élégante. Il y régnait une confortable odeur de sommeil. Son lit immense était orné d'un baldaquin à carreaux roses et noirs dans le style reine Charlotte du dernier cri. Épuisé, affamé et glacé jusqu'aux os, il se sentait attiré par cette caverne chaude et accueillante, avec ses oreillers en plumes d'oie, son édredon, ses draps propres et doux. Que penserait-elle s'il lui demandait de partager son lit cette nuit ?

Un feu dans l'âtre et un peu de compagnie.

Il prit soudain conscience d'un bourdonnement grave, un peu comme celui d'une mouche coincée contre une vitre. En se tournant vers le son, il se rendit compte que ce qu'il avait pris pour une simple masse de draps froissés contenait en fait un corps ; le gland de passementerie d'un élégant bonnet de nuit s'allongeait sur un oreiller.

Nessie suivit son regard et sourit.

— Ce n'est que mon Rab, dit-elle. Milord serait-il tenté par une petite partie de triolisme ?

Tout en rougissant, il comprit qu'il l'aimait non seulement pour sa personnalité et ses talents d'espionne, mais également parce qu'elle avait le don de le désarçonner. Elle ignorait sans doute la nature exacte de ses penchants mais, étant prostituée depuis l'enfance, elle savait interpréter les désirs de chacun, consciemment ou non.

— Non merci, répondit-il poliment. Je ne voudrais pas déranger votre mari.

Il s'efforça de ne pas penser aux mains larges et fortes de Rab McNab ni à ses cuisses puissantes. Avant son mariage avec Nessie et l'établissement de leur bordel prospère, il avait été porteur de chaise. Mettait-il lui aussi son corps à vendre à présent ?

Elle lança un regard affectueux vers le lit.

— Oh, vous ne réveilleriez pas mon gros ours avec un coup de canon.

Elle se leva néanmoins et alla tirer les rideaux du baldaquin, étouffant les ronflements.

— En parlant de canon, vous avez l'air de sortir du champ de bataille. Tenez, buvez donc un petit verre. Je vais vous faire monter un repas chaud.

Elle lui indiqua une carafe et des verres posés sur un gué-ridon et tendit la main vers le cordon de sonnette. Il l'arrêta d'un geste.

— C'est très aimable à vous, mais je n'ai pas beaucoup de temps. Cela dit, un petit remontant ne serait pas de refus.

Le whisky lui réchauffa la gorge (elle ne buvait rien d'autre, considérant le gin comme une boisson vulgaire et le vin, bien que bon, pas assez puissant pour accomplir sa mission). Son manteau trempé commençait à fumer à la cha-leur du feu.

— Vous êtes pressé? Pourquoi donc?

— Je pars pour la France demain matin.

Elle haussa des sourcils surpris tout en engloutissant une autre prune.

— Che fou ai pa fou euh teni de fo't famille.

— Ne parlez donc pas la bouche pleine, ma chère. Mon frère a eu une attaque la nuit dernière. Son cœur, selon son charlatan de médecin; mais je doute qu'il sache vraiment ce dont il souffre. Notre dîner familial risque donc d'être quelque peu compromis.

— J'en suis navrée, dit Nessie plus distinctement.

Elle essuya délicatement le sucre à la commissure de ses lèvres, le front soucieux.

— Monsieur le duc est un homme bon.

— Oui, en effet, il…

Il s'interrompit brusquement.

— Vous connaissez mon frère?

Nessie lui adressa un sourire charmant et déclara sur un ton chantant, parodiant visiblement une ancienne employeuse:

— La discrétion est l'article le plus précieux qu'une maquerelle puisse avoir dans son stock.

— Bien dit, de la part d'une femme qui espionne pour moi, rétorqua-t-il.

Il essaya d'imaginer Hal… ou peut-être de ne pas l'imaginer… car il n'aurait tout de même pas… Afin d'épargner ses besoins à Minnie, peut-être ? Mais il aurait cru…

— Bah ! Espionner, ce n'est pas comme de répandre des commérages, pas vrai ? J'ai envie de thé, même si ça ne vous dit rien. Parler me donne soif.

Elle sonna un valet puis se tourna à nouveau vers lui, arquant un sourcil.

— Votre frère se meurt et vous partez pour la France ?

— Il n'est pas en train de mourir, répondit sèchement Grey.

Cette idée ouvrait un gouffre abyssal dans le tapis à ses pieds. Il évita résolument de le regarder.

— Il… il a eu un choc. Il a appris que son fils benjamin avait été blessé en Amérique et fait prisonnier.

Elle écarquilla les yeux et serra son peignoir plus près de ses seins inexistants.

— Le benjamin. C'est-à-dire… Henry, n'est-ce pas ?

— En effet. Mais comment diable le savez-vous ?

Elle sourit d'un air espiègle puis, constatant son désarroi, redevint plus sérieuse.

— Un des valets du duc est un de mes réguliers. Il vient les jeudis ; c'est son soir de congé.

— Ah.

Il resta un moment immobile, les mains sur les genoux, essayant de remettre un peu d'ordre dans ses pensées et ses émotions. Elle lança un regard vers la fenêtre, dont les lourds rideaux en velours rouge et en dentelle étouffaient à peine le bruit du déluge à l'extérieur, et demanda :

— C'est un peu tard dans l'année pour recevoir du courrier d'Amérique, non ? Un dernier navire a tenté la traversée ?

— Oui, mais il a été dévié et a accosté tant bien que mal à Brest avec un grand mât avarié.

— C'est donc à Brest que vous allez ?

— Non.

Avant qu'elle n'ait pu poser d'autres questions, on gratta à la porte, et elle fit entrer le valet chargé d'un plateau. Grey remarqua que, sans qu'on le lui ait demandé, il avait apporté, outre le service à thé, un grand cake généreusement enduit de crème.

Il hésita. Pouvait-il le lui dire ? Elle n'avait pas plaisanté au sujet de sa discrétion. Elle savait garder les secrets aussi bien que lui. Quand elle referma la porte et se tourna à nouveau vers lui, il déclara :

— Il s'agit de William…

✳

À ses articulations douloureuses et au carillon étouffé de sa montre de gousset, il savait que l'aube approchait. On n'en voyait pourtant aucune trace dans le ciel. Des nuages couleur de suie effleuraient les toits de Londres, et les rues étaient encore plus sombres qu'à minuit, toutes les lanternes étant éteintes depuis longtemps.

Il avait veillé toute la nuit. Tant de choses à faire ! Il aurait vraiment dû rentrer chez lui pour dormir quelques heures avant de sauter dans la diligence pour Douvres, mais il ne pouvait partir sans voir Hal une dernière fois. Rien que pour être sûr.

Il y avait de la lumière derrière les fenêtres d'Argus House. Malgré les rideaux tirés, un mince faisceau faisait luire les pavés mouillés dans la cour. Il s'était mis à neiger, mais les flocons n'adhéraient pas encore au sol. La diligence serait peut-être retenue… En tout cas, elle prendrait du retard sur les routes bourbeuses.

Son cœur fit un bond lorsqu'il aperçut la vieille voiture arrêtée sous la porte cochère, devinant qu'elle attendait le médecin.

Quand il frappa à la porte, celle-ci fut ouverte presque aussitôt par un laquais débraillé. On voyait qu'il avait enfilé sa chemise à la hâte. Ses traits anxieux se détendirent légèrement lorsqu'il reconnut Grey.

— Le duc… ?

Le laquais – Grey se souvint soudain qu'il s'appelait Arthur – lui prit son manteau mouillé.

— Il a été pris d'un malaise au milieu de la nuit, mais il va mieux.

Grey gravit les marches quatre à quatre et, au milieu de l'escalier, croisa le médecin, un homme mince et gris qu'il identifia aussitôt à sa sacoche et à sa veste, qui sentait la maladie. Il le saisit par la manche.

— Comment va-t-il?

Le médecin eut un mouvement de recul, offusqué, puis, apercevant son visage à la lueur d'une applique, vit sa ressemblance avec Hal et descendit de ses grands chevaux.

— Légèrement mieux, milord. Je l'ai saigné, et il respire mieux.

Grey le lâcha et bondit vers le palier. La porte de la suite de Hal était ouverte, et il entra en coup de vent, effrayant une servante portant un pot de chambre délicatement drapé dans un linge brodé de grandes fleurs brillantes. Il marmonna un mot d'excuse et entra dans la chambre de son frère.

Ce dernier était assis dans son lit, calé contre des oreillers. Il paraissait presque mort. Minnie était à ses côtés, son joli minois rond affaissé par l'angoisse et la fatigue.

— Je vois que monsieur le duc chie même avec élégance, dit Grey en s'asseyant de l'autre côté du lit.

Hal souleva une paupière grise et le regarda. Son visage était peut-être squelettique, mais son œil gris était toujours aussi vif. Grey fut envahi d'un soulagement immense.

— Ah, tu veux parler du linge? dit Hal d'une voix faible mais claire. C'est Dottie. Elle refuse de sortir, même si je lui ai promis de ne pas mourir en son absence.

Il s'interrompit, cherchant son souffle, toussota puis reprit:

— Dieu merci, elle n'est pas portée sur les actes de piété; elle n'a aucun talent pour la musique et elle possède une telle vitalité qu'elle représente un vrai danger pour notre personnel de cuisine. Minnie lui a donc appris le point de croix en guise d'exutoire à sa formidable énergie.

Minnie se tourna vers Grey avec une mine navrée.

— Je suis désolée, John. Je l'ai envoyée se coucher, mais j'ai vu qu'il y avait toujours de la lumière chez elle. Elle doit être en train de te broder des pantoufles.

Grey estima des pantoufles relativement inoffensives, quel que soit le motif qu'elle ait choisi.

— Tant que ce ne sont pas des caleçons… Je ne supporte pas les broderies qui grattent.

Cela fit rire Hal, qui fut pris d'une quinte de toux alarmante. D'un autre côté, cette dernière lui redonna un peu de couleurs aux joues.

— Tu n'es donc pas à l'article de la mort ? demanda Grey.

— Non.

— Tant mieux.

Grey sourit en ajoutant :

— Ne t'avise pas de l'être.

Hal fut surpris puis, se souvenant d'une conversation similaire qu'ils avaient eue des années plus tôt, sourit à son tour.

— Je ferai de mon mieux.

Il posa une main affectueuse sur le bras de sa femme.

— Ma chère…

Elle se leva aussitôt.

— Je vais vous faire préparer du thé.

Après un regard à Grey, elle ajouta :

— Et un petit déjeuner bien chaud.

Elle referma délicatement la porte derrière elle.

Hal se redressa un peu plus contre ses oreillers, ne prêtant pas attention au linge souillé de sang qui bandait son bras.

— Alors, que se passe-t-il ? demanda-t-il. Tu as des nouvelles ?

— Très peu. Mais j'ai un tas de questions inquiétantes.

La nouvelle de la capture d'Henry était arrivée dans un billet pour Hal glissé à l'intérieur d'une lettre adressée à Grey. Elle lui avait été envoyée par un de ses contacts du monde des renseignements et comportait une réponse à ses questions sur les relations françaises d'un certain Percival Beauchamp. Il n'avait pas voulu en parler à Hal avant d'avoir discuté avec Nessie. De toute manière, Hal n'aurait pas été en état de l'entendre.

— On ne connaît aucun lien entre Beauchamp et Vergennes, l'informa-t-il en citant le nom du ministre des Affaires étrangères français. En revanche, on l'a souvent vu en compagnie de Beaumarchais…

Cela provoqua une nouvelle quinte de toux.

— Tu m'étonnes! lança Hal une fois remis. Ce doit être en raison d'un intérêt mutuel pour le petit gibier, sans doute…

Cette dernière pique était une référence à l'aversion de Percy pour les sports sanguinaires et au titre de « lieutenant général des chasses » conféré à Beaumarchais par feu Louis XV.

Grey poursuivit:

— … et d'un certain Silas Deane.

— Qui est-ce?

— Un marchand venu des colonies. Il a été envoyé à Paris par le Congrès américain. Il rôde autour de Beaumarchais. Lui, en revanche, a été vu en compagnie de Vergennes.

— Ah, lui. Oui, j'en ai vaguement entendu parler.

— As-tu également entendu parler d'une compagnie nommée Rodrigue Hortalez et cie?

— Non. Ça sonne espagnol, non?

— Ou portugais. Mon informateur n'a pu me transmettre que ce nom et une rumeur selon laquelle Beaumarchais aurait des intérêts dans cette affaire.

Hal se renfonça dans ses oreillers avec un grognement.

— Beaumarchais a des intérêts partout. Il fait même de l'horlogerie, comme si écrire des pièces n'était pas suffisamment indigne! Beauchamp est-il lié lui aussi à cette compagnie?

— Pas que l'on sache. Jusque-là, nous n'avons rien de plus que de vagues associations. J'ai demandé qu'on m'envoie tout ce qui avait trait à Beauchamp et aux Américains, et voici ce qui est arrivé.

Les longs doigts de Hal pianotaient nerveusement sur la courtepointe.

— Ton informateur sait-il ce que fait cette compagnie?

— Du commerce, quoi d'autre? répliqua Grey avec une moue ironique.

— S'ils étaient aussi banquiers, je dirais que tu es peut-être tombé sur quelque chose.

— C'est peut-être le cas, mais le seul moyen de le savoir, c'est d'aller y fourrer son nez. Je prends la diligence de Douvres dans… (il regarda la pendule sur le manteau de cheminée)… trois heures.

— Ah.

La voix de Hal était neutre, mais Grey connaissait son frère sur le bout des doigts.

— Je serai de retour de France avant la fin mars au plus tard. Ensuite, je prendrai le premier navire en partance pour les colonies, Hal. Je te ramènerai Henry.

Mort ou vif. Ni l'un ni l'autre ne le dit à voix haute ; ils n'en avaient pas besoin.

— Je serai ici à votre retour, déclara enfin Hal.

Grey posa une main sur celle de son frère, qui la saisit aussitôt. En dépit de son allure frêle, il conservait dans sa poigne une force rassurante. Ils restèrent ainsi en silence un moment, se tenant, jusqu'à ce que la porte s'ouvre et qu'Arthur, cette fois convenablement habillé, entre avec un plateau de la taille d'une table de jeu croulant sous les saucisses, les rognons, les harengs fumés, les œufs brouillés, les champignons et les tomates grillés, les toasts, la marmelade, les confitures, une grande théière fumante, des pots de lait et de sucre ainsi qu'un plat couvert, qu'il déposa cérémonieusement devant Hal. Il contenait un gruau liquide peu appétissant.

Arthur s'inclina et sortit. Grey se demanda si c'était lui qui fréquentait la maison de Nessie les jeudis soir. Il se retourna vers son frère et le surprit en train de se servir de ses rognons.

— Tu n'es pas censé manger ton bouillon ?

— Ne me dis pas que, toi aussi, tu veux me hâter vers ma tombe !

Hal ferma les yeux de délice en mâchonnant.

— Comment veulent-ils que je guérisse en n'avalant que des biscottes et du gruau ?

Sans cesser de ronchonner, il piqua sa fourchette dans un autre rognon.

— C'est ton cœur, tu crois ? lui demanda Grey.

— Je ne pense pas, répondit Hal sur un ton détaché. Je l'ai écouté, après la première attaque. Il battait normalement.

Il se tapota le torse, sa fourchette en suspens dans l'air.

— Ça ne me fait pas mal. Si c'était le cœur, ça devrait, non?

Grey haussa les épaules.

— C'était quel type d'attaque, alors?

Hal avala le dernier rognon, saisit un toast beurré d'une main et le couteau à marmelade de l'autre.

— Je n'arrivais plus à respirer. Je suis devenu tout bleu, ce genre de choses.

— Ah.

— Mais là, en ce moment, je me sens bien, reprit Hal, l'air légèrement surpris.

— Vraiment?

Grey hésita un instant mais, après tout... Il partait à l'étranger. Non seulement tout pouvait arriver, mais les choses les plus inattendues se produisaient souvent. Il était préférable de ne pas laisser l'affaire en suspens, au cas où un événement fâcheux surviendrait avant qu'ils ne se revoient.

— Dans ce cas, si tu me jures qu'un léger choc ne peut pas t'achever, j'aimerais t'entretenir de quelque chose...

La nouvelle des amours de Dottie et de William fit ciller Hal, et il cessa momentanément de manger. Puis, après un moment de réflexion, il hocha la tête et reprit sa mastication.

— D'accord, dit-il.

— *D'accord*? répéta Grey. Tu n'as pas d'objection?

— Si j'en avais, ce serait plutôt désobligeant pour toi, tu ne trouves pas?

— Si tu t'imagines que je vais croire qu'un souci pour mes sentiments t'empêcherait d'imposer tes volontés, tu es encore plus malade que je ne le pensais!

Hal sourit et but une gorgée de thé.

— Non, dit-il en reposant sa tasse. Ce n'est pas ça, c'est que...

Il s'enfonça en arrière, croisa les mains sur son ventre et regarda Grey dans les yeux.

— Je *pourrais* mourir. Je n'en ai pas l'intention, mais c'est toujours possible. Je serai plus tranquille en la sachant mariée à un homme qui saura la protéger et veiller sur elle convenablement.

— Je suis flatté que tu considères William à la hauteur.

Il avait parlé avec sarcasme mais était profondément ému.

— Mais bien sûr qu'il le sera. C'est ton fils, non ?

Une cloche d'église sonna quelque part au loin. Grey se rappela soudain...

— Oh ! Au fait, joyeux Noël !

Hal le regarda, surpris, puis sourit.

— Un joyeux Noël à toi aussi.

✳

Grey était encore littéralement chargé de l'esprit de Noël quand il se mit en route pour Douvres, car les poches de sa cape étaient remplies de friandises et de petits présents, et il portait sous le bras un paquet contenant les fameuses pantoufles, qui étaient ornées de feuilles de nénuphars et de grenouilles vertes au point de croix. Il avait serré Dottie dans ses bras, parvenant à lui glisser à l'oreille que sa mission était accomplie. Elle l'avait embrassé avec une telle vigueur qu'il sentait encore son baiser sur sa joue.

Il devait écrire à William, mais il n'y avait pas vraiment d'urgence : sa lettre n'arriverait pas plus vite que lui. Il n'avait pas menti à Hal ; il comptait réellement prendre le premier navire qui partirait au printemps, dès que la traversée serait à nouveau possible. Il espérait arriver à temps.

Pas seulement pour Henry.

Les routes étaient aussi mauvaises qu'il l'avait prédit, et la traversée jusqu'à Calais fut encore pire. Toutefois, il ne prêta guère attention au froid ni à l'inconfort du voyage. Légèrement rassuré quant au sort de son frère, il était libre de réfléchir aux informations que lui avait fournies Nessie. Il avait d'abord compté les partager avec Hal, puis s'était ravisé, ne voulant pas lui encombrer l'esprit au cas où cela nuirait à sa guérison.

— Votre Français n'est pas venu *ici*, avait déclaré Nessie en se léchant les doigts. Mais il est allé chez Jackson's quand il était en ville. Il est reparti en France à présent, à ce qu'on dit.

Jackson's... Grey ne fréquentait pas les bordels lui-même (hormis celui de Nessie), mais il connaissait cet établissement pour y être allé une ou deux fois avec des amis. On y proposait de la musique au rez-de-chaussée, des jeux au premier étage et des divertissements plus privés dans les étages supérieurs. L'endroit était très prisé des officiers de rang moyen mais n'offrait rien qui pût satisfaire les goûts particuliers de Percy Beauchamp.

— Je vois, dit-il calmement en dépit des battements accélérés de son cœur.

— Et avez-vous déjà rencontré un officier nommé Randall-Isaacs ?

C'était la partie de sa lettre qu'il avait omis de confier à Hal. Denys Randall-Isaacs fréquentait Beauchamp tant en France qu'à Londres, lui avait appris son informateur. Ce nom lui avait glacé le sang.

Que cet homme lié à Percy Beauchamp ait entraîné William dans une mission de renseignements n'était peut-être qu'une coïncidence, mais Grey avait sacrément du mal à le croire.

En entendant le nom « Randall-Isaacs », Nessie avait brusquement levé la tête tel un chien de chasse percevant un bruissement dans un fourré.

— Oui, répondit-elle lentement.

Elle avait une trace de sucre au coin des lèvres ; il aurait voulu l'essuyer et, dans d'autres circonstances, l'aurait fait.

— En tout cas, j'en ai entendu parler. C'est un juif, il paraît.

— Un juif ? Impossible !

Un juif n'aurait jamais été autorisé à prendre une commission dans l'armée, pas plus qu'un catholique.

Nessie le regarda en biais, se léchant les lèvres telle une chatte.

— Il n'a peut-être pas envie qu'on le sache. Mais, si c'est le cas, il ferait mieux de ne pas fricoter avec des gagneuses, c'est tout ce que je peux vous dire !

Elle éclata de rire, puis se calma et se pencha vers lui, serrant son peignoir contre son cou.

— C'est une fille du Jackson's qui me l'a rapporté. Elle m'a dit qu'elle avait eu un choc quand il a baissé ses culottes. Elle ne voulait pas y toucher, mais son ami le Français était là lui aussi ; il voulait regarder. Quand il a vu qu'elle rechignait, il lui a proposé le double, alors elle a accepté. Elle a dit que, finalement, ce n'était pas mal du tout !

— « Pas mal du tout », franchement ! marmonna-t-il pour lui-même, remarquant à peine le regard méfiant de l'unique autre passager du ferry suffisamment hardi pour être resté sur le pont.

Une neige épaisse tombait sur la Manche, poussée presque à l'horizontale par un brusque changement de direction du vent rugissant. Le navire tangua dangereusement. L'autre passager se secoua et descendit sous le pont, laissant Grey manger ses pêches à l'eau-de-vie, qu'il cueillait du bout des doigts dans un pot dans sa poche, et regarder fixement la côte française qui approchait, à peine visible sous les nuages bas.

✳

24 décembre 1776,
Québec

Cher père,
Je t'écris d'un couvent. Je me hâte de te rassurer : pas du genre de ceux de Covent Garden, mais un vrai couvent catholique dirigé par des Ursulines.

Le capitaine Randall-Isaacs et moi-même sommes arrivés dans la citadelle à la fin octobre dans l'intention de rencontrer sir Guy et de l'interroger sur les sympathies locales à l'égard de l'insurrection américaine. Hélas, il était parti pour le fort Saint-Jean afin d'y mater en personne les insurgés. La bataille navale (je suppose que c'est le terme approprié) s'est déroulée sur le lac Champlain, un étroit bras d'eau relié au lac George que tu as peut-être vu lors de ton séjour ici.

J'étais prêt à aller rejoindre sir Guy, mais le capitaine Randall-Isaacs s'y est opposé, compte tenu de la distance et de la saison. De fait, il avait raison, car dès le lendemain tombait une pluie glacée, celle-ci cédant bientôt le pas à un terrible blizzard qui obscurcit le ciel au point qu'on ne distinguait plus le jour de la nuit. En quelques heures, le monde se retrouva enfoui sous la neige et la glace. Un tel déchaînement de la nature tempéra considérablement ma déception d'avoir raté une occasion de rencontrer sir Guy.

De toute manière, je serais arrivé trop tard, car la bataille avait eu lieu le 1er octobre. Nous n'en apprîmes les détails qu'à la mi-novembre, quand un détachement d'officiers hessiens du régiment du baron Von Riedesel est rentré à la citadelle. Lorsque tu recevras cette lettre, tu auras sans doute déjà lu des descriptions plus précises des combats, mais les versions officielles omettent souvent des détails intéressants et, pour être sincère, je n'ai rien d'autre à faire en ce moment que de te les relater, ayant décliné une aimable invitation de la mère supérieure à assister à la messe de minuit. (Les cloches des églises de la ville sonnent tous les quarts d'heure tout au long du jour et de la nuit. La chapelle du couvent étant située juste de l'autre côté du mur de l'hôtellerie où je suis logé au dernier étage, et son clocher se trouvant à une vingtaine de mètres de ma tête de lit, je peux t'informer très précisément qu'il est actuellement 21 h 15.)

J'en reviens donc à la bataille. Alarmé par la tentative d'invasion de Québec l'année dernière, et bien qu'elle se fût soldée par un lamentable échec, sir Guy était déterminé à raffermir son emprise sur le nord de la vallée de l'Hudson. En effet, c'est par là que d'autres troubles pourraient survenir, le voyage par voie de terre étant si difficile qu'il découragerait même les plus endurcis. (J'ai conservé pour toi un flacon d'eau-de-vie contenant un taon mesurant plus de cinq centimètres de long ainsi que de très grosses tiques prélevées sur ma personne à grand renfort de miel. Un généreux badigeonnage de celui-ci les étouffe et leur fait lâcher prise.)

En dépit de l'échec de sa tentative d'invasion l'année dernière, le colonel Arnold était déterminé à bloquer l'accès de sir Guy aux lacs. Il avait sabordé ou brûlé tous les navires du fort

Saint-Jacques avant de l'évacuer, puis incendié la scierie et la forteresse elle-même.

Sir Guy a donc fait venir d'Angleterre des embarcations pliantes (comme j'aurais été curieux de les voir !). Lorsque les dix premières sont arrivées, il s'est rendu à Saint-Jean pour assister à leur assemblage sur le Richelieu. Pendant ce temps, le colonel Arnold (qui, si la moitié de ce que j'ai entendu sur son compte est vraie, est un homme incroyablement tenace) construisait en toute hâte une flottille de galères délabrées et de sloops.

De son côté, outre ses prodiges d'ingénierie pliables, sir Guy disposait également de l'Indéfatigable, une frégate de cent quatre-vingts tonnes (le nombre de ses canons varie selon mes informateurs ; après une seconde bouteille de vin rouge du couvent [les sœurs le préparent elles-mêmes et, à en juger à la couleur du nez du curé, une grande partie est consommée sur place] un consensus a été atteint, à savoir : « Y en a un sacré tas, mon pote ! »). Sir Guy l'a fait entièrement démonter, transporter jusqu'au fleuve puis remonter.

Le colonel Arnold ayant apparemment décidé qu'attendre plus longtemps lui ferait perdre l'avantage de l'initiative, il sortit de sa cachette derrière l'île de Valcour le 30 septembre. Selon les témoignages, il avait quinze embarcations, contre les vingt-cinq de sir Guy. Celles d'Arnold, bâties à la hâte, étaient impropres à la navigation et équipées d'hommes de terre qui n'auraient su reconnaître une écoutille d'un écouvillon… L'armée américaine dans toute sa gloire !

Cela dit, je ne devrais pas en rire. Plus j'en apprends sur le colonel Arnold (et j'en entends beaucoup parler ici à Québec), plus il m'apparaît comme « un homme qui en a », pour reprendre l'expression de grand-père George. J'aimerais pouvoir le rencontrer un jour.

J'entends chanter au dehors. Les habitants se rendent à la cathédrale, qui se trouve non loin. Je ne connais pas cet air et ne distingue pas les paroles, mais j'aperçois la lueur de leurs torches depuis mon perchoir. Selon les cloches, il est dix heures du soir.

Au fait, la mère supérieure – sœur Immaculata – dit te connaître. Cela ne devrait pas me surprendre. Je lui ai raconté que tu connaissais l'archevêque de Canterbury et le pape, ce qui l'a fortement impressionnée. Elle m'implore de te demander de transmettre ses hommages les plus humbles à Sa Sainteté la prochaine fois que tu la verras. Elle m'a convié à dîner l'autre soir et m'a raconté la prise de la citadelle en 1759. Il semblerait que tu as cantonné un certain nombre de Highlanders dans l'enceinte du couvent. Les sœurs ont été tellement choquées par leurs jambes nues qu'elles ont demandé par voie de réquisition des rouleaux de toile afin de leur confectionner des pantalons. Les dernières semaines du voyage ont durement malmené mon uniforme mais, au moins, je suis décemment couvert sous la ceinture. Au grand soulagement de la mère supérieure, à n'en pas douter!

J'en reviens au récit de la bataille. La flotte de sir Guy mit le cap vers le sud dans l'intention de reprendre Crown Point, puis Ticonderoga. Alors qu'ils passaient devant l'île de Valcour, deux des navires d'Arnold fondirent sur elle et la canonnèrent. Ils s'enfuirent ensuite, mais l'un d'eux (le Royal Savage), incapable de lutter contre le vent contraire, s'échoua. Plusieurs canonnières britanniques l'abordèrent et capturèrent quelques hommes, mais durent battre en retraite après avoir essuyé un feu nourri des Américains. Ils n'omirent toutefois pas d'incendier le Royal Savage avant de décamper.

Un grand désordre s'ensuivit alors dans le détroit, et la bataille ne commença vraiment que vers midi, le Carleton et l'Inflexible assurant le gros des combats avec les canonnières. Le Revenge et le Philadelphia d'Arnold furent sévèrement endommagés par les bordées, et le Philadelphia sombra dans la soirée.

Le Carleton continua de pilonner l'ennemi jusqu'à ce qu'un tir chanceux des Américains ne sectionne la chaîne de son ancre, le faisant partir à la dérive. Il fut alors attaqué de toutes parts, et bon nombre des membres de son équipage furent tués ou blessés. Parmi les morts se trouvaient son capitaine, le lieutenant James Dacres (j'ai la désagréable sensation de l'avoir déjà rencontré, peut-être à un bal la saison dernière), ainsi que tous les officiers supérieurs. Un enseigne de deuxième classe prit alors le commandement et le conduisit à l'abri. On m'a rapporté qu'il *s'appelait Edward Pellew, et lui, je suis sûr de l'avoir croisé, une ou deux fois, chez Boodles avec oncle Harry.*

Un autre coup de chance atteignit le magasin d'une canonnière et la fit exploser mais, entre-temps, l'Inflexible était enfin entré dans l'arène et pilonnait la flotte américaine avec sa grosse artillerie. Pendant ce temps, le navire le plus petit de sir Guy débarqua des troupes indiennes sur les berges du lac et de l'île de Valcour, coupant ainsi une voie de retraite à Arnold. Les restes de sa flotte furent donc contraints de s'engager plus au sud sur le lac.

Grâce au brouillard et à la nuit, ils parvinrent à passer sous le nez de sir Guy et à se réfugier près de l'île Schuyler, quelques kilomètres au sud. La flotte de sir Guy les prit en chasse et, le lendemain, arriva en vue des fuyards. Les bateaux d'Arnold étaient lourdement handicapés par les fuites, les dégâts et le mauvais temps, à savoir une pluie torrentielle et un vent violent. Le Washington fut rattrapé, attaqué et forcé de se rendre. Son équipage d'une centaine d'hommes fut fait prisonnier. Néanmoins, le reste de la flotte d'Arnold parvint à rejoindre la baie de Buttonmold, où, si j'ai bien compris, les eaux ne sont pas assez profondes pour que les navires de sir Guy puissent les suivre.

Là, Arnold accosta, désarma la plupart de ses embarcations et y mit le feu, leurs pavillons volant toujours au vent. Selon les Allemands, c'était un geste de défi. Cela les amusait, mais ils étaient également admiratifs. Le colonel Arnold (doit-on désormais l'appeler l'amiral Arnold ?) incendia personnellement le Congress, son vaisseau amiral, puis s'enfonça à l'intérieur des terres, échappant de justesse à une embuscade des Indiens envoyés par sir Guy. Ses troupes arrivèrent à Crown Point mais ne s'y attardèrent pas, prenant juste le temps d'incendier le fort avant de se retirer à Ticonderoga.

Sir Guy ne ramena pas ses prisonniers à Québec mais, demandant un cessez-le-feu, les remit au fort Ticonderoga ; un très beau geste qui a fort impressionné mes informateurs.

22 h 30. As-tu assisté à une aurore boréale lorsque tu étais ici, ou était-ce trop tôt dans l'année ? C'est un spectacle remarquable. Il a neigé toute la journée, mais le ciel s'est éclairci à la tom-

bée du soir. Ma fenêtre donne au nord, où je vois actuellement un incroyable scintillement qui embrase toute la voûte céleste, des vagues de vert lumineux dessinant des arabesques telles des gouttes d'encre tombant dans un verre d'eau. Les chants, plus quelqu'un jouant du violon quelque part (un air très joli), couvrent le bruit, mais j'ai déjà assisté à ce phénomène hors de la ville, dans la forêt, et on entend souvent des sons très singuliers. Une sorte de sifflement, comme le vent autour d'un bâtiment, bien qu'il n'y ait pas de mouvements d'air. Parfois, un chuintement perçant, interrompu d'une pétarade de clics et de craquements, comme si une horde de grillons avançait vers vous sur un tapis de feuilles mortes. (Toutefois, lorsque l'aurore boréale commence à apparaître, le froid a tué tous les insectes depuis longtemps ; bon débarras ! Nous nous sommes oints d'un onguent fabriqué par les Indiens locaux. Il nous a protégés contre les mouches et les moustiques mais n'a en rien découragé les perce-oreilles, les cafards et les araignées.)

Pour le trajet entre Saint-Jean et Québec, nous avons eu un guide, un homme de sang mêlé (il avait une chevelure comme je n'en avais encore jamais vu, épaisse et bouclée comme de la laine de mouton et couleur d'écorce de cannelier). Il nous a expliqué que les indigènes considèrent le ciel comme un dôme qui séparerait la terre du paradis. Ce dôme serait percé de trous, et les lumières de l'aurore boréale seraient les torches du paradis guidant les esprits des morts à travers ces orifices.

Je constate que je n'ai pas terminé mon récit. Il n'y a pas grand-chose à ajouter sinon qu'après la bataille, sir Guy a pris ses quartiers d'hiver à Saint-Jean et ne rentrera probablement pas à Québec avant le printemps.

J'en viens donc au véritable objet de cette lettre. En me réveillant hier, j'ai découvert que le capitaine Randall-Isaacs était parti au milieu de la nuit. Il m'a laissé un bref billet m'informant qu'il avait des affaires urgentes à traiter, qu'il me remerciait de ma compagnie et de mon aide précieuse, et que je devais rester ici en attendant soit son retour, soit de nouveaux ordres.

La couche de neige est profonde, et ce n'est rien par rapport à ce qui nous attend sous peu. Pour qu'un homme s'aventure sur les routes, il faut effectivement que ses affaires soient très urgentes. Naturellement, je suis assez perturbé par le brusque départ du capitaine, intrigué par ce qui a pu le motiver et inquiet pour son bien-être. Néanmoins, la situation ne me paraît pas justifier que j'enfreigne mes ordres, et donc... j'attends.

23 h 30. J'ai cessé d'écrire un moment pour aller admirer le ciel. Les aurores boréales se produisent par intermittence, et je crois que le spectacle est terminé pour cette nuit. Le ciel est noir ; les étoiles, brillantes mais petites comparées aux voiles lumineux de toute à l'heure. Il y a dans le ciel un grand vide comme on en voit rarement en ville. En dépit des cloches, des feux de joie sur la place et des chants, (il y a une sorte de procession en ce moment), je sens le grand silence au-delà.

Les sœurs sont en train de rentrer dans leur chapelle. En me penchant par la fenêtre, je viens de les apercevoir, hâtant le pas deux par deux sous le halo de leurs torches, se fondant dans la nuit avec leurs robes et leurs manteaux noirs (j'écris depuis un certain temps déjà ; pardonne les errements de mon cerveau fatigué).

C'est le premier Noël que je passe loin de chez moi et de ma famille. Le premier d'une longue série, sans doute.

Je pense souvent à toi, cher père. J'espère que tu vas bien et que tu te prépares à déguster une oie rôtie demain avec grand-mère et sir George. Transmets-leur, je te prie, toute mon affection, ainsi qu'à oncle Hal et à sa famille (sans oublier ma chère Dottie, naturellement).

Un très joyeux Noël de ton fils, William.

P.S. Deux heures du matin. J'ai fini par descendre à la chapelle et me suis tenu à l'arrière de la salle. La cérémonie était un peu pompeuse, avec beaucoup d'encens, mais j'ai dit une prière pour mère Geneva et maman Isobel. En ressortant, j'ai constaté que les lumières étaient réapparues. À présent, elles montrent des taches de rouge.

25

Maudit océan

15 mai 1777
Mes très chers,

Je hais les bateaux. Je les méprise du plus profond de mon être. Pourtant, je me trouve une fois de plus lancé sur la surface de ce maudit océan, à bord d'un navire baptisé The Tranquil Teal[9], *un nom absurde s'il en est qui en dit long sur la fantaisie macabre de son capitaine. Ce dernier est un contrebandier métis à la mine maléfique et à l'humour exécrable qui m'a annoncé sans sourciller s'appeler Trustworthy Roberts[10].*

S'interrompant pour tremper sa plume dans l'encrier, Jamie lança un regard vers la côte de Caroline du Nord qui s'éloignait, s'élevant et retombant à un rythme écœurant. Il fixa aussitôt son attention à nouveau sur la feuille, qu'il avait punaisée sur son écritoire afin qu'elle ne soit pas emportée par le vent frais qui gonflait les voiles au-dessus de sa tête.

Nous sommes tous en bonne santé, écrivit-il lentement, faisant abstraction de son mal de mer, sur lequel il n'avait pas l'intention de s'épancher. Devait-il leur parler de Fergus ?

— Tu vas bien ?

---

9. The Tranquil Teal serait l'équivalent de « La Sarcelle tranquille » en français (N.d.T.).

10. Trustworthy signifie « digne de confiance » en anglais (N.d.T.).

Claire était penchée vers lui avec cet air de curiosité intense mais prudente qu'elle réservait aux patients susceptibles de vomir, de pisser le sang ou de mourir d'un instant à l'autre. Il avait déjà fait les deux premiers quand elle avait accidentellement planté une de ses aiguilles dans un vaisseau sanguin de son cuir chevelu. Il espérait qu'elle n'était pas en train de déceler les signes annonciateurs de son décès prématuré.

— Ça peut aller.

Il ne voulut pas penser à son ventre, de peur de le provoquer, et changea rapidement de sujet.

— Dois-je parler de Fergus à Brianna et à Roger Mac ?

Elle lui adressa un sourire narquois.

— Ça dépend. Il te reste beaucoup d'encre ? Oui, naturellement, tu devrais. Ça les passionnera et ça te fera penser à autre chose.

Elle le dévisagea en plissant les yeux puis ajouta :

— Tu es encore un peu verdâtre.

— Merci.

Elle éclata du rire indifférent de ceux qui ont le pied marin, déposa un baiser sur son crâne (en évitant soigneusement les quatre aiguilles qui pointaient sur son front) puis s'approcha du bastingage pour contempler le rivage qui oscillait au loin.

Il détourna rapidement les yeux de cette direction et se replongea dans sa lettre.

Fergus et sa famille vont bien également, mais je dois vous raconter un événement curieux. Un certain M. Percival Beauchamp...

Il fallut à Jamie une page pour décrire Beauchamp et son étrange mission. Il se demanda s'il devait également mentionner la possibilité d'un lien de parenté avec la famille de Claire, puis décida que non. Brianna connaissait certainement le nom de jeune fille de sa mère et ferait automatiquement le rapprochement. Il n'avait aucune information utile à partager sur ce sujet, et sa main commençait à lui faire mal.

Claire se trouvait toujours sur le pont, une main posée sur le garde-corps, fixant l'horizon d'un air songeur. Elle avait noué ses cheveux en arrière avec un ruban qui volait au vent, comme ses jupes et son châle. Le tissu de sa robe était plaqué contre son torse, moulant ce qui était encore un très beau buste. Il lui trouva une allure de figure de proue, gracieuse et féroce, un esprit protecteur contre les dangers des profondeurs.

Réconforté par cette image, il reprit sa rédaction le cœur plus vaillant en dépit des informations troublantes qu'il s'apprêtait à confier.

Fergus a choisi de ne pas s'entretenir avec M. Beauchamp, ce que j'ai trouvé sage, et nous avons donc présumé que l'incident était clos.

Lorsque nous étions à Wilmington, je me suis rendu un soir aux docks pour rencontrer M. DeLancey Hall, notre intermédiaire auprès du capitaine Roberts. Du fait de la présence d'un navire de guerre dans le port, le plan était de grimper discrètement à bord du ketch de pêche de M. Hall, qui devait nous transporter hors du port pour rejoindre le Teal, le capitaine Roberts préférant garder ses distances avec la marine britannique. (C'est en effet une attitude généralisée des capitaines de navires tant privés que marchands. Elle s'explique par la présence de contrebande à bord de pratiquement toutes les embarcations et la rapacité de la marine britannique, qui n'hésite pas à enlever les membres de leurs équipages – ils appellent cela de « l'enrôlement ». Les malheureux se retrouvent enchaînés à vie ou, s'ils se rebiffent, sont pendus pour désertion.)

J'avais apporté avec moi quelques bagages, voulant, sous prétexte de les monter à bord, en profiter pour inspecter de plus près le ketch et M. Hall avant de leur confier nos vies. Toutefois, le bateau n'était amarré nulle part et M. Hall n'apparaissant pas, je commençais à me demander si j'avais bien compris ses instructions ou s'il n'avait pas eu maille à partir avec la marine de Sa Majesté, quelques vauriens ou autres flibustiers.

J'attendis jusqu'à ce qu'il fasse nuit et étais sur le point de rentrer à l'auberge quand j'aperçus un petit bateau entrant dans le port avec une lumière bleue en poupe. C'était le signal de M. Hall. Je l'aidai à amarrer son ketch puis nous nous retirâmes dans un estaminet tout proche. Là, il m'informa qu'il s'était rendu à New Bern la veille et que la ville était sens dessus dessous à la suite d'une infâme agression dont avait été victime l'imprimeur, M. Fraser.

D'après ce qu'il m'en a raconté, Fergus, en pleine ronde de livraison, descendait de sa carriole quand un homme surgit par-derrière et lui enfonça un sac sur la tête pendant qu'un autre lui attrapait les mains pour les ligoter. Fergus se débattit vigoureusement et parvint à blesser un de ses agresseurs avec son crochet. Le malfaiteur partit à la renverse en beuglant des imprécations (j'aurais été curieux de les entendre pour savoir s'il était français ou anglais, car M. Hall ne disposait pas de cette information). Attelée à la carriole, Clarence (dont vous vous souviendrez sans doute) fut prise de peur et mordit l'autre assaillant, qui avait été poussé contre elle par Fergus. Le premier agresseur, découragé par la violence de la résistance, resta en arrière, mais le second s'élança à nouveau à la charge. Fergus, toujours aveuglé par le sac et hurlant comme un putois, le frappa à nouveau. Ici, toujours selon M. Hall, les rapports diffèrent. Certains disent que le voyou retint le crochet qui se détacha du poignet de Fergus; d'autres, que le crochet de Fergus se prit dans les vêtements de son agresseur et fut arraché.

Alertés par le raffut, les clients de l'estaminet de M. Thompson se précipitèrent dans la rue en faisant détaler les bandits. Fergus était légèrement contusionné et hautement indigné mais, cela mis à part, indemne, ce pour quoi je remercie le ciel et saint Dismas (le patron personnel de Fergus).

J'ai assailli M. Hall de questions mais n'ai pu en apprendre beaucoup plus. Selon lui, l'opinion publique est divisée. Nombreux sont ceux qui voient là une tentative de déportation fomentée par les Fils de la liberté. Certains membres des Fils le démentent formellement, affirmant qu'il s'agit d'un coup des loyalistes, furieux que Fergus ait publié un discours particuliè-

rement incendiaire de Patrick Henry. Selon ces derniers, l'enlève-
ment était un prélude au goudron et aux plumes. Apparemment,
Fergus est si bien parvenu à ne pas prendre publiquement parti
dans le conflit que les deux camps lui en veulent pareillement et
ont décidé d'éliminer son influence.

Tout cela est fort possible, mais la présence et le comporte-
ment de M. Beauchamp me suggèrent une troisième explication
tout aussi plausible. Bien que Fergus n'ait pas daigné le ren-
contrer, il n'aurait pas été bien difficile à ce monsieur, en posant
quelques questions, d'apprendre qu'il était français en dépit de
son épouse et de son nom écossais. La plupart des habitants de
New Bern le savent.

J'avoue ne pas comprendre pourquoi Beauchamp souhaiterait
enlever Fergus plutôt que de venir le confronter directement et
lui demander s'il est bien la personne qu'il recherche. Il ne lui
veut probablement pas de mal dans l'immédiat car, dans ce cas,
il aurait aisément pu le faire assassiner. De nos jours, la colonie
abonde d'individus sans attaches peu recommandables.

L'affaire est préoccupante mais, dans la situation abjecte
dans laquelle je me trouve actuellement, je ne peux pas faire
grand-chose. J'ai écrit à Fergus (rédigeant ma lettre comme une
demande de précisions sur l'impression d'un texte) pour lui faire
savoir que j'avais déposé une certaine somme chez un orfèvre
de Wilmington afin qu'il s'en serve en cas de besoin. J'avais
déjà discuté avec lui des risques de sa position, sans savoir à
l'époque à quel point ils étaient élevés. Il avait convenu qu'il
serait peut-être préférable d'emmener sa famille dans une ville
où l'opinion publique se rapprochait davantage de ses propres
convictions. Ce dernier incident pourrait le convaincre d'agir
dans ce sens, d'autant plus que nous ne serons plus dans les
parages.

Jamie dut s'interrompre à nouveau, pris d'une douleur
dans la main et le poignet. Il étira ses doigts et étouffa un
gémissement lorsqu'il sentit une décharge électrique partant du bout de son index et remontant jusque dans son
avant-bras.

Il était plus qu'inquiet pour Fergus et sa famille. Si Beauchamp avait essayé de leur nuire une fois, il recommencerait. Mais pourquoi?

Que Fergus fût français n'était peut-être pas une preuve suffisante qu'il était bien le Claudel Fraser que Beauchamp recherchait. Voulait-il donc s'en assurer en privé, usant de tous les moyens nécessaires pour le faire parler? Possible, mais cela impliquait une détermination froide qui angoissait Jamie plus qu'il n'avait voulu le dire dans sa lettre.

De plus, en toute sincérité, il devait admettre que l'idée que l'attaque ait été commanditée par des personnes aux sensibilités politiques froissées était une possibilité, peut-être même plus probable que les noirs desseins de M. Beauchamp, une vision toute romantique et théorique.

— Mais je n'ai pas vécu si longtemps sans avoir appris à flairer anguille sous roche, marmonna-t-il en se massant la main.

— Mais, bon sang, tu as perdu la tête! s'exclama une voix féminine exaspérée. Ta main!

Sa propre figure de proue venait d'apparaître devant lui, le front barré d'un pli soucieux.

— Quoi? Mes doigts y sont toujours attachés, non?

— Pour ça, c'est sûr! On dirait un nœud gordien!

Elle s'agenouilla devant lui, prit sa main et la massa avec une énergie qui était sans doute salutaire mais si douloureuse que les larmes lui montèrent aux yeux. Il les ferma et respira lentement en serrant les dents.

Elle le réprimanda pour avoir trop écrit. Après tout, il n'y avait pas d'urgence.

— Il nous faudra des jours avant d'atteindre le Connecticut, puis des mois pour arriver en Écosse. Rien qu'en écrivant une phrase par jour, tu aurais le temps de recopier l'intégralité du *Livre des Psaumes*!

— C'était bien mon intention.

Elle marmonna quelque chose dans lequel se trouvaient les mots « écossais » et « tête de cochon », mais il choisit de ne pas l'entendre. Il avait écrit parce qu'il en avait eu envie.

Coucher ses idées sur le papier l'aidait à penser et soulageait un peu son esprit, évitant que les soucis ne l'obstruent telle la vase retenue par les racines de palétuviers.

Au-delà de ces considérations (non pas qu'il eût besoin d'une excuse, pensa-t-il en fixant le crâne de son épouse), voir s'éloigner la côte de Caroline du Nord lui rappelait sa fille et Roger Mac. Ils lui manquaient, et leur écrire le rapprochait d'eux.

Peu avant qu'il prenne congé de Fergus, celui-ci lui avait demandé :

— Vous pensez les voir ? Vous irez peut-être en France ?

Pour autant que sachent Fergus, Marsali et tous les habitants de Fraser's Ridge, Brianna et Roger Mac étaient partis pour la France afin d'échapper à la guerre imminente.

En espérant que le chagrin dans son cœur ne transparaissait pas dans sa voix, il avait répondu :

— Non. Je doute que nous les revoyions un jour.

La main droite de Fergus s'était resserrée un instant sur son avant-bras avant de le lâcher. Il avait déclaré doucement.

— La vie est longue.

— Oui, avait-il répondu.

Mais aucune vie n'est longue à ce point.

Sa main commençait à s'assouplir. Claire continuait de la masser, mais ce n'était plus aussi douloureux.

Elle déposa un baiser sur ses doigts et murmura :

— À moi aussi, ils me manquent. Donne-moi la lettre, je la terminerai.

※

La main de ton père n'en supportera pas davantage pour aujourd'hui. Outre le nom de son capitaine, ce navire a une autre particularité. En descendant dans la cale plus tôt ce matin, j'ai vu des piles de caisses sur lesquelles étaient peints au pochoir « Arnold » et « New Haven, Connecticut ». J'ai déclaré à un membre d'équipage (qui, lui, se nomme tout bêtement John Smith et semble vouloir palier cet intolérable manque de distinction en portant trois anneaux d'or à une oreille et deux à l'autre. Il m'a dit que chacun d'eux représentait un naufrage dont il avait réchappé – j'espère que ton père n'en saura rien) que ce M. Arnold devait être un marchand très prospère. Il m'a répondu en riant que M. Benedict Arnold était un colonel de l'armée continentale et un officier très courageux par-dessus le marché. Les caisses sont destinées à sa sœur, Hannah Arnold, qui s'occupe de ses trois fils ainsi que de son magasin de produits importés et d'articles de mercerie dans le Connecticut pendant qu'il est à la guerre.

Je dois dire que les bras m'en sont tombés. J'ai déjà rencontré des hommes dont je connaissais d'avance le destin, et au moins un que je savais condamné à une triste fin. On ne s'y habitue jamais. J'ai contemplé les caisses en me demandant : devrais-je écrire à Mlle Hannah ? Devrais-je descendre du bateau à New Haven et partir à sa recherche ? Pour lui dire quoi, au juste ?

Toutes nos expériences à ce jour suggèrent qu'on ne peut pas altérer ce qui doit arriver. En examinant la situation objective-ment, je ne vois pas comment… et pourtant. Et pourtant !

Et pourtant, j'ai côtoyé tant de gens dont les actions ont eu un effet notable, qu'ils aient fini dans les livres d'histoire ou pas. « Comment pourrait-il en être autrement ? » dit ton père. Les actions de chacun d'entre nous influent sur l'avenir. Il a raison, naturellement. Néanmoins, de se retrouver en présence d'un nom comme Benedict Arnold vous en fiche un coup, comme aime à le dire le capitaine Roberts.

J'en reviens tangentiellement au sujet original de cette lettre, le mystérieux M. Beauchamp. Si tu as du temps et que tu possè-des encore les cartons de paperasse et de livres qui se trouvaient dans le bureau de ton père (je veux parler de Frank), tu y retrou-veras peut-être une grande enveloppe en papier kraft. Un écus-son a été dessiné dessus avec des crayons de couleur. Je crois me souviens qu'il est bleu et or, avec des martinets. Avec un peu de chance, il contient encore la généalogie des Beauchamp qu'oncle Lamb avait reconstituée pour moi, il y a de cela belle lurette !

Rien que par curiosité, regarde si tu trouves une trace d'un Percival quelque part autour de 1777.

Le vent commence à se lever et la mer s'agite. Ton père est devenu tout pâle et moite. Je ferais mieux d'arrêter ici et de le descendre sous le pont pour un gentil petit vomi et une sieste.

Avec toute ma tendresse,

Maman

26

Un cerf aux abois

Roger souffla dans le goulot d'une bouteille ventrue et vide, émettant une longue plainte rauque. Ce n'en était pas loin. Un peu plus grave, peut-être, et naturellement, elle n'avait pas ce son avide, cette note grondante. Cependant le ton… Il se leva et alla fouiller dans le réfrigérateur. Il trouva ce qu'il cherchait derrière un talon de fromage et six pots de margarine qui contenaient Dieu sait quoi ; il était prêt à parier que ce n'était pas de la margarine.

Il ne restait plus que deux doigts de champagne dans la bouteille, vestiges de leur dîner de la semaine précédente pour fêter le nouveau travail de Bree. Quelqu'un s'était donné le mal d'envelopper le goulot dans une feuille de papier d'aluminium, mais les bulles s'étaient envolées depuis longtemps. Il allait vider le fond de bouteille dans l'évier, mais on ne se débarrassait pas si facilement d'une vie de parcimonie écossaise. Après un instant d'hésitation, il but le reste du champagne. Quand il abaissa la bouteille, il découvrit Annie MacDonald tenant Mandy par la main et le regardant. Tout en installant l'enfant sur sa chaise haute, elle secoua la tête devant la dépravation de son employeur.

— Au moins, vous n'en mettez pas encore dans vos céréales du matin, déclara-t-elle en passant devant lui.

— Donne-moi, papa !

Attirée par l'étiquette brillante, Mandy tendait la main vers la bouteille. En père vigilant, Roger parcourut rapidement dans sa tête tous les scénarios catastrophes qui pourraient en résulter, puis lui donna à la place son verre de lait. Il souffla encore une fois sur le goulot étroit de la bouteille de champagne, produisant un timbre grave et mélodieux. Oui, c'était plus ça, presque un *fa*.

Mandy fut enchantée.

— Encore, papa !

Il souffla à nouveau, la faisant glousser de rire. Puis il reprit la première bouteille ventrue et, alternant les deux goulots, improvisa une variation à deux notes d'*À la claire fontaine*.

Attirée par les cris extatiques de sa fille, Brianna apparut sur le seuil, un casque de chantier bleu à la main.

— Tu comptes lancer ton propre orchestre folklorique ?

— J'ai déjà trouvé mon public, répondit-il.

Ayant décidé que le pire que pouvait faire Mandy avec la bouteille de champagne était de la laisser tomber sur le tapis, il la lui donna puis sortit dans le couloir en entraînant Brianna avec lui. Dès que la porte battante se referma, il la plaqua contre le mur et l'embrassa profondément. Elle se dégagea juste le temps de demander :

— Du champagne au petit déjeuner ?

— J'avais besoin de la bouteille, marmonna-t-il.

Elle l'embrassa à son tour, le goûtant. Elle avait mangé du porridge avec du beurre et du miel pour le petit déjeuner. Sa bouche était sucrée, rendant le champagne acide sur les bords de sa langue. Sa peau était chaude sous son pull en laine polaire. Les doigts de Roger s'attardèrent sur la chair nue dans le creux de ses reins.

— Passe une bonne journée, murmura-t-il.

Il lutta contre l'envie de glisser la main sous son jean, car il n'était guère respectueux de peloter les fesses de la toute nouvelle inspectrice de la commission hydroélectrique de l'Écosse du Nord.

— Tu rapporteras ton casque à la maison, ce soir ?

— Oui, pourquoi ?

— Tu pourrais le porter au lit.

Il le lui prit de la main et le déposa délicatement sur sa tête. Les yeux de Brianna virèrent aussitôt au bleu marine.

— Si tu le portes cette nuit, je te dirai à quoi sert la bouteille de champagne.

— Ça, c'est une offre que je ne peux pas refu…

Elle lança brusquement un regard sur le côté. Roger se tourna à son tour et aperçut Annie au bout du couloir, son balai et sa pelle à la main, les observant d'un air captivé.

Il libéra précipitamment Brianna.

— Oui bon… euh… passe une bonne journée.

— Toi aussi.

Retenant une envie de rire, Brianna l'attrapa fermement par les épaules et l'embrassa avant de sortir d'un pas ferme. En passant devant Annie, qui ouvrait des yeux ronds, elle lui lança un petit salut en gaélique.

Il y eut un fracas dans la cuisine. Il se précipita vers la porte battante, une partie de son esprit déjà concentrée sur le désastre qu'il allait découvrir, une autre, plus grande, sur le fait qu'il venait de se rendre compte que sa femme était partie au travail sans culottes.

✻

Mandy était parvenue à lancer la bouteille de champagne à travers la fenêtre et se tenait à présent debout sur la table, tendant les mains vers les bords de la vitre brisée.

— Mandy !

Il l'attrapa au vol et, dans le même mouvement, lui donna une tape sur les fesses. Elle poussa un long cri perçant. Il la prit sous un bras et sortit en passant devant Annie, qui se tenait sur le seuil, la bouche et les yeux en « O ».

— Occupez-vous de la vitre, s'il vous plaît.

Il se sentait coupable. Comment avait-il pu lui donner la bouteille de champagne ? En la laissant seule avec par-dessus le marché !

Il était également irrité contre Annie Mac. Après tout, son travail consistait à veiller sur les enfants. Certes, il aurait dû attendre qu'elle soit de retour dans la pièce avant de sortir. Il en voulait également à Bree, partie tranquillement à son nouveau travail en lui laissant toutes les responsabilités de la maison sur les bras.

Conscient que son irritation n'était qu'une tentative pour étouffer sa culpabilité, il s'efforça de la refouler tout en consolant Mandy. Il lui tint un beau discours sur le danger de monter sur les tables, de jeter des objets dans la maison, de toucher des surfaces tranchantes, lui expliquant qu'elle devait appeler un adulte quand elle avait besoin d'aide. (Il pouvait toujours courir ! Il n'avait encore jamais vu une bambine de trois ans aussi indépendante. Ce qui n'était pas peu dire après avoir connu Jem au même âge.)

Un des bons côtés d'Amanda : elle n'était pas rancunière. Cinq minutes après sa fessée et sa réprimande, elle gloussait de rire et suppliait son père de jouer avec elle à la poupée.

— Papa doit travailler, ce matin.

Il se baissa néanmoins pour qu'elle grimpe sur son dos.

— Viens, allons trouver Annie Mac. Tes poupées et toi pourrez l'aider à ranger l'office.

Laissant sa fille et Annie travaillant joyeusement dans le garde-manger, sous la supervision d'une batterie de poupées miteuses et de peluches crasseuses, il retourna dans son bureau et sortit le cahier dans lequel il recopiait les chansons apprises par cœur. Plus tard dans la semaine, il avait rendez-vous avec Siegfried MacLeod, le chef de chœur de St. Stephen. Il comptait lui offrir un florilège des chants les plus rares en gage de bonne volonté.

Il lui faudrait montrer patte blanche. Le docteur Weatherspoon s'était montré encourageant, lui assurant que MacLeod serait ravi d'avoir de l'aide, notamment avec le chœur d'enfants, mais Roger avait passé suffisamment de temps dans des cercles universitaires, des loges maçonniques et des tavernes du XVIIIe siècle pour savoir comment fonctionnait la politique locale. MacLeod n'apprécierait peut-être pas qu'on lui impose ainsi un « étranger » sans lui demander son avis.

Et puis il y avait la question épineuse d'un chef de chœur ne pouvant pas chanter.

Il avait consulté deux spécialistes, l'un à Boston, l'autre à Londres. Tous deux lui avaient dit la même chose. Une opération chirurgicale pourrait éventuellement restaurer sa voix en limant les cicatrices dans son larynx. Elle pouvait également l'endommager davantage, voire la détruire définitivement.

L'un d'eux lui avait expliqué en hochant gravement la tête :

— La chirurgie des cordes vocales est extrêmement délicate. D'ordinaire, nous n'intervenons qu'en cas d'absolue nécessité, comme la présence d'une tumeur cancéreuse, une malformation congénitale ou une raison professionnelle impérative. Un chanteur célèbre présentant des nodules, par exemple. Dans ce cas, le désir de restaurer la voix peut être un motif suffisant pour justifier une opération, mais cela entraîne également un risque majeur de laisser le patient définitivement muet. Dans votre cas...

Roger pressa deux doigts contre sa gorge et fredonna, sentant la vibration rassurante. Non. Il savait ce qu'était de ne pas pouvoir parler. À l'époque, il avait cru ne plus pouvoir prononcer un seul son. Le souvenir de son désespoir d'alors lui rendait les mains moites. Ne plus jamais parler à ses enfants ? À Bree ? Non, le jeu n'en valait pas la chandelle.

Le regard du docteur Weatherspoon s'était attardé avec intérêt sur la cicatrice dans son cou, mais il n'avait rien dit. MacLeod aurait peut-être moins de tact.

Car le Seigneur châtie celui qu'il aime... Weatherspoon ne l'avait pas dit au cours de leur conversation, mais il l'avait choisi comme thème de son groupe de discussion biblique hebdomadaire. Roger l'avait lu sur le prospectus posé sur son bureau. Dans son état d'hypersensibilité, tout lui semblait être porteur d'un message.

— Si c'est ce que Tu as en tête, j'apprécie le compliment, déclara-t-il à voix haute. Toutefois, si Tu pouvais m'aimer un peu moins cette semaine, ça m'arrangerait bien.

Derrière la plaisanterie, il y avait une part de colère. Il en avait assez de devoir à nouveau faire ses preuves. La dernière fois, il avait dû montrer sa valeur physique. À présent, il devait remettre ça sur le plan spirituel? Dans un monde aussi tordu et glissant? Il avait pourtant déjà démontré sa bonne volonté, non?

— Tu m'as appelé, j'ai répondu oui. Ça ne te suffit donc pas?

Brianna ne comprenait pas non plus. Cela avait été le point d'orgue de leur querelle. Elle avait déclaré:

— Tu avais… ou plutôt je croyais que tu avais… une vocation. Ce n'est peut-être pas ainsi que l'appellent les protestants, mais c'est bien de ça qu'il s'agit, n'est-ce pas? Tu m'as dit que Dieu te parlait.

Elle l'avait dévisagé fixement d'un regard si pénétrant qu'il avait eu envie de détourner les yeux. Ce qu'il n'avait pas fait. Elle avait posé une main sur son bras, le pressant légèrement, et repris plus doucement:

— Tu crois que Dieu change d'avis? Ou tu penses t'être trompé?

— Non, avait-il répondu aussitôt. Non, quand quelque chose comme ça t'arrive… enfin, quand ça m'est arrivé, je n'avais pas le moindre doute.

— Et tu en as maintenant?

— On croirait entendre ta mère établissant un diagnostic.

Bree ressemblait tellement à son père, physiquement, qu'il voyait rarement sa mère en elle, mais la détermination calme et impitoyable de ses questions était du Claire Beauchamp tout craché. Tout comme son sourcil légèrement arqué, attendant une réponse. Il avait pris une profonde inspiration.

— Je ne sais pas.

— Si, tu le sais.

Sa colère avait explosé, soudaine et vive. Il avait libéré son bras d'un coup sec.

— De quel droit viens-tu me dire ce que je sais ou pas?

Elle écarquillait les yeux.

— Je suis ta femme, tout de même!

— Et ça t'autorise à lire dans mes pensées ?

— Ça m'autorise à m'inquiéter pour toi !

— Eh bien, tu as tort !

Naturellement, ils avaient fait la paix, scellée avec un baiser et plus encore. Ils s'étaient mutuellement pardonné. Mais pardonner ne signifiait pas oublier.

Si, tu le sais.

Le savait-il ?

— Oui ! lança-t-il avec défi au broch visible depuis sa fenêtre.

Que faire de cette certitude ? C'était là que le bât blessait.

Peut-être était-il destiné à être prêtre, mais pas presbytérien... Interconfessionnel, évangéliste... catholique ? Cette pensée était si troublante qu'il se leva et arpenta la pièce. Il n'avait rien contre les catholiques (hormis les réactions automatiques générées par une enfance et une adolescence de protestant dans les Highlands), mais il ne pouvait s'imaginer comme l'un d'eux. Pour Mmes Ogilvy, MacNeil et les autres, ce serait « passer dans le camp de Rome » ; une défection qui serait discutée pendant des années dans des chuchotements horrifiés. Cette image le fit sourire malgré lui.

De toute manière, il ne pouvait devenir un prêtre catholique, étant marié et père de famille. Cela le calma un peu, et il se rassit. Non. Il devrait se convaincre que Dieu, par l'intermédiaire du docteur Weatherspoon, lui montrait la voie dans ce passage difficile de sa vie. Et si c'était vrai... n'était-ce pas là une preuve de la prédestination ?

Roger gémit, chassa toutes ces pensées de sa tête et se plongea résolument dans son cahier.

Certains des poèmes et des chants qu'il avait recopiés étaient connus ; une sélection de son ancienne vie, de chansons traditionnelles qu'il avait chantées. Bon nombre des textes plus rares, il les avait appris au XVIIIe siècle d'immigrants écossais, de voyageurs, de colporteurs et de marins. D'autres encore avaient été déterrés des caisses que le révérend avait laissées derrière lui. Le garage du vieux presbytère en avait été plein. Brianna et lui n'en avaient encore examiné qu'une infime partie. C'était un pur miracle qu'ils soient tombés si vite sur le coffret contenant les lettres.

Il leva les yeux vers ce dernier, tenté. Il ne pouvait les lire sans Bree, cela n'aurait pas été correct. Mais les deux livres ? Ils les avaient feuilletés rapidement en les découvrant dans le coffret, mais ils avaient été plus intéressés par les lettres, qui révélaient ce qu'il était arrivé à Claire et à Jamie. Se sentant comme Jem s'éclipsant avec un paquet de biscuits au chocolat, il descendit la boîte de son étagère. Elle était très lourde. Il la posa sur le bureau, l'ouvrit et écarta précautionneusement les lettres.

Les livres étaient petits. Le plus grand était ce qu'on appelait un in-octavo couronne, faisant environ treize centimètres sur dix-huit. C'était un format courant à une époque où il était difficile de se procurer du papier. Le plus petit était un in-seize, de dix centimètres sur treize. Roger sourit en songeant à Ian Murray. Brianna lui avait raconté la réaction scandalisée de son cousin quand elle lui avait décrit le papier hygiénique. Cela lui avait paru être le comble du luxe.

Le petit livre était soigneusement relié en vachette bleue ; la tranche de ses feuilles était dorée. C'était un bel objet, cher. Il s'intitulait *Principes sanitaires de poche, par C. E. B. F. Fraser.* Une édition limitée imprimée par A. Bell, Édimbourg.

Un petit frisson le parcourut. Ils étaient donc bien arrivés en Écosse, grâce aux bons soins du capitaine Trustworthy Roberts. Néanmoins, l'universitaire en lui le mit en garde : ce n'était pas une preuve. Le manuscrit avait pu atterrir en Écosse sans que son auteur l'ait apporté en personne.

Étaient-ils venus à Lallybroch ? Il regarda autour de lui les murs défraîchis et les meubles patinés par le temps. Il imaginait facilement Jamie assis derrière le grand bureau près de la fenêtre, examinant les registres de la ferme avec son beau-frère. Si la cuisine était le cœur de la maison, cette pièce était son cerveau.

Il ouvrit le livre et manqua de s'étrangler. Le frontispice était orné d'une gravure représentant l'auteur. Un homme de science, portant un collet, une veste noire et une haute cravate au-dessus de laquelle le regardait sereinement le visage de sa belle-mère.

Il rit si fort qu'Annie Mac sortit de la cuisine, pensant qu'il avait une attaque. Il lui fit signe que tout allait bien puis ferma la porte de son bureau.

C'était bien elle. Les yeux écartés sous des sourcils bruns, les courbes gracieuses et fermes des pommettes, des tempes et de la mâchoire. L'auteur de la gravure n'avait pas su rendre sa bouche. C'était aussi bien. Aucun homme n'avait des lèvres comme les siennes.

Quel âge? Il vérifia la date d'impression : MDCCLXXVIII. 1778. Pas tellement plus âgée que la dernière fois qu'il l'avait vue. Elle paraissait toujours bien plus jeune qu'elle ne l'était réellement.

Y avait-il une image de Jamie dans l'autre? Il saisit le premier livre et l'ouvrit. Effectivement, il comportait une autre gravure, quoique d'une facture plus brute. Son beau-père était assis dans une bergère, un plaid drapé sur le dossier, ses cheveux retenus sur sa nuque, un livre ouvert sur un genou. Il lisait à un enfant assis sur l'autre genou. C'était une petite fille aux cheveux noirs et bouclés. Elle tournait le dos, absorbée par le récit. Naturellement, le graveur ne pouvait pas savoir à quoi Mandy ressemblerait.

L'ouvrage s'intitulait *Contes de grand-père* et portait le sous-titre *Histoires des Highlands écossaises et de l'arrière-pays de la Caroline du Nord*, par James Alexander Malcom MacKenzie Fraser. Il avait également été imprimé par A. Bell, Édimbourg, la même année. La dédicace disait simplement *À mes petits-enfants*.

Si le portrait de Claire l'avait fait rire, celui-ci l'émut presque aux larmes. Il referma doucement le livre.

Quelle foi avait dû les animer pour créer, entasser et transmettre ces documents fragiles à travers les ans, dans le seul espoir qu'ils survivraient et atteindraient un jour ceux à qui ils étaient adressés! La conviction que Mandy les lirait un jour... Il en eut la gorge serrée.

Comment avaient-ils fait ? Certes, on disait que la foi déplaçait des montagnes. La sienne en ce moment ne semblait même pas capable d'aplatir une taupinière.

Un mouvement de l'autre côté de la fenêtre attira soudain son attention. Jem venait de sortir par la porte de la cuisine, à l'autre bout de la maison. Il avait le visage rouge et le dos voûté, et il tenait un grand filet à provisions dans lequel Roger distingua, entre autres, une bouteille de limonade et une miche de pain. Surpris, il lança un regard vers la pendule sur le manteau de cheminée, pensant qu'il n'avait pas vu le temps passer. Mais non. Il était treize heures pile.

— Qu'est-ce que...

Il reposa le livre et sortit par l'arrière de la maison, juste à temps pour apercevoir son fils, vêtu de son coupe-vent et d'un jean (il n'avait pas le droit d'en porter à l'école), traversant le champ fauché.

Il aurait facilement pu le rattraper, mais il choisit de ralentir le pas et de le suivre à distance.

Visiblement, Jem n'était pas souffrant. Il avait dû se passer quelque chose à l'école. Avait-il été renvoyé de l'établissement ou était-il parti de lui-même ? Personne n'avait téléphoné mais, à cette heure-ci, les enfants sortaient tout juste du réfectoire. Il se pouvait que personne n'ait encore remarqué son absence. Cela représentait une marche de plus de trois kilomètres mais, pour Jem, c'était une bagatelle.

L'enfant venait d'atteindre l'échalier du muret en pierres sèches qui ceignait le champ. Il sauta par-dessus et s'avança d'un pas résolu dans le pré rempli de moutons. Où allait-il donc ?

— Qu'as-tu encore fichu cette fois ? marmonna Roger.

Jem ne fréquentait l'école de Broch Mordah, le village voisin, que depuis deux mois. C'était son premier contact avec l'éducation du xxᵉ siècle. Après leur retour, Roger lui avait donné des cours chez eux, à Boston, pendant que Brianna restait à l'hôpital auprès de Mandy après l'opération qui lui avait sauvé la vie. Une fois la petite rentrée à la maison, ils avaient dû décider de ce qu'il convenait de faire.

C'était surtout pour Jem qu'ils étaient venus s'installer dans les Highlands, même si cela correspondait au désir de Brianna.

— L'Écosse fait partie de leur héritage, avait-elle expliqué. Après tout, ils ont du sang écossais des deux côtés. Je ne veux pas qu'ils perdent ça.

En outre, le lien avec leur grand-père coulait de source.

Le fait était que Jem serait plus dans son élément en Écosse. Malgré ses mois aux États-Unis et l'influence de la télévision, il parlait encore avec un fort accent des Highlands qui aurait fait de lui un enfant marqué dans une école primaire de Boston. D'un autre côté, Jem n'était pas le genre d'enfant à passer inaperçu où qu'il fût.

Néanmoins, il ne faisait aucun doute que la vie à Lallybroch et dans une école de village des Highlands se rapprochait beaucoup plus de ce qu'il avait connu en Caroline du Nord, même si, compte tenu de la flexibilité naturelle des enfants, il se serait probablement adapté n'importe où.

Jem avait atteint l'autre bout du champ. Il chassa un groupe de moutons qui lui barrait l'accès à la porte donnant sur la route. Un bélier noir abaissa la tête et le menaça, mais le garçon n'avait pas peur des animaux. Il cria et agita son filet, et le bélier, surpris, recula. Cela fit sourire Roger.

Il n'avait aucune inquiétude quant à l'intelligence de son fils ; ou, si inquiétude il avait, c'était surtout pour le genre d'ennuis qu'elle pouvait lui attirer. L'école n'était simple pour personne, surtout une nouvelle école, et encore plus pour un enfant qui n'était pas tout à fait comme les autres. Roger se souvenait de sa propre école à Inverness, où il s'était singularisé d'abord pour ne pas avoir de vrais parents puis pour être le fils adoptif du révérend. Après s'être fait chahuter, railler, dépouiller de son déjeuner pendant quelques semaines douloureuses, il avait commencé à rendre les coups. Cela lui avait valu certains problèmes avec les enseignants, mais également la considération de ses camarades.

Jem s'était-il battu ? Roger était trop loin pour voir s'il portait des marques de coups. Toutefois, il aurait été surpris que ce soit le cas.

Il y avait eu un incident la semaine précédente. Jem avait remarqué un rat se glissant dans un trou sous les fondations de l'école. Le lendemain, il avait apporté un bout de ficelle et installé un piège juste avant le début des classes. À la récréation, il était venu récupérer sa proie, qu'il avait dépecée avec adresse sous les regards admiratifs des garçons et les cris horrifiés des filles. Sa maîtresse n'avait pas été ravie non plus. Mlle Glendenning était une citadine d'Aberdeen.

Cependant, il s'agissait d'une école de campagne, et la plupart des enfants venaient des fermes des environs. Leurs pères chassaient et pêchaient et tous savaient ce qu'était un rat. M. Menzies, le directeur, avait félicité Jem pour son habileté mais lui avait demandé de ne jamais recommencer dans l'enceinte de l'école. Il l'avait néanmoins autorisé à conserver la peau du rat, que Roger avait cérémonieusement clouée sur la porte de la remise à outils.

Jem ne se donna pas la peine d'ouvrir la porte du pré, se glissant plutôt entre les planches.

Comptait-il se rendre sur la grand-route et faire de l'auto-stop ? Roger hâta le pas, évitant les crottes de moutons et se frayant un passage à travers un groupe de brebis, qui s'écartèrent à contrecœur en bêlant d'indignation.

Non, Jem prit l'autre direction. Mais où diable voulait-il aller ? La piste en terre qui longeait la clôture du côté opposé à la route ne menait nulle part… Elle s'arrêtait au pied des collines abruptes et rocailleuses.

C'était donc là-bas qu'il se rendait : dans les collines ! Il commença à grimper, sa petite silhouette presque engloutie par les fougères et les branches basses des sorbiers qui poussaient au pied du versant. De toute évidence, fidèle à la tradition des hors-la-loi des Highlands, il prenait le maquis.

Ce fut en songeant aux hors-la-loi que Roger sentit le déclic se faire. Jem se dirigeait vers la grotte de Dunbonnet.

Jamie Fraser y avait vécu pendant sept ans après la tragédie de Culloden, presque en vue de sa maison mais caché des soldats de Cumberland, protégé par ses métayers, qui ne mentionnaient jamais son nom à voix haute, l'appelant

Dunbonnet en raison du bonnet de laine qu'il portait pour cacher ses cheveux roux.

La même chevelure luisit brièvement au milieu du versant avant de disparaître à nouveau derrière un rocher.

Se rendant compte que, cheveux roux ou pas, il pouvait facilement perdre Jem dans le paysage accidenté, Roger accéléra encore le pas. Devait-il crier son nom ? Il savait plus ou moins où se trouvait la grotte. Il n'y était encore jamais allé, mais Brianna la lui avait décrite. Il se demanda si Jem le savait, lui. Peut-être qu'il la cherchait.

Il n'appela pas et commença plutôt à grimper à son tour. Il y avait un étroit sentier se faufilant dans la végétation et l'empreinte d'une petite basket dans la boue. Cela le soulagea ; il ralentit. Il ne perdrait pas Jem.

Tout paraissait calme sur la colline, mais l'air remuait, agitant les branches des sorbiers.

La bruyère formait des taches d'un violet profond dans les creux des roches au-dessus de lui. Il sentit une odeur étrange dans la brise et s'arrêta, cherchant sa source. Il y eut un mouvement roux : un cerf aux bois superbes et puant le rut, à une dizaine de mètres en contrebas. Roger se figea, mais l'animal avait déjà relevé la tête, humant l'air en agitant ses grandes narines noires.

Roger avait machinalement porté la main à sa ceinture, là où il portait autrefois son couteau à dépouiller. Ses muscles étaient bandés, il était prêt à se précipiter pour trancher la gorge du cerf dès que le tir du chasseur l'aurait abattu. Il sentait presque la peau épaisse et velue, le bruit sec de la trachée cédant sous la lame, le jet de sang chaud sur ses mains.

Le cerf brama, un long cri guttural et résonnant, défiant tout autre mâle à portée de voix. L'espace d'un instant, Roger s'attendit à entendre une des flèches de Ian fuser à travers les branches de sorbier ou l'écho du fusil de Jamie ébranler la colline. Puis il se ressaisit et ramassa une pierre… mais la bête l'avait entendu et bondissait déjà au loin dans un fracas de branches sèches.

Roger resta immobile, encore secoué. Il pouvait sentir sa propre sueur. Mais ce n'était pas la Caroline du Nord, et le couteau dans sa poche ne servait qu'à couper de la ficelle et à ouvrir des bouteilles de bière.

Le cœur toujours battant, il se remit à marcher, essayant de retrouver son temps et son lieu. Il finirait bien par s'y habituer un jour, non ? Ils étaient de retour depuis plus d'un an, mais il se réveillait encore parfois la nuit sans savoir où il était ni quand ; pire, cela lui arrivait alors qu'il était éveillé.

Les enfants ne semblaient pas avoir souffert de ce déplacement dans le temps. Naturellement, Mandy était à l'époque trop jeune et trop malade pour être consciente de leur vie en Caroline du Nord et du passage à travers les pierres. Jem lui, s'en souvenait. Mais Jem... Une demi-heure après avoir émergé des menhirs à Ocracoke, ils avaient atteint une route asphaltée. Le garçon avait été transfiguré par les voitures qui passaient devant eux en vrombissant, un large sourire sur les lèvres.

— Vroum ! avait-il dit simplement.

Le traumatisme de la séparation et du voyage dans le temps semblait déjà oublié alors que Roger, lui, pouvait à peine marcher, ayant la sensation qu'une grande partie de lui était restée coincée dans le tunnel spatio-temporel.

Un automobiliste s'était arrêté et, ému par leur histoire d'accident de bateau, les avait conduits au village voisin, où un appel à frais virés à Joe Abernathy leur avait permis de régler les questions les plus urgentes d'argent, de vêtements, d'hébergement et de nourriture. Lors du trajet, assis sur les genoux de son père, Jem avait regardé, béat, le paysage défiler alors que le vent s'engouffrait par la vitre baissée et faisait voler ses cheveux fins et brillants.

C'était devenu une passion. Sitôt qu'ils avaient été installés à Lallybroch, il avait harcelé son père pour qu'il le laisse conduire la Mini Morris sur les sentiers de ferme, assis sur ses genoux, ses petites mains agrippées au volant.

Roger sourit en lui-même. Il devait s'estimer heureux que Jem ait décidé de s'enfuir à pied cette fois. D'ici un an ou deux, il serait assez grand pour atteindre les pédales. Il ferait mieux à l'avenir de cacher ses clefs de voiture.

Il était haut au-dessus de la maison à présent et ralentit le pas pour examiner les alentours. Brianna lui avait expliqué que la grotte se trouvait sur le versant sud, à une douzaine de mètres d'un rocher pâle baptisé le « Bond du tonneau ». Il devait son nom au fait qu'un jeune servant de Dunbonnet était tombé sur un groupe de soldats britanniques alors qu'il apportait un fût de bière au laird caché. Il avait préféré les laisser lui trancher la main plutôt que de leur révéler à qui le tonneau était destiné.

— Oh, Fergus, mon bon Fergus... murmura Roger.

Il revoyait les yeux pétillants de son ami tandis qu'il riait aux éclats en brandissant un poisson piqué au bout du crochet lui tenant lieu de main gauche.

En se tournant, il aperçut le rocher massif et rugueux, témoin silencieux de l'horreur et du désespoir... Le passé l'empoigna à la gorge, aussi brutal et impitoyable qu'un nœud coulant.

Il toussa, essayant de libérer ses voies respiratoires. Un brame rauque et sinistre lui répondit ; il y avait un autre cerf non loin, un peu plus haut sur la colline mais encore invisible.

Roger sortit du sentier et s'aplatit contre le rocher. Sa toux était-elle si terrible que le cerf l'avait pris pour un rival ? Non, il venait sûrement défier celui qu'il avait aperçu quelques minutes plus tôt.

De fait, le grand cerf descendit lentement, avançant presque délicatement à travers la bruyère et les pierres. C'était un bel animal, mais il portait déjà les stigmates de la saison des amours. Ses côtes étaient visibles sous son épaisse fourrure ; la chair de son visage était affaissée ; ses yeux, rougis par le manque de sommeil et le désir.

La grosse tête pivota dans sa direction et les yeux injectés de sang se fixèrent sur lui. L'animal n'avait pas peur de l'homme. Il n'y avait plus de place dans son cerveau pour autre chose que le combat et la copulation. Il étira son cou et brama à nouveau, les yeux révulsés par l'effort.

— Doucement, mon pote, lui dit calmement Roger. Si tu la veux, elle est à toi.

Il recula lentement, mais le cerf le suivit, le menaçant de ses bois baissés. Roger agita les bras et cria, ce qui, d'ordinaire aurait suffi à faire décamper la bête. Mais les cerfs en rut ne sont pas dans leur état normal. Celui-ci baissa la tête et le chargea.

Roger bondit sur le côté et se jeta à plat ventre au pied du rocher, tentant de se coller le plus possible contre sa base afin de ne pas être piétiné. Le cerf s'arrêta à quelques mètres, soufflant bruyamment et arrachant la bruyère avec ses bois. Puis il entendit son rival un peu plus bas et redressa brusquement la tête.

Un second brame retentit en contrebas. Le nouveau cerf pivota, bondit par-dessus le sentier et dévala la pente dans un fracas de branches brisées et d'éboulis de cailloux.

Roger se releva, l'adrénaline fusant dans ses veines comme une coulée de mercure. Il ne s'était pas rendu compte que les cerfs rouges étaient en pleine activité prénuptiale, autrement il n'aurait pas perdu de temps à méditer sur le passé. Il devait retrouver Jem au plus tôt avant qu'il ne se retrouve nez à nez avec une de ces bêtes.

Il entendait l'entrechoc des bois et les râles des deux mâles un peu plus bas, se battant pour le contrôle du harpail bien que les biches ne fussent visibles nulle part.

— JEM ! hurla-t-il. Jem où es-tu ? Réponds-moi tout de suite !

— Je suis là, papa.

La voix tremblotante venait d'au-dessus de lui. Il pivota sur ses talons et découvrit son fils assis sur le Bond du tonneau, serrant son filet à provisions contre lui.

— Descends de là !

Le soulagement l'emporta toutefois sur l'irritation. Il tendit les mains, et le garçon se laissa glisser le long de la roche, atterrissant lourdement dans ses bras. Roger le déposa à terre avec un grognement d'effort, puis ramassa le filet tombé sur le sol. Outre la limonade et le pain, il contenait plusieurs pommes, un gros morceau de fromage et un paquet de biscuits au chocolat.

— Tu projetais de rester ici un long moment ? demanda-t-il.

Le gamin rougit et détourna les yeux.

Roger regarda autour d'eux.

— Elle est par ici ? La grotte de ton grand-père ?

Il ne voyait rien. Le versant n'était qu'un amas de rocaille et de bruyères parsemé d'ajoncs avec, ici et là, un sorbier ou un aulne.

Jemmy pointa un doigt vers un point plus haut sur la colline.

— Elle est juste là. Tu vois cet arbre tout rabougri et penché ?

Effectivement, Roger aperçut un sorbier au tronc noueux. Existait-il déjà du temps de Jamie ? Toutefois, il ne distinguait toujours pas de grotte. Plus bas, les bruits de combat avaient cessé. Il lança un regard par-dessus son épaule, au cas où le perdant remonterait par là, mais ne vit rien.

— Montre-moi, demanda-t-il.

Jem, qui avait paru profondément mal à l'aise, se détendit et commença à escalader la pente ; Roger lui emboîta le pas.

On pouvait se tenir à quelques pas de la grotte sans jamais deviner son existence. Son entrée étroite était cachée par un affleurement de roche et un ajonc touffu. Il fallait se trouver juste devant pour la voir.

Elle exhalait un souffle frais et humide. Roger s'agenouilla pour regarder à l'intérieur. On n'y voyait pas à plus d'un mètre, elle n'était guère accueillante.

— Il doit faire froid pour dormir là-dedans.

Il indiqua à Jem une pierre non loin.

— Tu ne veux pas t'asseoir et me raconter ce qui s'est passé à l'école ?

L'enfant déglutit et se balança d'un pied sur l'autre.

— Non.

— Assieds-toi.

Il n'avait pas haussé la voix mais, à son ton, il était clair qu'il entendait être obéi. Jem ne s'assit pas tout à fait mais recula d'un pas et s'adossa à une roche. Il refusait de relever les yeux.

— J'ai reçu des coups de ceinture.

— Ah ? fit Roger d'un ton neutre. Oui, ça fait mal. Ça m'est arrivé une ou deux fois quand j'étais à l'école. Moi non plus, je n'ai pas aimé.

Jem redressa la tête tout en écarquillant les yeux.

— C'est vrai ? Qu'est-ce que tu avais fait ?

— Je m'étais bagarré.

Ce n'était pas un bon exemple à donner à son fils, mais c'était la vérité. Il lui demanda :

— C'est ce qui s'est passé aujourd'hui ?

Jem paraissait indemne mais, quand il tourna la tête, Roger remarqua qu'il avait une oreille rouge vif, le lobe presque violet. Il revint calmement à la charge :

— Que s'est-il passé ?

— Jacky McEnroe a dit que si tu apprenais que j'avais reçu une correction à l'école, tu m'en donnerais une autre une fois rentré à la maison.

Il regarda son père directement.

— C'est ce que tu vas faire ?

— Je n'en sais rien. J'espère que ce ne sera pas nécessaire.

Il lui avait donné des coups de martinet un jour – il y avait été contraint –, et ni l'un ni l'autre ne souhaitait répéter cette expérience. Il tendit la main et toucha doucement l'oreille de son fils.

— Raconte-moi ce qui s'est passé.

Jem prit une grande inspiration suivie d'un profond soupir résigné.

— Eh bien... ça a commencé quand Jimmy Glasscock a dit que maman, Mandy et moi, on irait brûler en enfer.

— Ah oui ?

Roger n'était pas surpris. Les presbytériens écossais étaient connus pour leur intolérance religieuse, une tendance qui n'avait guère changé au cours des deux derniers siècles. Si les bonnes manières empêchaient la plupart d'entre d'eux d'annoncer à tous les papistes qu'ils croisaient qu'ils étaient condamnés à la damnation éternelle, ils n'en pensaient pas moins.

— Mais tu sais ce qu'il faut faire dans ces cas-là, n'est-ce pas ?

Jem avait déjà entendu ce type de provocation à Fraser's Ridge, quoique généralement exprimée à mi-voix en raison de la présence de Jamie. Il était donc préparé pour y répondre.

— Oui, je lui ai répondu : « D'accord, on se reverra là-bas ! »

— Et ?

Jem hésita avant de répondre :

— Je le lui ai dit en *gàidhlig*.

Roger se gratta le menton, perplexe. Le gaélique était en voie d'extinction dans les Highlands, mais on l'entendait encore parfois au pub ou au bureau de poste. Quelques-uns des camarades de Jem avaient sans doute entendu leurs grands-parents le parler, mais avaient-ils compris ce qu'il avait dit ?

— Et ? demanda-t-il à nouveau.

— Et Mlle Glendenning m'a attrapé par l'oreille et a failli me l'arracher. Elle m'a secoué comme un prunier, papa !

Le garçon tremblait d'indignation.

— Par l'oreille ? s'exclama Roger, qui sentit soudain la moutarde lui monter au nez.

— Oui !

Les yeux du garçon se remplirent de larmes d'humiliation et de rage. Il les essuya sur sa manche.

— Elle a dit : « ICI, ON NE PARLE PAS ÇA ! ICI, ON PARLE ANGLAIS ! »

Sa voix était plus aiguë que celle de la redoutable Mlle Glendenning de quelques octaves, mais cela ne rendait son imitation de l'agression de sa maîtresse que plus féroce.

— Puis elle t'a frappé avec sa ceinture ? demanda Roger incrédule.

— Non, ça, c'était M. Menzies.

— Quoi ? Pourquoi ? Tiens.

Il sortit de sa poche un mouchoir en papier froissé et le tendit à son fils pour qu'il se mouche.

— Eh bien… j'étais déjà énervé par Jimmy puis, quand elle m'a secoué, ça m'a fait mal. Alors je me suis mis en boule.

Il dévisagea son père avec un air chargé d'une probité indignée, ce qui faisait tellement penser à son grand-père que Roger ne put s'empêcher de sourire.

— Tu lui as dit autre chose, n'est-ce pas ?

— Oui.

Jem baissa les yeux, triturant la terre devant lui du bout de sa chaussure.

— Mlle Glendenning n'aime pas le *gàidhlig* et, de toute manière, elle ne le comprend pas. Mais M. Menzies, si.

— Aïe, aïe, aïe !

Attiré par les cris, le directeur était sorti dans la cour juste au moment où Jem, tenant tête à sa maîtresse, hurlait à pleins poumons une des meilleures injures gaéliques de son grand-père.

— Alors, il m'a fait me pencher sur une chaise et m'a donné trois coups de sangle. Puis il m'a envoyé au vestiaire en me disant d'y rester jusqu'à la fin des classes.

— Sauf que tu n'y es pas resté.

Jem baissa la tête.

Roger ramassa le filet, refoulant l'indignation, la consternation, le rire et une certaine compassion. Réflexion faite, il décida de montrer un peu de cette dernière.

— Tu voulais t'enfuir de la maison ?

— Non, répondit Jem, surpris. Je ne voulais pas aller à l'école demain. Je n'ai pas envie que Jimmy se moque de moi. Je pensais rester ici pendant le week-end et que peut-être lundi ce serait oublié. D'ici là, Mlle Glendenning pourrait mourir.

— Peut-être aussi que ta mère et moi aurions été tellement inquiets que, le temps que tu réapparaisses, tu aurais échappé à une seconde correction ?

Jem écarquilla les yeux.

— Oh non ! Maman m'étranglerait si je partais sans prévenir. J'ai laissé un mot sur mon lit, disant que j'allais vivre dans la nature un jour ou deux.

Il se redressa et rassembla son courage.

— On peut en finir, maintenant, et rentrer à la maison ? J'ai faim.

— Je ne vais pas te battre, le rassura Roger.

Il l'attrapa par la taille et l'attira à lui.

— Viens ici, mon garçon.

La façade de bravoure du garçon s'effrita soudain, et il fondit dans les bras de Roger, pleurant un peu, mais surtout se laissant consoler. Il se blottit contre son épaule, ne doutant plus que, grâce à son père, tout allait s'arranger.

Et tu peux me faire confiance là-dessus, pensa Roger. *Je vais aller trouver cette Mlle Glendenning et l'étrangler de mes mains.*

— Dis, papa, pourquoi c'est mal de parler le *gàidhlig* ? demanda Jem.

Roger lissa les cheveux soyeux de son fils derrière ses oreilles et répondit :

— Ça ne l'est pas. Ne t'inquiète pas, maman et moi allons régler cette affaire, je te le promets. Et tu n'as pas besoin d'aller à l'école demain.

Jem poussa un soupir de soulagement, puis devint aussi inerte qu'un sac de riz. Au bout d'un moment, il releva la tête et pouffa de rire.

— Tu crois que maman va battre M. Menzies ?

------◄O►------

27

Les tigres des tunnels

Brianna ne sentit venir le désastre qu'au dernier instant ; le faisceau de lumière sur les rails se rapetissa en une fraction de seconde, juste le temps qu'il fallait aux énormes portes en acier pour se refermer derrière elle, leur claquement résonnant dans le tunnel en faisant vibrer l'air.

Elle lâcha un juron qui, dans la bouche de Jem, lui aurait valu un bon savon, mais elle le prononça dans un souffle, ayant compris ce qui se passait dans l'instant où les portes se refermaient.

Elle ne voyait plus rien d'autre que des tourbillons de couleurs, réaction de ses rétines à l'obscurité soudaine. Elle ne s'était avancée que de quelques mètres dans le tunnel et pouvait entendre les verrous glissant dans leurs crampons. Ils étaient actionnés de l'extérieur par des roues qui émettaient un grincement d'os broyés. Elle pivota lentement, fit cinq pas et tendit les mains. La porte était bien là, grande, solide, froide et à présent verrouillée. Elle entendait des rires de l'autre côté.

Ils ricanaient ! Ces crétins ! De vrais gamins !

Elle inspira profondément, luttant contre la colère et la panique. À présent que l'éblouissement de l'obscurité s'estompait, elle distinguait la fine ligne de lumière qui dessinait les contours des portes de quatre mètres de haut. Un point lumineux à hauteur d'homme disparut quelques instants, s'accompagnant de chuchotements et d'autres gloussements.

Un de ces imbéciles tentait de regarder à l'intérieur à travers un judas. Il pouvait toujours essayer de voir quelque chose, l'idiot ! Le tunnel hydroélectrique sous le loch Errochty était plus noir que le puits de l'enfer.

En se guidant au filet de lumière, elle mit précautionneusement un pas devant l'autre. Il ne manquait plus qu'elle tombe bruyamment, cela ferait trop plaisir aux débiles de l'autre côté de la porte. Il y avait quelque part sur le mur de gauche un boîtier qui renfermait les interrupteurs commandant l'éclairage du tunnel.

Elle le trouva et eut un moment d'angoisse en le découvrant fermé à clef, puis elle se souvint du gros trousseau crasseux que lui avait donné M. Campbell ; au bout de chaque clef pendait une étiquette usée indiquant sa fonction. Naturellement, elle ne pouvait pas lire ces foutues étiquettes. Cette ordure d'Andy Davis lui avait emprunté la lampe torche qui aurait due être accrochée à sa ceinture sous prétexte de vouloir vérifier s'il n'y avait pas une fuite d'huile sous sa camionnette.

Elle essaya une clef, puis une autre, tâtonnant la serrure du bout des doigts pour trouver la fente. Ils étaient clairement de mèche tous les trois et avaient bien préparé leur coup, Andy, Craig McCarthy et Rob Cameron.

Elle avait l'esprit méthodique. Après avoir essayé toutes les clefs, en vain, elle ne recommença pas à zéro. Ils avaient tout prévu. Un peu plus tôt, Craig lui avait emprunté son trousseau pour ouvrir la boîte à outils dans la camionnette, puis le lui avait rendu avec une galanterie excessive.

Quand elle leur avait été présentée, ils l'avaient regardée fixement, même s'ils avaient probablement déjà été informés de la nouvelle choquante : le nouvel inspecteur de la sécurité était une femme. Rob Cameron, un jeune homme qui se savait beau, l'avait lentement lorgnée des pieds à la tête avant de lui tendre la main. Elle lui avait rendu la pareille avant de la lui serrer, ce qui avait fait rire les deux autres. Il fallait reconnaître, à son crédit, que Rob avait ri lui aussi.

Pendant le trajet jusqu'au loch Errochty, elle n'avait senti aucune hostilité de leur part. Il ne s'agissait sans doute que d'une plaisanterie stupide.

En toute honnêteté, elle aurait dû le voir venir plus tôt. Elle était mère depuis trop longtemps pour ne pas avoir remarqué l'air secrètement ravi ou de fausse innocence qu'affichait tout mâle sur le point de faire une bêtise. Si elle avait été plus attentive à son équipe de maintenance et de réparation, elle aurait pu réagir, mais son esprit avait été à moitié au XVIIIᵉ siècle, préoccupé pour Fergus et Marsali, et encouragé par la vision de ses parents et de Ian enfin en route pour l'Écosse.

Il était temps de laisser le passé de côté et de se préoccuper du présent. Que pensaient-ils qu'elle ferait ? Hurler ? Se mettre à pleurer ? Frapper sur les portes en les suppliant de la laisser sortir ?

Elle revint vers la porte et pressa son oreille contre la fente, juste à temps pour entendre le moteur démarrer et les pneus crisser sur le gravier.

Les salauds ! Ils s'en allaient ! Comme elle ne les avait pas satisfaits en poussant des cris d'angoisse, ils la laissaient emmurée là ! Ils comptaient revenir plus tard dans l'espoir de la retrouver éplorée ou, mieux, écumante de rage ? Plus vache encore, ils rentreraient au bureau de la commission hydroélectrique avec des mines innocentes et déclareraient à M. Campbell que la nouvelle inspectrice ne s'était pas présentée au travail ce matin ?

Elle expira par le nez, lentement, intentionnellement.

Bon. Elle les éviscérerait l'un après l'autre en temps voulu. Pour le moment, que faire ?

Elle tourna le dos à la porte et fixa les ténèbres. Elle n'était encore jamais venue dans ce tunnel mais en avait visité un similaire avec M. Campbell. C'était l'une des galeries originales du projet hydroélectrique, creusée à la pioche par les *hydro boys* dans les années 1950. Il s'enfonçait sur plus d'un kilomètre et demi sous la montagne et une partie de la vallée inondée, qui accueillait désormais le loch Errochty. Un rail au milieu du tunnel permettait à un petit train électrique de circuler.

À l'origine, il avait transporté les ouvriers, les « tigres des tunnels », de la surface au chantier. Aujourd'hui, il était réduit à une locomotive et servait uniquement à l'inspection des énormes câbles courant le long des parois et à l'entretien des immenses turbines au pied du barrage, à l'autre bout du tunnel.

Ce qui était précisément ce que Rob, Andy et Craig étaient censés faire : soulever une des turbines et remplacer une de ses lames, endommagée.

S'adossant au mur du tunnel, les mains à plat sur la paroi rugueuse, Bree réfléchit. Elle ferma les yeux et tenta de se remémorer le contenu de l'énorme classeur (laissé sur le siège de la camionnette) donnant les spécifications structurelles et techniques de toutes les centrales de son programme d'inspection.

Elle avait examiné les plans de celle-ci la veille au soir et de nouveau brièvement ce matin en se brossant les dents. Le tunnel avait servi à la construction des niveaux inférieurs du barrage et débouchait donc forcément sur celui-ci. À quelle profondeur ? S'il menait à la salle des turbines elle-même, il avait été muré. Mais s'il arrivait au niveau du poste de travail se trouvant au-dessus, une salle immense équipée de ponts roulants capable de soulever les turbines de plusieurs tonnes hors de leurs nids, il devait y avoir une porte. Il aurait été inutile de murer cette issue puisqu'il n'y avait pas d'eau derrière.

Elle eut beau se concentrer, elle ne put se souvenir si le tunnel communiquait avec le barrage ou non. Il n'y avait qu'un moyen de le savoir.

✳

Elle avait aperçu le train dans le bref instant avant que les portes ne se referment. Elle n'eut pas à fouiller l'obscurité longtemps avant de grimper dans la minuscule cabine sans portes de la locomotive. Ces clowns avaient-ils subtilisé également la clef de contact ? Ha ! Il n'y avait pas de clef, uniquement un bouton électrique sur le tableau de bord. Elle le poussa. Un voyant rouge s'alluma, et elle sentit un bourdonnement électrique traverser le rail.

Le train ne pouvait être plus simple à conduire. Il n'y avait qu'un levier qu'il suffisait de pousser ou de tirer selon qu'on voulait aller en avant ou en arrière. Elle le poussa doucement et sentit l'air glisser sur son visage tandis que le train s'enfonçait en silence dans les entrailles de la terre.

Elle devait aller lentement. Le voyant projetait une lueur rassurante sur ses mains mais ne perçait pas les ténèbres devant elle. Elle ignorait où se trouvaient les virages et quel était leur degré. En outre, elle ne tenait pas à arriver trop rapidement au bout et risquer de dérailler. Elle avait l'impression d'avancer centimètre par centimètre, mais c'était toujours mieux que de marcher sur plus d'un kilomètre dans le noir absolu en tâtonnant des murs parcourus de câble à haute tension.

Cela arriva brusquement. L'espace d'une fraction de seconde, elle crut que quelqu'un avait laissé traîner sur les rails un câble en tension. Un son qui n'en était pas un vibrait dans toutes les parcelles de son corps, tirant sur tous ses nerfs, blanchissant sa vision. Puis sa main frôla la pierre, et elle se rendit compte qu'elle était tombée de côté et que la moitié de son corps pendait hors de la cabine.

Étourdie, elle parvint à agripper un coin du tableau de bord et à se hisser à l'intérieur. Elle éteignit le moteur d'une main tremblante et, se laissant tomber sur le plancher, se recroquevilla en serrant ses genoux contre son torse.

— Oh, mon Dieu ! haleta-t-elle. Oh mon Dieu…

Elle le sentait encore, là, quelque part. Le bruit avait disparu, mais sa source n'était pas loin, et elle ne pouvait cesser de trembler.

Elle resta ainsi un long moment, la tête entre les genoux, jusqu'à ce qu'elle soit à nouveau capable de penser de manière rationnelle.

Elle ne pouvait s'être trompée. Elle avait traversé le temps deux fois et savait ce que l'on ressentait. Cette fois, le choc avait été moindre. Sa peau lui picotait, ses nerfs étaient à vif et ses oreilles bourdonnaient comme si elle avait enfoncé la tête dans un nid de frelons, mais elle se sentait d'une pièce. Elle n'avait pas eu la sensation atroce d'être démembrée et retournée comme un gant.

Une horrible angoisse la saisit. Elle se redressa brusquement et s'accrocha au tableau de bord. Avait-elle sauté ? Était-elle… ailleurs ? Dans un autre temps ? Toutefois, le métal était frais et solide sous ses paumes. L'odeur de pierre humide et d'isolant de câble était la même.

Elle appuya sur le bouton du contact pour se rassurer. Le voyant s'alluma et le train repartit dans un bond en avant.

Elle ne pouvait avoir sauté dans le passé. De petits objets en contact direct avec le voyageur l'accompagnaient généralement dans son déplacement, mais une locomotive avec ses rails ? C'était un peu exagéré. En outre, si elle avait bondi plus de vingt-cinq ans en arrière, le tunnel n'existerait pas. Elle serait prise dans la roche. Elle sentit la bile lui remonter dans la gorge et vomit.

La sensation commençait à disparaître. La chose qui l'avait provoquée… quoi qu'elle fût… était à présent derrière elle. Elle s'essuya la bouche sur le dos de la main. Il y avait intérêt à ce qu'il y ait une autre porte au bout de ce tunnel, car pour rien au monde elle ne ferait demi-tour.

Il y en avait bien une. Une simple porte industrielle en métal, tout ce qu'il y avait de plus ordinaire. Avec un cadenas ouvert pendant à un moraillon. Il y avait une forte odeur de graisse. Quelqu'un avait huilé les gonds récemment. Elle appuya sur la poignée, et elle s'ouvrit facilement. Elle se sentit soudain comme Alice après être tombée dans le trou du lapin blanc. Une Alice *vraiment* folle.

Il y avait un escalier métallique de l'autre côté, sous un éclairage jaune sale. En haut, une autre porte en métal. De l'autre côté, elle entendit le grondement sourd des grues en opération.

Elle hésita, le souffle court. Qu'allait-elle trouver ? Elle était bien arrivée au poste de travail à l'intérieur du barrage, cela, elle le savait, mais serait-ce mardi ? Ce même mardi où elle avait été piégée dans le tunnel ?

Elle serra les dents et ouvrit la porte. Rob Cameron l'attendait, adossé au mur et fumant une cigarette. Il lui adressa un grand sourire, jeta son mégot et l'écrasa du bout du pied.

— Je savais bien que tu y arriverais, ma cocotte.

De l'autre côté de la salle, Andy et Craig interrompirent leur travail et applaudirent.

— J't'offre une bière après le boulot ! lança Andy.

— Deux ! renchérit Craig.

Elle avait encore un goût de bile dans le fond de la gorge. Elle dévisagea Rob Cameron de son regard glacial qui avait tant impressionné M. Campbell et répondit calmement :

— Je ne vous ai pas autorisé à me tutoyer, et ne m'appelez plus jamais « cocotte ».

Ses beaux traits se figèrent un instant, puis il porta une main à son front et la salua obséquieusement.

— Tout ce que vous voudrez, boss.

———◄o►———

28

Là-haut sur la colline

Il était presque sept heures du soir quand il entendit la voiture de Brianna s'arrêter dans l'allée. Les enfants avaient déjà dîné et sortirent en courant pour s'accrocher à ses jambes comme si elle rentrait d'un long voyage au pôle Nord.

Il fallut un certain temps avant qu'ils ne soient couchés et que Bree ait enfin un peu de temps à lui consacrer.

— Tu as très faim ? demanda-t-elle. Je peux te préparer…

Il l'interrompit en la prenant par la main et en l'entraînant dans son bureau. Il referma soigneusement la porte à clef. Elle avait les cheveux emmêlés et aplatis par le casque, et ses vêtements étaient crasseux après la journée sous terre. Elle sentait le moisi, le cambouis, la fumée de cigarette, la transpiration et… la bière ?

— J'ai mille choses à te raconter, annonça-t-il. Et je sais que toi aussi. Mais avant tout, ça t'ennuierait d'enlever ton jean, de t'asseoir sur le bureau et d'écarter les cuisses ?

Elle le regarda interloquée, puis sourit.

— Oui, je crois que je peux faire ça.

✳

Roger s'était souvent demandé s'il était vrai que les roux avaient un tempérament plus explosif que les autres, ou si c'était seulement que leurs émotions transparaissaient sur leur peau de cette manière soudaine et alarmante. À son avis, il y avait un peu des deux.

Il aurait sans doute dû attendre qu'elle se soit rhabillée avant de lui parler de Mlle Glendenning. Mais, dans ce cas, il aurait raté le spectacle remarquable de sa femme nue et écarlate de fureur du nombril à la racine des cheveux.

— Cette vieille bique ! Si elle s'imagine qu'on va laisser passer...

— Non, bien sûr que non, l'interrompit-il.

— Tu peux me faire confiance ! J'irai dès demain matin et...

— Ce n'est peut-être pas une si bonne idée.

Elle le regarda en plissant les yeux.

— Comment ?

Il reboutonna sa braguette et lui tendit son jean.

— Je pense qu'il vaut mieux que j'y aille.

Elle fronça les sourcils, réfléchissant. Il ajouta en souriant :

— Ce n'est pas que je craigne que tu t'énerves et arraches les cheveux de cette vieille garce, mais... tu ne dois pas aller à ton boulot, demain matin ?

— Hmm...

Elle paraissait douter de sa capacité à faire comprendre à Mlle Glendenning l'extrême gravité de son crime.

— Et si jamais tu te laissais emporter et donnais un coup de boule à cette mégère, je ne voudrais pas avoir à expliquer aux enfants pourquoi ils doivent rentre visite à leur mère en prison.

Elle se mit à rire et il se détendit légèrement. Il ne pensait pas vraiment qu'elle en viendrait aux mains, mais elle n'avait pas vu l'oreille de Jem quand il était rentré à la maison. Lui-même avait dû se retenir de filer droit à l'école pour dire à cette femme sa façon de penser.

— Que vas-tu lui dire ? demanda Brianna.

— Rien. Je parlerai au directeur. C'est à lui de la sermonner.

— Tu as sans doute raison. Il ne faudrait pas qu'elle se venge sur Jem.

Le casque de chantier avait roulé sous un fauteuil. Il le ramassa et le déposa sur la tête de sa femme.

— Alors, comment s'est passée ta journée de travail?

Se souvenant soudain, il demanda également:

— Et comment se fait-il que tu partes travailler sans culottes?

La rougeur, qui s'était atténuée, revint tel un feu de brousse. Vexée, elle rétorqua:

— J'ai perdu l'habitude au xviii⁰ siècle. Je n'en porte plus que pour les grandes occasions. Qu'est-ce que tu t'imagines, que je voulais séduire M. Campbell?

— Pas après la description que tu m'en as faite, répondit-il calmement. Je l'ai simplement remarqué ce matin et me suis posé la question.

— Ah.

Elle était toujours contrariée, et il se demanda pourquoi. Il allait l'interroger à nouveau sur sa journée quand elle ôta son casque et lui lança un regard interrogateur.

— Ce matin, tu m'as dit que si je portais mon casque tu me dirais ce que tu faisais avec la bouteille de champagne. Mis à part la donner à Mandy pour qu'elle la lance à travers la vitre. À quoi pensais-tu donc, Roger?

— En toute sincérité, je pensais à ton cul. Il ne m'est jamais venu à l'esprit qu'elle la lancerait. Ni même qu'elle *pouvait* la lancer.

— Tu lui as demandé pourquoi elle l'avait fait?

Il marqua un temps d'arrêt, déconcerté.

— Je n'ai pas pensé qu'elle pouvait avoir une raison, avoua-t-il. Quand je l'ai cueillie sur la table, elle s'apprêtait à plonger la tête par la fenêtre. J'ai eu tellement peur que je n'ai pensé à rien d'autre, à part lui donner une tape sur les fesses.

— Je ne crois pas qu'elle ferait une chose pareille sans raison.

Elle était en train d'ajuster ses seins dans son soutien-gorge, une vision qu'il trouvait distrayante en toutes circonstances.

Ce ne fut que plus tard, dans la cuisine, alors qu'ils se préparaient un dîner tardif, qu'il lui demanda à nouveau comment s'était passée sa journée.

— Ça été, répondit-elle sur un ton faussement détaché.

Il ne la crut pas mais comprit qu'il valait mieux ne pas insister. Il demanda plutôt :

— Pour les grandes occasions ?

Elle sourit.

— Tu sais. Pour toi.

— Pour moi ?

— Oui, toi et ton fétiche des dessous en dentelles.

— Quoi, tu veux dire que tu ne portes des culottes que pour…

— Pour que tu me les enlèves, bien sûr.

À ce stade, il était impossible de dire où la conversation aurait pu les emmener si elle n'avait pas été interrompue par un vagissement sonore à l'étage au-dessus. Brianna disparut rapidement vers l'escalier, le laissant seul pour méditer sur cette révélation.

Les haricots étaient prêts et le bacon frit quand elle redescendit, l'air soucieux. Il l'interrogea du regard.

— Un cauchemar, répondit-elle. Toujours le même.

— Le vilain monstre voulant entrer par sa fenêtre ?

Elle acquiesça et prit le plat qu'il lui tendait. Elle marqua une pause avant de se servir.

— Je lui ai demandé pourquoi elle avait lancé la bouteille.

— Et ?

— Elle m'a dit qu'elle l'avait vu devant la cuisine.

— Qui ? Le…

— Le Nuckelavee.

✳

Le lendemain matin, le broch était exactement tel qu'il l'avait vu la dernière fois. Sombre. Silencieux hormis les bruissements d'ailes des pigeons. Il avait jeté le papier journal empestant le poisson. Il n'y avait pas de nouveaux détritus.

Il referma la porte. La prochaine fois qu'il passerait devant la grande quincaillerie, il achèterait de nouveaux gonds et un verrou.

Mandy avait-elle vraiment vu quelqu'un ? Et, si oui, était-ce le même vagabond qui avait effrayé Jem ? L'idée que quelqu'un rôdait dans les parages, espionnant sa famille, lui était intolérable. Il resta un moment immobile, examinant la maison et le domaine, cherchant des traces de l'intrus. Où un homme pouvait-il se cacher ? Il avait déjà fouillé la grange et les dépendances.

La grotte de Dunbonnet ? Cette idée, accompagnée du souvenir de Jem se tenant juste devant l'ouverture, lui glaça le sang. Il en aurait bientôt le cœur net. Après un dernier regard vers la cour en contrebas, où Annie MacDonald et Mandy suspendaient paisiblement le linge, il se mit en route.

Cette fois-ci, il tendit l'oreille. Il perçut l'écho de brames et repéra un petit troupeau de biches au loin mais, heureusement, ne croisa aucun mâle en rut. Pas de vagabonds non plus.

Bien qu'il n'y soit allé que la veille, il eut du mal à retrouver la grotte. Quand ce fut enfin le cas, il se tint devant l'entrée et cria juste au cas où…

— Il y a quelqu'un ?

Pas de réponse.

Il écarta les ajoncs, demeurant sur le côté au cas où le vagabond se tenait prêt à bondir. Toutefois, dès que le souffle humide de la grotte caressa son visage, il sut qu'elle était vide.

Il passa néanmoins la tête à l'intérieur, puis se laissa glisser dans la grotte. Elle était relativement sèche, pour les Highlands, mais froide comme une tombe. Il fallait vraiment être coriace comme un Highlander pour y survivre ; n'importe qui d'autre aurait rapidement été emporté par une pneumonie.

En dépit du froid, il y resta quelques minutes, essayant d'imaginer son beau-père vivant ici. Il y régnait une étrange paix. Il n'y sentait aucune menace. De fait, il se sentait presque… bienvenu ; une sensation qui hérissa les poils sur ses avant-bras.

— Mon Dieu, veillez sur eux, murmura-t-il.

Quand il sortit, la chaleur du soleil lui parut être une bénédiction.

Toutefois, cette étrange sensation d'accueil, d'avoir été reconnu, resta avec lui.

Il déclara à voix haute sur un ton jovial :

— Et maintenant, *athair-céile* ? Y a-t-il un autre endroit que je devrais inspecter ?

Tout en parlant, il se rendit compte que la réponse était sous ses yeux. Au sommet de la colline voisine se dressait l'amoncellement de pierres dont Brianna lui avait parlé. Selon elle, elles avaient été empilées là par la main de l'homme et étaient peut-être les vestiges d'une forteresse de l'âge de fer. Il ne semblait pas en rester suffisamment pour abriter qui que ce soit mais, trop nerveux pour rester en place, il descendit le versant entre les rochers et la bruyère, sauta par-dessus un petit ruisseau qui gargouillait au pied de la colline et regrimpa péniblement sur l'autre versant vers le mystérieux monument.

C'était ancien mais sans remonter jusqu'à l'âge de fer. Cela ressemblait plutôt aux ruines d'une petite chapelle. Il y avait une croix grossièrement ciselée sur une pierre couchée sur le sol, ainsi que les fragments érodés d'une statue éparpillés autour de l'entrée. Les vestiges étaient plus importants qu'il ne l'avait cru de loin. Il restait un mur lui arrivant à la taille et des pans de deux autres. Le toit avait disparu depuis longtemps, mais il restait une poutre par terre, son bois devenu dur comme du métal.

Il essuya la sueur dans sa nuque et ramassa la tête de la statue. Elle était très vieille. Celte ? Picte ? Il n'en restait pas assez pour deviner si elle représentait un homme ou une femme.

Il passa doucement le pouce sur les yeux aveugles, puis déposa délicatement la tête sur le demi-mur. Il y avait une petite dépression là où s'était peut-être trouvée une niche autrefois.

— Bien, dit-il en se sentant soudain gauche. À plus tard, alors.

Puis il tourna les talons et descendit de la colline avec, toujours, cette étrange sensation d'être accompagné.

La Bible disait : *Cherche, et tu trouveras.* Il demanda à voix haute au paysage autour de lui :

— Mais elle n'offre aucune garantie sur ce qu'on trouvera, n'est-ce pas ?

29

Conversation avec un directeur d'école

Après un déjeuner paisible avec Mandy, qui semblait avoir oublié ses cauchemars, il se mit sur son trente et un pour son entretien avec le directeur de l'école de Jem.

M. Menzies le surprit. Roger n'avait pas songé à demander à Bree à quoi il ressemblait et s'attendait à trouver un homme d'âge mûr, trapu et autoritaire, un peu comme celui de son école quand il était enfant. En réalité, M. Menzies avait à peu près son âge. C'était un homme mince au teint pâle, chaussé de lunettes derrière lesquelles le regardaient des yeux non dénués d'humour. Néanmoins, son air ferme et déterminé n'échappa pas à Roger, qui se dit qu'il avait bien fait de ne pas laisser Bree venir.

— Lionel Menzies, se présenta le directeur en souriant.

Il avait une poignée de main vigoureuse et l'air amical. Roger corrigea sa stratégie. Il prit le siège qu'on lui indiquait face au bureau.

— Roger MacKenzie. Je suis le père de Jem… Jeremiah.

— Oui, bien sûr. En constatant que Jem n'était pas en classe ce matin, je pensais bien que votre femme ou vous viendriez me voir.

Il croisa les mains et se pencha en avant.

— Avant toute chose, puis-je vous demander ce que vous a dit Jem exactement au sujet de ce qui s'est passé ?

Malgré lui, Roger sentit son estime pour cet homme monter d'un cran.

— Que sa maîtresse, l'entendant dire quelque chose à un camarade en gaélique, l'avait attrapé par l'oreille et secoué comme un prunier. Furieux, il l'a insultée, également en gaélique, ce pour quoi vous lui avez donné des coups de sangle.

Menzies arqua les sourcils, surpris. Pour la première fois, Roger se demanda si Jem avait menti ou omis un détail encore plus horrible dans son récit.

— Ce n'est pas ce qui s'est passé ?

— Si, si, l'assura Menzies. C'est juste que je n'avais encore jamais entendu un parent être aussi concis. D'ordinaire, il faut une demi-heure de prologue, de bagatelles sans rapport avec le sujet, de contradictions – si les deux parents sont présents –, le tout suivi d'attaques personnelles avant que je puisse comprendre quel est le problème. Je vous remercie.

Il sourit, et Roger ne put s'empêcher de sourire en retour.

— Je suis navré d'avoir dû le faire, reprit Menzies. J'aime beaucoup Jem. Il est intelligent, studieux… et très drôle.

— Il est tout cela, convint Roger, mais…

— Mais je n'avais pas le choix, l'interrompit Menzies. Si aucun des autres élèves n'avait compris ce qu'il disait, une simple excuse aurait pu suffire. Mais… vous a-t-il rapporté au juste ce qu'il avait dit ?

— Non, pas en détail.

Roger ne lui avait pas demandé. Son fils n'avait entendu Jamie Fraser insulter quelqu'un en gaélique qu'à trois ou quatre occasions, mais chacune avait été mémorable. Or, Jem avait une excellente mémoire.

— Je ne vous le dirai pas non plus, à moins que vous y teniez. Le problème est que, même si seuls quelques enfants l'ont compris, ils n'ont pas manqué de le traduire à leurs camarades. Ils savent également que je comprends le gaélique. Je dois défendre l'autorité de mon équipe. S'il n'y a plus de respect pour les enseignants, tout fout le camp. Votre femme m'a dit que vous aviez enseigné vous-même ? À Oxford, je crois ? Ce n'est pas rien !

— C'était il y a quelques années, et je n'étais que maître assistant. Je comprends votre position ; pour ma part, je n'avais pas le droit de recourir à la force physique pour maintenir l'ordre et le respect.

Cela dit, il se souvenait d'un ou deux de ses étudiants de deuxième année auxquels il aurait volontiers cassé la figure.

Menzies le dévisagea avec un regard malicieux.

— Je suis sûr que votre présence suffisait amplement. Étant donné que vous faites deux fois ma taille, je suis soulagé d'apprendre que vous n'êtes pas du genre violent.

— C'est le cas d'autres parents ?

— À vrai dire, jusqu'ici, aucun des pères ne m'a frappé, même si j'ai été menacé une ou deux fois. J'ai aussi vu une mère débarquer avec la vieille carabine familiale.

D'un signe de tête, Menzies indiqua le mur derrière lui. Il y avait une série de trous dans le plâtre, en partie mais pas totalement cachés par une carte de l'Afrique.

— Au moins, elle a tiré au-dessus de votre tête, plaisanta Roger.

— Pas vraiment, répondit Menzies en riant. Je lui ai demandé de poser doucement son arme sur le bureau, mais elle l'a laissé tomber et le coup est parti. BANG ! La pauvre femme était dans tous ses états, comme moi d'ailleurs.

Roger devait lui reconnaître un certain talent pour gérer les parents difficiles, y compris lui-même. Il se pencha en avant pour indiquer qu'il comptait bien reprendre le contrôle de la conversation.

— Je ne suis pas venu pour me plaindre de la correction que vous avez infligée à mon fils, du moins pas encore, mais plutôt de l'incident qui l'a provoquée.

Menzies hocha la tête et posa ses coudes sur la table en joignant les doigts. Roger poursuivit :

— Je comprends que vous deviez défendre vos enseignants, mais cette femme a failli arracher l'oreille de mon fils et, tout ça, pour avoir dit quelques mots à un camarade, pas des insultes, rien que des mots, en *gàidhlig*.

Le regard de Menzies s'aiguisa en entendant son accent.

— Ah, ça vient donc de vous. Je me demandais s'il le tenait de sa mère ou de son père.

— À vous entendre, on dirait une maladie congénitale. Vous avez sûrement remarqué que mon épouse était américaine.

Menzies parut amusé. Brianna passait difficilement inaperçue.

— En effet, je l'avais remarqué, mais elle m'a dit que son père était un Écossais des Highlands. Vous parlez le gaélique à la maison ?

— Non, rarement. Jem l'a appris de son grand-père. Il… il n'est plus avec nous.

Menzies hocha la tête.

— Moi aussi, je l'ai appris de mes grands-parents, du côté maternel. Ils sont morts eux aussi. Ils étaient de Skye.

L'habituelle question, implicite, flotta dans l'air un instant ; Roger y répondit.

— Je suis né à Kyle of Lochasle, mais j'ai grandi en grande partie à Inverness. J'ai appris mon gaélique principalement sur des bateaux de pêche sur le Minch.

Et dans les montagnes de Caroline du Nord.

Menzies baissa les yeux vers ses mains.

— Vous êtes monté sur un bateau de pêche au cours de ces vingt dernières années ?

— Non, Dieu merci !

Menzies sourit brièvement.

— Vous y entendriez très peu de gaélique ces temps-ci ; plutôt de l'espagnol, du polonais ou de l'estonien. Votre femme m'a dit que vous aviez passé plusieurs années aux États-Unis. Vous ne l'avez sans doute pas remarqué, mais il n'est pratiquement plus parlé en public.

— Pour être sincère, je n'y avais pas vraiment fait attention… jusqu'à présent.

Menzies ôta ses lunettes et frotta les marques sur les côtés de son nez. Sans les verres, ses yeux bleu pâle semblaient soudain vulnérables.

— C'est une langue en déclin depuis un certain temps déjà, mais cela s'est accentué au cours des dix, quinze dernières années. Les Highlands font soudain partie du

Royaume-Uni – ou du moins c'est ce que pense le reste du Royaume-Uni – d'une manière sans précédent. Conserver une langue différente apparaît non seulement désuet mais carrément destructeur. Il n'y a pas vraiment de loi écrite, mais l'usage du gaélique est fortement… découragé… dans les écoles.

Roger allait intervenir, mais Menzies l'arrêta d'un geste de la main.

— Cela ne se passerait pas comme ça si les parents protestaient, mais ce n'est pas le cas. La plupart veulent que leurs enfants appartiennent au monde moderne, qu'ils parlent un bon anglais, obtiennent de bons postes, s'adaptent ailleurs, qu'ils soient capables de quitter les Highlands. Il faut dire qu'il n'y a pas grand-chose pour eux, ici, à part la mer du Nord !

— Mais les parents…

— Si leurs parents leur ont appris le gaélique, ils ne l'enseignent pas à leurs propres enfants. Et s'ils ne le parlent pas, ils ne font aucun effort pour l'apprendre. Le parler est considéré comme arriéré, inculte. On l'associe aux classes inférieures.

— Barbare, même, parvint à placer Roger. Le « erse barbare » ?

Menzies reconnut la référence à Samuel Johnson et à sa description méprisante de la langue parlée par ses hôtes du XVIIIᵉ siècle. Il sourit à nouveau.

— Exactement. Il y a beaucoup de préjugés à l'encontre des…

— Teutchers ?

« Teutchers » était le terme employé par les habitants de Basse-Écosse pour désigner ceux du Gaeltacht, les Highlands, où l'on parlait le gaélique. C'était également un synonyme de « plouc » et de « rebut social ».

— Je vois que vous connaissez la situation.

— Un peu.

Le fait était. Dans les années 1960 déjà, les Écossais parlant en gaélique étaient traités avec dérision et mépris, mais cela… Roger s'éclaircit la gorge.

— Toujours est-il, monsieur Menzies, que je n'accepte pas que la maîtresse de mon fils, non contente de le reprendre pour avoir parlé en gaélique, le corrige physiquement.

— Je suis tout à fait d'accord avec vous, monsieur MacKenzie.

Menzies le regarda dans les yeux d'une manière qui paraissait parfaitement sincère.

— J'en ai déjà discuté avec Mlle Glendenning, et je pense que cela ne se reproduira pas.

Roger soutint son regard un moment, voulant lui dire toutes sortes de choses, mais se rendant compte que Menzies n'était pas responsable de la plupart d'entre elles.

— Si elle remet ça, déclara-t-il calmement, je ne reviendrai pas avec un fusil, mais avec le shérif. Et un photographe de presse pour photographier Mlle Glendenning en train d'être emmenée avec des menottes.

Menzies cligna des yeux, puis remit ses lunettes.

— Vous ne préféreriez pas plutôt envoyer votre femme avec la carabine de la famille ?

Roger se mit à rire malgré lui.

Menzies repoussa sa chaise et se leva.

— Je vais vous raccompagner, je dois fermer à clef. Jem viendra bien en classe lundi matin, donc ?

— Il sera là, avec ou sans menottes.

Ce fut au tour du directeur de rire.

— Il n'a pas à s'inquiéter de son accueil. Les enfants parlant gaélique ayant effectivement traduit ses paroles à leurs amis et Jem ayant enduré sa correction sans broncher, toute sa classe le considère désormais comme Robin des Bois ou Billy Jack.

— Oh, Seigneur !

————◄o►————

30

Les bateaux qui passent dans la nuit

19 mai 1777

Le requin, une forme sombre et sinueuse qui longeait le bateau, à peine visible dans les vagues grises et agitées, mesurait près de quatre mètres de long. Il était apparu soudain vers midi, me flanquant une peur bleue quand, lançant un regard par-dessus le bastingage, j'avais aperçu sa nageoire fendre la surface.

— Qu'est-ce qui cloche avec sa tête ? demanda Jamie.

Il m'avait rejointe en me voyant sursauter et scrutait les eaux sombres en fronçant les sourcils.

— On dirait qu'il a une sorte d'excroissance.

— Je crois que c'est ce qu'on appelle un requin-marteau, répondis-je.

Je me tenais fermement au bastingage, rendu glissant par les embruns. Effectivement, le long corps élégant se terminait abruptement par une forme étrange et disgracieuse. Tout à coup, le requin se rapprocha de la surface et roula sur le côté, nous exhibant l'espace d'un instant sa queue charnue et un gros œil froid au bout de sa protubérance.

Jamie émit un son de dégoût et d'horreur.

— C'est leur aspect normal, l'informai-je.

— Pourquoi ?

— Je suppose que Dieu s'ennuyait ce jour-là.

Cela le fit rire. Je le regardai avec satisfaction. Il avait le teint frais et sain. Il avait englouti son petit déjeuner avec un tel appétit que j'avais estimé pouvoir lui épargner les aiguilles d'acupuncture.

— Quel est l'animal le plus étrange que tu aies vu? demandai-je.

Songeant soudain à l'épouvantable collection de bocaux de malformations et de « curiosités naturelles » du docteur Fentiman, je précisai:

— Un animal non humain.

— Tu veux dire un animal étrange tel que Dieu l'a conçu? Sans déformation?

Il fixa un instant la ligne d'horizon, réfléchissant, puis sourit.

— Le mandrill du zoo de Louis de France. Ou... peut-être un rhinocéros, bien que je n'en aie jamais vu un en chair et en os. Ça compte quand même?

Les gravures animalières de l'époque étant souvent profondément affectées par l'imagination des artistes, je répondis:

— Disons une créature que tu aies vue en vrai. Tu as trouvé le mandrill plus étrange que l'orang-outan?

Je me souvenais de sa fascination pour l'orang-outan, un jeune animal qui avait semblé autant fasciné par lui, ce qui avait inspiré au duc d'Orléans une série de plaisanteries d'un goût douteux sur l'origine des cheveux roux.

— J'ai rencontré beaucoup de gens qui avaient l'air plus étrange que cet orang-outan. J'avais de la peine pour ce pauvre animal. Il semblait savoir qu'il était seul et ne reverrait peut-être plus jamais un de ses congénères.

— Peut-être qu'il te prenait pour un des siens, suggérai-je. Il semblait très attiré par toi.

— C'était un petit être tout doux. Quand je lui ai donné une orange, il l'a prise délicatement, comme un chrétien. Tu penses que...

Il n'acheva pas sa phrase, son regard perdu dans le vague.

— Si je pense quoi?

— Je me demandais simplement...

Il se retourna brièvement, vérifiant que les marins ne pouvaient pas l'entendre.

— Roger m'a dit que la France jouerait un rôle important dans la Révolution. Je me dis qu'une fois à Édimbourg, je devrais me renseigner pour savoir si certaines de mes relations n'auraient pas un pied de l'autre côté de la Manche.

— Tu n'envisages tout de même pas d'aller en France ! demandai-je méfiante.

— Non, non, répondit-il précipitamment. Je me demandais juste… si nous y allions, l'orang-outan y serait-il encore ? Cela fait très longtemps, mais je ne sais pas combien de temps ils vivent.

— Pas autant que les hommes, mais je crois qu'ils peuvent atteindre un âge avancé s'ils sont bien soignés.

J'étais dubitative, mais pas au sujet du singe. Retourner à la cour française ? Cette seule idée me nouait l'estomac.

Jamie se tourna vers moi.

— Il est mort, tu sais, dit-il doucement. Louis.

— Vraiment ? Je… quand ?

Il baissa la tête et émit un petit son qui était presque un rire.

— Il y a trois ans, *Sassenach*. C'était dans les journaux, même si, je te le concède, *La Gazette de Wilmington* ne s'est pas attardée sur cette nouvelle.

— Je n'ai rien vu.

Je baissai les yeux vers le requin, qui nous accompagnait toujours, patient. Après le premier bond de surprise, mon cœur s'était détendu. En fait, j'étais presque reconnaissante, une réaction qui me laissait perplexe.

Cela faisait longtemps que le souvenir d'avoir partagé la couche de Louis, pendant dix minutes, ne me dérangeait plus ; tout comme Jamie et moi avions fait la paix avec la mort de notre premier enfant, Faith, et tous les événements terribles que nous avions vécus à Paris avant le Soulèvement.

Apprendre la mort de Louis ne changeait rien, mais je ressentais néanmoins un soulagement, comme si un air lancinant au loin s'était soudain arrêté dans un gracieux finale et que le vent portait à présent un silence paisible.

— Qu'il repose en paix, dis-je avec un peu de retard.

Jamie sourit et posa une main sur la mienne, répétant en gaélique :

— *Fois shìorruidh thoir dha.* Ce ne doit pas être facile pour un roi de se retrouver devant Dieu et de devoir justifier son existence… Tu imagines ? Devoir répondre de tous les êtres dont tu avais la charge…

— Parce que tu crois qu'il s'en souciait ?

L'idée m'intriguait et me mettait légèrement mal à l'aise. Je n'avais pas connu Louis intimement, mis à part lors de ce moment particulier qui, au fond, avait été moins intime qu'une poignée de main. Nos regards ne s'étaient même pas croisés. Toutefois, il ne m'avait pas paru particulièrement préoccupé par le bien-être de ses sujets, en effet.

— Un homme peut-il vraiment être tenu responsable pour tout un royaume, et non uniquement pour ses propres peccadilles ?

Il y réfléchit sérieusement, les doigts raides de sa main droite pianotant sur le bord du garde-corps.

— Oui, répondit-il finalement. Tu es bien responsable de ta famille, non ? Imagine que tu aies maltraité tes enfants, que tu les aies abandonnés ou laissés mourir de faim… Cela pèserait lourd contre toi, car tu en as reçu la charge. Quand tu es né roi, tu as la responsabilité de tes sujets. Si tu les traites mal, alors…

— Oui, mais il faut bien tracer la ligne quelque part, protestai-je. Suppose que tu aies bien traité une personne et mal une autre ? Suppose que les besoins de ceux dont tu as la charge soient contradictoires. Que réponds-tu à ça ?

Il sourit.

— Je réponds que je suis bien content de ne pas être Dieu et de ne pas avoir à juger ce genre de choses.

Je restai silencieuse un moment, imaginant Louis se tenant devant Dieu et tentant de lui expliquer ces dix minutes avec moi. J'étais sûre qu'il considérait avoir été dans son droit – les rois, après tout, étaient rois – mais, d'un autre côté, les septième et dixième commandements étaient clairs sur ce sujet, et il n'y avait aucune clause exemptant la royauté.

Je demandai soudain :

— Si tu étais au paradis, assistant à son jugement, tu lui pardonnerais ? Moi, oui.

— À qui ? À Louis ?

J'acquiesçai. Il plissa le front et se passa lentement l'index sur l'arête du nez.

— Oui, je lui pardonnerais aussi, répondit-il enfin, mais pas avant qu'il ait souffert un peu. Un petit coup de fourche dans le cul ne lui ferait pas de mal.

Je me mis à rire mais, avant que j'aie pu ajouter quelque chose, nous fûmes interrompus par le cri « Une voile ! Ohé ! » au-dessus de nos têtes. Alors que nous étions seuls sur le pont l'instant précédent, une armée de marins jaillit de toutes les écoutilles tels des charançons se jetant sur un biscuit, certains grimpant dans le gréement pour voir ce qui se passait.

Je scrutai l'horizon mais, tout d'abord, ne vis rien. Ian, qui avait grimpé dans la mâture avec les autres, se laissa tomber sur le pont à côté de nous. Il paraissait excité.

— Un navire petit mais armé, expliqua-t-il à Jamie. Il bat pavillon britannique.

Le capitaine Roberts était apparu à ma gauche et regardait à travers son télescope, l'air sombre.

— C'est un cotre de la marine, annonça-t-il. Merde !

Jamie porta inconsciemment la main à sa ceinture, cherchant son coutelas, et regarda par-dessus l'épaule du capitaine, plissant les yeux contre le vent. À présent, je pouvais distinguer la voile approchant rapidement à tribord.

— On ne peut pas le semer, capitaine ?

Le second venait de se joindre à notre groupe, observant le bateau qui approchait. Il y avait bien des canons à bord – j'en comptais six – et des hommes derrière.

Le capitaine réfléchit, ouvrant et fermant son télescope machinalement, puis il leva les yeux vers la mâture, évaluant nos chances de distancer l'autre navire en mettant toutes voiles dehors. Le grand mât était fissuré ; il avait prévu de le remplacer à New Haven.

— Non, répondit-il enfin. La pression sur le mât serait trop forte ; il ne tiendra pas.

Il referma son télescope d'un coup sec et le rangea dans sa poche, concluant :

— Il va falloir y aller au culot.

Je me demandai quel pourcentage de sa cargaison était constitué de contrebande. Son visage taciturne ne trahissait rien, mais on sentait un certain malaise parmi les marins, malaise qui s'accentua à mesure que l'autre navire se préparait à accoster, hélant le capitaine.

Roberts donna l'ordre de mettre en panne ; les voiles s'affaissèrent et le bateau ralentit. Je pouvais voir les hommes derrière les canons et le bastingage du cotre. Lançant un regard vers Jamie, je devinai qu'il les comptait.

— J'en vois seize, murmura Ian.

— Foutre, ils sont en sous-effectif ! bougonna Roberts.

Il regarda Ian, évaluant sa taille et son poids.

— Ils vont essayer de nous soutirer le maximum. Désolé pour toi, mon garçon.

L'angoisse sourde que j'avais ressentie en voyant approcher le cotre fut soudain plus aiguë quand je le vis examiner Jamie.

— Vous ne pensez tout de même pas que… commençai-je.

— Dommage que vous vous soyez rasé ce matin, monsieur Fraser. Ça vous rajeunit de vingt ans. Sans parler du fait que vous avez l'air en meilleure santé que la plupart des hommes moitié plus jeunes que vous.

— Je vous remercie pour le compliment, répliqua Jamie sans quitter des yeux l'autre navire.

Sur le pont du cotre, un bicorne de capitaine venait d'apparaître tel un champignon vénéneux. Jamie dégrafa sa ceinture, en sortit le fourreau de son coutelas et me le tendit.

— Garde ça pour moi, *Sassenach*, dit-il en rebouclant sa ceinture.

Le capitaine du cotre, un petit homme trapu d'âge mûr au front bas et dont la culotte avait grand besoin d'être rapiécée, grimpa à bord et balaya le pont d'un regard perçant. Il hocha la tête comme si ses pires soupçons venaient de se vérifier, puis ordonna à six de ses hommes de le rejoindre en hurlant par-dessus son épaule.

— Fouillez les cales, les somma-t-il. Vous savez ce que vous devez chercher.

— Qu'est-ce que ça signifie ? s'indigna le capitaine Roberts. Vous n'avez pas le droit de fouiller mon navire ! Pour qui vous prenez-vous, une bande de pirates ?

— J'ai l'air d'un pirate ? demanda le capitaine du cotre.

Il paraissait plus flatté qu'insulté par la comparaison.

— Vous n'êtes certainement pas un capitaine de la marine royale, rétorqua Roberts. Jusqu'à présent, je n'ai rencontré que des gentlemen au service de Sa Majesté. Aucun n'aurait accosté de la sorte le navire d'un marchand respectable. La moindre des choses serait d'avoir la bienséance de vous présenter !

Le capitaine sembla trouver cette dernière sortie très drôle. Il souleva son chapeau et s'inclina devant moi.

— Permettez-moi, madame. Je suis le capitaine Worth Stebbings, votre humble serviteur.

Il se redressa, se recoiffa et fit un signe de tête à son second.

— Passez-moi ces cales au peigne fin. Quant à vous…

Il se tourna vers Roberts et lui tapota le torse de l'index.

— … rassemblez tous vos hommes sur le pont. Je dis bien *tous*, du cambusier à la vigie. Ne m'obligez pas à aller les chercher moi-même, ça me mettrait de très mauvaise humeur.

Il y eut un terrible raffut sous le pont, des marins pointant régulièrement la tête hors des écoutilles pour informer le capitaine Stebbings de leurs découvertes. Pendant ce temps, ce dernier était adossé au bastingage, observant les hommes du *Teal* en train d'être regroupés en troupeau, Ian et Jamie parmi eux.

— Hé ! protesta Roberts. M. Fraser et son neveu ne font pas partie de l'équipage, ce sont des passagers payants ! Vous ne pouvez pas vous en prendre à des hommes libres qui vaquent à leurs occupations légales. Pas plus que vous n'avez le droit de me prendre mes hommes !

— Ce sont des sujets britanniques, répliqua Stebbings. J'ai tous les droits. À moins que vous ne prétendiez être des Américains ?

Il balaya le pont d'un regard menaçant. Si le *Teal* était considéré comme un navire rebelle, il pouvait tout s'approprier en tant que butin, le bateau et son équipage compris. Un murmure parcourut les hommes sur le pont, et je vis plusieurs regards se poser sur les cabillots d'amarrage hérissant le bastingage. Stebbings les vit aussi et appela quatre hommes du cotre en renfort.

Seize moins six moins quatre, ça fait six. Je me rapprochai du garde-corps pour examiner le cotre, qui se balançait un peu plus bas attaché au *Teal* par une amarre. *À condition que les seize n'incluent pas le capitaine Stebbings. Autrement, il en reste...*

Il y avait un homme au gouvernail, celui-ci n'étant pas une roue mais une sorte de barre perchée sur un dispositif qui sortait du pont. Deux servants attendaient derrière un long canon en proue, pointé vers le *Teal*. Où étaient les autres ? J'en vis deux sur le pont. Le reste devait être à l'intérieur.

Derrière moi, le capitaine Roberts continuait de protester tandis que les marins du cotre montaient des tonneaux et des caisses sur le pont, réclamant une corde à leurs collègues pour les transborder sur leur navire. Stebbings passait devant le rang de marins, indiquant ses choix à quatre malabars qui le suivaient. Quand un homme était désigné, ces derniers le sortaient brutalement du rang et le ligotaient en reliant ses poignets à ses chevilles à l'aide d'une grosse corde. Trois marins avaient déjà été ainsi sélectionnés, dont John Smith, dont le visage était blafard et tendu. Je sentis mon cœur se serrer en le voyant, mais il manqua de littéralement s'arrêter quand Stebbings arriva à hauteur de Ian. Ce dernier le dévisageait, impassible.

— Mouais... fit Stebbings. Tu m'as l'air d'un vrai fils de bâtard, mais on saura te mater. Emmenez-le !

Ian serra les poings, mais les enrôleurs étaient armés, et deux pistolets étaient pointés sur lui. Il avança d'un pas, jetant autour de lui un regard mauvais qui aurait fait réfléchir un homme plus sage. Mais j'avais déjà remarqué que le capitaine Stebbings n'avait rien d'un sage.

Stebbings choisit deux autres hommes puis s'arrêta devant Jamie, l'examinant de bas en haut. Le visage de Jamie était parfaitement neutre et légèrement verdâtre. Le vent était fort et, le bateau n'avançant pas, le pont tanguait fortement.

L'un des enrôleurs exprima son approbation :

— En v'là un de bien costaud.

— Un peu âgé, répondit Stebbings, dubitatif. Et je n'aime pas beaucoup l'air qu'il a.

Jamie se redressa, bomba le torse, baissa les yeux vers Stebbings du haut de son long nez droit et déclara sur un ton aimable :

— Je ne suis pas particulièrement séduit par le vôtre non plus. Si vos actes ne vous avaient pas déjà révélé comme un fieffé couard, j'aurais su rien qu'à votre petit faciès ridicule que vous n'étiez qu'un suceur de figues et un fat.

Le faciès ridicule de Stebbings se décomposa puis vira au rouge vif. Plusieurs de ses enrôleurs ricanèrent dans son dos mais se ressaisirent dès qu'il fit volte-face.

— Emmenez-le, aboya-t-il. Et veillez à le faire tomber plusieurs fois en chemin.

Il s'éloigna en se faufilant parmi le butin amassé sur le pont.

Je restai pétrifiée. Certes, Jamie ne pouvait pas les laisser emmener Ian, mais il n'allait tout de même pas m'abandonner au milieu de l'océan Atlantique !

Même avec son coutelas caché dans la poche sous mes jupes et mon couteau dans l'étui que j'avais attaché autour de ma cuisse.

Le capitaine Roberts avait assisté au petit numéro de Jamie la bouche grande ouverte, mais je n'aurais su dire si c'était d'admiration ou d'effroi. Il était petit, rondelet et pas bâti pour une confrontation physique, mais je le vis néanmoins serrer les dents, marcher vers Stebbings et l'attraper par la manche.

Pendant ce temps, les marins faisaient descendre leurs prisonniers sur le cotre.

Je n'eus pas le temps de réfléchir à une meilleure idée.

J'agrippai le bastingage et me laissai plus ou moins rouler par-dessus, mes jupes volant. Je restai suspendue l'espace d'un instant terrifiant, sentant mes doigts glisser sur le bois mouillé, cherchant du bout des orteils l'échelle de corde que l'équipage du cotre avait balancée à bord. Un roulis me plaqua contre la coque. Je perdis prise, tombai de quelques dizaines de centimètres et me rattrapai à l'échelle juste au-dessus du pont du cotre.

La corde avait brûlé la paume de ma main droite, laissant la chair à vif. Je n'avais pas le temps de m'en préoccuper, les hommes sur le cotre pouvaient m'apercevoir d'un instant à l'autre.

J'attendis que le prochain tangage rapproche le navire puis me laissai tomber, atterrissant sur l'autre pont comme un sac de pierres. Une douleur vive parcourut mon genou droit, et je me redressai en chancelant. Oscillant d'un côté puis de l'autre en rythme avec le roulis, je courus vers l'escalier.

— Hé, vous, là-bas ! Qu'est-ce que vous faites ?

L'un des canonniers m'avait vue et me regardait d'un air indécis, ne sachant pas s'il devait me poursuivre ou rester auprès de son canon. Son compagnon, m'apercevant à son tour, lui hurla de rester à son poste.

Mon cœur battait si fort que je pouvais à peine respirer. Que faire ? Où aller ? Jamie et Ian avaient disparu.

Je hurlai à pleins poumons :

— Jamie ! Je suis ici !

Puis je retroussai mes jupes et courus vers l'amarre qui retenait le cotre au *Teal*. Lors de ma chute, fort peu élégante, mes jupes s'étaient enroulées, et je ne parvenais pas à trouver la fente me permettant d'accéder au couteau attaché à ma cuisse. La vue de mes jambes nues déconcerta le timonier, qui s'était tourné à mon cri. Il ouvrit la bouche telle une carpe hors de l'eau mais eut assez de présence d'esprit pour ne pas lâcher sa barre. Parvenue à l'amarre, j'enfonçai mon couteau dans le nœud, tentant de faire levier pour le desserrer.

Dieu merci, Roberts et ses hommes faisaient un tel ramdam sur le *Teal* au-dessus de nous qu'ils couvraient les appels du timonier et des canonniers. L'un de ces derniers, après un ultime regard désespéré vers le pont du sloop, prit sa décision et vint vers moi, sautant de la proue.

Que ne donnerais-je pas pour un pistolet ? pensai-je sombrement. Mais je n'avais qu'un couteau. Je l'extirpai du nœud à moitié défait et le plongeai de toutes mes forces dans la poitrine du canonnier. Il écarquilla les yeux. Je sentis la lame déchirer la chair, frotter contre un os et se tordre dans ma main. L'homme poussa un cri et tomba à la renverse, manquant d'emporter mon couteau avec lui.

— Pardon, balbutiai-je.

Je repris ma tâche, la corde à présent tachée de sang. J'entendais des bruits sous le pont. Jamie et Ian n'étaient pas armés mais, dans des quartiers aussi exigus, cela ne faisait sans doute pas une grande différence.

La corde céda enfin. Je libérai le dernier lacet et elle retomba lourdement contre le flanc du *Teal*. Le courant écarta aussitôt les deux navires, le cotre, plus petit, glissant devant le sloop, plus lourd. Nous n'avancions pas vite, mais l'illusion d'optique fut telle que je me raccrochai au bastingage pour ne pas perdre l'équilibre.

Le canonnier blessé s'était relevé et revenait à la charge, titubant et très en colère. Il saignait mais pas à profusion, et il ne semblait en rien handicapé. Je bondis de côté pour l'éviter et, lançant un regard vers l'escalier, je vis avec un soulagement incommensurable Jamie en émerger.

Il me rejoignit en trois enjambées.

— Mon coutelas, vite !

Interdite, je le fixai un instant, puis me souvins et, tâtonnant, parvins à trouver ma poche. Je tirai sur le manche du coutelas, mais il était pris dans le tissu. Jamie l'attrapa et le libéra d'un coup sec, déchirant par la même occasion la poche et la ceinture de ma jupe. Puis il tourna les talons et replongea dans les entrailles du navire, me laissant face à un canonnier blessé, son compagnon indemne qui, ayant abandonné son poste, avançait lentement vers moi, et le timonier qui hurlait comme un hystérique que quelqu'un fasse quelque chose.

Je déglutis et serrai le manche de mon couteau.

— Reculez ! lançai-je.

Compte tenu de mon essoufflement, du vent et de la caco-phonie ambiante, il était peu probable qu'ils m'aient enten-due, non pas que cela eût changé grand-chose. Je remontai mes jupes d'une main, m'accroupis et brandis le couteau devant moi d'un air déterminé, leur indiquant que je savais m'en servir. Ce qui était vrai.

Des bouffées de chaleur me parcouraient, et je sentais la transpiration ruisseler de mon cuir chevelu, aussitôt séchée par le vent. Cependant, la panique était partie. Je me sentais calme et détachée.

La seule pensée qui occupait mon esprit était : *Vous ne me toucherez pas.* L'homme que j'avais blessé était sur ses gardes, mais son compagnon, ne voyant en moi qu'une femme sans défense, ne prit pas le soin de se protéger. Il se baissa vers moi avec un mépris agacé. Je vis le couteau partir vers le haut puis décrire une courbe latérale, sa lame se couvrant de sang en entaillant toute la largeur du front de ce cuistre.

Le sang ruisselait dans ses yeux, l'aveuglant. Poussant un cri de douleur et de stupeur, il chancela, les deux mains pressées contre son visage.

J'hésitai un instant, ne sachant trop que faire. Le navire dérivait, ballotté par les vagues. Je sentis l'ourlet lesté d'or de ma jupe frotter contre les planches et replaçai à nouveau le tissu d'un geste irrité.

Puis j'aperçus un cabillot planté dans le bastingage, une manœuvre enroulée à sa base. Je m'en approchai et, coin-çant mon couteau sous les lacets de mon corset, faute d'un meilleur endroit, je l'empoignai des deux mains et le libérai.

Le tenant comme un petit bâton de base-ball, je pris mon élan et l'abattis de toutes mes forces sur la tête de l'homme dont j'avais entaillé le visage. Le cabillot rebondit sur son crâne avec un bruit creux et il partit à la renverse, percutant le mât.

À ce stade, le timonier décida qu'il en avait assez. Abandonnant sa barre, il s'extirpa de son poste de travail et se dirigea vers moi tel un singe enragé, agitant ses longs bras et montrant les dents. J'essayai de le frapper avec le cabillot mais perdis ma prise, et il me glissa des mains, roulant sur le pont tandis que le timonier se jetait sur moi.

Il était petit et mince, mais son poids m'emporta et nous nous écrasâmes contre le bastingage. L'impact me coupa le souffle et une douleur vive me parcourut les reins. Je tentais de me laisser glisser sous lui, mais il m'accompagna dans ma descente, cherchant ma gorge. Je me débattis de mon mieux, le frappant à la tête, tant que les os de son crâne me faisaient mal aux mains.

Je n'entendais plus rien que des jurons essoufflés qui pouvaient être les siens comme les miens. Puis il parvint à écarter mes bras, et ses mains se refermèrent sur mon cou, ses pouces s'enfonçant profondément sous ma mâchoire.

La douleur était insoutenable. Je tentais de lui envoyer un coup de genou, mais mes jambes étaient empêtrées dans mes jupes et coincées sous les siennes. Ma vision s'assombrit ; des éclairs d'or jaillissaient dans les ténèbres, de minuscules feux d'artifice annonçant ma mort. Quelqu'un poussait de petits gémissements plaintifs, et je me rendis vaguement compte que c'était moi. L'étau sur mon cou se resserra encore, les éclats de lumière s'estompèrent, cédant la place au noir absolu.

✳

Je me réveillai avec le sentiment confus d'être à la fois terrifiée et doucement bercée. Ma gorge me faisait mal. Je tentai de déglutir et m'étranglai.

— Tout va bien, *Sassenach*.

La voix douce de Jamie provenait de quelque part dans la pénombre. Puis sa main pressa mon avant-bras. Où étais-je?

— Si... tu... le... dis, croassai-je.

L'effort de parler me fit larmoyer. Je toussai puis fis une nouvelle tentative:

— Que...?

— Bois un peu, *a nighean*.

Une grande main souleva légèrement ma nuque, et je sentis le goulot d'une gourde contre mes lèvres. Avaler l'eau était douloureux, mais peu m'importait. Ma bouche et ma gorge étaient desséchées et remplies d'un goût de sel.

Mes yeux commençaient à s'accoutumer à l'obscurité. Je distinguai la silhouette de Jamie, voûtée sous un plafond bas, ainsi que des chevrons... non, des poutres. Il y avait une forte odeur de goudron et de sentine. Un bateau. Bien sûr! Nous étions sur un bateau. Mais lequel?

— Où...? murmurai-je.

— Je n'en ai pas la moindre idée, répondit-il sur un ton irrité. Les hommes du *Teal* manœuvrent les voiles... enfin, je l'espère... et Ian tient un pistolet sur la tempe d'un membre de la marine royale qui dirige le gouvernail même si, pour autant que je sache, il pourrait nous conduire droit vers le large.

— Je... voulais... dire... quel... navire.

Cependant, à sa remarque, il était clair que nous étions sur le cotre de la marine.

— Ah, ils ont dit qu'il s'appelait le *Pitt*[11].

— Quel nom bien choisi!

Je regardai dans la pénombre trouble autour de moi et mon cœur fit un bond en apercevant une sorte d'énorme paquet capitonné flottant dans l'air à quelques pas de Jamie. Je me redressai brusquement, ou du moins tentai de le faire,

---

11. *A pit*, un trou ou une fosse en anglais (*N.d.T*).

me rendant compte au dernier instant que je me trouvais dans un hamac.

Avec un cri d'alarme, Jamie me retint par la taille avant que je ne tombe la tête la première. Je me raccrochai à lui, comprenant que ce que j'avais pris pour un immense cocon était un homme saucissonné dans un autre hamac suspendu aux poutres et bâillonné. Son visage était écrasé contre les mailles et il me fixait d'un regard assassin.

— Putain de bordel de... haletai-je.

— Tu veux te reposer un peu, *Sassenach*, ou tu préfères que je t'aide à te lever ?

Jamie paraissait nerveux.

— Je ne veux pas laisser Ian seul trop longtemps.

— Non, aide-moi à descendre de là.

Non contente de tanguer, la pièce, ou la cabine, tournoyait autour de moi, et je dus me tenir à Jamie un moment les yeux fermés en attendant que mon gyroscope interne reprenne le dessus.

— Le capitaine Roberts ? demandai-je. Le *Teal* ?

— Va savoir, bougonna Jamie. Nous avons décampé le plus vite possible dès que j'ai pu organiser les hommes. Ils sont peut-être à nos trousses mais, la dernière fois que j'ai regardé à l'arrière, je n'ai rien vu.

Je commençais à me sentir plus ferme sur mes jambes en dépit de la douleur lancinante dans ma gorge et mes tempes. Mes coudes et mes épaules étaient contusionnés, et j'avais l'impression d'avoir une barre dans le bas du dos, là où je m'étais blessée en tombant contre le bastingage.

Jamie indiqua le prisonnier d'un signe de tête.

— Nous avons enfermé la plupart des membres d'équipage dans la cale, sauf celui-ci. J'ai pensé que tu voudrais peut-être d'abord y jeter un coup d'œil.

Voyant mon air perplexe, il précisa :

— Médicalement. Cela dit, je ne pense pas qu'il soit grièvement blessé.

En m'approchant du hamac, je constatai qu'il s'agissait du timonier qui avait essayé de m'étrangler. Il avait une grosse bosse sur le front et le début d'un œil au beurre noir, mais, pour autant que je pouvais le voir dans la pénombre, ses pupilles n'étaient pas dilatées et – en tenant compte du chiffon enfoncé dans sa bouche – sa respiration semblait régulière. Il n'avait sans doute rien de bien méchant. C'était difficile à dire, la seule lumière provenait d'un petit carreau de verre dans le pont au-dessus de nous. Il me sembla toutefois que ce que j'avais pris pour un air assassin était en fait un regard désespéré. Je demandai poliment :

— Vous avez besoin de faire pipi ?

L'homme et Jamie émirent un son quasiment identique sauf que, dans le premier cas, il s'agissait d'un gémissement d'assentiment et dans le second, d'un grognement exaspéré.

Jamie retint le bras que je tendais vers le prisonnier.

— Pour l'amour de Dieu, *Sassenach* ! Je m'en occupe, monte sur le pont.

Il était clair à son ton éreinté qu'il était à deux doigts de craquer et qu'il était préférable de ne pas discuter. Je m'éclipsai donc, grimpant lentement le petit escalier en entendant derrière moi force jurons gaéliques que je m'abstins de traduire pour moi-même.

Le vent violent à l'extérieur gonfla mes jupons et manqua de m'emporter. Je m'accrochai à une manœuvre et tins bon, laissant l'air frais me nettoyer la tête jusqu'à ce que je me sente suffisamment stable pour me diriger vers la poupe. Là, je trouvai Ian assis sur un tonneau, un pistolet chargé posé négligemment sur un genou, discutant aimablement avec l'homme à la barre.

— Tante Claire ! Vous vous sentez mieux ?

Il sauta de son tonneau pour me laisser sa place.

— Ça peut aller, répondis-je en m'asseyant.

Je ne pensais pas m'être déchiré des ligaments dans le genou, mais il flageolait un peu. J'inclinai poliment la tête vers l'homme à la barre. C'était un Noir au visage couvert de tatouages ; le reste de son corps était caché sous la tenue crasseuse habituelle des marins.

— Claire Fraser, me présentai-je.

— Guinea Dick, me répondit-il avec un grand sourire dévoilant des dents limées. À vot' se'vice, m'dame !

Je le regardai un instant, interloquée, puis glissai à Ian :

— Je vois que Sa Majesté prend ses marins là où elle peut les trouver.

— Vous ne croyez pas si bien dire. M. Dick ici présent a été enrôlé de force sur un navire pirate, qui l'avait volé à un vaisseau négrier, qui lui-même l'avait enlevé dans un dépôt d'esclaves sur la côte guinéenne. Je ne suis pas sûr qu'il ait considéré l'hospitalité de Sa Majesté comme une amélioration de ses conditions, mais il déclare ne voir aucune objection à nous accompagner.

Je lui demandai dans mon gaélique approximatif :

— Tu places ta confiance en lui ?

Ian me lança un regard offusqué.

— Bien sûr que non ! Et vous m'obligeriez en évitant de vous en approcher, épouse du frère de ma mère. Il affirme ne pas manger de chair humaine, mais cela ne signifie pas qu'il est inoffensif.

— Ah ! fis-je.

Revenant à l'anglais, je demandai :

— Qu'est-il arrivé à…

Avant que j'aie pu achever ma question, un bruit sourd derrière moi sur le pont me fit sursauter. John Smith – l'homme aux cinq boucles d'oreilles – venait de sauter du gréement. Il sourit en me voyant, bien que ses traits fussent tirés.

— Tout va bien jusqu'à présent, déclara-t-il à Ian.

Il esquissa un salut militaire dans ma direction.

— Vous allez mieux, m'dame ?

— Oui, merci.

Je regardai la mer derrière nous mais ne vis rien qu'une houle s'étirant à l'infini. Pareil dans toutes les autres directions.

— Euh… avez-vous une idée de là où nous allons, monsieur Smith ?

Il fut pris de court.

— Ben non, m'dame. Le capitaine n'a rien dit.

— Le cap…

— Il veut parler d'oncle Jamie, m'expliqua Ian, l'air amusé. Il est toujours en train de rendre ses tripes en bas ?

— Pas la dernière fois que je l'ai vu. Vous voulez dire que personne sur ce bateau ne sait où l'on va, ni même dans quelle direction ?

Un silence éloquent me répondit.

Je toussotai.

— Le canonnier, celui à qui j'ai entaillé le front, et l'autre, son compagnon, où sont-ils ?

Ian se tourna et regarda vers la mer.

— Ah, fis-je à nouveau.

Il y avait une grande tache de sang sur le pont là où l'homme était tombé après que je l'avais poignardé.

— Oh, ça me rappelle, tante Claire : j'ai trouvé ça sur le pont.

Il sortit mon couteau de sous sa ceinture et me le tendit. Il avait été nettoyé.

— Merci.

Je le glissai dans la fente de mes jupons et trouvai son fourreau, toujours attaché à ma cuisse. Quelqu'un m'avait retiré ma jupe déchirée et ma poche. Pensant à l'or dans son ourlet, j'espérais que c'était Jamie. Je me sentais étrange, comme si mes os étaient remplis d'air. Je toussai à nouveau, me massai la gorge puis redemandai :

— *Personne* ne sait dans quelle direction on va ?

John Smith esquissa un petit sourire.

— On ne va pas vers le grand large, m'dame, si c'est ce qui vous inquiète.

— Effectivement, cela me préoccupait un peu. Mais comment le savez-vous ?

Les trois hommes échangèrent un regard amusé. M. Dick haussa une épaule vers le soleil.

— Lui, il est là.

Puis il pointa le menton dans la même direction.

— Donc la terre est par là aussi.

— Ah.

Voilà qui était rassurant. De fait, puisque « lui » était là, à savoir descendant rapidement vers l'ouest, cela voulait dire que nous nous dirigions vers le nord.

Jamie choisit ce moment pour nous rejoindre, le teint pâle.

— Capitaine Fraser, le salua respectueusement Smith.

— Monsieur Smith.

— Quels sont vos ordres, capitaine ?

Jamie le dévisagea d'un air morne.

— J'aimerais beaucoup que nous ne coulions pas. Pensez-vous pouvoir y arriver ?

— Si nous ne percutons pas un autre navire ou une baleine, capitaine, on devrait continuer à flotter.

— Parfait.

Jamie essuya sa bouche sur le dos de sa main et demanda :

— Y a-t-il un port où nous pourrions accoster avant un jour ou deux ? D'après le timonier, il y a assez d'eau et de nourriture à bord pour trois jours, mais le plus tôt nous serons à terre, le mieux je me porterai.

Smith se tourna vers la terre invisible, le soleil couchant faisant briller ses anneaux.

— On a passé Norfolk, annonça-t-il. Le prochain grand port sera New York.

Jamie lui lança un regard torve.

— La marine royale britannique n'est-elle pas ancrée à New York ?

M. Smith toussota.

— J'crois bien, capitaine. C'était le cas aux dernières nouvelles mais, bien sûr, elle peut avoir déménagé depuis.

— Je pensais plutôt à un petit port, déclara Jamie. Tout petit petit.

— Où l'arrivée d'un cotre de la marine royale fera la plus grande impression sur les habitants ? demandai-je.

Je comprenais sa hâte de mettre pied à terre le plus tôt possible, mais la question était : que se passerait-il ensuite ?

L'énormité de notre situation commençait tout juste à m'apparaître. En un quart de tour, nous étions passés de simples voyageurs se rendant en Écosse à des fugitifs en route vers... Dieu sait où !

Jamie ferma les yeux et inspira profondément. La mer était agitée et il verdissait à vue d'œil. Par comble de malchance, je n'avais plus mes aiguilles d'acupuncture, laissées derrière moi à bord du *Teal*.

— Pourquoi pas le Rhode Island ou New Haven, dans le Connecticut ? demandai-je. Après tout, le *Teal* se rendait à New Haven, et nous avons moins de chances de rencontrer des loyalistes ou des troupes britanniques dans ces ports.

Jamie acquiesça, son mouvement de tête le faisant grimacer.

— Oui, peut-être.

— Pas le Rhode Island, objecta Smith. Les Britanniques sont entrés à Newport en décembre dernier et la flotte américaine, ou ce qu'il en reste, est bloquée dans le port de Providence. Si nous entrons à Newport en battant pavillon britannique, ils ne nous tireront peut-être pas dessus, mais l'accueil une fois à terre risque d'être déplaisant.

Jamie avait entrouvert un œil et examinait Smith d'un air méditatif.

— Vous ne semblez guère apprécier les loyalistes, monsieur Smith. Autrement, rien n'aurait été plus simple que de me conseiller d'accoster à Newport, me jetant dans la gueule du loup. Je n'y aurais vu que du feu.

Smith tripota un de ses anneaux.

— En effet, capitaine. Cela dit, je ne suis pas séparatiste non plus. C'est juste que je n'ai pas envie d'être coulé à nouveau. Je crois que, sur ce plan-là, j'ai déjà usé toutes mes chances.

— Donc, New Haven ce sera, conclut Jamie.

Malgré mon malaise, je ressentis une petite pointe d'excitation. Allais-je finalement rencontrer Hannah Arnold ? Ou, plus troublant encore, le colonel Arnold en personne ? Il devait bien rendre visite à sa famille de temps à autre.

Il s'ensuivit de longues discussions techniques, à grand renfort de cris échangés entre le pont et les hommes perchés dans le gréement. Jamie savait se servir d'un sextant et d'un astrolabe (il y en avait un à bord) mais ne savait pas comment appliquer les résultats de ses calculs à la navigation d'un navire. Les hommes du *Teal* étaient tous plus ou moins d'accord pour manœuvrer les voiles et nous accompagner où bon nous semblerait, dans la mesure où leur seule autre option était de se faire arrêter, juger et exécuter pour piraterie involontaire, mais aucun d'eux ne s'y entendait en matière de navigation.

Il nous restait une alternative : nous pouvions soit interroger les captifs dans la cale, découvrir si l'un d'eux savait piloter un vaisseau et lui proposer de choisir entre l'or et la torture, soit tirer des bords près de la côte, ce qui était plus lent et plus dangereux, car nous risquions de rencontrer des bancs de sable ou des vaisseaux de guerre britanniques. C'était également incertain, car aucun des hommes du *Teal* n'avait déjà vu le port de New Haven.

N'ayant rien d'utile à apporter à cette discussion, je m'approchai du bastingage, contemplant le soleil couchant tout en me demandant quels étaient les risques de nous échouer en avançant droit devant dans la nuit.

L'idée faisait froid dans le dos, mais le vent était plus froid encore. Lors de mon départ précipité du *Teal,* je ne portais qu'une petite veste légère et, sans ma grosse jupe de laine, je sentais la bise marine s'infiltrer sous mes vêtements comme une lame. Cette image malheureuse me rappela le canonnier mort et, rassemblant mon courage, je lançai un regard par-dessus mon épaule vers la tache de sang. Au même instant, je perçus un mouvement près de la barre et j'ouvris la bouche pour crier. Aucun son n'en sortit, mais Jamie, qui me regardait à ce moment-là, lut l'expression d'horreur sur mon visage. Il pivota sur ses talons et, sans l'ombre d'une hésitation, se jeta sur Guinea Dick, qui sortait un couteau de nulle part et s'apprêtait à le planter dans le dos négligemment tourné de Ian.

Ce dernier fit volte-face en entendant le bruit et, constatant ce qui se passait, lança son pistolet entre les mains d'un

M. Smith ahuri et plongea dans l'enchevêtrement de corps qui roulait sous la barre abandonnée, celle-ci oscillant d'un côté et de l'autre. Ayant perdu son cap, le navire ralentit, ses voiles mollirent, et il se mit à rouler de manière alarmante.

J'avançai de deux pas sur le pont incliné et cueillis le pistolet dans les mains de M. Smith, qui me regarda en clignant des yeux.

— Ce n'est pas que je ne vous fais pas confiance, m'excusai-je. Mais je ne peux pas prendre de risques.

Je vérifiai le pistolet ; il était armé et amorcé. C'était un miracle que le coup ne soit pas parti tout seul. Je le pointai vers le centre de la mêlée, attendant de voir qui en émergerait le premier.

Le regard de M. Smith allait des hommes en train de se battre à moi, puis il recula lentement en levant les mains.

— Je… euh… Si vous avez besoin de moi, je serai là-haut, dans le gréement.

L'issue du combat était jouée d'avance, mais M. Dick s'était acquitté honorablement de son devoir de marin britannique. Ian se releva lentement en jurant, pressant son avant-bras contre sa chemise. Il avait une marque rouge irrégulière près du poignet.

— Ce sale traître m'a mordu ! s'indigna-t-il. Espèce de mécréant cannibale !

Il envoya un coup de pied à son ennemi étendu, qui grogna sous l'impact mais demeura inerte. Puis, sans cesser de jurer, il empoigna la barre, la poussa puis l'attira à lui plusieurs fois jusqu'à trouver le vent. Le bateau se stabilisa et ses voiles se gonflèrent à nouveau.

Jamie était assis sur le pont à côté du corps de M. Dick. Il pantelait, la tête molle. J'abaissai mon arme et la désamorçai.

— Ça va ? lui demandai-je.

— J'essaie de me rappeler combien de vies il me reste.

— Quatre, je crois. Ou cinq. Mais cette fois, tu n'étais pas vraiment en danger, n'est-ce pas ?

Le visage de M. Dick était en piteux état. Jamie lui-même avait une grande marque rouge sur le côté du visage qui ne tarderait pas à virer au noir violacé ; il se tenait le ventre. En dehors de cela, il paraissait indemne.

— Mourir du mal de mer, ça compte ? demanda-t-il.

— Non.

Surveillant M. Dick du coin de l'œil, je m'accroupis près de Jamie et l'examinai. Le pont baignait dans la lueur rouge du soleil couchant, ce qui m'empêchait d'évaluer son teint. Il tendit une main et je lui donnai le pistolet, qu'il glissa sous sa ceinture. Je remarquai qu'il avait récupéré son coutelas.

— Tu n'as pas eu le temps de le dégainer ? m'étonnai-je.

— Je ne voulais pas le tuer. Il n'est pas mort, hein ?

Avec un grognement d'effort, il roula sur le côté, se redressa à quatre pattes et prit quelques inspirations laborieuses avant de se hisser debout.

— Non, il reprendra connaissance d'ici une minute ou deux.

Je lançai un regard vers Ian. Je ne pouvais voir son visage, mais le langage de son corps était éloquent. Son dos voûté, son cou rentré entre les épaules et ses avant-bras crispés trahissaient sa fureur et sa honte, mais quelque chose en lui indiquait également un profond chagrin. Je l'observai, intriguée, jusqu'à comprendre enfin ce qui lui avait fait baisser sa garde. L'étrange calme qui m'habitait s'évanouit aussitôt. J'agrippai le bras de Jamie et lui chuchotai :

— Rollo !

Il sursauta, lança un regard vers Ian puis se tourna vers moi d'un air consterné.

Les aiguilles d'acupuncture n'étaient pas les seuls biens précieux que nous avions laissés à bord du *Teal*.

Rollo était, depuis des années, le compagnon le plus proche de Ian. Fruit hors normes des amours entre un lévrier irlandais et un loup, il avait terrifié l'équipage du *Teal* au point que Ian avait été obligé de l'enfermer dans sa cabine. Autrement, il aurait sûrement sauté à la gorge du capitaine Stebbings en voyant ses marins emmener son maître. Comment réagirait-il quand il se rendrait compte que Ian avait

disparu ? Et que lui feraient le capitaine Stebbings, ses hommes ou l'équipage du *Teal* ?

— Mon Dieu, murmura Jamie en se signant. Ils vont
l'abattre et le balancer par-dessus bord !

Je songeai au requin-marteau, et un violent frisson me
parcourut des pieds à la tête. Jamie serra ma main et répéta
doucement :

— Oh mon Dieu !

Il resta immobile un moment, méditatif, puis se secoua,
un peu à la manière de Rollo s'ébrouant en sortant de l'eau.

— Il faut que je parle à l'équipage, annonça-t-il. Et il va falloir les nourrir, tout comme les hommes dans la cale. Tu ne
veux pas descendre à la coquerie et voir si tu peux préparer
quelque chose ? Je dois… toucher deux mots à Ian.

Je lançai un regard vers ce dernier, se tenant raide comme
une statue d'Indien à la barre, les dernières lueurs du jour
creusant son visage sans larmes.

J'acquiesçai et me dirigeai vers le trou noir de l'escalier.

✳

La coquerie n'était qu'un minuscule espace carré dans
l'entrepont à l'autre bout du mess, avec un muret en bri-
que abritant le feu, plusieurs placards dans la cloison, une
batterie d'ustensiles en cuivre suspendus accompagnés de
chiffons, de manches et autres accessoires de cuisine. Dieu
merci, il restait quelques braises dans le poste de cuisson.

Je trouvai une boîte de charbon et un panier de petit
bois sous le comptoir ; je m'attelai aussitôt à refaire du feu.
Une marmite était suspendue au-dessus. Une partie de son
contenu avait été renversée par le roulis, éteignant en partie
les flammes et laissant des traînées visqueuses sur son bord.
Encore une chance. Si le feu n'avait pas été partiellement
étouffé, le contenu de la marmite aurait brûlé, me contrai-
gnant à inventer un dîner à partir de rien.

Enfin, pas tout à fait rien. Il y avait plusieurs caisses de
poules empilées près de la coquerie. Elles s'étaient assoupies

dans l'obscurité, mais mon arrivée les avait réveillées. Elles piaillaient, battaient des ailes en agitant la tête et collaient leur œil intrigué contre les ouvertures de leur caisse. Je me demandai s'il y avait d'autres animaux sur le bateau mais, quoi qu'il en soit, ils n'étaient pas près de la cuisine. Je touillai la marmite, qui contenait une sorte de ragoût gluant, puis me mis à chercher du pain. Il y avait sûrement une substance farinacée à bord. Les marins vivaient de biscuits à base de farine de blé déshydratée ou de galettes au levain. Il y en avait forcément. Où ?

Je les trouvai enfin dans un recoin sombre : des galettes brunes dures comme pierre dans un filet suspendu à un crochet. Sans doute pour les protéger des rats. Je lançai un regard nerveux sur le sol autour de moi, au cas où. Il devait aussi y avoir des sacs de farine. Ah ! Ils étaient probablement dans la cale, avec les autres provisions du navire... et les membres renfrognés de l'équipage d'origine. Bah ! On verrait plus tard ; pour le moment, il y avait de quoi faire dîner tout le monde.

L'effort d'attiser le feu puis de fouiller la coquerie et le mess me réchauffa et me fit oublier mes douleurs. Peu à peu, la sensation d'incrédulité glacée qui m'habitait depuis le début des incidents se dissipait.

Ce n'était pas une bonne chose. En émergeant de mon état de stupeur, je prenais la vraie mesure de notre situation. Nous n'étions plus en route vers l'Écosse, prêts à braver les dangers de la haute mer, mais vers une destination inconnue dans un navire que nous ne connaissions pas, manœuvré par un équipage terrifié et sans expérience. Nous avions commis un acte de piraterie, ainsi qu'une série d'autres crimes tels que résister à l'enrôlement et attaquer un vaisseau de Sa Majesté. Et un meurtre. Je déglutis.

Les vibrations de la lame heurtant un os résonnaient encore dans mon bras. Comment pouvais-je l'avoir tué ? Je n'avais pas pénétré la cavité thoracique et ne pouvais pas avoir sectionné un des gros vaisseaux du cou... Il avait dû être en état de choc, bien sûr, mais cela suffisait-il pour... ?

Je repoussai fermement cette idée. Je ne pouvais penser au canonnier pour le moment. Plus tard, me promis-je. Cela avait été de l'autodéfense, après tout. Je prierais pour lui, mais plus tard.

Les autres pensées qui me venaient n'étaient guère plus encourageantes. Ian et Rollo… non, ça non plus, je ne devais pas y penser pour le moment.

Je grattai le cul de la marmite avec une longue cuillère en bois. Le ragoût avait légèrement brûlé au fond mais était toujours mangeable. Il contenait des os, était épais et grumeleux. Je refoulai un haut-le-cœur, y rajoutai de l'eau d'une cruche et le suspendis à nouveau à bouillir.

La navigation. Voici un thème sur lequel je pouvais m'épancher. Il était profondément préoccupant mais dépourvu des connotations émotionnelles des autres sujets de mon ordre du jour mental. La lune serait-elle bientôt pleine ? Je tentai de me souvenir de son aspect depuis le pont du *Teal* la veille au soir. Je ne l'avais pas remarquée, donc elle devait être négligeable. Une pleine lune se levant sur la mer était un spectacle époustouflant ; elle traçait sur l'eau un chemin lumineux qui vous donnait envie d'enjamber le bastingage et de marcher sur ce rayonnement paisible.

Non, je n'avais rien vu de tel la nuit précédente. Je m'étais rendue en poupe tard dans la nuit plutôt que d'utiliser le pot de chambre, car j'avais eu besoin d'air frais. Je m'étais arrêtée un instant devant le garde-corps pour contempler la crête phosphorescente des longs rouleaux, une belle lueur d'un vert surnaturel illuminant l'intérieur des vagues. La proue traçait un sillage luisant dans la mer.

Ce serait une nuit sans lune, ou avec un mince croissant, ce qui revenait au même. Nous ne devions pas nous approcher de la côte dans le noir. J'ignorais où nous étions mais savais que le littoral autour de la baie du Chesapeake était connu pour ses nombreux courants, ses bancs de sable, ses estrans et sa dense circulation navale. Smith nous avait dit que nous avions passé Norfolk…

— Mais où est donc Norfolk, bordel ? m'écriai-je exaspérée.

Je savais où se trouvait la ville par rapport à l'autoroute I-64, mais je n'avais aucune idée de ce à quoi elle ressemblait vue de la mer.

Et si nous devions rester loin de la côte durant la nuit, ne risquions-nous pas de dériver vers le grand large ?

Au moins, nous n'avions pas à nous inquiéter d'une éventuelle panne d'essence, me dis-je pour m'encourager. Ni d'un manque de nourriture et d'eau... pour le moment.

Je commençais à être à court de motifs d'inquiétude impersonnels. Le mal de mer de Jamie ? Ou toute autre catastrophe médicale pouvant se produire à bord ? Oui, c'était un bon sujet. Je n'avais ni herbes, ni aiguilles, ni sutures, ni bandages, ni instruments... Je devrais me débrouiller avec de l'eau bouillie et mes deux mains nues.

— Je peux réduire une dislocation ou boucher une artère sectionnée avec mon pouce, mais c'est à peu près tout, déclarai-je à voix haute.

— Hum...

La voix derrière moi me fit faire volte-face et projeter des éclaboussures de ragoût avec ma cuillère en bois.

— Oh, monsieur Smith.

— Je n'ai pas voulu vous effrayer, m'dame.

Il avança précautionneusement dans la lumière comme une araignée craintive, évitant de trop s'approcher de moi.

— Surtout depuis que j'ai vu votre neveu vous rendre votre couteau.

Il sourit légèrement pour me montrer que c'était une plaisanterie, mais il n'avait pas l'air rassuré pour autant.

— Vous... euh... vous savez vous en servir.

— Oui, j'ai eu de l'entraînement, répondis-je platement.

J'essuyai les éclaboussures avec un torchon pendant qu'il se taisait. Au bout de quelques minutes, il toussota et reprit :

— M. Fraser m'a envoyé vous demander, le plus délicatement possible, s'il y aura bientôt quelque chose à manger.

Je me mis à rire.

— Le « délicatement » est votre idée ?

— La sienne.

— Vous pouvez lui dire que le dîner est prêt. Oh et, monsieur Smith...

Il se tourna à nouveau vers moi.

— Je me demandais... les hommes du *Teal*... je me doute qu'ils doivent être contrariés, mais que pensent-ils de... des événements récents ? Si vous le savez, bien sûr.

Il parut légèrement amusé.

— Je le sais. M. Fraser m'a posé la même question il n'y a pas dix minutes. On a pas mal discuté avec les gars, là-haut dans la mâture, comme vous pouvez l'imaginer.

— Oui, je l'imagine aisément.

— Ils sont assez soulagés de ne pas avoir été enrôlés de force, bien sûr. Aucun d'entre nous n'aurait revu sa famille pendant des années. Sans parler d'être obligés de nous battre contre nos compatriotes.

Il se gratta le menton. Comme tous les autres, il était mal rasé et commençait à ressembler de plus en plus à un pirate.

— D'un autre côté... faut reconnaître que notre situation actuelle n'est pas ce qu'on pouvait espérer de mieux. Elle est périlleuse, c'est le moins qu'on puisse dire. Puis, on n'a ni nos affaires ni notre paye.

— Oui, je comprends. À votre avis, quelle serait la meilleure solution ?

— Accoster le plus près possible de New Haven, mais pas dans le port. Échouer le navire sur un banc de sable, y mettre le feu, rejoindre la terre en canots et disparaître au plus vite.

— Vous brûleriez le navire avec les prisonniers enfermés dans la cale ?

À mon soulagement, il parut choqué par cette suggestion.

— Oh non, m'dame ! M. Fraser voudra peut-être les livrer aux continentaux en guise de monnaie d'échange, mais nous, on ne dirait pas non s'il décidait de les libérer.

— C'est très magnanime de votre part, l'assurai-je. Et je suis sûre que M. Fraser apprécie vos conseils. Vous savez où se trouve l'armée continentale en ce moment ?

— D'après ce que j'ai entendu dire, quelque part dans le New Jersey. Si vous les cherchez, ils ne doivent pas être bien difficiles à trouver.

La dernière chose que je tenais à voir, outre la marine royale, c'était l'armée continentale, même de loin. Toutefois, le New Jersey paraissait suffisamment éloigné.

Je l'envoyai fouiller les quartiers de l'équipage à la recherche de couverts. Chaque marin possédait sa propre écuelle et sa cuillère. Puis je m'attelai à la tâche délicate d'allumer les deux lampes suspendues au-dessus de la table du mess afin que les hommes puissent voir ce qu'ils mangeaient.

Après avoir examiné le ragoût de plus près, je me demandai si la lumière était une si bonne idée, mais je m'étais donné tant de mal pour allumer les mèches que je n'étais pas prête à les moucher.

Tout compte fait, le repas n'était pas si mal. Toutefois, j'aurais pu leur donner du gravier et des têtes de poissons ; ils étaient tellement affamés qu'ils les auraient dévorés avec autant d'appétit. Ils semblaient tous d'excellente humeur en dépit de notre situation. Une fois de plus, je m'émerveillai de cette capacité qu'avaient les hommes à fonctionner normalement au milieu de l'incertitude et du danger.

Naturellement, cela était dû en partie à Jamie. Que lui qui haïssait la mer et les bateaux se retrouve de facto capitaine d'un cotre était ironique ; mais il savait garder son calme face au chaos et avait un sens inné du commandement.

Jusque-là, l'adrénaline seule m'avait permis de continuer mais, à présent, n'étant plus en danger immédiat, elle commençait à s'amenuiser. Entre la fatigue, l'angoisse et ma gorge meurtrie, je ne pus avaler qu'une petite bouchée. Mes autres plaies commençaient à m'élancer et mon genou me faisait mal. J'étais en train de dresser un inventaire de mes maux quand je croisai le regard de Jamie.

— Tu as besoin de t'alimenter, *Sassenach*. Mange.

J'allais répondre que je n'avais pas faim mais me ravisai. Il avait suffisamment de problèmes sur les bras pour avoir en plus à s'inquiéter pour moi. Je repris ma cuillère, résignée, en répondant :

— À vos ordres, capitaine.

31

Visite guidée à travers les cavités du cœur

J'aurais dû dormir. Dieu sait que j'en avais besoin, autant pour échapper un moment à mes peurs et incertitudes que pour reposer ma chair tant malmenée. Toutefois, j'étais si fatiguée que mon corps et ma tête avaient commencé à se séparer.

C'était un phénomène courant. Les médecins, les soldats et les mères le vivaient fréquemment. Moi-même, je l'avais souvent connu. Incapable de réagir à une urgence, l'esprit épuisé se retranche simplement un peu, se détachant des écrasants besoins égocentriques du corps. De cette distance clinique, il peut diriger, contournant les émotions, la douleur et la fatigue, prenant les décisions qui s'imposent en passant outre la faim, la soif, le sommeil, l'amour ou le chagrin.

Pourquoi les émotions ? me demandai-je. Elles étaient pourtant une fonction de l'esprit. Toutefois, elles paraissaient tellement enracinées dans la chair que cette abdication de la conscience les étouffait toujours également.

Le corps refuse cette abdication. Ignoré et malmené, il ne laisse pas l'esprit revenir facilement. Souvent, la séparation persiste jusqu'à ce que le sommeil vienne enfin. Pendant que le corps est occupé à sa régénération, l'esprit reprend prudemment sa place dans la chair turbulente, se faufilant dans les galeries sinueuses des rêves, faisant la paix. Vous vous réveillez alors de nouveau entier.

Mais pour moi, ce moment n'était pas encore venu. J'avais la sensation qu'il me restait encore une chose à faire mais ne voyait pas quoi. J'avais nourri les hommes, envoyé de la nourriture aux prisonniers, examiné les blessés, rechargé les pistolets, nettoyé la marmite... Je ne voyais rien d'autre.

Je posai les mains sur la table, mes doigts caressant le grain du bois comme si les minuscules sillons, usés par des années de service, constituaient une carte qui me permettrait de trouver mon chemin vers le sommeil.

Je pouvais me voir. Mince, presque maigre, la crête de mon radius saillant sous la peau de mon avant-bras. J'avais maigri plus que je ne l'avais cru, au cours des dernières semaines de voyage. Mes épaules étaient voûtées par la fatigue. Mes cheveux formaient une masse de mèches emmêlées d'une douzaine de tons entre brun et brun clair, le tout strié de blanc et d'argent. Ils me rappelèrent une expression cherokee que Jamie m'avait traduite. Ils disaient « faire tomber les serpents des cheveux en les peignant » pour évoquer le fait de libérer son esprit de l'angoisse, de la colère, de la peur et des démons. Une métaphore très pertinente.

Toutefois, je ne possédais plus de peigne. J'avais perdu le mien lors des récents événements.

Ma tête était comme un ballon de baudruche tirant sur sa ficelle. Toutefois, prise d'une peur irrationnelle qu'elle ne revienne pas, je n'arrivais pas à la laisser aller.

Je m'efforçai plutôt de me concentrer sur de petits détails physiques : le poids du ragoût de poulet et des galettes dans mon estomac ; l'odeur de poisson de l'huile des lampes ; le bruit de pas sur le pont au-dessus ; le chant du vent ; le sifflement des vagues contre la coque.

La sensation d'une lame dans la chair. Non pas l'acte prédéterminé, la destruction consciente de la chirurgie, les dommages faits pour soigner. Mais le geste de panique, le sursaut du couteau heurtant un os, le parcours fou de la lame incontrôlée. Et la large tache de sang sur le pont, fraîche et sentant le métal.

— Je ne le voulais pas, murmurai-je. Mon Dieu, je ne le voulais pas.

Soudain, je me mis à pleurer. Ce n'étaient pas des sanglots. Mes yeux débordèrent simplement de larmes qui coulèrent lentement le long de mes joues. Une simple reconnaissance du désespoir tandis que la situation échappait lentement à tout contrôle.

— Que se passe-t-il, *Sassenach*?

Jamie venait d'apparaître à la porte.

— Je suis si fatiguée, dis-je d'une voix étranglée. Si fatiguée.

Il s'assit à mes côtés, faisant craquer le banc. Je sentis un mouchoir crasseux me tamponner les joues. Jamie glissa un bras autour de mes épaules et me parla doucement en gaélique, prononçant les mots doux que l'on adresse à un animal apeuré. Je posai ma joue contre son torse et fermai les yeux. Les larmes coulaient toujours, mais je me sentais déjà mieux.

— Je regrette d'avoir tué cet homme, murmurai-je.

Il s'arrêta un instant de lisser mes cheveux derrière mon oreille.

— Tu n'as tué personne, dit-il sur un ton surpris. C'est ça qui te turlupine?

— Entre autres choses, oui.

Je me redressai et m'essuyai les yeux.

— Quoi, le canonnier, je ne l'ai pas tué? Tu en es sûr?

— Oui. C'est moi qui l'ai tué, *a nighean*.

— Toi... oh.

Je reniflai et l'examinai plus attentivement.

— Tu ne dis pas ça juste pour me faire sentir mieux?

— Non. Moi aussi, j'aurais préféré ne pas l'avoir tué, mais je n'ai pas vraiment eu le choix.

Il caressa ma joue du bout de l'index avant d'ajouter:

— Ne t'en fais pas, *Sassenach*; je peux vivre avec.

Je pleurai à nouveau, mais cette fois avec émotion. Je pleurai de douleur et de chagrin, ainsi que de peur. Mais la douleur et le chagrin étaient pour Jamie, qui n'avait eu d'autre choix que de donner la mort, et toute la différence était là.

Au bout d'un moment, l'orage passa, me laissant molle mais entière. La sensation lancinante de détachement était partie. Jamie s'était tourné sur le banc, adossé à la table, et me tenait sur ses genoux. Nous restâmes silencieux et paisibles, contemplant la lueur des dernières braises dans la coquerie et les volutes de vapeur s'échappant de la marmite d'eau chaude. *Je devrais préparer quelque chose qui mijotera pendant la nuit*, pensai-je avec lassitude. Je lançai un regard vers les cages où les poules dormaient, n'émettant qu'un petit « couac » surpris de temps en temps lorsque l'une d'elles se réveillait en sursaut d'un rêve de poule.

Non, je n'avais pas le courage d'en tuer une ce soir. Les hommes devraient se contenter de ce qui me tomberait sous la main au matin.

Jamie regardait dans la même direction, mais ses pensées l'avaient mené ailleurs.

— Tu te souviens des poules de Mme Bug ? demanda-t-il. Et de Jem et Roger Mac ?

— Oh, Seigneur, la pauvre Mme Bug !

On avait confié à Jem, alors âgé de cinq ans, la corvée de compter les poules tous les soirs afin de s'assurer qu'elles étaient toutes rentrées au poulailler. Après quoi, la porte était solidement refermée pour les protéger des renards, des blaireaux ou des autres prédateurs amateurs de poulets. Sauf qu'une fois, Jem avait oublié. Rien qu'une fois, mais cela avait suffi. Un renard s'était introduit dans les lieux, et le carnage avait été terrible.

On affirme à tort que l'homme est le seul être qui tue pour le plaisir. Peut-être l'ont-ils appris de l'homme, mais tous les membres de la famille des canidés le font aussi – les renards, les loups et, en théorie, les chiens domestiques. Les cloisons du poulailler avaient été tapissées de sang et de plumes.

— Oh, mes petites ! Mes petites ! répétait Mme Bug en pleurant à chaudes larmes. Oh, mes pauvres petites !

Convoqué dans la cuisine, Jem gardait les yeux rivés sur le sol.

— Pardon, murmura-t-il. Je suis désolé.

— Tu peux ! rétorqua Roger. Mais que tu sois désolé ne nous est pas très utile, n'est-ce pas ?

L'enfant fit non de la tête, les larmes aux yeux.

— Si tu es assez grand pour qu'on te confie une mission, tu l'es assez pour subir les conséquences d'avoir trahi notre confiance. Tu comprends ?

L'enfant fit oui de la tête, même s'il était évident qu'il ne comprenait pas.

Roger inspira fortement par le nez.

— Je veux dire par là que je vais te fouetter.

Le petit visage rond de Jem se leva brusquement, interloqué. Il lança un regard vers sa mère la bouche grande ouverte.

Brianna fit un petit mouvement vers lui, mais Jamie la retint par le bras.

Évitant de regarder vers elle, Roger posa une main sur l'épaule de son fils et le fit tourner vers la porte.

— Dehors, mon garçon. Va m'attendre dans l'étable.

L'enfant avait verdi quand Mme Bug nous avait apporté le premier cadavre de poulet. Son teint ne s'était guère amélioré depuis. Je craignis qu'il ne se mette à vomir, mais ce ne fut pas le cas. Il avait cessé de pleurer mais semblait s'être ratatiné, voûtant les épaules.

— Allez, va, répéta Roger.

Il sortit, tête basse, ressemblant tant à un condamné marchant vers la potence que je ne savais plus si je devais pleurer ou rire. Brianna semblait en proie à une contradiction similaire. Elle paraissait navrée, mais la commissure de ses lèvres tremblait. Elle détourna rapidement le regard.

Roger poussa un soupir explosif et s'apprêta à le suivre. Jamie, qui avait assisté à la scène en silence dans un coin, s'approcha de lui et toussota dans son poing.

— Hum... Je sais que c'est la première fois, mais je crois que tu devrais frapper fort. Le pauvre garçon se sent très mal.

Brianna sursauta, mais Roger se contenta de hocher la tête, desserrant légèrement les mâchoires. Il sortit tout en dégrafant sa ceinture.

Nous restâmes tous les trois autour de la table, mal à l'aise et ne sachant trop que faire. Puis Brianna se redressa et saisit un des poulets morts.

— Ils sont encore mangeables?

J'en palpai un délicatement. La chair était flasque et molle mais ne s'était pas encore décollée de la peau. Je soulevai le coq et le reniflai. Il y avait une forte odeur piquante de sang séché, un remugle de fèces liquides, mais pas les émanations doucereuses de la décomposition.

— Je crois que oui, s'ils sont bien cuits. Les plumes sont inutilisables, mais on peut en préparer certains en ragoût et faire bouillir les autres pour des soupes ou des fricassées.

Jamie descendit à la cave chercher des oignons, de l'ail et des carottes pendant que Mme Bug se retirait pour s'allonger et que Brianna et moi commencions la tâche peu ragoûtante de plumer et d'éviscérer les victimes. Nous ne parlâmes pas beaucoup. Quand Jamie revint et déposa le panier de légumes près de Brianna, elle lui demanda sur un ton grave:

— Tu crois vraiment que ça va l'aider?

Il acquiesça.

— Quand tu as fait quelque chose de mal, tu es rongé par le remords et veux réparer ta faute. Mais, dans le cas présent, on ne peut plus faire grand-chose.

Il indiqua la pile de poulets. Les mouches avaient commencé à se rassembler, se promenant sur les plumes.

— Le mieux qu'il puisse t'arriver, c'est de ressentir que tu as payé pour ce que tu as fait.

Un faible cri nous parvint par la fenêtre. Brianna tressaillit puis secoua la tête et, chassant les mouches d'un geste de la main, attrapa un autre poulet.

— Oui, je me souviens, répondis-je sans quitter des yeux les caisses de volatiles près de la coquerie. Jem aussi, sans doute.

Jamie émit un petit rire puis se tut. J'entendais son cœur battre contre mon dos, lent et régulier.

✳

Jamie, Ian et moi nous relayâmes pour monter la garde, alternant toutes les deux heures. John Smith paraissait être un homme solide, mais il y avait toujours le risque que quelqu'un du *Teal* le persuade de libérer les marins dans la cale, pensant que cela leur éviterait d'être pendus plus tard comme pirates.

Je supportai assez bien le quart de minuit, mais me lever à l'aube fut une torture. Je luttai pour remonter d'un puits profond tapissé d'une douce laine noire, mes articulations endolories et craquantes alourdies par une fatigue sourde.

Jamie s'était jeté dans le hamac bordé d'une couverture dès que j'en étais descendue et, malgré un puissant désir réflexe de le faire basculer pour y regrimper aussi sec, je souris et m'en abstins. Soit il avait une foi absolue en ma capacité à monter la garde, soit il était sur le point de mourir d'épuisement ou de mal de mer. Ou les deux. Je ramassai la capote d'officier de marine dont il venait de se délester. C'était un des avantages de notre nouvelle situation : j'avais laissé mon horrible cape lépreuse à bord du *Teal*. Ce vêtement-ci était une grande amélioration. Pratiquement neuf, il était confectionné dans une épaisse laine bleue, doublé en soie écarlate, et il conservait en bonne partie la chaleur de Jamie.

Je le serrai autour de moi, puis grattai le crâne de Jamie pour voir s'il sourirait dans son sommeil. Ce fut le cas, juste un petit sursaut des lèvres. Puis je me dirigeai vers la coquerie en bâillant.

Un autre petit avantage : j'avais trouvé une boîte de bon Darjeeling dans un placard. J'avais allumé un petit feu sous le chaudron avant de me coucher, et l'eau était à présent frémissante à souhait. Je dénichai une tasse en porcelaine ornée de violettes qui appartenait visiblement au service privé du capitaine.

Je l'emportai sur le pont. Après un petit tour d'inspection pour me faire voir des deux hommes de service (M. Smith tenait la barre), je m'arrêtai derrière le bastingage pour boire mon précieux et odorant butin tout en contemplant l'arrivée de l'aurore.

Puisque j'étais d'humeur positive (ce qui était étrange), j'y vis là un autre bienfait. J'avais assisté à des aubes sur des mers chaudes qui ressemblaient à l'éclosion d'une immense fleur, un grand et lent déploiement de lumière. Celui-ci était un lever de soleil du nord : la lente ouverture d'un coquillage bivalve, froid et délicat, le ciel formant une nacre chatoyante au-dessus d'une mer gris pâle. Il avait quelque chose d'intime, comme s'il annonçait une journée de secrets.

Alors que je commençais à me laisser bercer par des pensées poétiques, celles-ci furent interrompues par le cri « Ohé, un navire ! » retentissant juste au-dessus de moi. La tasse en porcelaine fleurie du capitaine Stebbings s'écrasa sur le pont. Je pivotai et aperçus un triangle blanc sur la ligne d'horizon derrière nous, grandissant de seconde en seconde.

✳

Les minutes qui suivirent auraient été comiques dans d'autres circonstances. Je me précipitai dans la cabine du capitaine si énervée et essoufflée que je ne parvins qu'à haleter « Oh !… Y !… Oh ! » tel un père Noël dément. Jamie tenta de bondir de sa couche, oubliant qu'il était dans un hamac. Le temps qu'il se relève du sol en jurant, des pas de course résonnaient sur le pont au-dessus de nous tandis que les marins du *Teal* s'extirpaient plus adroitement de leurs propres hamacs et accouraient pour voir ce qui se passait.

De retour sur le pont, je demandai à John Smith :

— Est-ce le *Teal* ? Vous pouvez le voir d'ici ?

— Oui, répondit-il d'un air absent en fixant le loin. Enfin, non. Je peux le voir, mais ce n'est pas le *Teal*. C'est un trois-mâts.

À cette distance, le navire approchant ne paraissait qu'un petit nuage blanc flottant au-dessus de la mer. Je ne distinguais pas encore sa coque.

Je me tournai vers Jamie qui avait déniché un télescope dans le bureau de Stebbings et examinait le nouveau venu en plissant le front.

— Nous n'avons pas besoin de fuir, n'est-ce pas ? lui demandai-je.

— Ce serait inutile, nous n'avons aucune chance de le semer.

Il passa le télescope à Smith, qui le colla contre son œil et marmonna :

— Il n'a pas de pavillon.

Jamie releva brusquement la tête vers la mâture. Je suivis son regard et me rendis compte que nous arborions toujours le drapeau britannique.

— C'est plutôt une bonne chose, tu ne crois pas ? lui demandai-je. Ils n'attaqueraient tout de même pas un vaisseau de la marine royale ?

Jamie et John Smith me regardèrent d'un air profondément dubitatif.

— S'ils approchent à portée de voix, ils se rendront sûrement compte que quelque chose ne tourne pas rond, déclara Smith.

Il lança un regard de biais à Jamie.

— Mais quand même... ça vous ennuierait d'enfiler le costume du capitaine ? Ça pourrait faire illusion... de loin.

— S'ils approchent suffisamment pour le voir, ça ne fera pas une grande différence, grommela Jamie.

Il repartit néanmoins vers l'escalier, s'arrêtant en chemin pour vomir par-dessus bord, et réapparut quelques minutes plus tard, resplendissant... si vous le regardiez de loin en plissant des yeux. Stebbings étant petit et bedonnant, sa veste lui serrait les épaules et pendait mollement autour de sa taille ; les manches lui arrivaient au milieu des avant-bras. Pour ne pas perdre les culottes qui lui arrivaient au-dessus du genou, Jamie les avait retenues avec sa propre ceinture. Je constatai qu'outre son coutelas, il portait l'épée du capitaine, plus deux pistolets chargés.

Ian écarquilla les yeux en voyant son oncle ainsi attifé mais, au regard noir que lui lança ce dernier, se garda d'émettre un commentaire.

— Ce n'est pas si mal, dit M. Smith, encourageant. De toute manière, on n'a rien à perdre.

— Mmphm…

— *Le garçon se tenait sur le pont en flammes, d'où tous sauf lui s'étaient sauvés*, récitai-je à voix basse.

Ayant vu Guinea Dick, je me dis que Ian pourrait très bien passer pour un membre de la marine royale avec ses tatouages. Les hommes du *Teal* faisaient l'affaire également. Nous pourrions peut-être faire illusion.

L'autre navire était à présent suffisamment proche pour que je distingue sa figure de proue, une femme aux cheveux noirs serrant…

— C'est bien un serpent qu'elle tient ?

Ian se pencha en avant, plissant des yeux.

— Elle a des crocs, observa-t-il.

— Le vaisseau aussi, mon garçon, ajouta John Smith.

Effectivement, les longs fûts de deux petits canons de chasse saillaient hors de la proue. Lorsque le vent fit légèrement dévier le vaisseau, j'aperçus une ligne de sabords sur son flanc. Ils pouvaient aussi être un trompe-l'œil. Les navires marchands étaient parfois décorés de faux sabords pour décourager les pirates.

Les couleuvrines de chasse étaient bien réelles, elles. L'une d'elles tira. Il y eut un petit nuage blanc, puis un boulet s'écrasa dans la mer non loin de nous.

— C'est un tir de courtoisie ? demanda Jamie. Ils nous font un signe ?

Apparemment pas. Les deux canons crachèrent à nouveau et un boulet traversa une des voiles au-dessus de nous, y laissant un grand trou aux bords roussis. Nous le contemplâmes, ahuris.

— Mais pour qui se prennent-ils pour oser tirer sur un navire du roi ? s'indigna Smith.

— Pour de maudits corsaires, rétorqua Jamie. Et ils ont bien l'intention de nous attaquer.

Se remettant du choc, il ôta rapidement sa veste en criant :

— Mais abaissez le pavillon, nom de nom !

Le regard incrédule de Smith allait de lui à l'autre navire. On apercevait des hommes derrière le bastingage. Des hommes armés.

— Ils ont des canons et des mousquets, monsieur Smith ! insista Jamie. Je ne vais pas me mesurer à eux pour sauver un vaisseau de Sa Majesté. Abaissez le pavillon !

Faisant tournoyer sa veste au-dessus de sa tête, il la lança par-dessus bord. Elle virevolta plusieurs fois avant de se coucher sur les vagues. Pendant ce temps, M. Smith fouillait fébrilement parmi les différentes manœuvres attachées au mât celle qui était connectée au pavillon. Il y eut une autre détonation, mais un heureux hasard du roulis nous enfonça dans un creux, et les boulets passèrent au-dessus de nous.

Le pavillon s'affaissa en un tas ignominieux sur le pont. L'espace d'un instant, mue par un réflexe patriotique, je fus tentée de me précipiter pour le ramasser, puis me maîtrisai.

Je distinguai désormais les canonniers sur l'autre navire, en train de recharger. Les hommes derrière le bastingage rutilaient d'armes. Il me sembla voir des épées et des coutelas, outre les mousquets et les pistolets.

Les servants venaient de se figer. Quelqu'un pointait un doigt vers la mer, criant quelque chose par-dessus son épaule. Mettant ma main en visière, je vis la veste de capitaine flottant sur la crête d'une vague. Elle semblait les déconcerter. Je vis un homme sauter sur la proue et regarder vers nous.

Qu'allait-il se passer ? Les corsaires pouvaient être des capitaines professionnels porteurs d'une lettre de marque d'un gouvernement quelconque ou de vrais pilleurs de navires. Dans le premier cas, nous ne risquions pas grand-chose en tant que passagers. Dans le second, ils pouvaient nous égorger et nous jeter à la mer.

L'homme en proue cria quelque chose à ses compagnons et recula sur le pont. Le navire s'était écarté du lit du vent un moment pour ralentir. À présent, il lofa et ses voiles se gonflèrent brusquement avec un claquement sonore.

— Il va nous éperonner, dit calmement Smith d'un air incrédule.

La figure de proue se rapprocha suffisamment pour que je voie nettement le serpent que la femme serrait contre son sein. Dans l'état de choc où je me trouvais, mon esprit se demanda oisivement si le navire ne s'appelait pas *Cléopâtre* ou *L'Aspic*, tandis qu'il filait à nos côtés et qu'une détonation ébranlait l'air dans un fracas de métal.

Le monde autour de moi disparut, et je me retrouvai à plat ventre, la joue écrasée contre un sol qui sentait la boucherie, assourdie et me crispant de toutes mes forces en attendant la prochaine volée de boulets qui nous fendrait en deux.

Quelque chose de lourd m'était tombé dessus, et je gigotai désespérément pour me libérer, me relever et courir, courir n'importe où, loin…

Je me rendis soudain compte que j'émettais de petits gémissements et que le sol sous ma joue n'était pas de la boue imprégnée de sang mais des planches rendues poisseuses par l'eau salée. Le poids sur mon corps remua brusquement et Jamie roula sur ses genoux.

— Bon sang ! s'écria-t-il. Ils sont fous ou quoi ?

Une nouvelle détonation lui répondit, provenant cette fois d'un canon situé en poupe de l'autre navire, qui nous avait dépassés.

Je me relevai en tremblant et remarquai avec un détachement clinique qu'il y avait une jambe gisant sur le pont à quelques mètres de moi. Elle était nu-pieds et vêtue d'une moitié de culotte arrachée. Il y avait du sang éparpillé un peu partout. Quelqu'un près de moi répétait :

— Oh mon Dieu ! Oh mon Dieu !

Je me tournai et vis M. Smith regardant en l'air. Je l'imitai.

La partie supérieure du mât avait disparu. Les vestiges fumants de voiles et de gréement étaient affalés sur la moitié du pont. Les sabords du navire corsaire n'étaient pas des trompe-l'œil.

— Bordel de merde ! Ces maudits *nàmhaid* reviennent !

Le fait était. Je compris avec un temps de retard que l'autre navire était passé trop vite pour lâcher sa bordée. Seul un de ses gros boulets nous avait atteints, emportant le mât et le malheureux qui se trouvait dans le gréement.

Les autres marins du *Teal* se trouvaient à présent sur le pont, criant des questions. La réponse leur fut donnée par le corsaire, qui était en train de décrire un large demi-cercle avec l'intention évidente de venir terminer ce qu'il avait commencé.

Ian lança un regard vers le canon du *Pitt*, mais c'était sans espoir. Quand bien même certains marins du *Teal* auraient pu l'armer, il était bien trop tard pour le préparer et le charger.

Le corsaire avait achevé son demi-tour et revenait vers nous. Sur le pont du *Pitt*, les hommes criaient, agitaient les bras, se bousculaient près du bastingage.

— Nous nous rendons, bande de crétins ! hurla l'un d'eux. Vous êtes sourds ou quoi ?

Ce devait être le cas, car une rafale de vent m'apporta l'odeur de soufre des mèches lentes, et j'aperçus l'éclat des mousquets braqués vers nous. Quelques hommes près de moi, pris de panique, coururent se réfugier dans l'entrepont. Je me demandai si ce n'était pas une bonne idée.

Jamie avait agité les bras et crié à mes côtés. Soudain, il disparut. En me retournant, je le vis courir le long du pont. Il arracha sa chemise et bondit sur notre propre arme de chasse, un long canon en proue qu'on appelait un *long nine*.

Il agita sa chemise en un grand arc au-dessus de sa tête, se tenant d'une main à l'épaule de Ian. Cela provoqua une certaine confusion sur l'autre pont, mais malgré cela, le sloop continuait d'avancer sur nous. Jamie agita à nouveau sa chemise. Ils ne pouvaient pas ne pas le voir !

Le vent était contre nous. J'entendis le grondement des canons sortant des sabords, et mon sang se figea. M. Smith poussa un cri étranglé :

— Ils vont nous couler !

D'autres cris affolés lui firent écho sur le pont.

L'odeur âcre de la poudre flottait dans l'air autour de nous. Les hommes perchés dans les restes de mâture hurlaient à pleins poumons en agitant leurs chemises à leur tour. Je vis Jamie se pencher vers Ian et lui dire quelque chose, puis il serra fort son épaule et s'abaissa à quatre pattes sur le fût du canon.

Ian passa près de moi en courant, manquant de me renverser dans sa hâte.

— Où vas-tu ? lui criai-je.

Il me répondit par-dessus son épaule avant de disparaître dans l'escalier :

— Libérer les prisonniers dans la cale. Ils vont se noyer si on coule !

À l'autre bout du navire, Jamie n'était pas descendu du canon comme je l'avais cru, mais s'était retourné, assis à califourchon sur le fût, montrant son dos au navire approchant.

Les bras en croix pour garder l'équilibre, serrant le canon de toutes ses forces entre ses cuisses, il se redressa, exhibant les zébrures sur son dos, les cicatrices paraissant rouge vif sur sa peau blanchie par le vent froid.

L'autre navire avait ralenti, manœuvrant de sorte à glisser contre nous et à nous envoyer par le fond avec une dernière bordée. Je pouvais voir la tête de ses hommes se dresser au-dessus du bastingage et se pencher hors du gréement, étirant curieusement le cou mais ne tirant pas.

Je sentis soudain mon cœur battre à grandes pulsations douloureuses, comme s'il s'était arrêté un moment et tentait à présent de compenser le temps perdu.

Le flanc du sloop nous surplomba, et une ombre profonde et froide s'étendit sur notre pont. Il était si près que j'entendais ses canonniers discuter, s'échangeant des questions perplexes. Je ne pouvais lever les yeux, n'osais même pas bouger.

— Qui êtes-vous ?

La voix nasillarde et très américaine venait d'en haut. Elle paraissait profondément suspicieuse et très agacée.

— Si vous voulez parler du bateau, il s'appelle le *Pitt*.

Jamie était descendu du canon et se tenait près de moi, à demi nu. Il tremblait, mais je n'aurais su dire si c'était de terreur, de rage ou simplement de froid. En revanche, sa voix ne tremblait pas. Elle était remplie de fureur.

— Si vous voulez parler de moi, je suis le colonel James Fraser, de la milice de Caroline du Nord.

Il y eut un silence tandis que le maître de l'autre navire absorbait ces informations. Puis il demanda :

— Où est le capitaine Stebbings ?

Le ton était toujours suspicieux mais légèrement moins agacé.

— C'est une longue histoire, répondit Jamie. Mais il n'est pas à bord. Vous pouvez venir le vérifier par vous-même. Je peux remettre ma chemise ?

Il y eut une autre pause. Des murmures. Le cliquetis de chiens de fusils relâchés. J'osai enfin relever les yeux. Le bastingage était bordé d'une rangée de mousquets et de pistolets, mais ceux-ci pointaient à présent vers le ciel tandis que leurs propriétaires se penchaient pour nous observer, intrigués.

— Un instant. Tournez-vous.

Jamie maugréa entre ses dents mais obtempéra. Il me lança un bref regard puis se redressa le dos droit et fixa le mât autour duquel les prisonniers avaient été rassemblés, surveillés par Ian. Ils paraissaient totalement déboussolés, regardant sans comprendre le navire corsaire puis Jamie torse nu. Si je n'avais pas eu l'impression d'être en train de faire une crise cardiaque, j'aurais trouvé la scène comique.

— Vous êtes déserteur de l'armée britannique ? demanda la voix au-dessus.

Jamie se tourna à nouveau.

— Non. Je suis un homme libre et l'ai toujours été.

— Tiens donc ! dit la voix amusée. Très bien. Enfilez votre chemise et montez à bord.

Je pouvais à peine respirer et j'étais trempée d'une sueur froide, mais mon cœur retrouva des battements plus raisonnables.

Jamie, rhabillé, me prit par le bras.

— Ma femme et mon neveu viennent avec moi, lança-t-il.

Sans attendre l'accord d'en haut, il me saisit par la taille et me hissa sur le bastingage du *Pitt* afin que j'attrape l'échelle de corde que l'équipage du sloop venait de lancer. Il ne voulait pas risquer que nous fussions à nouveau séparés.

Le navire était ballotté par la houle, et je dus m'agripper à l'échelle en fermant les yeux quelques instants, prise d'un étourdissement. Je me sentais également nauséeuse, mais cela devait être dû au choc. Rassemblant mes forces, je posai un pied sur l'échelon suivant.

— Voilier en vue !

En renversant la tête en arrière, je vis le bras qu'agitait un homme au-dessus de moi. Je me tournai pour regarder dans la direction indiquée, et l'échelle se tordit avec moi. Une voile approchait. Sur le pont au-dessus, la voix nasillarde aboyait des ordres, et des pieds nus crépitaient sur les planches tandis que les membres d'équipage couraient à leur poste.

Jamie, debout sur le bastingage du *Pitt*, me tenait par la taille pour m'empêcher de tomber.

— Putain de bordel de merde ! lâcha-t-il.

Je lui lançai un regard surpris par-dessus mon épaule.

— C'est ce foutu *Teal*, ajouta-t-il.

✳

Un homme grand, très mince, avec des cheveux gris, une pomme d'Adam proéminente, des yeux bleu clair et un regard perçant nous accueillit en haut de l'échelle.

— Capitaine Asa Hickman, hurla-t-il dans ma direction.

Puis il tourna aussitôt son attention vers Jamie.

— Quel est ce navire ? Et où est Stebbings ?

Ian grimpa à bord derrière moi et déclara à un des marins :

— Je serais vous, je remonterais cette échelle.

Je baissai les yeux vers le pont du *Pitt*, où régnait la confusion la plus totale, les hommes se pressant vers le bastingage en agitant les bras et en criant, chacun tentant de présenter son cas aux hommes du sloop pour qu'on le laisse monter à bord. Le capitaine Hickman n'était pas d'humeur à les écouter.

— Remontez-la, ordonna-t-il à un de ses hommes.

Puis il ajouta en direction de Jamie :

— Vous, suivez-moi.

Il s'éloigna d'un pas martial, n'attendant pas sa réponse et ne se retournant même pas pour vérifier s'il le suivait bien. Jamie regarda avec méfiance les marins autour de nous puis, ayant apparemment décidé que nous ne courrions pas un danger immédiat, rejoignit Hickman après avoir déclaré à Ian :

— Protège ta tante.

Toutefois, Ian ne prêtait attention qu'au *Teal*, fixant la voile qui se rapprochait.

— Seigneur… Vous pensez qu'il n'a rien ?

— Rollo ? Je l'espère de tout cœur.

Mon visage était glacé. Je ne sentais plus mes lèvres, et de petits éclats de lumières clignotaient dans le coin de mes yeux.

— Ian, dis-je le plus calmement possible. Je crois que je vais m'évanouir.

La pression dans ma poitrine augmenta d'un cran, me faisant suffoquer. Je toussai, ce qui me soulagea quelques instants. Étais-je vraiment en train de faire une attaque cardiaque ? Une douleur dans le bras gauche ? Non. Une douleur dans la mâchoire ? Oui. Mais à force de serrer les dents, cela n'avait rien d'étonnant… Je n'eus pas conscience de tomber mais sentis des mains sous mes épaules tandis que quelqu'un me rattrapait et m'allongeait sur le pont. Il me semblait avoir les yeux ouverts, mais je ne voyais rien. Il me vint à l'esprit que j'étais peut-être en train de mourir, mais je repoussai cette idée. Il n'en était pas question. Toutefois, une sorte de brouillard gris et tourbillonnant s'approchait, menaçant de m'engloutir.

— Ian ? Ian… juste, au cas où… Dis à Jamie que je l'aime.

Tout ne devint pas noir comme je m'y attendais, mais le brouillard me rejoignit et je me sentis doucement enveloppée dans un nuage gris paisible. Toute la tension, la sensation d'étouffement, la douleur avaient disparu. Je me serais volontiers abandonnée à cette apesanteur, me laissant flotter, si j'avais été certaine d'avoir parlé. Le besoin de transmettre mon message me turlupinait comme un caillou coincé dans une semelle.

— Dis à Jamie... répétai-je à Ian. Dis à Jamie que je l'aime.

— Ouvre les yeux et dis-le-moi toi-même, *Sassenach*.

Je tentai d'ouvrir les paupières et constatai que je le pouvais. Je n'étais donc pas morte, après tout. Je pris une petite inspiration et découvris que ma poitrine se soulevait normalement. J'avais les cheveux humides et étais couchée sur une surface dure, recouverte d'une couverture. Le visage de Jamie flottait au-dessus de moi, puis je clignai des yeux et il se stabilisa.

— Dis-le-moi, répéta-t-il.

Il sourit légèrement en dépit de son regard anxieux.

— Te dire quoi ? Ah ! Je t'aime.

Les souvenirs des derniers événements me revinrent en vrac, et je me redressai brusquement.

— Le *Teal* ! Que...

— Je n'en ai pas la moindre idée. Depuis quand tu n'as rien avalé, *Sassenach* ?

— Je ne sais plus. Hier soir. Qu'est-ce que tu veux dire, tu n'en as pas la moindre idée ? Il est toujours *là* ?

— Oh oui. Il nous a tiré dessus il y a quelques minutes, mais tu n'as sans doute rien entendu.

— Il nous a tiré...

Je me passai une main sur le visage, constatant avec satisfaction que je sentais à nouveau mes lèvres et que ma peau avait retrouvé une chaleur normale.

— Est-ce que j'ai le teint gris et moite ? lui demandai-je. Est-ce que j'ai les lèvres bleues ?

Il parut surpris puis m'inspecta plus attentivement.

— Non.

Il déposa un baiser sur mes lèvres puis chuchota :

— Je t'aime aussi. Je suis très content que tu ne sois pas morte.

Il se redressa au moment où une autre détonation retentissait au loin.

— Je suppose que le capitaine Stebbings a pris le contrôle du *Teal*, déclarai-je. Je doute que Roberts se hasarderait à tirer au jugé sur des vaisseaux inconnus. Mais pourquoi Stebbings s'en prend-il à nous ? Pourquoi n'essaie-t-il pas plutôt de récupérer le *Pitt* ?

Mes symptômes avaient complètement disparu et je me sentais la tête claire. En me redressant, je découvris qu'on m'avait allongée sur deux grands coffres plats dans ce qui semblait être une petite cale. À travers une écoutille ajourée au-dessus de nos têtes, j'apercevais l'ombre dansante des voiles. Tout autour de nous se trouvaient des empilements de ballots, de tonneaux et de caisses. Il flottait dans l'air une forte odeur de goudron, de cuivre, de linge, de poudre et… de café ? Je humai plus profondément, me sentant revigorée. Oui, du café !

Une autre détonation lointaine perça les cloisons, et une angoisse viscérale me saisit. L'idée d'être coincée dans la cale d'un navire qui pouvait couler d'un instant à l'autre surpassait même le délicieux parfum du café.

Jamie s'était à moitié redressé en entendant le coup de canon. Avant que je n'aie pu lui proposer de remonter sur le pont, l'écoutille au-dessus de nous se souleva et une petite tête ronde apparut dans le trou.

— Est-ce que la dame est remise ? demanda poliment un jeune garçon. Le capitaine dit que, si elle est morte, vous n'avez plus rien à faire en bas et il veut que vous remontiez dare-dare. Il a à vous parler.

— Et si je ne suis pas morte ? demandai-je.

Je tentai de remettre un peu d'ordre dans mes jupons humides. L'ourlet était trempé et ils étaient désespérément froissés. *Crotte !* Cette fois, j'avais laissé ma jupe lestée d'or à bord du *Pitt*. À ce rythme, je devrais m'estimer heureuse si j'arrivais sur la terre ferme avec ma chemise et mon corset.

Le garçon sourit. (À y regarder de plus près, il devait avoir une douzaine d'années, même s'il paraissait beaucoup moins.)

— Dans ce cas, il propose de venir vous chercher et de vous jeter par-dessus bord afin que votre mari puisse se concentrer un peu.

Il ajouta avec une petite grimace d'excuse :

— Le capitaine Hickman s'emporte facilement. Il ne pense pas ce qu'il dit. Pas toujours.

— Je viens avec toi, annonçai-je à Jamie.

Je me relevai sans perdre l'équilibre mais acceptai néanmoins son bras. Nous nous enfonçâmes dans le navire, guidés par notre nouvelle connaissance, qui m'informa s'appeler Abram Zenn (« Mon père, qui lisait beaucoup, aimait particulièrement le dictionnaire de M. Johnson. Ça l'amusait de m'appeler "A à Z" »). Il m'apprit également qu'il était mousse (le navire s'appelait effectivement l'*Asp*[12], ce qui me remplit d'aise) et que l'agitation du capitaine Hickman était due à une longue inimitié avec le capitaine Stebbings.

— Il y a eu plus d'une échauffourée entre eux, et le capitaine Hickman a juré que la prochaine serait la dernière.

— Et le capitaine Stebbings partage cet avis ? demanda Jamie.

Abram hocha vigoureusement la tête.

— Un homme dans une taverne de Roanoke m'a dit que le capitaine Stebbings y venait souvent boire et qu'il avait annoncé devant tout le monde qu'il comptait bien pendre le capitaine Hickman au bout de sa propre vergue ; qu'il le laisserait pourrir sur place pour que les mouettes lui bouffent les yeux. C'est qu'elles le feraient, ces sales bêtes !

Il ne put nous régaler d'autres anecdotes charmantes, car nous étions arrivés dans le sanctuaire du capitaine Hickman, une cabine en poupe aussi encombrée que la cale que nous venions de quitter. Ian s'y trouvait déjà, faisant son imitation d'un prisonnier mohawk sur le point d'être brûlé sur le bûcher. J'en déduisis que le capitaine Hickman ne lui était pas très sympathique. Le sentiment paraissait mutuel, à en juger par les taches rouge vif sur les joues émaciées de ce dernier.

— Ah ! fit simplement Hickman en nous voyant entrer. Je suis ravi que vous ayez décidé de ne pas nous quitter,

---

12. *Asp*, « aspic » en français (*N. d. T*).

madame. C'eût été une grande perte pour votre mari ; une épouse si dévouée...

En entendant son ton sarcastique, je me demandai avec un certain malaise combien de fois j'avais demandé à Ian de transmettre mon amour à Jamie et combien de gens m'avaient entendue. Jamie ne broncha pas. Il me fit signe de m'asseoir sur le lit défait du capitaine puis se tourna vers ce dernier.

— J'ai appris que le *Teal* nous tirait dessus. Cela ne vous inquiète-t-il pas ?

— Pas encore.

Il lança nonchalamment un regard vers les fenêtres en poupe. La plupart avaient leur volet fermé, sans doute parce qu'elles étaient cassées. Les autres étaient ébréchées.

— Il tire juste en espérant un coup de chance. Nous avons l'avantage du vent et le conserverons sans doute encore quelques heures.

— Je vois, dit Jamie comme s'il y entendait quelque chose.

Ian intervint avec tact :

— Le capitaine Hickman se demande s'il doit engager le combat, mon oncle, ou s'il doit prendre la fuite. Le fait d'avoir l'avantage du vent lui offre une plus grande marge de manœuvre que n'en a actuellement le *Teal*. Si j'ai bien compris.

Hickman lui lança un regard noir puis se tourna à nouveau vers Jamie.

— Vous connaissez l'adage : *Celui qui fuit de bonne heure peut combattre derechef*. Si je peux le couler, je le ferai. L'idéal serait d'abattre cette raclure sur son gaillard d'arrière et de m'emparer de son vaisseau, mais j'enverrai le tout par le fond s'il le faut. Toutefois, je ne le laisserai pas *me* couler, pas aujourd'hui.

— Pourquoi pas aujourd'hui en particulier ? demandai-je.

Il me lança un regard surpris, ayant visiblement pensé jusqu'ici que j'étais purement décorative.

— Parce que j'ai une importante cargaison à livrer, madame. Mais si je peux mettre la main sur ce rat de Stebbings sans courir trop de risques...

— Je suppose que vous étiez si déterminé à couler le *Pitt* parce que vous pensiez que le capitaine Stebbings était à bord… émit Jamie.

Le plafond de la cabine était si bas que Ian, Hickman et lui étaient obligés de discuter presque accroupis, ce qui les faisait ressembler à un groupe de chimpanzés. Il n'y avait aucun autre endroit où s'asseoir à part le lit, et s'agenouiller sur le plancher aurait manqué de dignité pour une réunion de gentlemen.

— En effet, monsieur, et je vous sais gré de m'avoir arrêté à temps. Nous pourrons peut-être partager un verre, quand nous aurons le temps, et vous me raconterez ce qui est arrivé à votre dos.

— Peut-être pas, répondit Jamie poliment. Où se trouve le *Pitt* actuellement ?

— Il dérive, à environ deux milles à un quart bâbord. Si j'en ai fini avec Stebbings, je reviendrai le chercher.

— S'il reste quelqu'un de vivant à bord, déclara Ian. La dernière fois que j'ai regardé, il y avait une véritable émeute sur le pont. Qu'est-ce qui pourrait vous persuader de prendre le *Teal*, capitaine ? Mon oncle et moi pouvons vous donner des informations sur son armement et son équipage. Même si Stebbings a pris son commandement, il aura sûrement du mal à résister à un assaut. Il n'a que dix de ses hommes avec lui. Le capitaine Roberts et son équipage refuseront probablement de prendre part au combat.

Jamie lui lança un regard navré.

— Ils l'ont probablement déjà tué, tu le sais.

Ian ne ressemblait en rien à Jamie, mais je connaissais intimement cet air opiniâtre et implacable.

— C'est possible, mon oncle. Mais tu m'abandonnerais si tu pensais que j'étais *peut-être* mort ?

Je vis Jamie ouvrir la bouche pour répondre « C'est un chien », mais il se ravisa. Il ferma les yeux et soupira, imaginant vraisemblablement la perspective de déclencher une bataille navale, mettant toutes nos vies en danger ainsi que celles des hommes à bord du *Teal* pour un chien âgé qui était probablement déjà mort, dans le ventre d'un requin peut-être. Puis il se redressa autant qu'il le pouvait dans la cabine bondée et déclara à Hickman :

— Un grand ami de mon neveu se trouve à bord du *Teal* et est vraisemblablement en danger. Je sais que cela ne vous concerne pas, mais cela explique notre intérêt. Pour ce qui est du vôtre… outre le capitaine Stebbings, le navire transporte une cargaison précieuse : six caisses de fusils.

Ian et moi sursautâmes. Hickman se redressa subitement, se cognant la tête contre le plafond.

— Sacrebleu ! Vous en êtes sûr ?

— Oui, et j'imagine que l'armée continentale pourrait en faire un excellent usage.

Il s'aventurait sur un terrain glissant. Après tout, le fait que Hickman haïsse Stebbings ne signifiait pas forcément qu'il était un patriote américain. Du peu que j'avais vu de lui, le capitaine Stebbings était parfaitement capable d'inspirer de l'animosité par sa seule personnalité, indépendamment de toute opinion politique.

Toutefois, Hickman ne nia pas. À dire vrai, il était tellement excité par l'allusion aux fusils qu'il avait à peine écouté la remarque de Jamie. Était-ce vrai ? Il avait parlé avec une absolue conviction. J'essayai de me souvenir du contenu de la cale du *Teal*, cherchant tout ce qui pouvait ressembler à…

— Les caisses destinées à New Haven ! m'exclamai-je.

Je me retins de justesse de mentionner le nom d'Hannah Arnold. Si Hickman était bien un patriote (il pouvait n'être qu'un simple homme d'affaires, prêt à vendre des armes au plus offrant), il reconnaîtrait le nom et saurait que, de toute façon, les fusils étaient presque certainement destinés à l'armée continentale par l'intermédiaire du colonel Arnold.

Jamie acquiesça tout en observant Hickman qui fixait un petit baromètre sur un mur comme s'il s'agissait d'une boule de cristal. Ce qu'il y vit devait être encourageant, car il fila soudain hors de la cabine comme si son fond de culotte était en feu.

— Où va-t-il ? demanda Ian.

— Vérifier le vent, répondis-je, fière de savoir quelque chose. Il veut s'assurer que nous avons toujours l'avantage.

Jamie était en train de fouiller le bureau du capitaine. Il dénicha une vieille pomme, qu'il lança sur mes genoux.

— Mange ça, *Sassenach*. Et que diable implique d'avoir «l'avantage du vent»?

— Je n'en sais rien, mais ça a l'air important.

Je reniflai la pomme. Elle avait connu des jours meilleurs mais conservait un vague parfum sucré qui réveilla le spectre de mon appétit disparu. Je mordis dedans du bout des dents et ma bouche se remplit de salive. Je dévorai le reste en deux bouchées.

La voix nasillarde haut perchée du capitaine Hickman retentit sur le pont. Je ne pouvais entendre ce qu'il disait, mais la réaction fut immédiate. Il y eut des bruits de course dans toutes les directions, puis le navire changea soudain de cap. Le tintement des boulets de canon s'entrechoquant, le grognement des hommes les soulevant et le grincement des affûts résonnèrent dans tout le vaisseau. Apparemment, le vent était toujours en notre faveur.

Je me réjouis de voir l'espoir et l'excitation illuminer le visage de Ian mais ne pus m'empêcher d'exprimer mon inquiétude.

— Tu es sûr de ce que tu fais? demandai-je à Jamie. Après tout, il s'agit d'un chien.

Il me répondit d'un haussement d'épaules.

— Que voulez-vous? J'ai connu des batailles livrées pour des raisons bien pires. Et puisque, depuis hier, je me suis rendu coupable de piraterie, de mutinerie et de meurtre, autant en profiter pour y ajouter la trahison.

Ian me lança un regard de reproche.

— Et puis, ma tante, c'est un *bon* chien.

✳

Avantage du vent ou pas, il fallut un temps considérable et de laborieuses manœuvres aux deux navires pour arriver à portée de tir. Le soleil pointait juste au-dessus de la ligne d'horizon, et les voiles commençaient à se teinter d'un rouge sinistre. Mon aurore virginale semblait condamnée à finir en une mer de sang.

Le *Teal* croisait lentement à un demi-mille, la moitié de ses voiles affalée. Le capitaine Hickman se tenait sur le pont de l'*Asp*, les mains agrippées au garde-corps comme s'il serrait le cou de Stebbings. Il faisait penser à un lévrier juste avant que le lapin ne soit lâché.

Il m'indiqua sans me regarder :

— Il est temps que vous descendiez sous le pont, madame. Les choses vont se gâter, ici.

Je ne discutai pas. La tension était palpable, la testostérone se mêlant aux odeurs de soufre et de poudre noire. Les hommes, en créatures remarquables qu'ils étaient, paraissaient tous joyeux.

Je m'arrêtai pour embrasser Jamie, un geste qu'il me retourna avec une ardeur qui me laissa la lèvre inférieure légèrement enflée, et rejetai résolument la possibilité que, la prochaine fois que je le verrais, ce pourrait être en pièces détachées. J'avais déjà vécu cette situation d'innombrables fois et, si elle ne devenait pas moins angoissante avec le temps, je m'étais entraînée à rester calme.

Du moins je le croyais. Une fois descendue à la cale principale, dans une obscurité quasi totale, flairant la puanteur de l'eau de sentine et entendant ce qui me paraissait être des rats courant dans les chaînes, il me fut plus difficile d'ignorer le vacarme du roulement des affûts au-dessus de ma tête. L'*Asp* n'avait qu'une batterie de quatre canons sur chaque flanc, mais ils étaient de calibre douze : une grosse artillerie pour un schooner côtier. Le *Teal*, armé comme un navire marchand transatlantique devant pouvoir refouler toutes sortes de menaces, possédait des batteries de huit canons de seize livres, plus deux caronades sur le pont supérieur, deux couleuvrines en proue et un autre canon en poupe.

Après m'avoir demandé de lui décrire l'armement du *Teal*, Abram m'expliqua :

— Il ne ferait pas le poids face à un vaisseau de guerre. N'étant pas censé s'emparer d'autres navires ni les couler, il n'est pas armé trop lourdement, quand bien même il serait bâti pour ça, ce dont je doute. En outre, le capitaine Stebbings n'a probablement pas assez d'hommes pour servir toute une batterie, alors il ne faut pas se décourager.

Il parlait avec une belle assurance que je trouvai amusante ainsi qu'étrangement réconfortante. Il sembla s'en rendre compte, car il se pencha vers moi et me tapota la main.

— Vous n'avez pas à vous inquiéter, m'dame. M. Fraser m'a dit de veiller sur vous, et je ne laisserai rien vous arriver, soyez-en sûre.

— Merci, répondis-je en m'efforçant de garder mon sérieux. Sais-tu ce qui a déclenché cette haine entre les capitaines Hickman et Stebbings ?

— Oh oui, m'dame. Le capitaine Stebbings est une vraie plaie dans la région depuis des années. Il arraisonne des navires sans aucun droit, confisquant des marchandises en prétextant que c'est de la contrebande. Naturellement, elles n'arrivent jamais dans le dépôt des douanes ! Mais c'est surtout à cause de ce qui s'est passé avec l'*Annabelle*.

L'*Annabelle* était un grand ketch appartenant au frère du capitaine Hickman, Theo. Le *Pitt* l'avait arraisonné et avait tenté d'enrôler de force des membres de son équipage. Theo Hickman avait protesté, une bagarre s'était ensuivie, et Stebbings avait ordonné à ses hommes de tirer, tuant trois marins, dont Theo.

L'affaire avait provoqué un scandale considérable, et beaucoup avaient réclamé que Stebbings fût traîné en justice pour ses crimes. Le capitaine avait rétorqué qu'aucun tribunal local n'était habilité à le juger et que, si procès il y avait, il ne pouvait être traité que par un tribunal anglais. Les juges locaux en avaient convenu.

— C'était avant que la guerre n'éclate l'an dernier ? demandai-je. Car après…

— Bien avant, répondit Abram. Mais quand même, ces couards mériteraient d'être enduits de plumes et de goudron, comme Stebbings !

— Je n'en doute pas. Tu ne penses pas que…

Au même instant, le navire fit une brusque embardée, nous projetant tous les deux sur le plancher humide. Une violente explosion prolongée ébranla l'air autour de nous.

Je ne sus tout d'abord lequel des deux vaisseaux avait entamé les hostilités mais, l'instant suivant, les canons de l'*Asp* crachèrent juste au-dessus de nous, et je compris que la première bordée avait été tirée par le *Teal*.

La riposte de l'*Asp* fut décousue, ses canons de tribord partant à intervalles irréguliers, ponctués du bruit plus étouffé des armes légères.

Je résistai à la galante tentative d'Abram de jeter son petit corps maigrelet sur moi pour me protéger et, roulant sur le côté, me mis à quatre pattes, tendant l'oreille. Il y avait beaucoup de cris, tous incompréhensibles, mais les tirs semblaient avoir cessé. Pour autant que je sache, nous ne prenions pas l'eau et avions dû être touchés au-dessus de la ligne de flottaison.

— Ils n'ont quand même pas déjà capitulé! s'exclama Abram, déçu.

— J'en doute.

Je me relevai en prenant appui sur un grand tonneau. La cale principale était aussi pleine que celle de la proue mais contenait des marchandises plus massives. Il y avait à peine assez de place pour qu'Abram et moi nous faufilions entre les énormes caisses enveloppées de filets et les pyramides de fûts, dont certains dégageaient une forte odeur de bière. Le navire penchait d'un côté ; nous devions être en train de faire demi-tour pour un second assaut. En effet, les roues des affûts grondaient au-dessus ; ils rechargeaient les canons. Y avait-il des blessés ? Et si c'était le cas, que pouvais-je y faire ?

Il y eut un autre tir au-dessus.

— Ce chien doit avoir pris la fuite, chuchota Abram. Nous le pourchassons.

Il y eut une longue période de silence relatif durant laquelle il me sembla que le navire tirait un bord, mais je

539

n'en étais pas certaine. Hickman était peut-être effectivement aux trousses du *Teal*.

Nous entendîmes soudain des cris d'alarme et des exclamations de surprise, puis le navire se souleva brusquement, nous projetant de nouveau au sol. Cette fois, j'atterris sur le dessus. J'ôtai délicatement mon genou du ventre d'Abram puis l'aidai à s'asseoir ; il haletait comme un poisson hors de l'eau.

— Qu'est-ce que… commença-t-il.

Une nouvelle secousse nous renvoya sur le plancher, suivie d'un grincement de poutres terrifiant. On aurait dit que le navire allait se désintégrer autour de nous.

Il y eut des hurlements sauvages et un tonnerre de pas de course au-dessus de nous.

— Ils nous abordent ! murmura Abram.

Il déglutit bruyamment. Je glissai une main dans la fente de mes jupons et serrai le manche de mon couteau pour me donner du courage et scrutai les ténèbres devant moi comme si cela allait m'aider à mieux entendre.

— Non, chuchotai-je. C'est nous qui les abordons.

En effet, les bruits de course au-dessus de nous avaient cessé.

✳

Mais pas les cris. Même s'ils étaient étouffés par la distance, je percevais la note de démence qu'ils contenaient, l'euphorie de la folie furieuse. Il me sembla même distinguer parmi eux un cri strident de Highlander, mais ce devait être mon imagination.

— *Notre Père qui êtes aux cieux… Notre Père qui êtes aux cieux…*

Abram murmurait dans le noir mais semblait achopper sur le début de la première phrase, qu'il répétait indéfiniment. Je serrai les poings et fermai les yeux, fronçant tout mon visage, comme si la seule force de ma volonté pouvait les aider.

Mais nous étions tous les deux aussi impuissants.

L'espace d'un moment qui sembla durer une éternité, nous entendîmes des bruits étouffés, des tirs sporadiques, des coups, des grognements, des cris. Puis plus rien.

Je devinai le visage d'Abram tourné vers moi avec un air interrogateur. Je serrai sa main.

Soudain, un canon détona avec un fracas qui ébranla le pont au-dessus de nous. Une onde de choc se répercuta dans la cale, si puissante que je crus que mes tympans allaient se déchirer. Une autre suivit, puis le sol se souleva et s'inclina. Un étrange *boing* profond résonna à travers les poutres du navire. Je secouai la tête, puis me pinçai le nez et soufflai. Mes oreilles se débouchèrent enfin, et j'entendis des pas sur un côté du navire. Se déplaçant lentement.

Je bondis sur mes pieds, aidai Abram à se relever et le poussai vers l'échelle. J'entendais un bruit d'eau, non pas les vagues battant contre les flancs du navire mais un jet gargouillant, comme de l'eau se déversant dans la cale.

L'écoutille avait été rabattue mais non fermée avec un loquet. Je la poussai d'un coup sec des deux mains, manquant de perdre l'équilibre et de tomber à la renverse dans le noir ; mais je fus heureusement sauvée par Abram, qui soutint mes fesses de son épaule frêle mais solide.

— Merci, Abram !

Tendant une main derrière moi, je l'attrapai et le tirai à l'air libre.

La première chose que je vis, ce fut le sang sur le pont. Il y avait des blessés, mais Jamie n'était pas parmi eux. Il fut la seconde chose que je vis, accoudé avec plusieurs autres hommes aux vestiges du bastingage à moitié emporté. Je me précipitai pour voir ce qu'ils regardaient et aperçus le *Teal* à quelques centaines de mètres.

Ses voiles battaient mollement et ses mâts paraissaient curieusement inclinés. Puis je me rendis compte que le navire lui-même penchait, sa proue à moitié hors de l'eau.

— Que je sois pendu ! s'exclama Abram. Il s'est échoué sur un récif.

— Nous aussi, mais moins gravement, l'informa Hickman. Il y a de l'eau dans la cale, Abram ?

Avant qu'Abram, perdu dans sa contemplation du *Teal*, ait pu réagir, je répondis à sa place :

— Oui. Avez-vous des instruments médicaux à bord, capitaine ?

— Si j'ai quoi ? Ce n'est pas le moment de…

— Je suis médecin, l'interrompis-je. Et vous avez besoin de moi.

✳

Un quart d'heure plus tard, je me retrouvai à nouveau dans la petite cale en proue où je m'étais réveillée de mon évanouissement, celle-ci ayant été désignée comme infirmerie.

L'*Asp* n'avait pas de médecin de bord mais possédait néanmoins une petite pharmacie : une bouteille de laudanum à moitié vide, une lancette et une cuvette à saignées, une grande pince, un bocal de sangsues mortes et desséchées, deux scies à amputer rouillées, une érigne brisée, un sac de tissu ouaté pour les pansements et un énorme pot de graisse camphrée.

J'étais plutôt tentée de boire le laudanum moi-même, mais le devoir avant tout. J'attachai mes cheveux et commençai à fouiller la cargaison dans l'espoir d'y trouver quelque chose d'utile. M. Smith et Ian étaient partis en canot vers le *Teal* pour tenter de récupérer mon coffre mais, vu les dégâts dans la partie où s'était trouvée notre cabine, je ne comptais pas trop dessus. Un boulet de l'*Asp* avait percé sa coque sous la ligne de flottaison. S'il ne s'était pas échoué avant, il aurait probablement coulé tôt ou tard.

J'avais fait un rapide tri sur le pont : un mort, plusieurs blessés légers, trois blessés graves mais pas en danger immédiat. Il y en avait certainement d'autres sur le *Teal*. D'après ce que m'avaient raconté les hommes, les deux navires avaient échangé des bordées à quelques mètres de distance seulement. Un affrontement rapide et sanglant.

Quelques minutes après la fin du combat, le *Pitt* était apparu, les hommes à bord étant manifestement parvenus à s'entendre suffisamment pour le naviguer. Il était à présent occupé à transporter les blessés. J'entendis l'appel de son maître d'équipage par-dessus le sifflement du vent.

— Chaud devant ! murmurai-je.

Je saisis la plus petite des scies d'amputation et me préparai pour mon propre affrontement rapide et sanglant.

✳

Abram Zenn était occupé à préparer des lanternes pour que j'y voie plus clair, le soleil s'étant presque couché. Je lui demandai, intriguée :

— Mais si vous avez des canons à bord, c'est que le capitaine Hickman était prêt à les utiliser. Il n'a pas pensé qu'il y aurait peut-être des blessés ?

Abram me fit une petite grimace navrée.

— C'est notre premier voyage avec une lettre de marque, madame. On fera mieux la prochaine fois.

— Votre première ? Depuis quand le capitaine Hickman navigue-t-il ?

J'étais en train de fouiller la cale de fond en comble et venais de découvrir avec satisfaction un coffre rempli de rouleaux de calicot imprimé. Abram fronça les sourcils, réfléchissant tout en continuant de tailler sa mèche.

— Eh bien… il avait un bateau de pêche avec son frère, à Marblehead. Puis, après que son frère a été tué par le capitaine Stebbings, il est parti travailler pour Emmanuel Bailey en tant que second sur un de ses navires. M. Bailey est juif. Il possède une banque à Philadelphie et trois vaisseaux qui assurent des liaisons commerciales avec les Antilles. Il est aussi propriétaire de ce navire, et c'est lui qui a obtenu du Congrès la lettre de marque pour le capitaine Hickman quand la guerre a été déclarée.

— Je vois, dis-je, légèrement interloquée. C'est donc son premier voyage en tant que capitaine d'un sloop ?

— Oui, m'dame. La plupart du temps, les corsaires n'ont pas de subrécargue, voyez-vous ? Or, c'est la tâche du subrécargue d'approvisionner le vaisseau et de penser à des choses comme les fournitures médicales.

— Comment sais-tu tout cela ? Depuis quand navigues-tu ?

Je venais de tomber sur une bouteille contenant ce qui paraissait être un excellent cognac. Il ferait un parfait antiseptique.

— Oh, depuis que j'ai huit ans, m'dame.

Il se hissa sur la pointe des pieds pour suspendre une des lanternes. Une lumière chaude et rassurante envahit mon bloc opératoire improvisé.

— J'ai six frères plus âgés que moi. C'est l'aîné qui dirige la ferme avec ses fils. Un autre est charpentier sur un chantier naval à Newport News. Un jour, en discutant avec un capitaine, il lui a parlé de moi et, une chose en entraînant une autre, je me suis retrouvé moussaillon à bord de l'*Antioch*, qui faisait le voyage des Indes. Je suis arrivé à Londres avec le capitaine et, dès le lendemain, nous sommes repartis pour Calcutta. Je suis en mer depuis et ça me plaît bien.

Il se redressa et me sourit.

— Tes parents… ils sont toujours en vie ?

— Non, m'dame. Ma mère est morte en me mettant au monde et mon père quand j'avais sept ans.

Cela ne paraissait pas le troubler mais, d'un autre côté, il avait roulé sa bosse depuis.

— J'espère que tu continueras à aimer la mer. Tu n'as pas de doutes, après ce qu'il s'est passé aujourd'hui ?

Il réfléchit sérieusement, puis releva les yeux vers moi. Son air grave le faisait paraître plus vieux que quelques heures auparavant.

— Non. Quand j'ai signé avec le capitaine Hickman, je savais qu'il y aurait peut-être de la bagarre. S'il le faut, je suis prêt à tuer un homme.

— Pas aujourd'hui, en tout cas ! dit l'un des blessés.

Il était étendu dans l'ombre sur deux caisses de porcelaine anglaise, respirant lentement.

— Non, pas aujourd'hui, convins-je. Tu devrais peut-être en discuter avec mon neveu ou mon mari un de ces jours.

Je croyais la conversation close, mais Abram me suivit tandis que j'étalais mes instruments rudimentaires et stérilisais les plaies de mon mieux, répandant généreusement le cognac au point qu'il flottait dans la cale une odeur de distillerie. Les blessés furent scandalisés par un tel gâchis. Le feu de la coquerie s'était éteint pendant la bataille, et il faudrait attendre des heures avant d'avoir de l'eau bouillante.

Mal à l'aise, Abram me demanda :

— Vous êtes patriote, m'dame, si je peux me permettre de vous le demander ?

Je fus prise de court. La réponse logique aurait dû être « bien sûr ». Après tout, Jamie avait déclaré être rebelle et, même s'il y avait été quelque peu contraint, je pensais que ses opinions le portaient de ce côté. Mais moi ? Je l'avais été, autrefois.

— Oui, répondis-je. Toi aussi, visiblement. Pourquoi ?

Il parut ahuri que je lui pose la question et me regarda en clignant des yeux au-dessus de la lanterne qu'il tenait.

— Tu me l'expliqueras plus tard, dis-je la lui prenant des mains.

J'avais déjà soigné les plaies les plus superficielles sur le pont. Les blessés nécessitant des soins plus complexes étaient en train d'être descendus dans la cale. Le moment n'était guère propice à un débat politique. Du moins je le croyais.

Abram m'assista courageusement et s'en tira plutôt bien, même s'il dut s'interrompre à plusieurs reprises pour vomir dans un seau. Se redressant après avoir rendu ses tripes une seconde fois, il demanda gravement à un marin du *Pitt*, un homme grisonnant avec un pied écrasé :

— Que pensez-vous de la Révolution, monsieur ?

— Une foutue perte de temps ! grommela l'homme en enfonçant les ongles dans le coffre sur lequel il était assis. On ferait mieux de combattre les Français. Qu'est-ce qu'on a à gagner, dans cette histoire ? Doux Jésus !

Le voyant pâlir, je demandai à Abram :

— Donne-lui quelque chose à mordre.

J'étais en train d'extraire des éclats d'os de la masse sanguinolente et de me demander s'il ne valait pas mieux l'amputer.

— Non merci, madame, ça ira, dit-il dans un souffle. Et toi, mon garçon, qu'est-ce que t'en penses ?

— Qu'elle est juste et nécessaire, monsieur. Le roi est un tyran, et les hommes dignes doivent résister à la tyrannie.

— Quoi ? s'exclama le marin. Le roi, un tyran ? Qui t'a raconté de telles âneries ?

— Mais... M. Jefferson ! Et tout le monde ! répondit Abram, stupéfait par un désaccord aussi véhément.

— Dans ce cas, vous n'êtes qu'une bande de fieffés crétins ! Sauf vous, madame.

Il baissa les yeux vers son pied et oscilla légèrement, les fermant aussitôt. Puis il reprit :

— Vous ne croyez pas ces mensonges-là, hein, madame ? Vous devriez faire entendre raison à ce gamin.

— Me faire entendre raison ? s'indigna Abram. Parce qu'il est raisonnable de ne pas pouvoir dire ou écrire ce qu'on pense ?

Le marin rouvrit un œil.

— Parfaitement ! Vous autres, pauvres couillons – pardonnez-moi, madame – vous parlez en dépit du bon sens, incitant la population à la désobéissance, et tout ça, ça nous mène à quoi ? À des émeutes, voilà quoi ! De braves gens se font brûler leur maison, se font assommer dans la rue. T'as déjà entendu parler de la révolte des tisserands de Spitalfields, mon garçon ?

De toute évidence, Abram ignorait de quoi il s'agissait, mais il contre-attaqua avec une dénonciation vigoureuse des Actes intolérables, ce qui fit s'esclaffer M. Ormiston (entre-temps, nous avions eu l'occasion de nous présenter). Ce dernier se lança dans une description des privations subies par les Londoniens comparées au luxe dans lequel vivaient les colons ingrats.

— « Ingrats » ! s'étrangla Abram, le visage congestionné. Et de quoi devrions-nous être reconnaissants ? De ce qu'on nous inflige la présence de la soldatesque ?

— Tu emploies de bien grands mots pour un gamin de ton âge ! Tu devrais plutôt tomber à genoux et remercier Dieu pour cette « infliction » ! À ton avis, qui t'a évité d'être scalpé par les Peaux-Rouges ou envahi par les Français ? Hein ? Et qui a payé tout ça ?

Cette dernière riposte souleva des hourras et quelques huées de la part des hommes attendant leurs soins, tous ayant été entraînés dans la conversation à ce stade.

Abram gonfla son torse menu tel un pigeon rachitique.

— Ce ne sont que… d'absurdes… abjectes… *billevesées* !

Il fut interrompu par l'arrivée de M. Smith, un grand sac en toile dans une main et un air navré sur le visage.

— J'ai bien peur que votre cabine soit sens dessus dessous, madame. J'ai ramassé ce que j'ai pu sur le plancher, au cas où…

— Jonah Marsden ! J'veux bien être damné !

M. Ormiston, sur le point de se relever, retomba lourdement sur le coffre, la bouche ouverte.

— Qui ? lui demandai-je, surprise.

— Jonah. Bah, ce n'est pas son vrai prénom… comment s'appelle-t-il déjà… ah, Bill. On l'avait surnommé « Jonah la poisse » parce qu'il avait coulé tellement de fois.

— Allons, Joe… C'était il y a longtemps.

M. Smith, ou M. Marsden, reculait vers la porte avec un petit sourire nerveux.

— Pas si longtemps que ça.

M. Ormiston prit son élan et parvint à se lever, prenant appui sur un tonneau de harengs pour ne pas poser son pied bandé sur le plancher.

— … En tout cas pas assez longtemps pour que la marine t'ait oublié, sale petit déserteur !

M. Smith disparut subitement dans l'escalier, bousculant deux hommes qui le descendaient en portant un blessé comme un quartier de bœuf. Tout en jurant, ils le laissèrent tomber à mes pieds avec un bruit sourd, puis reculèrent d'un pas, essoufflés. C'était le capitaine Stebbings.

— Il n'est pas mort, m'informa l'un d'eux.

— Ah, tant mieux.

Mon ton ne devait pas être très convaincant, car le capitaine ouvrit un œil et déclara d'une voix rauque entre deux inspirations laborieuses :

— Vous allez… me laisser… me faire… charcuter… par cette salope ? Je préférerais… mourir… hono… honorable…

Sa phrase se termina dans un gargouillis qui me mit la puce à l'oreille. J'ouvris grand sa veste et sa chemise maculées de suie et de sang. Effectivement, il y avait un trou rond aspirant dans son sein droit qui émettait un vilain bruit de succion humide.

Je lâchai un très gros mot qui fit sursauter ses deux porteurs. Je le répétai, plus fort, saisis la main de Stebbings et la plaquai sur la plaie.

— Appuyez là si vous voulez avoir une chance de mourir honorablement.

Je me tournai vers l'un des hommes, qui commença à reculer.

— Vous ! Allez dans la coquerie et rapportez-moi un peu d'huile ! Tout de suite ! Et vous…

Son compagnon se figea aussitôt, la tête baissée dans une pose coupable.

— … de la toile à voile et du goudron. Le plus vite possible !

Stebbings sembla sur le point de faire une remarque.

— Ne parlez pas. Vous avez un collapsus pulmonaire. Si je ne parviens pas à regonfler votre poumon, vous mourrez comme un chien.

— Argh, fit-il, ce que je pris pour un assentiment.

Sa grosse main dodue bouchait efficacement le trou pour le moment. Malheureusement, il avait sans doute le poumon perforé. Il me fallait refermer hermétiquement la plaie externe afin que l'air ne pénètre plus dans la poitrine et cesse de comprimer le poumon, mais je devais également évacuer l'air infiltré sous la plèvre. Chaque fois que Stebbings expirait, l'air de son poumon blessé se répandait dans cette cavité, aggravant la pression.

Il pouvait également être en train de se noyer dans son propre sang mais, si tel était le cas, je ne pouvais pas grand-chose ; il était donc inutile de m'en inquiéter.

— Sur le plan positif, annonçai-je, vous avez été transpercé par une balle plutôt que par un éclat ou une écharde. L'avantage du métal chauffé à blanc, c'est qu'il stérilise la plaie. Soulevez votre main un moment, s'il vous plaît. Expirez.

Je soulevai sa main moi-même et comptai jusqu'à deux tandis qu'il expirait, puis la plaquai à nouveau sur la plaie. Il y avait beaucoup de sang pour un si petit trou ; toutefois il ne toussait ni ne crachait de sang... D'où...

— Ce sang, c'est le vôtre ou celui de quelqu'un d'autre ?

Il entrouvrit les yeux et retroussa les lèvres dans un sourire de chacal.

— Celui... de votre mari.

— Pauvre type, rétorquai-je en soulevant à nouveau sa main. Expirez !

D'autres blessés du *Teal* étaient en train d'arriver, mais la plupart paraissaient en état de marcher. Je donnai de rapides instructions aux plus valides, leur indiquant sur quelles plaies appliquer une pression ou comment aligner les membres brisés de leurs camarades afin de limiter les dégâts.

Quand l'équipement demandé arriva enfin, je déchirai un carré de toile à voile avec mon couteau, puis une bande de calicot pour en faire un pansement hermétique. J'écartai la main de Stebbings, essuyai le sang avec un pan de mon jupon, versai de l'huile sur sa poitrine puis plaçai le carré de toile sur la plaie. J'appuyai dessus un instant pour former un bouchon rudimentaire, puis reposai la main de Stebbings de sorte que le bas du carré reste libre. J'improvisai un bandage autour de son torse tout en expliquant :

— Je vais faire adhérer la toile avec du goudron pour que la fermeture soit plus hermétique, mais il faudra un peu de temps pour le chauffer.

Je lançai un regard entendu au marin qui m'avait apporté l'huile et tentait de s'éclipser discrètement. Puis je me redressai pour examiner les blessés assis ou étendus autour de moi.

— Au suivant. Qui se meurt ?

Miraculeusement, seuls deux des hommes amenés du *Teal* étaient morts, l'un avec d'horribles plaies à la tête provoquées par des éclats de mitraille, l'autre s'étant vidé de son sang après avoir perdu une moitié de jambe, probablement arrachée par un boulet.

Celui-là, j'aurais pu le sauver, pensai-je, mais ce regret fut de courte durée, vite chassé par les exigences du moment.

Avançant sur les genoux le long de la rangée de patients, j'effectuai un rapide second triage, distribuant des ordres à mes assistants involontaires. Des échardes, deux éraflures de balles de mousquet, une moitié d'oreille arrachée, une balle logée dans une cuisse mais, Dieu merci, loin de l'artère fémorale… Somme toute, ce n'était pas si mal.

J'entendais des coups dans la cale principale, où l'on effectuait des réparations. Tout en travaillant, je glanais des détails de la bataille au travers des remarques des hommes qui attendaient mes soins.

Après des échanges de bordées qui avaient abattu le mât fêlé du *Teal* et fait un trou dans la coque de l'*Asp* au-dessus de la ligne de flottaison, le *Teal* avait viré brusquement vers l'*Asp* (certains affirmaient que le capitaine Roberts l'avait fait exprès), raclant son flanc et amenant les deux navires bastingage contre bastingage.

Il paraissait inconcevable que Stebbings ait voulu aborder l'*Asp* avec si peu d'hommes. Peut-être avait-il cherché à nous éperonner ? Je lui lançai un regard, mais il avait les yeux fermés. Je soulevai sa main, entendis le petit sifflement d'air, la reposai et poursuivis mon travail. Il n'était pas en état d'éclairer ma lanterne pour le moment.

Quelles qu'aient été ses intentions, le capitaine Hickman les avait contrariées en bondissant à bord du *Teal* avec un cri de guerre, suivi par son armée d'aspics. Ils avaient avancé sur le pont sans rencontrer beaucoup de résistance. Les hommes du *Pitt*, rassemblés autour de Stebbings près de la barre, s'étaient défendus férocement, mais il était clair qu'ils ne faisaient pas le poids face à ceux de l'*Asp*. Puis le *Teal* avait heurté un récif, envoyant tout le monde à plat ventre sur le pont.

Convaincus que le navire était sur le point de sombrer, tous ceux qui étaient encore en état de marcher s'étaient précipités vers l'*Asp*, attaquants et défenseurs sautant par-dessus les bastingages juste avant que les deux navires ne s'écartent brusquement. Quelques instants plus tard, c'était au tour de la coque de l'*Asp* de racler un haut-fond.

— Mais vous bilez pas, m'dame, me dit l'un des hommes. Dès que la marée montera, il repartira.

Les bruits dans la grande cale commencèrent à diminuer. Toutes les quelques minutes, je lançais un regard par-dessus mon épaule dans l'espoir d'apercevoir Jamie ou Ian.

J'étais en train d'examiner un malheureux qui avait reçu une écharde dans le globe oculaire quand son autre œil s'écarquilla soudain d'effroi. En me retournant, j'aperçus Rollo, pantelant et dégoulinant derrière moi. Ses babines retroussées dévoilaient ses crocs immenses dans un sourire qui n'avait rien à envier à la tentative pitoyable de Stebbings un peu plus tôt.

— Le chien! m'écriai-je, ravie.

Ian approchait derrière lui en boitant, trempé lui aussi et avec un sourire identique.

— On est tombés à la mer, m'expliqua-t-il en s'accroupissant à mes côtés.

Une petite mare se formait déjà sous lui.

— C'est ce que je vois.

Je me tournai vers l'homme que je traitais.

— Inspirez profondément. Un… oui, c'est ça… deux… très bien, continuez…

Au moment où il expirait, j'attrapai l'écharde et tirai d'un coup sec. Elle se détacha facilement et fut suivie d'un jet d'humeur vitrée et de sang qui me fit crisper les mâchoires et donna un haut-le-cœur à Ian. Toutefois, l'hémorragie n'était pas importante. *Si l'écharde n'a pas traversé tout l'œil, je pourrais peut-être éviter l'infection en extrayant le globe et en enfonçant une compresse dans l'orbite. Mais on verra ça plus tard.* Je déchirai rapidement une bande dans la chemise du patient, la roulai en boule, l'imprégnai de cognac et la pressai contre l'œil crevé, lui demandant de la maintenir fermement en place. Il gémit et chancela dangereusement mais s'exécuta néanmoins.

— Où est ton oncle ? demandai-je à Ian.

Ian fit un signe de tête sur le côté.

— Juste là.

Je pivotai, une main toujours sur l'épaule du blessé, et l'aperçus descendant l'échelle tout en discutant âprement avec le capitaine Hickman, qui le suivait. Sa chemise était imprégnée de sang et il serrait d'une main contre son épaule un linge rouge sombre. Stebbings n'avait peut-être pas cherché à me provoquer un peu plus tôt. Toutefois, bien que pâle, Jamie marchait droit. Il était également hors de lui. Étant raisonnablement sûre qu'il ne mourrait pas alors qu'il était en colère, je saisis une autre bande de toile à voile pour réduire une double fracture du bras.

— Le chien ! s'écria Hickman.

Il venait de s'arrêter devant Stebbings. Il ne l'avait pas prononcé avec la même intonation que moi, et Stebbings ouvrit un œil.

— Chien toi-même.

— Chien ! Chien ! Chien ! Espèce de sale chien !

Pour faire bonne mesure, Hickman lui envoya un coup de pied dans les côtes. Je lui retins la cheville, ce qui le déséquilibra. Il partit en arrière et Jamie l'immobilisa, non sans une grimace de douleur.

— Vous ne pouvez pas tuer cet homme de sang-froid !

— Ah non, je vais me gêner ! Regardez-moi !

Il sortit un énorme pistolet d'arçon d'un étui en cuir plutôt miteux et l'arma. Jamie l'attrapa par le canon et le lui arracha des mains. Puis il déclara avec un effort visible pour se maîtriser :

— Monsieur, vous ne pensez tout de même pas tuer un ennemi blessé, en uniforme qui plus est ! Un officier qui s'est rendu à vous ! Aucun homme d'honneur ne pourrait le tolérer.

Hickman se dressa sur toute sa hauteur.

— Mettez-vous en doute mon honneur, monsieur ?

Je vis les muscles du cou et des épaules de Jamie se tendre mais, avant qu'il n'ait pu parler, Ian répondit à sa place :

— Oui, c'est ce qu'il fait. Et moi aussi.

Rollo, sa fourrure mouillée hérissée, émit un grondement et retroussa les babines.

Le regard de Hickman alla du visage tatoué et renfrogné de Ian aux crocs impressionnants du chien, puis à Jamie, qui avait désarmé le pistolet et le glissait dans sa propre ceinture. Il était suffoqué.

— Soit, à vos risques et périls, dit-il abruptement avant de tourner les talons.

Le capitaine Stebbings haletait, émettant un vilain bruit d'aspiration humide. Il avait le teint blême et les lèvres bleues. Néanmoins, il était conscient et n'avait pas quitté Hickman des yeux durant toute la scène. Quand la porte se fut refermée sur le capitaine, il se détendit légèrement.

— Vous… auriez pu… vous… épargner… cette peine, souffla-t-il à Jamie. Mais vous… avez… mes remerciements. Pour ce… (il toussa, s'étrangla et pressa sa main contre sa poitrine en grimaçant)… pour ce qu'ils… valent.

Il ferma les yeux, respirant péniblement et douloureusement, mais respirant quand même. Je me relevai et me tournai vers Jamie pour l'examiner. En voyant mon air suspicieux, il se hâta de préciser :

— Ce n'est qu'une toute petite entaille. Je n'ai pas besoin de soins pour le moment.

— Tout ce sang est le tien ?

— Il m'en reste suffisamment dans les veines, *Sassenach*.

Il me sourit et regarda autour de lui.

— Je vois que tu as les choses bien en main. Je vais t'envoyer Smith avec un peu de nourriture. Il ne va pas tarder à pleuvoir.

En effet, l'odeur de l'orage approchant, frais et électrique, avait envahi la cale.

— Euh… peut-être pas Smith, répondis-je.

En le voyant se tourner, je le rappelai :

— Hé, où vas-tu comme ça ?

— Il faut que je parle aux capitaines Hickman et Roberts, répondit-il d'un air sombre.

Il leva le nez vers le plafond ; un courant d'air souleva ses cheveux emmêlés.

— Je ne pensais pas que nous rejoindrions l'Écosse à bord du *Teal*, mais je veux bien être damné si je sais où l'on va.

※

Le calme finit par revenir sur le bateau, si l'on pouvait parler de calme pour un énorme objet flottant composé de poutres craquantes, de voiles battantes et de gréement au cliquetis sinistre. Avec la marée montante, le navire s'était détaché du fond, et nous voguions à nouveau vers le nord.

J'avais renvoyé dans leurs hamacs tous les blessés. Il ne restait plus que le capitaine Stebbings, allongé sur une paillasse derrière une caisse de thé de contrebande. Il respirait toujours et ne semblait pas souffrir terriblement. Toutefois, son état était encore bien trop précaire pour que je le laisse sans surveillance.

Par miracle, la balle semblait avoir cautérisé les vaisseaux sanguins qu'elle avait traversés en route vers le poumon. S'il y avait un épanchement de sang dans celui-ci, il était lent. On avait dû lui tirer dessus à bout portant ; la balle l'avait atteint alors qu'elle était encore brûlante.

J'envoyai Abram se coucher. J'aurais dû m'allonger moi-même, car la fatigue écrasait mes épaules et semblait s'être concentrée en une barre de douleur dans le creux de mes reins.

Jamie n'était pas encore réapparu, mais je savais qu'il viendrait me trouver quand il en aurait terminé avec Hickman et Roberts. En outre, il me restait quelques préparatifs à faire.

Plus tôt, dans la cabine du capitaine, j'avais aperçu un paquet de plumes d'oie neuves. J'avais envoyé Abram m'en chercher quelques-unes, ainsi que la plus grande des aiguilles à voile qu'il trouverait et deux os d'ailes de poulet rescapés du ragoût à bord du *Pitt*.

Je coupai les extrémités d'un os fin, vérifiai que la moelle avait été évacuée durant la cuisson, puis les taillai en pointe à l'aide d'une petite pierre à affûter appartenant au charpentier du navire. La plume s'avéra plus facile. Il me suffit de couper les barbes. Je la plongeai ensuite avec l'os et l'aiguille dans un plat creux rempli de cognac. Cela ferait l'affaire.

Le parfum sucré et capiteux de l'alcool s'éleva dans l'air, rivalisant avec les odeurs du goudron, de la térébenthine, du tabac et des vieilles poutres imprégnées d'eau de mer. Cela effaçait au moins en partie les relents de sang et de matières fécales laissés par mes patients.

J'avais découvert une caisse de bouteilles de Meursault dans la cale. J'en extirpai une et la déposai aux côtés du cognac restant et d'une pile de bandages en calicot propres. Puis je m'assis sur un tonneau de goudron, me calai confortablement contre une barrique de tabac et fermai les yeux.

Je sentais mon pouls battre dans le bout de mes doigts et sous mes paupières. Je ne dormis pas mais sombrai lentement dans une sorte de torpeur, vaguement consciente du bruit des vagues contre la coque, de la respiration sifflante de Stebbings et des battements lents et calmes de mon cœur.

Il me semblait que des années s'étaient écoulées depuis les terreurs et le tumulte de l'après-midi et, avec le recul imposé par la fatigue, ma peur d'avoir une crise cardiaque paraissait absurde. L'était-ce vraiment? Ce n'était pas impossible. Cela n'avait été certainement qu'une crise de panique et d'hyperventilation, ridicules en soi mais pas dangereuses. Néanmoins...

Je posai deux doigts sur mon sein et attendis que les pulsations sous mes ongles se synchronisent avec celles de mon cœur. Lentement, presque comme dans un rêve, je visitai mon corps, de la racine des cheveux aux orteils, avançant à tâtons dans les longues galeries des veines, couleur d'un violet profond tel le ciel juste avant la nuit. Tout près, je percevais la luminosité des artères, larges et vibrantes d'une vie écarlate. Je pénétrai dans les cavités de mon cœur et me sentis bercée, les épaisses parois palpitant dans un rythme solide, réconfortant et ininterrompu. Non, pas de lésions au cœur ni à ses valvules.

Je sentis mon tube digestif, resté noué sous mon diaphragme durant des heures, se détendre avec un gargouillis reconnaissant. Une sensation de bien-être m'envahit, se répandant tel du miel chaud dans mes membres et ma colonne vertébrale.

Une voix tout près déclara :

— Je ne sais pas ce que tu es en train de faire, *Sassenach*, mais tu as l'air très satisfaite.

Je rouvris les yeux tout en me redressant. Jamie descendit prudemment l'échelle et s'assit à mes côtés. Il était très pâle, il paraissait épuisé. Il me sourit légèrement et je constatai que son regard était clair. Mon cœur, solide et fiable ainsi que je venais de le vérifier, se réchauffa et fondit comme du beurre.

— Comment te…

Il m'arrêta d'un geste.

— Ça va.

Il baissa les yeux vers la paillasse de Stebbings.

— Il dort ?

— Je l'espère. Tu devrais dormir, toi aussi. Laisse-moi t'examiner, puis tu pourras t'allonger.

Il écarta délicatement le linge encroûté glissé sous sa chemise.

— Ce n'est rien de grave, mais je suppose qu'une ou deux sutures ne seraient pas de trop.

Compte tenu de sa tendance à minimiser ses maux, je m'attendais à trouver une énorme plaie béante. De toute manière, elle serait toujours plus accessible que la blessure de l'un des marins du *Pitt* que j'avais soigné un peu plus tôt. Il avait reçu une balle de mitraille juste derrière le scrotum. Elle avait dû rebondir sur une surface dure avant de l'atteindre dans cet endroit embarrassant, car elle n'avait pas pénétré profondément et était aplatie comme une pièce de monnaie quand je l'avais extirpée. Je la lui avais remise en guise de souvenir.

Avant de partir, Abram m'avait apporté une casserole d'eau bouillie. Je trempai un doigt dedans et constatai avec satisfaction qu'elle était encore chaude.

J'indiquai les bouteilles posées sur le coffre.

— Tu veux un peu de cognac ou de vin avant qu'on commence ?

Il sourit et saisit la bouteille de Meursault.

— Laisse-moi conserver l'illusion de civilisation encore un petit moment.

— Oh, je crois que c'est un vin tout ce qu'il y a de plus civilisé. Malheureusement, je n'ai pas de tire-bouchon.

Il lut l'étiquette et arqua des sourcils impressionnés.

— Peu importe, tu as quelque chose dans quoi le verser ?

— Là.

Je sortis un élégant petit coffret en bois d'un nid de paille à l'intérieur d'une caisse et l'ouvris d'un air triomphant. Il contenait un service à thé en porcelaine bordé d'un filet d'or et décoré de minuscules tortues rouges et bleues nageant dans une forêt de chrysanthèmes dorés.

Jamie se mit à rire (à peine un filet d'air, mais c'était bien un rire) puis entailla le goulot avec son coutelas avant de le briser net contre le bord d'un tonneau. Il versa délicatement le vin dans les deux tasses que j'avais préparées, admirant les tortues.

— Les petites bleues me rappellent M. Willoughby, pas toi ?

Je me mis à rire à mon tour puis lançai un regard coupable vers les pieds de Stebbings, la seule partie visible de son corps. Je lui avais retiré ses bottes, et le bout de ses bas crasseux pendait comiquement à ses orteils. Toutefois, ces derniers ne bougèrent pas et la lente respiration laborieuse se poursuivit normalement.

Cela faisait des années que je n'avais pas pensé à M. Willoughby. Je levai ma tasse pour lui porter un toast.

— Aux amis absents !

Jamie répondit brièvement en chinois et trinqua avec moi.

— Tu te souviens encore de ton chinois ? demandai-je, intriguée.

— Non, pas beaucoup. Je n'ai pas eu souvent l'occasion de le parler depuis la dernière fois que je l'ai vu.

Il huma le bouquet du vin en fermant les yeux avant d'ajouter :

— Il y a très longtemps, on dirait.

— Très longtemps, en effet, convins-je.

Le vin sentait les amandes et la pomme. Il était sec mais donnait à la bouche une sensation de plénitude qui s'accrochait au palais. C'était en Jamaïque, précisément, et il y avait de cela plus de dix ans.

— C'est fou ce que le temps file quand on s'amuse, déclarai-je. Tu crois qu'il vit toujours, Willoughby ?

— Oui. Un homme qui a échappé à l'empereur de Chine et parcouru la moitié du monde en bateau pour sauver sa peau est forcément coriace.

Il ne semblait pas disposé à évoquer nos vieilles connaissances, et je le laissai boire en silence, sentant la nuit se poser douillettement autour de nous au rythme lent des balancements du navire. Après une seconde tasse de vin, je lui ôtai sa chemise encroûtée et soulevai délicatement le mouchoir imprégné de sang qu'il avait pressé contre la plaie.

À ma surprise, il avait dit vrai : elle n'était pas grande et ne nécessiterait que deux ou trois sutures. Une lame s'était enfoncée profondément juste sous sa clavicule, arrachant un triangle de chair en ressortant.

Perplexe, je baissai les yeux vers sa chemise sur le sol.

— Tout ça, c'est ton sang ?

— Non, il m'en reste un peu. Mais pas beaucoup, c'est vrai.

— Tu sais très bien ce que je veux dire.

Il vida sa tasse et saisit à nouveau la bouteille.

— Oui, c'est le mien.

— Mais d'une si petite… oh mon Dieu !

Je manquai de me sentir mal. Je distinguai la fine ligne bleue de sa veine sous-clavière passant juste en dessous de la clavicule et filant droit vers la plaie encroûtée.

— Oui, ça m'a surpris, déclara-t-il nonchalamment. Quand il a retiré sa lame, le sang a jailli comme une fontaine, nous aspergeant tous les deux. Je n'avais encore jamais vu ça.

— C'est sans doute parce que personne ne t'avait encore entaillé une artère.

Je m'efforçai de retrouver mon calme. Par chance, le sang avait coagulé. Les lèvres de la plaie avaient viré au bleu et la chair sous-jacente était presque noire de sang séché. Il n'y avait pas de suintement. La lame était entrée de bas en haut, ratant la veine et perçant légèrement l'artère en dessous.

Je pris une profonde inspiration, essayant vainement de ne pas imaginer ce qui se serait passé si la lame s'était enfoncée à peine un millimètre plus loin, ou si Jamie n'avait pas eu un mouchoir et le réflexe d'appliquer une pression sur la plaie.

Avec un temps de retard, je fis le rapprochement : il venait de dire « Le sang a jailli comme une fontaine, nous aspergeant tous les deux ». Quand j'avais demandé à Stebbings si le sang sur sa chemise était le sien, il m'avait répondu : « Celui de votre mari. » J'avais pensé qu'il cherchait à me défier.

— C'est Stebbings qui t'a poignardé ?

— Mmphm…

Il se pencha en arrière pour me laisser traiter la plaie.

— Je ne pensais pas qu'il le pourrait. Je croyais l'avoir abattu, mais il a rebondi sur le pont en tenant un couteau, la sale petite ordure.

— C'est toi qui lui as tiré dessus ?

— Oui, bien sûr.

Je ne trouvai pas de mot adéquat pour exprimer le fond de ma pensée, et je jurai entre mes dents tout en nettoyant la plaie et la suturant. Prenant mon ton de médecin militaire, je lui expliquai :

— Écoute-moi bien. Pour autant que je puisse le voir, l'entaille est très petite, et tu es parvenu à arrêter l'hémorragie suffisamment longtemps pour qu'un caillot se forme. Toutefois, ce caillot est tout ce qui t'empêche de te vider entièrement de ton sang. Tu comprends ?

Ce n'était pas tout à fait vrai, ou ne le serait plus une fois que j'aurais ressoudé la chair en place, mais je n'allais pas le laisser s'en tirer aussi facilement.

Il me dévisagea un long moment, impassible.

— Oui, je comprends.

J'enfonçai mon aiguille suffisamment fort pour lui faire pousser un petit cri.

— Cela signifie que tu ne dois *absolument* pas utiliser ton bras droit pendant au moins quarante-huit heures. Tu ne dois pas tirer sur des cordes, sauter sur des bastingages, frapper quelqu'un... pas même te gratter les fesses de la main droite, tu m'entends ?

— Je crois que tout le bateau t'entend, marmonna-t-il.

Il baissa la tête, tentant de voir sa clavicule, puis déclara :

— De toute façon, je me gratte toujours le cul de la main gauche.

Cette fois, le capitaine Stebbings nous entendit, car un petit ricanement s'éleva derrière la caisse de thé, suivi d'une longue quinte de toux.

Je poursuivis ma couture.

— Et tu ne dois pas te mettre en colère.

— Pourquoi pas ?

— Parce que ça ferait battre ton cœur plus fort, ce qui augmenterait ta tension artérielle et...

— ... me ferait exploser comme une bouteille de bière restée bouchée trop longtemps ?

— À peu de choses près. À présent...

La respiration de Stebbings changea soudain, me faisant perdre le fil de ma pensée. Je lâchai l'aiguille et saisis l'assiette creuse. Je repoussai la tasse de thé, déposai l'assiette dessus et m'agenouillai près du capitaine.

Ses lèvres et ses paupières étaient bleues, le reste de son visage couleur de mastic. Il émettait un horrible son de suffocation, la bouche grande ouverte, inspirant de l'air qui n'aidait en rien son état.

Cette fois, il ne manquait pas de gros mots adaptés à la situation. J'en prononçai quelques-uns tout en écartant la couverture et en palpant ses flancs dodus à la recherche de ses côtes. Il gigota et émit un petit couinement incongru qui déclencha un rire nerveux chez Jamie, l'aiguille se balançant au bout de son fil sous sa clavicule.

— Ce n'est pas le moment d'être chatouilleux ! Jamie, prends une de ces plumes et glisse l'aiguille à l'intérieur.

Pendant qu'il s'exécutait, je nettoyai rapidement la peau de Stebbings avec un linge imprégné de cognac. Puis je saisis la plume dans une main, la bouteille dans l'autre et, l'utilisant comme un marteau, plantai la pointe dans le second espace intercostal. Je sentis le petit *pop* souterrain tandis qu'elle traversait le cartilage et pénétrait dans la cavité pleurale.

Il émit un faible cri. J'avais coupé la plume un peu plus court que l'aiguille, mais cette dernière s'était enfoncée trop loin et j'eus un moment de panique, ne parvenant pas tout de suite à l'extirper du bout des doigts. Un petit jet de sang et de fluide nauséabonds éclaboussa l'intérieur de la plume, mais cela céda rapidement la place à un léger sifflement d'air.

— Respirez lentement, ordonnai-je doucement. Tous les deux.

J'observai anxieusement la plume, guettant un autre écoulement de sang – s'il y avait une forte hémorragie à l'intérieur du poumon, je ne pouvais rien faire pour lui –, mais je ne vis que le léger suintement provoqué par la perforation de la peau, un fin cercle rouge à l'extérieur de la plume.

— Assieds-toi, demandai-je à Jamie.

Il s'assit en tailleur à mes côtés. Stebbings avait déjà meilleure mine. Il était pâle, mais ses lèvres avaient légèrement rosi. Le sifflement dans la plume mourut dans un soupir, et je posai un doigt sur l'ouverture.

— Idéalement, je ferais courir un tube de votre poitrine dans un bocal d'eau. Ainsi, l'air autour de vos poumons pourrait s'échapper sans que l'air de l'extérieur ne rentre. Malheureusement, je n'ai rien de tubulaire qui mesure plus de quelques centimètres de long.

Je me mis à genoux et ordonnai à Jamie :

— Approche-toi et mets un doigt sur l'ouverture de cette plume. S'il se met à suffoquer, retire-le quelques instants jusqu'à ce que tu n'entendes plus le sifflement de l'air qui sort.

Il ne pouvait facilement atteindre Stebbings avec sa main gauche. Après un regard prudent vers moi, il avança doucement le bras droit et boucha la plume de son pouce.

Je me relevai en gémissant et retournai fouiller dans la cargaison. Il me faudrait peut-être utiliser le goudron. J'avais collé trois bords du carré de toile huilé à sa poitrine avec du goudron chaud. Il m'en restait une bonne quantité. Ce n'était pas formidable, car je ne pourrais sans doute pas l'enlever précipitamment. Peut-être un bouchon de tissu mouillé ferait-il l'affaire ?

Je trouvai un trésor dans l'une des caisses d'Hannah Arnold : une petite collection de bocaux d'herbes séchées, dont un de gomme arabique réduite en poudre. Les autres herbes étaient toutes importées et utiles : du quinquina (il faudrait que je l'envoie à Lizzie en Caroline du Nord si nous sortions un jour de cet horrible rafiot), de la mandragore, du gingembre... toutes des plantes qui ne poussaient pas dans les colonies. Je me sentis soudain riche. Un grognement de Stebbings derrière moi me rappela à l'ordre. J'entendis un léger sifflement tandis que Jamie soulevait son pouce un instant.

Même toutes les richesses de l'Orient ne seraient pas d'une grande utilité à Stebbings. J'ouvris le bocal de gomme arabique, en pris une poignée et, y versant un peu d'eau, malaxai jusqu'à façonner un bouchon plus ou moins cylindrique que j'enveloppai dans une bande de calicot jaune imprimé d'abeilles, roulant une extrémité en un joli tortillon. Satisfaite, je revins auprès de mon patient et, sans commentaire, arrachai d'un coup sec la plume que ses muscles intercostaux commençaient à fendiller. Je la remplaçai par l'os creux de poulet, plus robuste et plus gros, le raccordai à mon bouchon de fortune puis, m'agenouillant devant Jamie, achevai de le recoudre.

J'avais la tête parfaitement claire, de cette manière étrangement irréelle que seul un épuisement total peut produire. J'avais fait ce qu'il y avait à faire, mais je savais que je ne pourrais rester debout beaucoup plus longtemps. Histoire de nous occuper l'esprit à tous les deux, je demandai tout en enfonçant l'aiguille sous la peau :

— Au fait, qu'avait à dire le capitaine Hickman ?

— Pas mal de choses, comme tu peux l'imaginer.

Il grimaça et fixa son regard sur une énorme carapace de tortue coincée entre les caisses.

— Au-delà d'opinions purement personnelles exprimées dans un langage particulièrement ordurier, il m'a appris que nous allions remonter l'Hudson pour nous rendre au fort Ticonderoga.

— Nous… Où ça ?

— C'est là-bas qu'il se rendait avant de croiser notre chemin, et c'est là-bas qu'il a toujours l'intention de se rendre. C'est un monsieur aux idées très arrêtées.

Un grognement sonore s'éleva derrière la caisse de thé.

— Oui, c'est ce qu'il m'avait semblé comprendre.

Je nouai la dernière suture et coupai le fil avec mon couteau.

— Tu n'as pas pu le convaincre de nous déposer à terre ?

Jamie approcha la main de sa plaie pour gratter les sutures. Je l'écartai aussitôt.

— C'est que… il y a quelques complications, *Sassenach*.

Je me relevai en me tenant les reins.

— Aïe ! Quel genre de complications ? Tu veux un peu de thé ?

— Uniquement s'il y a beaucoup de whisky dedans.

Il s'adossa au tonneau en fermant les yeux. Ses joues avaient retrouvé un peu de couleur, mais son front était moite de transpiration.

— Du cognac, ça t'ira ?

J'avais grand besoin d'un thé moi-même, sans alcool, et, sans attendre son assentiment, je me dirigeai vers l'échelle. En posant le pied sur le premier échelon, je le vis saisir la bouteille de vin.

Il y avait un vent vif sur le pont quand j'émergeai des profondeurs. Il fit voler les pans de la capote autour de moi et gonfla mes jupons d'une manière des plus revigorantes.

Cela revigora également M. Smith – ou M. Marsden –, qui cligna des yeux puis détourna rapidement la tête.

— Bonsoir, m'dame, dit-il poliment une fois que j'eus remis un peu d'ordre dans ma tenue. J'espère que le colonel va bien...

— Oui, il...

Je m'interrompis et redressai brusquement la tête.

— Le colonel ?

— Oui, m'dame. Il est bien colonel de milice ?

— Il l'*était*, précisai-je.

Il m'adressa un grand sourire.

— Il l'est à nouveau, m'dame. Il nous a fait l'honneur de prendre le commandement d'une compagnie, les « Irréguliers de Fraser » qu'on va s'appeler.

— Sans blague ! Mais que diable... Comment est-ce arrivé ?

Il tira nerveusement sur l'un de ses anneaux, constatant que je n'étais pas aussi ravie de la nouvelle qu'il l'avait pensé. Il baissa la tête, piteux.

— Eh bien... pour ne rien vous cacher, c'est un peu de ma faute. Un des hommes à bord du *Pitt* m'a reconnu et, quand il a dit qui j'étais au capitaine...

La révélation de la véritable identité de M. Marsden avait provoqué des remous considérables parmi l'équipage disparate de l'*Asp*. À un point tel qu'il avait été à deux doigts d'être balancé par-dessus bord ou abandonné dans un canot. Après un débat houleux, Jamie avait suggéré que M. Marsden changeât de profession pour devenir soldat. En effet, un certain nombre d'hommes à bord de l'*Asp* s'étaient proposé de rejoindre les forces continentales à Ticonderoga, pour transporter les provisions et les armes de l'autre côté du lac Champlain puis rester dans le fort en tant que miliciens volontaires.

Son idée avait reçu l'approbation générale, même si quelques mécontents avaient marmonné qu'un Judas restait un Judas, qu'il fût marin ou pas.

— C'est pour ça que j'ai jugé préférable de me faire discret sous le pont, m'dame, si vous voyez ce que je veux dire.

Cela résolvait également le problème des prisonniers du *Pitt* et des marins transbordés du *Teal*. Ceux qui souhaitaient entrer dans les milices américaines pourraient le faire, tandis que les hommes de la marine royale préférant rester prisonniers de guerre pourraient être livrés au fort Ticonderoga. Après leurs récentes expériences en mer, la moitié des hommes du *Teal* avaient exprimé le désir d'être employés à terre. Ils étaient également prêts à se joindre aux Irréguliers.

— Je vois, dis-je en me massant le front. Si vous voulez bien m'excuser, monsieur… Marsden, je vais me préparer une tasse de thé. Avec beaucoup de cognac.

✳

Le thé me redonna du courage, suffisamment pour envoyer Abram (découvert assoupi devant le feu de la coquerie bien que je lui aie ordonné d'aller se coucher) en apporter à Jamie et au capitaine Stebbings pendant que je faisais la tournée de mes autres patients. Ils étaient installés aussi confortablement qu'on pouvait l'attendre, c'est-à-dire assez inconfortablement, mais stoïques et ne nécessitant pas de soins urgents.

La force provisoire fournie par le thé et le cognac s'était pratiquement dissipée quand je redescendis dans la petite cale. Je manquai le dernier échelon de l'échelle et m'affalai lourdement sur le plancher. Stebbings émit un petit cri de surprise, suivi d'un gémissement. Faisant signe à Jamie que je n'avais rien, je me précipitai vers le capitaine.

Sa peau était brûlante et son visage, rouge. Une tasse de thé presque pleine était posée près de lui.

— J'ai essayé de lui en faire boire, m'expliqua Jamie. Mais il a dit qu'il ne pouvait pas en avaler plus d'une gorgée.

J'approchai mon oreille de sa poitrine, l'auscultant de mon mieux à travers le gargouillis qui couvrait tous les autres sons de son organisme. Je retirai un instant l'os de poulet et n'entendis qu'un faible sifflement d'air.

J'informai Stebbings – pour la forme, car il avait le regard fixe et vitreux :

— Apparemment, le poumon s'est dilaté au moins partiellement. La balle a dû cautériser une grande partie des dégâts, autrement vos symptômes seraient bien plus alarmants.

Autrement, il serait déjà mort ; mais de le lui dire aurait manqué de tact. De toute manière, il risquait d'être bientôt emporté par la fièvre, ce que je me gardai également de lui annoncer.

Je le persuadai d'avaler un peu d'eau, puis épongeai son visage et son torse. L'écoutille était ouverte, et il faisait raisonnablement frais dans la cale. Je ne voyais pas l'intérêt de le faire monter sur le pont ; moins il bougerait, mieux ce serait.

Il ouvrit soudain un œil et demanda :

— C'est… ma… capote… que vous… portez ?

— Euh… probablement. Vous la voulez ?

Il fit une brève grimace puis referma les yeux.

Jamie était adossé à la caisse de thé, la tête renversée en arrière, respirant profondément. En me sentant prendre place à ses côtés, il redressa la tête.

— Tu sembles sur le point de tourner de l'œil, *Sassenach*. Allonge-toi. Je veillerai sur le capitaine.

Je voyais double. Je cillai, et les deux Jamie se rejoignirent momentanément. Il avait raison. J'avais à nouveau perdu le contact avec mon corps et mon esprit, au lieu de faire son travail, dérivait lentement. Je me frottai vigoureusement le visage des mains, mais cela ne fit qu'empirer les choses.

— Il faut que je dorme, annonçai-je aux « quatre » hommes, qui me dévisageaient à présent tous les deux avec des yeux ronds de chats-huants. J'indiquai à Stebbings :

— Si vous sentez la pression augmenter à nouveau, ce qui risque fort d'arriver, enlevez le tube jusqu'à ce que vous vous sentiez soulagé, puis remettez-le en place. Si l'un de vous pense qu'il est sur le point de mourir, qu'il me réveille.

Là-dessus, avec la sensation de me regarder faire, je m'étendis sur le plancher, posai la tête sur un pli de la capote de Stebbings et m'endormis.

✳

Je me réveillai après une durée indéterminée et restai un moment sans pouvoir aligner deux pensées cohérentes, mon esprit se soulevant et s'abaissant avec le plancher sous moi. Puis je commençai à distinguer des voix d'hommes parmi les bruits confus du navire.

J'avais sombré dans un sommeil si profond que les événements ayant précédé mon endormissement ne me revinrent pas tout de suite. Les voix les firent réapparaître. Les blessures ; le bouquet du cognac ; la déchirure d'une toile à voile, rêche entre mes doigts ; l'odeur de teinture du calicot mouillé ; la chemise sanglante de Jamie ; le bruit d'aspiration du trou dans la poitrine de Stebbings. Tous ces souvenirs auraient dû me faire bondir sur mes pieds, mais mon corps était raide d'avoir dormi sur le plancher. Un élancement aigu irradiait de mon genou droit à mon aine. Les muscles de mon dos et de mes bras me faisaient atrocement mal. Avant que j'aie pu m'étirer suffisamment pour me redresser, j'entendis la voix rauque et basse de Stebbings :

— Appelez Hickman. Je… préfère être abattu… plutôt que de continuer… comme ça.

Il ne plaisantait pas.

— Je vous comprends, répondit Jamie.

Son ton était grave, aussi déterminé que celui du capitaine.

Ma vision devint plus nette. De là où je me tenais, je voyais les jambes de Stebbings et la quasi-totalité de Jamie assis près de lui, le front posé sur les genoux.

Il y eut un silence, puis Stebbings reprit :

— Puisque vous me… comprenez, allez… chercher Hickman.

— Pourquoi ? Inutile de le tirer du lit. Si vous voulez mourir, vous n'avez qu'à retirer ce tube une fois pour toutes.

Il n'avait pas relevé la tête et semblait ivre de fatigue.

Stebbings émit un drôle de bruit. Cela avait peut-être commencé par un rire, un gémissement ou un accès de colère, mais cela se termina par un sifflement entre des mâchoires crispées. Mon corps se tendit. Avait-il vraiment tenté de le retirer ?

Non. Je l'entendis remuer et vis ses pieds se tordre comme s'il cherchait une position plus confortable. Jamie gémit en se penchant pour l'aider.

— Que… quelqu'un… ait au moins… la satisfaction… de me voir… mourir, grogna Stebbings.

Jamie se releva et s'étira longuement.

— C'est moi qui vous ai fait ce trou dans la poitrine. Or, de vous voir mourir ne me procurera aucune satisfaction.

Il était aussi raide que moi et devait être au-delà de l'épuisement. Il fallait vraiment que je me lève et l'oblige à s'allonger. Il continua à parler à Stebbings sur un ton détaché, comme s'il discutait d'une théorie philosophique abstruse.

— Quant à faire plaisir au capitaine Hickman… pour-quoi ? Vous vous sentez redevable envers lui ?

— Non ! Mais… c'est une mort propre… rapide.

— Oui, c'est ce que j'ai pensé aussi, quand j'étais à votre place, dit Jamie d'une voix endormie.

Stebbings émit un grognement interrogatif. Jamie soupira et releva un côté de son kilt.

— Vous voyez ça ?

Son index suivit lentement une ligne irrégulière partant du dessus du genou jusqu'à son entrejambe.

Stebbings émit un autre grognement, cette fois intéressé. Jamie laissa retomber son kilt en expliquant :

— Un coup de baïonnette. Je suis resté étendu pendant deux jours rongé par la fièvre. Ma jambe a enflé et s'est mise à puer. Quand l'officier anglais est venu pour nous faire sauter la cervelle, j'étais soulagé.

— Culloden ? demanda Stebbings. J'en… ai entendu… parler.

Jamie ne répondit pas. Il bâilla sans prendre la peine de se couvrir la bouche puis se massa le visage. Il y eut un long silence. Je pouvais sentir la colère de Stebbings, sa douleur et sa peur, mais il y avait une vague note d'amusement dans son souffle rauque.

— Vous… allez… me faire… vous le demander ?

— C'est une trop longue histoire et je ne tiens pas à la raconter. Disons simplement que je voulais de tout mon cœur qu'il m'achève et que cette ordure refusait de le faire.

L'air dans la petite cale était rance mais instable, rempli des effluves changeants du sang et du luxe, du travail et de la maladie. J'inspirai profondément et sentis l'odeur des hommes, une émanation cuivrée et piquante, sauvage, rendue amère par l'effort et l'épuisement. *Les femmes ne dégagent jamais une odeur pareille*, pensai-je, *même dans les situations les plus extrêmes.*

Après un autre silence, Stebbings demanda d'une voix lasse :

— C'est par vengeance, alors ?

— Non, répondit lentement Jamie. Appelons ça plutôt le paiement d'une dette.

Une dette ? Envers qui ? Envers lord Melton qui, par honneur, avait refusé de le tuer et l'avait renvoyé chez lui caché dans une carriole remplie de foin ? Envers sa sœur, qui avait refusé de le laisser mourir et l'avait ramené à la vie par la seule force de sa volonté ? Envers tous ceux qui étaient morts alors qu'il avait survécu ?

Je m'étais étirée suffisamment pour pouvoir me lever mais n'en fis rien. Il n'y avait pas d'urgence. Les hommes s'étaient tus, leur respiration se fondant dans celle du navire, dans le soupir de la mer à l'extérieur.

Puis je compris. J'avais souvent entraperçu le précipice par-dessus l'épaule de ceux qui se tenaient au bord, regardant vers le bas. J'y avais regardé moi aussi, une fois. Je connaissais son immensité et son attrait, son offre de dénouement.

Je savais qu'ils s'y tenaient à présent tous les deux, côte à côte mais chacun seul, regardant dans les profondeurs de l'abîme.

———◄O►———

Quatrième partie

CONJONCTION

32

Un déferlement de soupçons

Lord John Grey à M. Arthur Norrington
4 février 1777
(Code 158)

Mon cher Norrington,
Suite à notre conversation, j'ai fait quelques découvertes dont
il me paraît prudent de vous faire part.
À la fin de l'année, je suis allé en France, où j'ai rendu visite
au baron Amandine. Je suis resté chez lui plusieurs jours et ai
eu d'amples occasions de converser avec lui en privé. J'ai de
bonnes raisons de croire que Beauchamp est en effet impliqué
dans l'affaire dont nous nous sommes entretenus et qu'il s'est
attaché à Beaumarchais, également compromis. Amandine ne
m'a pas paru préoccupé outre mesure par le fait que Beauchamp
l'utilise comme façade.
J'ai demandé une audience auprès de Beaumarchais, laquelle
m'a été refusée. Comme d'ordinaire il m'aurait reçu, je pense
avoir mis le doigt sur quelque chose. Il serait utile de surveiller
ces eaux-là.
Soyez également à l'affût de toute mention d'une société appelée Rodrigue Hortalez et cie dans la correspondance française
(je vous prie d'en parler également à l'officier chargé du courrier
espagnol). Je n'ai rien déniché de suspect à propos de cette compagnie mais n'ai rien pu découvrir de solide non plus, comme le
nom de ses directeurs, ce qui me paraît louche en soi.

Si vos responsabilités vous le permettent, je vous serais reconnaissant de me transmettre tout ce que vous apprendrez sur ces affaires.

Votre obligé,
lord John Grey

P.S. Pourriez-vous me dire, qui, au Département américain, est chargé de la correspondance ?

✳

Lord John Grey à Harold, duc de Pardloe
4 février 1777
(code familial secret)

Hal,
J'ai vu Amandine. Wainwright habite dans son manoir, un lieu baptisé Trois Flèches, et est l'amant du baron. J'ai également rencontré la sœur du baron, l'épouse de Wainwright. Elle est parfaitement au courant du lien entre son frère et son mari bien qu'elle ne le reconnaisse pas ouvertement. Au-delà de cela, elle ne sait strictement rien, et j'ai rarement vu femme aussi sotte. Elle se comporte d'une manière obscène et joue très mal aux cartes. Le baron aussi, ce qui m'a convaincu qu'il sait quelque chose au sujet des machinations politiques de Wainwright. Il s'est montré nerveux quand j'ai dirigé la conversation vers ce sujet, et je suis sûr qu'il n'est pas entraîné dans l'art de lancer de fausses pistes. Cela dit, il est loin d'être idiot, lui. Il a certainement parlé à Wainwright de ma visite. J'ai déjà demandé à Norrington de surveiller toute activité sur ce front.
Connaissant les capacités et les relations de Wainwright (ou plutôt son peu de relations), je n'arrive pas à comprendre son rôle dans cette histoire. Certes, si le gouvernement français nourrit vraiment les intentions dont il m'a fait part, il peut difficilement les communiquer publiquement, et le fait d'envoyer un homme comme Wainwright en parler à quelqu'un comme moi reste suffisamment confidentiel. L'avantage d'une telle approche

est qu'elle peut être niée après coup. Toutefois, quelque chose ne tourne pas rond dans cette affaire, et je n'arrive pas à savoir quoi.

Je serai bientôt de retour et espère d'ici là posséder de plus amples informations sur le capitaine Ezekiel Richardson ainsi que sur le capitaine Denys Randall-Isaacs. Si tu pouvais interroger tes relations sur ces deux noms, je t'en serais grandement reconnaissant.

Ton frère affectionné,
John

P.S. J'espère que ta santé va mieux.

✳

Harold, duc de Pardloe, à lord John Grey
6 mars 1777, Bath
(code familial secret)

Je ne suis pas mort. J'aurais aimé l'être. Bath est exécrable. Tous les jours, on m'enveloppe dans de la toile comme un paquet et on me plonge dans un bain d'eau bouillante qui pue les œufs pourris. Puis on me hisse au sec et on me force à boire cette immonde mixture. Mais, si je ne me soumets pas, Minnie menace de déposer une demande de divorce à la Chambre des lords pour motif de démence provoquée par l'abus d'actes immoraux. Je doute qu'elle le fasse, mais je capitule.

Denys Randall-Isaacs est le fils d'une Anglaise, Mary Hawkins, et d'un officier britannique, Jonathan Wolverton Randall, capitaine de dragons, décédé à la bataille de Culloden. Sa mère est toujours en vie et s'est remariée à un juif nommé Robert Isaacs, négociant à Bristol. Ce dernier possède, entre autres, une part d'un entrepôt à Brest. Denys est l'un de tes maudits politicards. Il entretient des liens avec Germain, mais je ne peux pas en apprendre davantage sans attirer l'attention. De toute manière, on ne peut rien apprendre, dans ce foutu trou qu'est Bath.

*Je ne sais pas grand-chose sur Richardson mais me rensei-
gnerai. J'ai écrit à des relations en Amérique. Oui, je suis discret,
merci, et mes contacts aussi.*

*John Burgoyne est ici, en cure. Il se pavane comme un paon
depuis que Germain a approuvé son plan d'invasion à partir du
Canada. Je lui ai parlé de William et de sa maîtrise du français
et de l'allemand, Burgoyne devant se faire accompagner de troupes du Brunswick. Toutefois, mets Willie en garde. Burgoyne se
prend pour le commandant en chef de l'armée en Amérique, ce
qui risque de faire grincer des dents Guy Carleton et Dick Howe.*

Trois Flèches… Qui est la troisième?

✳

Londres, 26 mars 1777
*Le Cercle des amateurs de beefsteak anglais, club pour
gentlemen.*

— Qui est la troisième? répéta Grey en fixant la lettre qu'il
venait de lire.

— La troisième quoi?

Harry Quarry tendit sa capote trempée au majordome,
se laissa tomber dans le fauteuil voisin de celui de Grey et
poussa un soupir d'aise en approchant ses mains du feu.

— Sacredieu, je suis gelé jusqu'à la moelle! Tu vas aller à
Southampton malgré *ça*?

Il agita une de ses mains blanchies par le froid vers la
fenêtre. Il tombait une neige fondue poussée presque à l'horizontale par le vent.

— Je ne pars pas avant demain. Cela devrait s'être arrêté
d'ici là.

Harry fit une moue dubitative.

— Tu rêves! Majordome!

M. Bodley trottait déjà dans leur direction les bras chargés d'un grand plateau sur lequel il avait posé du gâteau au
carvi, du biscuit de Savoie, de la confiture de fraises, de la
marmelade, des crêpes au beurre roulées dans un petit panier

protégé d'un linge blanc, des scones, de la crème fraîche épaisse, des tuiles aux amandes, un pot de flageolets cuits avec du bacon et des oignons, des sardines sur canapé, une assiette de tranches de jambon assorties de cornichons, une bouteille de cognac avec deux verres et, pour la forme sans doute, une théière fumante avec deux tasses en porcelaine.

— Ah ! fit Harry, rasséréné, je vois que tu m'attendais !

Grey sourit. Quand il n'était pas en campagne ou en déplacement pour son service, Harry Quarry entrait invariablement au Beefsteak à seize heures trente tous les mercredis.

— J'ai pensé que tu aurais besoin de forces, comme Hal est toujours souffrant.

Harry était l'un des deux colonels du régiment dont Hal était le colonel général, ainsi que le propriétaire dudit régiment. Tous les colonels ne prenaient pas une part active aux opérations de leur régiment. Hal, si.

— Ce tire-au-flanc ! maugréa Harry en saisissant la bouteille. Comment va-t-il ?

— Comme à son habitude, à en juger par sa correspondance.

Grey lui tendit la lettre, que Harry lut avec un sourire croissant.

— Cette Minnie ! Elle le mène vraiment par le bout du nez !

Il reposa la lettre et prit son verre.

— Qui est Richardson ? Et pourquoi te renseignes-tu à son sujet ?

— Ezekiel Richardson, capitaine. Il vient des lanciers mais a été détaché pour accomplir des missions de renseignements.

— Ah, il fait de l'espionnage, ton coco ? Un de tes amis de la Chambre noire ?

Quarry fronça le nez, mais il était difficile de dire s'il dénigrait les « cocos du renseignement » ou réagissait au petit pot de raifort qui accompagnait les sardines.

— Non, je ne le connais pas personnellement.

Grey ressentit la même angoisse sourde qui le tenaillait avec une fréquence accrue depuis qu'il avait reçu la lettre de William du Québec une semaine plus tôt.

— Il m'a été présenté par sir George, qui connaissait son père, mais nous n'avons pas eu l'occasion de discuter. J'ai entendu quelques rumeurs à son sujet…

— Mais n'est-ce pas la seule manière d'apprendre quoi que ce soit sur les hommes qui exercent ce métier ? Aaaaaaahhh !

Harry agita une main devant sa bouche grande ouverte, puis il toussa plusieurs fois, les yeux larmoyants. Il secoua la tête d'un air admiratif.

— Il est frais, ce raifort… Très frais !

Il s'en servit une autre cuillerée.

— Je l'ai rencontré à nouveau en Caroline du Nord, reprit Grey. Là, nous avons un peu parlé, et il m'a demandé la permission de proposer à William une mission de renseignements.

Quarry se figea, un canapé en suspens devant ses lèvres.

— Ne me dis pas que tu l'as laissé entraîner Willie dans ce merdier ?

— Ce n'était certainement pas mon intention, se défendit Grey, piqué. J'avais de bonnes raisons de croire que ce serait bien pour Willie. Ne serait-ce que parce que cela le sortait de la Caroline du Nord et lui permettait de rejoindre l'état-major de Howe.

Quarry acquiesça tout en mastiquant, puis il déglutit avec un effort visible.

— Soit. Et maintenant, tu as des doutes ?

— Oui. D'autant plus que je trouve très peu de gens qui connaissent bien Richardson. Tous ceux qui me l'ont recommandé ne l'ont fait que parce qu'il leur avait été recommandé par quelqu'un d'autre. Sauf sir George Stanley, qui se trouve actuellement en Espagne avec ma mère, et le vieux Nigel Bruce, qui a eu la fâcheuse idée de mourir entre-temps.

— Quel manque de considération !

— Je ne te le fais pas dire. Je pourrais sans doute dénicher d'autres informations, mais je n'en ai pas le temps. Dottie et moi partons après-demain.

Il lança un regard vers la fenêtre avant d'ajouter :

— Si le temps le permet.

— Ah. Et c'est là que j'interviens. Que dois-je faire des informations que je trouve ? Les transmettre à Hal ou te les envoyer ?

— À Hal, soupira Grey. Dieu sait à quoi ressemblera la poste en Amérique, même avec le Congrès siégeant à Philadelphie. Si tu tombes sur quelque chose d'urgent, Hal sera mieux placé pour s'en occuper que moi.

Quarry acquiesça puis remplit le verre de Grey.

— Tu ne manges rien, observa-t-il.

— J'ai déjeuné tard, mentit-il.

Il prit un scone et, sans conviction, le tartina de confiture. Quarry indiqua de nouveau la lettre du bout de sa fourchette.

— Et ce Denys machin-chouette ? Il faut que je me renseigne sur lui aussi ?

— S'il te plaît. Toutefois, j'en apprendrai peut-être plus à son sujet en Amérique. C'est là-bas qu'il a été vu la dernière fois.

Il mordit dans le petit pain. Il était à la fois friable et dense, l'équilibre délicat du scone parfait. Du coup, il sentit son appétit revenir un peu. Il se demanda s'il devait lancer Harry sur la piste du juif possédant un entrepôt à Brest, puis décida que non. La question de connexions avec la France était délicate et, si Harry était méthodique, il n'était pas subtil.

Quarry choisit une tranche de biscuit de Savoie, plaça dessus deux tuiles aux amandes et une noix de crème et engloutit le tout d'une seule bouchée. Où mettait-il tout ça ? Il était solidement charpenté et costaud mais n'avait jamais de ventre. Il devait se dépenser lors d'exercices énergiques dans les bordels, son sport favori en dépit de son âge.

Quel âge a-t-il au juste ? se demanda Grey. Quelques années de plus que lui-même, quelques années de moins que Hal. Il ne s'était encore jamais posé la question. Hal et lui semblaient immortels ; il ne pouvait imaginer un avenir sans eux. Cependant, sous sa perruque, Harry était désormais pratiquement chauve. Comme à son habitude, il l'avait enlevée pour se gratter la tête, puis remise de travers. Bien que les articulations de ses doigts fussent enflées, il maniait sa tasse avec son aisance coutumière.

Grey fut soudain conscient de sa propre mortalité, dans le raidissement d'un pouce, le picotement d'un genou. Surtout, dans la peur qu'il ne puisse plus être là pour protéger William alors qu'il avait encore besoin de lui.

Harry vit l'expression étrange sur son visage et demanda :

— Qu'est-ce qu'il y a ?

Grey sourit et reprit son verre de cognac.

— *Timor mortis conturbat me.*

— Ah ! fit Quarry, méditatif. Buvons à ça !

33

Le mystère s'épaissit

28 février 1777, Londres
Le major général John Burgoyne à sir George Germain

... Je n'imagine pas qu'une expédition arrivant par la mer puisse autant impressionner l'ennemi ni clore cette guerre avec autant d'efficacité qu'une invasion venue du Canada par Ticonderoga.

✳

4 avril 1777, à bord du *HMS Tartar*

Il avait prévenu Dottie de ne pas trop se charger, le *Tartar* n'étant qu'une frégate de vingt-huit canons. Malgré cela, il fut surpris de voir qu'elle n'emportait qu'une malle (certes, grande), deux valises et un sac à ouvrage.

— Comment, même pas une mante fleurie ? la taquina-t-il. William ne va pas te reconnaître.

— Peuh ! répondit-elle avec le talent de son père pour la concision.

Néanmoins, elle sourit légèrement. Elle était très pâle, et il espérait que ce n'était pas un signe annonciateur du mal de mer.

Il prit sa main et la tint jusqu'à ce que le dernier filet de terre anglaise ait disparu à l'horizon.

Il était encore stupéfait qu'elle soit parvenue à ses fins. Hal devait être encore plus affaibli qu'il ne le paraissait pour se faire embobiner ainsi et la laisser partir pour l'Amérique, même sous la protection de son oncle et dans l'objectif louable de soigner son frère. Naturellement, Minnie ne pouvait quitter le chevet de son mari ne fût-ce qu'un instant, même si elle se rongeait les sangs pour son fils. Mais qu'elle n'ait même pas émis un mot de protestation devant cette aventure…

— Ta mère est dans le coup, n'est-ce pas? demanda-t-il nonchalamment.

Elle se tourna brusquement vers lui, le dévisageant derrière un rideau de cheveux volant au vent.

— Quel coup?

Elle tenta de remettre un peu d'ordre dans la masse de sa chevelure blonde s'échappant de la trop fine résille dans laquelle elle l'avait emprisonnée.

— Aide-moi, veux-tu?

Il attrapa ses cheveux, les lissa des deux mains, les tressa habilement sous le regard admiratif d'un marin qui passait par là, tordit la natte en un chignon et fixa celui-ci à l'arrière de sa nuque avec le ruban de velours, dernier vestige de la résille déchirée. Sa tâche finie, il recula d'un pas en reprenant :

— «Quel coup», ne me fais pas rire! La redoutable machination que tu as entreprise.

Elle le fusilla du regard.

— Si c'est sauver Henry que tu appelles une «redoutable machination», je suis entièrement d'accord avec toi. Ma mère est prête à tout pour le récupérer. Toi aussi, autrement tu ne serais pas ici.

Sans attendre sa réponse, elle pivota sur ses talons et marcha le dos droit vers l'escalier menant aux cabines, le laissant sans voix.

L'un des premiers vaisseaux du printemps leur avait apporté d'autres nouvelles d'Henry. Il était vivant, Dieu soit loué, mais avait été grièvement blessé au ventre. L'hiver rude n'avait guère arrangé son état. Il avait été transféré à Philadelphie avec d'autres prisonniers britanniques. La lettre avait été rédigée par un ami officier, lui aussi captif, mais Henry était parvenu à griffonner quelques mots d'affection à sa famille et à signer en bas de la page. Le souvenir de ce gribouillis à peine lisible serra le cœur de Grey.

Toutefois, qu'il se trouvât à Philadelphie était encourageant. Lors de son séjour en France, Grey avait sympathisé avec un éminent Philadelphien. Cette relation lui serait peut-être utile. Il sourit malgré lui en se souvenant de sa rencontre avec l'Américain.

Il ne s'était pas arrêté longtemps à Paris. Juste le temps d'apprendre que Percival Beauchamp ne s'y trouvait pas, s'étant retiré pour l'hiver dans son domaine familial, Les Trois Flèches, près de Compiègne. Il avait donc acheté un chapeau bordé de fourrure et des bottes, s'était drapé dans sa cape la plus chaude, avait loué un cheval et s'était élancé sur les routes, bravant la tempête.

Arrivant couvert de boue et transi, il avait été accueilli avec suspicion, mais la qualité de ses vêtements et son titre lui avaient néanmoins valu d'entrer. On l'avait conduit dans un luxueux salon où brûlait – Dieu merci ! – un excellent feu.

Il s'était formé une image du baron Amandine sur la base des remarques de Percy. Il avait beau savoir qu'il était futile de théoriser avant même d'avoir observé, mais il était inhumain de s'empêcher d'imaginer.

Il avait plutôt bien réussi à chasser Percy de son esprit au cours des dernières... dix-huit, dix-neuf années ? Mais à présent que penser à lui était une nécessité autant professionnelle que personnelle, il était surpris de constater à quel point il s'en souvenait bien. Connaissant ses goûts, il avait dressé un portrait imaginaire d'Amandine conforme à ces derniers.

La réalité était différente. Le baron était un homme d'âge mûr, ayant quelques années de plus que Grey. Petit, assez rondelet, avec un visage ouvert et avenant. Élégant mais sans ostentation. Il l'accueillit avec une grande courtoisie et, quand il lui serra sa main, Grey sentit une petite décharge électrique le parcourir. L'expression du baron était polie, sans plus, mais il y avait une lueur de curiosité et d'avidité dans ses yeux et, en dépit de son physique quelconque, Grey sentit sa chair réagir.

Naturellement, Percy avait dû parler de lui à Amandine.

Surpris et sur ses gardes, Grey lui donna la brève explication qu'il avait préparée. Le baron lui répondit que, hélas, monsieur Beauchamp était parti chasser le loup en Alsace en compagnie de M. Beaumarchais. (*Voilà déjà un soupçon de confirmé !*) Mais milord lui ferait-il l'honneur d'accepter l'hospitalité des Trois Flèches, ne fût-ce que pour une nuit ?

Il accepta l'invitation en se confondant en remerciements puis, après avoir retiré sa cape et ses bottes, qu'il avait remplacées par les pantoufles criardes de Dottie (Amandine cligna des yeux ahuris avant de les louer exagérément), il fut conduit dans un long couloir bordé de portraits.

— Nous prendrons quelque rafraîchissement dans la bibliothèque, lui annonça Amandine. Vous devez mourir de froid et d'inanition. Mais avant, permettez-moi de vous présenter en chemin un autre de mes hôtes. Nous l'inviterons à se joindre à nous.

Grey acquiesça vaguement, distrait par la légère pression qu'exerçait la main du baron dans son dos, légèrement plus bas qu'à l'accoutumée.

— Le docteur Franklin est un Américain, poursuivit Amandine.

Il prononça ce mot avec une note d'amusement. Il avait une voix singulière : douce, chaude et légèrement vaporeuse, comme une tasse de thé Oolong avec beaucoup de sucre.

— Il aime passer chaque jour un moment dans le solarium. Il affirme que cela entretient sa santé.

Parvenu au bout du couloir, il poussa une porte et s'effaça pour laisser Grey passer. Grey l'avait regardé poliment pendant qu'il parlait et se tourna pour découvrir l'hôte américain, confortablement étendu sur une chaise longue matelassée, baignant dans un flot de lumière naturelle, nu comme un ver.

Au cours de la conversation qui suivit, menée par les trois hommes avec un aplomb irréprochable, Grey apprit que le docteur Franklin mettait un point d'honneur à prendre des bains de soleil chaque fois qu'il le pouvait. La peau, expliquat-il, respirait autant que les poumons, absorbant l'oxygène et libérant des impuretés. La capacité du corps à se défendre des infections était considérablement entravée quand la peau était en permanence étouffée par des vêtements insalubres.

Tout au long de la conversation, Grey sentit le regard d'Amandine sur lui, rempli d'amusement et d'interrogation, ainsi que la sensation de suffocation que ses propres vêtements insalubres infligeaient à sa peau.

C'était étrange de rencontrer un inconnu en sachant que ce dernier connaissait déjà votre secret le plus intime et que, si Percy n'avait pas menti, cet inconnu le partageait également. Cela lui procurait une sensation de danger et de vertige, comme s'il avançait la tête au-dessus d'un précipice. C'était également terriblement excitant, ce qui était encore plus alarmant.

L'Américain – qui parlait à présent d'une formation géologique singulière aperçue sur la route de Paris ; milord l'avaitil lui aussi remarquée ? – était un homme âgé, et son corps, bien qu'en excellent état hormis quelques taches violacées en bas des jambes – vestiges d'eczéma –, n'était pas un objet de convoitise sexuelle. Néanmoins, Grey sentait sa peau tendue sur ses os et avait la sensation qu'une bonne partie de son sang avait évacué son cerveau. Amandine le lorgnait ouvertement, et il se souvenait de sa conversation avec Percy au sujet de son épouse et de son beau-frère. *Tous les deux. En même temps ?* La sœur du baron avait-elle accompagné son époux ou se trouvait-elle au manoir ? Une fois de plus, Grey se demanda sérieusement s'il n'était pas un peu pervers.

— Nous joindrons-nous au bon docteur pour jouir des bienfaits de sa pratique, milord ?

Grey tressaillit en voyant le baron commencer à déboutonner sa veste. Heureusement, avant qu'il n'ait trouvé à répondre, Franklin se leva, déclarant qu'il en avait eu assez pour la journée. Se tournant vers Grey, il le regarda dans le blanc des yeux avec grand intérêt et une pointe d'amusement, puis ajouta :

— Mais surtout, que mon absence ne vous empêche pas de vous faire du bien tous les deux, messieurs.

D'une impeccable courtoisie, le baron se reboutonna aussitôt. Il leur annonça qu'il les retrouverait dans la bibliothèque pour l'apéritif et s'éclipsa.

Franklin avait une robe de chambre en soie. Grey la lui tint, observant ses fesses blanches, légèrement tombantes, mais remarquablement fermes et lisses tandis qu'il passait lentement les bras dans les manches, se plaignant d'un début d'arthrite dans les épaules.

Franklin se tourna et noua le cordon de sa ceinture.

— Merci, milord. Si je comprends bien, vous ne connaissiez pas Amandine avant aujourd'hui ?

— En effet. J'ai fait la connaissance de son… beau-frère, M. Beauchamp, il y a quelques années.

Il ajouta sans savoir pourquoi :

— En Angleterre.

Une lueur traversa le regard de Franklin en entendant « Beauchamp ».

— Vous le connaissez ? demanda Grey.

— Je connais ce nom. Beauchamp est donc anglais ?

Un certain nombre de possibilités stupéfiantes traversèrent l'esprit de Grey, mais une évaluation aussi rapide de chacune d'elles le convainquit que la vérité était sans doute plus sûre, et il répondit simplement par l'affirmative.

Durant les quelques jours qui suivirent, il eut de passionnantes conversations avec le docteur, au cours desquelles le nom de Percy Beauchamp brilla par son absence. Apprenant qu'il comptait se rendre dans les colonies au printemps, l'Américain insista pour lui donner des lettres d'introduction pour plusieurs amis. Quand le vieux monsieur rentra à Paris,

Grey avait développé pour lui une profonde sympathie… et la certitude qu'il savait précisément ce qu'était et avait été Beauchamp.

— Je vous demande pardon, monsieur.

L'un des marins du *Tartar* le poussa délicatement hors de son chemin, extirpant Grey de sa rêverie. Il se rendit soudain compte que ses mains nues étaient glacées et ses joues, insensibilisées par le vent glacé. Laissant les marins à leur travail, il descendit sous le pont, ressentant une petite chaleur singulière et honteuse au souvenir de son séjour aux Trois Flèches.

✳

3 mai 1777

New York

Cher papa,

Je viens de recevoir ta lettre concernant Henry. J'espère de tout mon cœur que tu pourras découvrir où il se trouve et obtenir sa libération. Si j'apprends quoi que ce soit d'utile à son sujet, je ferai mon possible pour te le faire savoir. Y a-t-il quelqu'un à qui je pourrais adresser mes lettres dans les colonies ? (À défaut d'une autre solution, je les enverrai à Philadelphie aux bons soins de M. Sanders, avec une copie au juge O'Keefe, à Richmond, pour être plus sûr.)

Pardonne-moi de ne pas avoir écrit plus tôt. Ce n'est pas (hélas !) dû à un excès d'activité de ma part, mais plutôt à l'ennui et à l'absence de quoi que ce soit d'intéressant à raconter. Après un hiver monotone emmuré dans Québec (bien que j'aie beaucoup chassé et abattu une créature très féroce appelée un carcajou), j'ai enfin reçu de nouveaux ordres de l'aide de camp du général Howe à la fin mars, quand certains des hommes de sir Guy sont rentrés à la citadelle. Il me rappelait à New York.

Je n'ai plus jamais eu de nouvelles du capitaine Randall-Isaacs et n'ai rien pu apprendre de plus depuis mon retour. J'ai bien peur qu'il ne se soit perdu dans le blizzard. Si tu connais sa famille, pourrais-tu leur envoyer un mot de ma part en leur disant que j'espère qu'il en est sorti indemne ? Je le ferais moi-même mais ne sais comment les retrouver ni comment exprimer mes sentiments avec délicatesse au cas où ils seraient inquiets pour son sort, ou pire, ne le seraient plus. Tu sauras quoi leur dire, toi. Tu trouves toujours les mots justes.

J'ai eu plus de chance avec mon propre voyage, n'ayant subi qu'un naufrage mineur en descendant le fleuve. (Lors du portage à Ticonderoga, un groupe de tireurs d'élite américains nous ont pris pour cible depuis le fort. Il n'y eut pas de blessés, mais nos canots furent criblés de balles, ce dont nous ne nous sommes aperçus que lorsque nous les avons remis à l'eau et que deux d'entre eux ont coulé à pic. Après avoir marché un long moment dans la boue jusqu'à la taille, j'ai retrouvé la route infestée d'insectes carnivores.) Depuis mon retour, nous n'avons rien fait de bien palpitant, même s'il circule constamment des rumeurs que « c'est pour demain ». Trouvant l'oisiveté encore plus exaspérante dans un décor « civilisé » (sans compter qu'aucune fille à New York ne sait danser), je me suis porté volontaire pour acheminer des dépêches, ce qui m'a un peu défoulé.

Puis, hier, j'ai reçu l'ordre de retourner au Canada pour y rejoindre l'état-major du général Burgoyne. (Dois-je détecter là-dedans ton œuvre machiavélique, papa ? Si c'est le cas, merci !)

En outre, j'ai revu le capitaine Richardson. Il m'a rendu visite dans ma chambre hier soir. J'étais fort surpris, ne l'ayant pas revu depuis près d'un an. Il ne m'a pas demandé de compte rendu de notre expédition à Québec (ce qui n'a rien d'étonnant, nos informations étant désormais dépassées) et, quand je l'ai interrogé à propos de Randall-Isaacs, il m'a répondu ne rien savoir.

Il avait appris que je devais livrer des dépêches spéciales en Virginie avant de partir pour le Canada et, sans vouloir d'aucune manière me retarder dans ma mission, m'a demandé si j'accepterais de lui rendre un petit service. J'étais sur mes gardes après mon long séjour dans les glaces du Nord. Il s'agit de livrer un message codé à un groupe de loyalistes en Virginie, ce que je pourrais faire facilement, connaissant bien le terrain. Cela ne devrait pas me retarder de plus d'un jour ou deux, m'a-t-il assuré.

J'ai accepté, mais plus parce que j'aimerais revoir certaines parties de la Virginie, dont je garde un souvenir chaleureux, que pour obliger le capitaine Richardson. Cet homme ne m'inspire pas confiance.

Fais bon voyage, papa, et transmets toute mon affection à ma chère Dottie, que j'ai tant hâte de retrouver. (Dis-lui que j'ai tué quarante-deux hermines au Canada. De quoi lui faire confectionner une cape superbe !)

Ton très affectionné bon à rien,

William

———◄O►———

34

Psaume trente

6 octobre 1980, Lallybroch

Brianna avait négocié avec la commission hydroélectrique de passer trois jours sur le terrain, inspectant les sites, surveillant les opérations de maintenance et les réparations, et de travailler chez elle les deux autres jours à rédiger des rapports, à établir des fiches et à s'occuper de la paperasserie. Elle était en train de déchiffrer les notes de Robert Cameron concernant l'alimentation électrique de la seconde turbine de loch Errochty, qui semblaient avoir été écrites avec un crayon gras sur les vestiges du sac ayant contenu son déjeuner, quand elle entendit des bruits dans le bureau du laird de l'autre côté du couloir.

Elle était vaguement consciente d'un bourdonnement grave depuis un certain temps mais l'avait pris pour celui d'une mouche coincée derrière une vitre. Puis le bourdonnement se transforma en mots – et une mouche ne pouvait chanter « Le roi de l'amour est mon berger » sur l'air de *St. Columba*.

Elle se figea, réalisant soudain qu'elle avait reconnu l'air. La voix était aussi râpeuse que de la toile d'émeri et craquait de temps à autre… mais elle montait et descendait… Elle chantait vraiment !

La chanson s'interrompit brusquement dans une quinte de toux puis, après moult raclements de gorge et fredonnements prudents, la voix s'éleva à nouveau, entonnant cette fois un vieil air écossais intitulé, si elle se souvenait bien, *Crimond*.

L'Éternel est mon berger, je ne manquerai de rien.
Il me fait reposer dans de verts pâturages.
Il me mène près des eaux paisibles.

« Près des eaux paisibles » fut répété plusieurs fois sur différents tons, puis l'hymne reprit avec une vigueur accrue :

Il restaure mon âme,
Il me conduit dans les sentiers de la justice,
À cause de Son Nom.

Assise derrière son bureau, elle tremblait, les larmes coulant le long de ses joues, un mouchoir pressé contre sa bouche pour qu'il ne l'entende pas. « Merci, murmura-t-elle dans le tissu. Oh, merci ! »

Le chant s'arrêta et le fredonnement reprit, grave et satisfait. Elle se ressaisit et s'essuya les yeux. Il était presque midi. Il allait entrer d'un instant à l'autre dans son bureau pour lui demander si elle était prête à déjeuner.

Roger avait nourri de sérieux doutes quant à son poste d'assistant chef de chœur, des doutes qu'il s'était efforcé de ne pas lui montrer et qu'elle avait néanmoins partagé jusqu'à ce qu'il rentre un jour à la maison et lui annonce qu'on lui avait confié le chœur d'enfants. Dès lors, elle n'avait plus douté. Les enfants étaient à la fois capables de faire des remarques désinhibées sur les défauts des gens et d'accepter totalement ces défauts une fois qu'ils s'y étaient habitués.

Lorsqu'il était rentré de sa première répétition avec un grand sourire, elle lui avait demandé :

— Combien de temps ont-ils mis avant de t'interroger sur ta cicatrice ?

Il avait passé deux doigts sur le bourrelet irrégulier en travers de sa gorge sans cesser de sourire.

— Je n'ai pas chronométré, mais je dirais environ trente secondes. « S'il vous plaît, m'sieur MacKenzie, qu'est-ce que vous avez dans le cou ? Vous avez été pendu ? »

— Et que leur as-tu répondu ?

— Que j'ai été pendu en Amérique mais ai survécu, par la grâce de Dieu ! Quelques-uns d'entre eux ont des frères plus âgés qui ont vu *L'Homme des hautes plaines* et le leur ont raconté, ce qui a considérablement augmenté ma cote. Maintenant que le pot aux roses a été découvert, ils s'attendent à ce que je vienne à la prochaine répétition avec mon revolver.

Là-dessus, il l'avait fait pleurer de rire avec sa meilleure imitation du regard ténébreux de Clint Eastwood.

Elle en riait encore rien qu'au souvenir quand Roger passa la tête dans l'entrebâillement de la porte et demanda :

— À ton avis, combien y a-t-il de versions musicales du psaume vingt-trois ?

— Vingt-trois ? répondit-elle au hasard.

— Uniquement six dans le livre des cantiques presbytériens, mais il en existe des versifications en anglais remontant jusqu'à 1546. J'en ai trouvé une dans le *Bay Psalm Book*, une autre dans le vieux *Scottish Psalter*, ainsi que quelques-unes ici et là. J'ai également vu la version en hébreu, mais il est sans doute préférable de l'épargner à la congrégation de St. Stephen. Les catholiques ont-ils une mise en musique ?

— Les catholiques ont une mise en musique pour tout et n'importe quoi mais, chez nous, les psaumes sont généralement psalmodiés.

Elle huma l'air, cherchant une odeur de cuisine, avant d'ajouter fièrement :

— Je connais quatre formes de chants grégoriens, mais il en existe beaucoup plus.

— Ah oui ? Chante pour moi.

Il se planta au milieu du couloir tandis qu'elle essayait de se remémorer les paroles du psaume vingt-trois. La forme la plus simple lui revint machinalement ; elle l'avait psalmodiée tant de fois quand elle était enfant qu'elle était ancrée dans ses os.

— C'est fascinant, déclara-t-il quand elle eut fini. Tu veux bien me le refaire une ou deux fois plus tard? J'aimerais le faire entendre aux enfants. Je pense que le plain-chant leur conviendrait bien.

La porte de la cuisine s'ouvrit brusquement et Mandy apparut en serrant contre elle Polly, une peluche qui avait autrefois été une sorte d'oiseau et n'était plus qu'un morceau de tissu éponge crasseux avec des ailes.

— Soupe, maman! Viens manger la soupe!

Ils déjeunèrent donc d'une soupe en boîte, accompagnée de sandwichs au fromage et de *pickles*. Annie MacDonald n'était pas un cordon-bleu, mais tout ce qu'elle préparait était mangeable. Aux yeux de Brianna, c'était un luxe, car elle se souvenait d'autres repas mangés sur un sol détrempé autour d'un feu mourant dans les montagnes et de pitances calcinées extirpées d'un âtre rempli de cendres. Elle lança un regard de profonde affection vers la cuisinière à gaz Aga qui faisait de la cuisine la pièce la plus douillette de la maison.

— Chante-moi, papa!

Mandy, du fromage coincé entre les dents et barbouillée de moutarde, implorait son père du regard.

Roger avala une miette de travers, toussa puis s'éclaircit la gorge.

— Que veux-tu que je te chante?

— T'ois sou'is ve'tes!

— D'accord, mais tu dois chanter avec moi pour me donner le ton.

Il tapa en rythme sur la table avec sa cuillère.

— Trois souris vertes… chanta-t-il.

Il pointa la cuillère vers Mandy, qui prit une grande inspiration et hurla à pleins poumons:

— T'ois… sou'is… VEEE'TE!

Toutefois, son rythme était impeccable. Roger lança un regard surpris à Brianna et continua la chanson en tapant le même contrepoint. Après cinq ou six répétitions toniques, Mandy se lassa et avec un bref «s'cusez-moi», se leva de table et fila vers la porte telle une abeille volant en rase-mottes.

— Au moins, elle a le sens du rythme... commença Roger.

Il grimaça en entendant un fracas dans le couloir et acheva :

— ... à défaut d'une bonne coordination motrice. Il faudra attendre un peu avant de savoir si elle a une bonne oreille. Ton père avait un excellent sens du rythme, mais il était incapable de chanter deux fois de suite la même note.

— Ça m'a rappelé un peu ce que tu faisais à Fraser's Ridge, déclara Brianna. Quand tu chantais un verset de psaume et le faisais répéter aux autres.

L'expression de Roger changea. À l'époque, il venait de découvrir sa vocation, et la certitude de sa foi l'avait transformé. Elle ne l'avait jamais vu aussi heureux auparavant, ni depuis, et son cœur se serra en apercevant la lueur de regret dans ses yeux.

Il saisit sa serviette et essuya un peu de moutarde qu'elle avait au coin des lèvres.

— Ça s'appelle l'antienne et c'est démodé, dit-il. Ça se fait encore dans les îles et, peut-être, dans quelques parties reculées du Gaeltacht, mais les presbytériens américains ne veulent plus en entendre parler.

— Pourquoi pas ?

— *Il convient de chanter le psaume sans le morceler verset par verset*, récita-t-il. *Cette pratique fut introduite en des temps d'ignorance, quand bon nombre de fidèles ne savaient pas lire. Il est donc recommandé de ne plus l'utiliser.* C'est extrait de la Constitution de l'église presbytérienne américaine.

Elle nota mentalement au passage qu'il avait donc bien envisagé d'être ordonné pendant qu'ils étaient à Boston.

— « Des temps d'ignorance », répéta-t-elle. Je me demande ce qu'en penserait Hiram Crombie.

Cela le fit rire. Puis il reprit :

— Cela dit, il est vrai que la plupart des gens à Fraser's Ridge ne savaient pas lire. Mais je ne suis pas d'accord avec l'idée qu'on chantait uniquement les psaumes de cette façon à cause de l'illettrisme ou de l'absence de livres. Chanter tous ensemble, c'est formidable, j'en conviens, mais je pense que de le faire avec ce système de va-et-vient entre le prêtre et la congrégation rapproche les gens, les implique davantage dans ce qu'ils chantent, dans ce qui est en train de se passer. Ne serait-ce que parce qu'ils doivent se concentrer davantage pour se souvenir de chaque verset.

Il sourit brièvement, puis détourna les yeux.

Brianna pria de toutes ses forces Dieu, la Vierge Marie, l'ange gardien de Roger ou tous les trois à la fois : *Je vous en prie, faites qu'il trouve un moyen !*

— Au fait, je voulais te demander quelque chose... déclara-t-il sur un ton hésitant.

— Quoi donc ?

— Eh bien... Jemmy chante bien. Ça t'ennuierait s'il m'accompagnait ? Bien sûr, il irait toujours à la messe avec toi. Ce serait uniquement si ça lui dit, mais je crois que chanter dans un chœur lui plairait. Et puis... j'aimerais qu'il me voie avec un vrai travail, moi aussi.

— Il serait aux anges !

Elle remercia mentalement les cieux. *Quelle rapidité !* Elle se demanda si Roger se rendait compte que cela leur ouvrait une porte pour que Mandy et elle assistent aux services presbytériens sans créer de conflit entre leurs deux religions.

— Tu viendrais avec nous à la première messe à St. Mary ? demanda-t-elle. Comme ça, nous n'aurions qu'à traverser le fleuve pour nous rendre à St. Stephen et vous écouter chanter, Jem et toi.

— Oui, bien sûr.

Il se figea soudain, le sandwich à quelques centimètres de sa bouche, et lui sourit, ses yeux aussi verts que la mousse.

— Ça va mieux, non ? demanda-t-il.

— Beaucoup mieux.

✳

Plus tard dans l'après-midi, Roger l'appela depuis son bureau. Il avait étalé une carte de l'Écosse sur la table, près du cahier où il rédigeait ce qu'ils appelaient entre eux le *Guide du routard galactique* d'après la célèbre comédie radiophonique de la BBC ; une plaisanterie qui déguisait à peine le malaise que le sujet leur inspirait.

— Désolé de t'interrompre dans ton travail, mais j'ai pensé qu'il valait mieux faire ça avant que Jem rentre de l'école. Si tu retournes à loch Errochty demain (il pointa le bout de son stylo sur la tache bleue du lac), pourrais-tu effectuer un relevé du tunnel au compas ? À moins que tu saches exactement où il se trouve...

Elle sentit son ventre se nouer au souvenir de la galerie obscure, du petit train bringuebalant, du passage à travers... la chose.

— Non, répondit-elle. Mais j'ai mieux que ça.

Elle retourna dans son bureau et revint quelques instants plus tard avec le classeur contenant les caractéristiques techniques de la centrale de loch Errochty.

— Voici les croquis pour la construction du tunnel, dit-elle en l'ouvrant sur la table. J'ai également les bleus, mais ils sont dans mon bureau au siège.

— Non, ceci ira parfaitement. Tout ce qu'il me faut, c'est l'orientation du tunnel par rapport au barrage. À ce propos, as-tu visité le barrage de long en large ?

— Non, je n'ai été que du côté est, là où se trouve le poste de maintenance. Mais je ne pense pas que... Regarde (elle posa l'index sur le dessin) : je l'ai senti quelque part vers le milieu du tunnel, et celui-ci est presque perpendiculaire au barrage. Tu penses qu'il s'agit d'un courant linéaire, c'est ça ?

Il hésita.

— Je n'en sais rien, mais c'est toujours un point de départ. Je suppose que vous autres ingénieurs avez un terme qui sonne mieux que « supposition » ?

— Une « hypothèse de travail », répliqua-t-elle. Quoi qu'il en soit, si le phénomène ne se produit pas en des endroits aléatoires mais suit un courant linéaire je l'aurai sans doute croisé à nouveau à l'intérieur du barrage. Je pourrais toujours y retourner pour vérifier.

Elle pouvait entendre la réticence dans sa propre voix. Il lui caressa le dos pour la rassurer.

— Non, c'est moi qui irai.

— Quoi ?

— J'irai, répéta-t-il doucement. On verra bien si je le sens aussi.

Elle se redressa brusquement.

— Non ! Tu ne peux pas. Et si... s'il t'arrivait quelque chose ? Tu ne peux pas courir ce genre de risque.

Il la dévisagea longuement, méditatif, puis hocha la tête.

— Oui, il y a forcément un risque, mais il est petit. J'ai parcouru toutes les Highlands quand j'étais jeune. J'ai parfois senti quelque chose de bizarre me traverser, ici ou là. C'est le cas de la plupart des gens qui vivent ici. Cette étrangeté fait partie des lieux.

Au même titre que les chevaux des eaux, les banshees et le Nuckelavee, pensa-t-elle.

— Mais tu sais de quel genre d'étrangeté il s'agit, Roger. Tu es bien placé pour savoir qu'elle peut te tuer !

— Elle ne t'a pas tuée, toi, souligna-t-il. Elle ne nous a pas tués non plus à Ocracoke.

Il avait parlé sur un ton léger, mais elle pouvait voir l'ombre de cette traversée passer sur son visage. Ils n'avaient pas été tués, mais n'en étaient pas passés loin.

— Non. Mais...

Elle le regarda et, l'espace d'un instant déchirant, ressentit à la fois la douceur de son long corps chaud couché contre le sien dans le lit, le son de sa voix râpeuse et le silence froid de son absence.

— Non ! répéta-t-elle fermement.

À son ton, il était clair qu'elle entendait se montrer aussi têtue que possible sur ce sujet. Il jugea plus prudent de ne pas insister. Comparant le dessin et la carte, il posa la pointe de son crayon sur un point correspondant plus ou moins au centre du tunnel et lui lança un regard interrogateur. Elle acquiesça et il dessina une légère marque en forme d'étoile à l'emplacement désigné.

Il y avait déjà une grande étoile à l'encre noire sur le cercle de menhirs de Craigh na Dun, et d'autres plus petites au crayon sur l'emplacement de divers monuments mégalithiques. Un jour, ils iraient peut-être sur place pour vérifier, mais pas tout de suite. Plus tard.

— Tu as déjà été à Lewis ? demanda Roger.

— Non, pourquoi ?

— Les Hébrides extérieures font partie du Gaeltacht. On chante les antiennes en *gàidhlig* sur les îles de Lewis et de Harris. Je ne sais pas comment cela se passe sur Uist et Barra ; elles sont principalement catholiques. J'aimerais y faire un tour un de ces jours.

Elle pouvait voir l'île Lewis, en forme de pancréas, au large de la côte occidentale de l'Écosse. C'était une grande carte détaillée, assez pour qu'elle distingue la légende « *Site mégalithique de Callanish* » au centre de l'île.

— D'accord, on ira ensemble, annonça-t-elle.

— Mais tu as un travail, maintenant.

— Je prendrai une journée de congé.

Ils se dévisagèrent un moment un silence, puis Brianna lança un regard vers la pendule.

— Jem ne va pas tarder à rentrer. Il faut que je m'occupe du dîner. Annie nous a apporté un beau saumon que son mari a pêché. Je le mets à mariner ou tu le préférerais grillé ?

Il se leva et replia la carte.

— Je ne dîne pas à la maison. C'est le soir de ma tenue maçonnique.

※

La grande loge maçonnique provinciale de l'Inverness-shire était composée de plusieurs loges locales, dont deux à Inverness. Roger avait rejoint la loge numéro 6, la plus ancienne, quand il avait vingt ans, mais n'avait plus remis les pieds dans le bâtiment depuis une quinzaine d'années. Il était donc partagé entre la méfiance et l'anticipation.

Néanmoins, il était chez lui. La première personne qu'il croisa fut Barney Gaugh, le chef de gare, un grand costaud souriant qui l'avait accueilli quand il était arrivé par le train à Inverness à l'âge de cinq ans pour vivre avec son grand-oncle. M. Gaugh s'était considérablement rabougri, et ses dents jaunies par la nicotine avaient été remplacées par un dentier tout aussi jaune, mais son visage s'illumina lorsqu'il reconnut Roger. Il le prit par le bras et l'entraîna vers un groupe d'autres hommes âgés qui poussèrent des exclamations de surprise en le voyant.

Un peu plus tard, alors qu'ils commençaient la cérémonie habituelle du Rite écossais, Roger eut l'impression étrange d'avoir fait un bond en arrière. C'en était presque comique.

Il y avait des différences, certes, mais infimes. S'il fermait les yeux et remplaçait l'odeur de cigarette par la fumée d'un feu de cheminée, il imaginait qu'il aurait pu se trouver dans la cabane des Crombie, où avaient eu lieu leurs tenues. Le murmure des voix, les questions et réponses, puis les corps se détendant, la soirée devenant purement sociale autour de cafés et de thés.

Il y avait beaucoup plus de monde qu'à l'époque où il y venait dans sa jeunesse. Il ne remarqua pas tout de suite Lionel Menzies. Le directeur d'école se trouvait à l'autre bout de la salle, le front plissé par la concentration, écoutant ce que lui racontait un grand gaillard en bras de chemise. Roger hésita, ne voulant pas interrompre une conversation, puis l'interlocuteur de Menzies se tourna dans sa direction sans cesser de parler et s'interrompit brusquement, fixant Roger. Plus précisément, fixant sa gorge.

Tout le monde dans la loge avait regardé la cicatrice, ouvertement ou discrètement. Il portait une chemise au col ouvert sous sa veste. Il était inutile de tenter de la cacher ; autant la montrer tout de suite et en finir. Cependant, l'inconnu la fixait avec une telle insistance que c'en était presque insultant.

Se rendant compte que son compagnon était distrait (cela pouvait difficilement lui échapper), Menzies suivit son regard et aperçut Roger, qu'il salua d'un large sourire.

— Monsieur MacKenzie !

— Appelez-moi Roger, s'il vous plaît.

Il était habituel de s'appeler par le prénom dans les loges, quand on ne s'adressait pas formellement à « frère Untel ou Untel ». Menzies fit signe à son compagnon d'approcher et fit les présentations :

— Rob Cameron, Roger MacKenzie. Rob est mon cousin, Roger est le père d'un de mes élèves.

— Je m'en doutais, dit Cameron en lui serrant vigoureusement la main. Je veux dire, je me suis dit que vous ne pouviez être que le nouveau chef de chœur. Mon petit neveu chante avec vous, Bobby Hurragh. Il nous a beaucoup parlé de vous au cours du dîner la semaine dernière.

Roger avait surpris le regard entendu entre les deux hommes quand Menzies l'avait présenté et devina que le directeur d'école avait également déjà parlé de lui à son cousin, probablement en lui racontant sa visite après l'incident entre Jem et sa maîtresse.

Avant de lâcher la main de Cameron, il exerça une pression supplémentaire, le faisant tiquer.

— Rob Cameron, répéta-t-il. Vous ne travaillez pas pour la commission hydroélectrique, par hasard ?

— Mais si. Comment...

— Vous devez alors connaître ma femme. Brianna MacKenzie.

Roger lui adressa un grand sourire, dévoilant toutes ses dents.

Cameron ouvrit la bouche, mais aucun son n'en sortit. S'en rendant compte, il la referma brusquement.

— Euh... oui, en effet.

Roger avait jaugé l'homme en serrant sa main et savait que, s'ils en venaient aux poings, il aurait le dessus. De toute évidence, Cameron le savait aussi.

— Elle... euh...

— Oui, elle m'a raconté.

— Écoutez, ce n'était qu'une blague idiote...

Cameron l'examina d'un air méfiant au cas où Roger lui demanderait de l'accompagner dehors.

— Rob ? demanda Menzies. De quoi s'agit...

— Comment ça ? Comment ça ? s'écria le vieux Barney en se précipitant vers eux. Pas de politique dans la loge, mon garçon ! Si tu veux gaver frère Roger avec tes conneries de SNP, emmène-le au pub plus tard.

Saisissant Cameron par le coude, il l'entraîna vers un autre groupe à l'autre bout de la salle. Là, Cameron se mêla aussitôt à la conversation, ne lançant qu'un bref dernier regard à Roger.

Roger se tourna vers Menzies.

— « Conneries de SNP » ?

Le directeur d'école haussa les épaules en souriant.

— Vous avez entendu le vieux Barney : pas de politique !

C'était l'une des règles maçonniques de base, on ne discutait ni de religion ni de politique dans les loges, ce qui expliquait sans doute pourquoi la franc-maçonnerie survivait depuis aussi longtemps. Roger n'aimait pas beaucoup le SNP, le Parti national écossais, mais Cameron l'intriguait.

— Non, je ne m'intéresse pas à la politique, je me demandais simplement si Rob était un militant convaincu.

— C'est un peu de ma faute, frère Roger. J'ai raconté à mon épouse l'incident qui est survenu entre Jem et Mlle Glendenning et... vous connaissez les femmes ! Ma belle-sœur étant la voisine de Rob, celui-ci a eu vent de l'affaire. Elle l'a intéressé en raison du *gàidhlig*, voyez-vous ? Il a tendance à toujours en faire un peu trop et à se laisser emporter, mais je suis sûr qu'il ne voulait pas manquer de respect à votre femme.

Comprenant que Menzies se méprenait sur Cameron et Brianna, Roger décida de ne pas éclairer sa lanterne. Il n'y avait pas que les femmes qui cancanaient : le commérage était un art de vivre dans les Highlands et, si l'histoire du mauvais tour que Rob et ses copains avaient joué à Brianna se répandait, cela risquait de lui faire du tort dans son travail. Cherchant à dévier la conversation, il déclara :

— Naturellement, je suppose que le SNP veut ressusciter le *gàidhlig*. Rob Cameron le parle-t-il ?

— Non, ses parents faisaient partie de ceux qui ne voulaient pas que leurs enfants le parlent. Aujourd'hui, il a très envie de l'apprendre. D'ailleurs, à ce sujet…

Il hésita, regardant Roger en inclinant la tête sur le côté.

— Après notre conversation de l'autre jour, il m'est venu une idée.

— Oui ?

— Accepteriez-vous de donner un cours de temps en temps ? Peut-être uniquement pour la classe de Jem, ou, si vous vous en sentez le courage, une présentation pour toute l'école.

— Un cours ? De gaélique ?

— Oui, que les bases, naturellement, mais peut-être avec quelques explications historiques, un peu de chants… Rob me dit que vous êtes chef de chœur à St. Stephen ?

— Assistant chef de chœur, rectifia Roger. Pour ce qui est du chant, je ne suis pas sûr mais, pour le *gàidhlig*… oui, ça me tente assez. Laissez-moi y réfléchir.

✳

Il trouva Brianna l'attendant dans son bureau, une lettre de ses parents à la main, non ouverte.

Elle la posa et se leva pour l'embrasser.

— Nous ne sommes pas obligés de la lire ce soir, dit-elle. Mais j'avais besoin de les sentir proches. Comment s'est passée ta tenue ?

— Bizarrement.

Le contenu des travaux était secret, mais il pouvait lui parler de Menzies et de Cameron.

— C'est quoi, le SNP ? demanda-t-elle.

— Le Parti national écossais.

Il ôta sa veste et frissonna. Il faisait froid ; il n'y avait pas de feu dans le bureau.

— Il est apparu à la fin des années trente mais n'a vraiment pris de l'ampleur que récemment. En 1974, onze de ses membres ont été élus au Parlement, un résultat respectable.

Comme tu t'en doutes, son objectif est d'obtenir l'indépendance de l'Écosse.

— « Respectable »... répéta Brianna, dubitative.

— Oui, enfin, comme tous les partis, il compte son lot de cinglés mais, pour autant que j'aie pu en juger, Rob Cameron n'en fait pas partie. C'est juste un trou du cul de base.

Elle se mit à rire.

— Oui, c'est bien Rob, reconnut-elle.

— Menzies m'a dit qu'il s'intéressait au gaélique. Si j'enseigne à une classe, j'espère ne pas le trouver au premier rang.

— Quoi ? Tu vas donner des cours de gaélique ?

— Eh bien... peut-être. On verra.

Il ne se sentait pas encore prêt à réfléchir sérieusement à la proposition de Menzies, sans doute à cause du chant. Croasser un air avec les enfants pour les guider était une chose ; chanter seul devant un public en était une autre.

— Ça peut attendre, déclara-t-il avant de l'embrasser. Lisons plutôt la lettre.

✳

2 juin 1777, fort Ticonderoga

— Fort Ticonderoga ? s'exclama Brianna.

Elle manqua d'arracher la lettre des mains de Roger.

— Mais qu'est-ce qu'ils fichent là-bas ?

— Je n'en sais rien. Si tu arrêtes de t'agiter cinq minutes, on le saura peut-être.

Elle ne répondit pas mais fit le tour du bureau et lut par-dessus son épaule, son menton posé dans le creux de sa clavicule, ses cheveux lui chatouillant la joue.

Il se tourna et l'embrassa.

— Tout va bien. C'est ta mère ; sa lettre est pleine de parenthèses. Quand elle digresse comme ça, c'est qu'elle est de bonne humeur.

— Oui, peut-être, mais... fort Ticonderoga ?

Ma chère Bree et vous tous,

Comme vous l'avez sans doute deviné en lisant le haut de cette lettre, nous ne sommes pas (encore) en Écosse. Nous avons rencontré un certain nombre d'obstacles sur notre route, impliquant a) la marine royale en la personne d'un capitaine Stebbings qui a tenté d'enrôler de force ton père et ton cousin Ian (ce fut un échec); b) un corsaire américain (bien que son capitaine, un personnage insupportable dénommé Hickman, considère le terme « lettre de marque » plus digne pour désigner sa mission, à savoir s'adonner à la piraterie avec la bénédiction du Congrès continental); c) Rollo; et d) un monsieur dont je vous ai déjà parlé, appelé (je le croyais alors) John Smith, mais qui s'avère à présent être un déserteur de la marine royale du nom de Bill Marsden (alias « Jonah la poisse », et je commence à comprendre pourquoi).

Sans entrer dans le détail de toute cette farce sanglante, je tiens à vous préciser que Jamie, Ian, le maudit chien et moi-même allons bien. Jusqu'à présent. J'espère pouvoir en dire autant dans quarante-deux jours, quand l'engagement de ton père en tant que colonel de milice prendra fin. (C'est une longue histoire. En deux mots, il le fait pour sauver la peau de M. Marsden et offrir une issue de secours à deux douzaines de marins devenus pirates par accident.) Dès qu'il se sera libéré de sa charge, nous déguerpirons par le premier bateau en route vers n'importe quel coin d'Europe, tant que ce bateau ne sera pas dirigé par le susmentionné Hickman. Nous devrons peut-être pour cela nous rendre à Boston. (Je suis curieuse de voir à quoi ressemble la ville aujourd'hui. La Black Bay sera encore une vraie baie envahie par la mer, et le Common sera sans doute envahi de vaches.)

Le fort est commandé par le général Anthony Wayne. J'ai comme la désagréable impression d'avoir entendu Roger l'appeler « Anthony le fou ». J'espère qu'il doit ou devra son surnom à son comportement dans la bataille plutôt qu'à sa gestion du fort. Pour le moment, il me semble rationnel, quoique soucieux.

De fait, il est plutôt rationnel de sa part d'être soucieux dans la mesure où il attend l'arrivée imminente des troupes britan-

niques. *Pendant ce temps, son ingénieur en chef, M. Jeduthan Baldwin (il te plairait ; un type très énergique !), construit un grand pont qui reliera le fort à une hauteur baptisée le mont Independence. Ton père commande une équipe d'ouvriers travaillant sur cet ouvrage. Depuis mon perchoir sur l'une des batteries en demi-lune du fort, je peux le voir en ce moment même. Il se détache du lot, faisant deux fois la taille de la plupart des hommes et étant l'un des rares à porter une chemise. En raison de la chaleur et de l'humidité, bon nombre d'entre eux travaillent entièrement nus ou vêtus uniquement d'un petit carré de tissu noué autour de la taille. Compte tenu des moustiques, je pense que c'est une erreur, mais personne ne m'a demandé mon avis.*

Personne ne m'a consultée non plus sur les protocoles hygiéniques d'une infirmerie et d'une prison (nous avons amené plusieurs prisonniers anglais avec nous, y compris le capitaine Stebbings mentionné plus haut, qui devrait avoir passé l'arme à gauche depuis belle lurette mais qui s'obstine à survivre). Je leur ai néanmoins dit ce que j'en pensais, ce qui me vaut d'être désormais persona non grata *auprès du lieutenant Stactoe, qui se prend pour un médecin. Je ne peux donc rien faire pour les malheureux qu'il prétend soigner et dont la plupart seront morts d'ici un mois. Heureusement, personne ne se soucie des femmes, des enfants et des prisonniers, dont je peux donc m'occuper. J'ai largement de quoi faire, car ils sont nombreux.*

J'ai la nette impression que Ticonderoga a changé de mains à un moment ou un autre, probablement à plusieurs reprises, mais n'ai aucune idée de qui l'a pris à qui et quand. Ce dernier point me préoccupe un peu.

Le général Wayne ne dispose de pratiquement aucune troupe régulière. Selon Jamie, le fort manque cruellement d'effectifs (je m'en rends moi-même compte : la moitié des casernes sont vides). Il y a bien quelques compagnies de miliciens qui débarquent de temps à autre depuis le New Hampshire et le Connecticut, mais les hommes ne s'enrôlent généralement que pour deux ou trois mois (comme nous l'avons fait). Même ainsi, souvent, ils ne restent pas jusqu'au bout de leur engagement, et le nombre de combattants dans le fort fond lentement. Le général Wayne se plaint publiquement de ce que sa garnison est réduite à (je le cite) « des Nègres, des Indiens et des femmes ». J'ai rétorqué que cela pourrait être pire.

Jamie me dit également qu'il manque au fort la moitié de ses canons. Ces derniers ont été emportés il y a deux ans par un libraire obèse nommé Henry Fox qui, par des prouesses d'ingénierie et de ténacité, est parvenu à les acheminer jusqu'à Boston, où ils ont été très utiles pour refouler les Anglais. (M. Fox a dû lui-même être transporté dans une carriole à côté des canons, l'homme pesant plus de trois cent trente livres. L'un des officiers du fort, qui a accompagné l'expédition, nous l'a décrite en nous faisant pleurer de rire.)

Plus inquiétant encore, une petite colline se dresse juste en face de nous de l'autre côté du lac. Les Américains l'ont baptisée le mont Defiance quand ils ont pris le fort aux Anglais en 1775. (Tu te souviens d'Ethan Allen ? « Rendez-vous, au nom du grand Jehovah et du Congrès américain ! » J'ai entendu dire que ce pauvre M. Allen se trouvait actuellement en Angleterre, en train d'être jugé pour trahison après avoir poussé le bouchon un peu trop loin et tenté de refaire le coup à Montréal.) Toujours est-il que Wayne n'a pas les moyens d'y placer de l'artillerie et des hommes. Je crains fort que les Anglais, s'ils finissent par arriver, se rendent compte rapidement que cette colline domine le fort et que ce dernier se trouve à portée de canons depuis son sommet.

Sur le plan positif, l'été est presque là. Les cours d'eau regorgent de poissons et, s'il y avait des champs de coton, les plants m'arriveraient jusqu'à la taille. Il pleut souvent, et je n'avais jamais vu autant de végétation dans un même endroit. (L'air est tellement chargé d'oxygène que cela m'étourdit parfois et je suis obligée de faire un détour par les casernes pour inhaler une bouffée revitalisante de linge sale et de pots de chambre.) Tous les quelques jours, ton cousin Ian conduit une expédition de chasse et de cueillette. Jamie et un bon nombre d'autres hommes sont des pêcheurs accomplis, et nous mangeons donc extrêmement bien.

Je ne vais pas m'étendre plus longtemps sur le sujet, ne sachant pas encore quand ni où je pourrai envoyer cette lettre (nous copions chacune d'elles, quand nous en avons le temps, et en envoyons plusieurs exemplaires via les routes de Jamie. En effet, le courrier normal n'est vraiment plus fiable ces temps-ci). Avec un peu de chance, elle arrivera avec nous à Édimbourg. En attendant, recevez toute notre affection. Jamie rêve des petits de temps en temps. J'aimerais en faire autant.

Maman

Roger resta silencieux un moment, s'assurant que Bree avait fini de lire la lettre. En fait, elle lisait plus vite que lui, mais il ne doutait pas qu'elle voudrait la relire plusieurs fois. Elle poussa un soupir contrarié et se redressa. Il posa une main sur sa taille, qu'elle couvrit de la sienne en serrant ses doigts, le regard absent. Puis elle se tourna vers la bibliothèque et indiqua une étagère.

— Ceux-là sont nouveaux, n'est-ce pas ?

— Oui. Je les ai commandés à Boston. Ils sont arrivés il y a quelques jours.

Les tranches étaient neuves et brillantes. Des livres d'histoire traitant de la Révolution américaine. *Encyclopedia of the American Revolution*, de Mark M. Boatner IIII. *A Narrative of a Revolutionary Soldier*, de Joseph Plumb Martin.

— Tu veux savoir ?

Il pointa le menton vers le coffret ouvert sur la table devant eux. Il restait une épaisse liasse de lettres non ouvertes posée sur les livres. Il n'avait pas encore eu le courage d'avouer à Brianna qu'il avait regardé les deux petits ouvrages.

— On sait qu'ils ont pu quitter Ticonderoga sains et saufs, autrement il ne resterait pas autant de lettres.

— En tout cas, on sait que l'un d'eux au moins s'en est sorti, précisa Brianna. À moins que... Ian est au courant. Il aurait pu...

Roger saisit la liasse d'un air décidé. Brianna retint son souffle tandis qu'il parcourait les enveloppes.

— Claire, Claire, Claire, Jamie, Claire, Jamie, Jamie, Claire, Jamie...

Il s'arrêta sur une enveloppe rédigée d'une écriture qui ne lui était pas familière.

— Tu as peut-être raison au sujet de Ian. Tu sais à quoi ressemble son écriture ?

Elle fit non de la tête.

— À dire vrai, je ne me souviens pas de l'avoir vu écrire quoi que ce soit, mais je suppose qu'il sait lire et écrire.

— Bon... Que veux-tu faire ? demanda-t-il.

Roger remit la lettre dans la liasse, regarda l'étagère puis Brianna. Elle était nerveuse, hésitante. Puis elle prit sa décision et se dirigea vers la bibliothèque d'un pas ferme.

— Lequel de ces livres nous dira à quelle date le fort Ticonderoga est tombé ?

✳

George III, Rex Britannia
À lord George Germain

... Burgoyne prendra le commandement des troupes qui avanceront sur Albany à partir du territoire canadien.

En tenant compte des maladies et autres contingences, nous ne pouvons nous permettre d'engager plus de sept mille de nos hommes sur le lac Champlain, car le front canadien doit être protégé... Il faudra employer des Indiens.

◄o►

35

Ticonderoga

Je trouvai Jamie endormi nu sur la paillasse de la minuscule chambre qui nous avait été attribuée. Elle se trouvait au dernier étage de l'un des baraquements en pierre et était donc une véritable fournaise au milieu de l'après-midi. Cependant, nous y étions rarement durant la journée, Jamie travaillant sur le lac à la construction du pont et moi dans le bâtiment de l'hôpital ou dans les quartiers des familles, où par ailleurs on étouffait tout autant.

D'un autre côté, les pierres chauffées par le soleil durant la journée libéraient une douce chaleur pendant les nuits fraîches. Nous n'avions pas de cheminée, et une bonne brise provenant du lac pénétrait par notre petite lucarne au coucher du soleil. Pendant quelques heures, entre dix heures du soir et deux heures du matin, la température était très agréable. Pour le moment, il n'était que vingt heures. Il faisait encore jour dehors et chaud dedans. Les épaules de Jamie luisaient de transpiration et ses tempes étaient moites.

Notre minuscule chambre présentait un avantage : étant la seule pièce au dernier étage, nous jouissions d'un peu d'intimité. Elle avait aussi ses inconvénients : quarante-huit marches de pierre à grimper chargés d'eau et à descendre avec les pots de chambre. Je venais de monter un grand seau d'eau qui me semblait peser une tonne bien que j'en aie renversé la moitié sur le devant de ma jupe. Je le posai avec un bruit sourd qui fit bondir Jamie, qui cligna des yeux dans la pénombre.

— Oh, pardon ! Je ne voulais pas te réveiller.

Il bâilla, s'étira puis se gratta le crâne des deux mains.

— Ce n'est rien, *Sassenach*. Tu as dîné ?

— Oui, j'ai mangé avec les femmes. Et toi ?

D'ordinaire, il mangeait avec les hommes de son équipe lorsqu'ils avaient fini leur travail, mais il arrivait qu'il soit convoqué à dîner avec le général St. Clair ou avec d'autres officiers de milice. Ces occasions plus formelles se tenaient beaucoup plus tard.

— Mmm-mmm.

Il se rallongea sur la paillasse et m'observa pendant que je versais de l'eau dans une petite bassine en fer-blanc et sortais un morceau de savon. Je me mis en chemise et me frottai méticuleusement, la soude piquant ma peau à vif et me faisant larmoyer.

Je me rinçai les mains et les bras, puis criai « Prenez garde ! » avant de jeter le contenu de la bassine par la fenêtre. Me voyant recommencer à me récurer, Jamie me demanda, intrigué :

— Que t'arrive-t-il ?

— Je suis presque sûre que le fils de Mme Wellman a les oreillons. Je ne veux pas courir le risque de te les transmettre.

— C'est si grave que ça, les oreillons ? Je croyais que seuls les petits enfants les attrapaient.

— En fait, *c'est* une maladie enfantine mais, quand un adulte la contracte, notamment un homme adulte, cela peut être plus grave. Elle tend à se loger dans les testicules et, à moins que tu ne tiennes à avoir des bourses grosses comme deux pastèques…

— Tu es sûre d'avoir assez de savon, *Sassenach* ? Je pourrais aller t'en chercher un autre.

Il me sourit puis se redressa et saisit la mince bande de lin qui nous servait de serviette.

— Viens là, *a nighean*, que je te sèche les mains.

— Attends une minute.

Je me débarrassai de mon corset, laissai tomber ma chemise et l'accrochai à une patère près de la porte. Puis j'enfilai ma « chemise d'intérieur ». Ce n'était pas tout à fait aussi hygiénique que de travailler dans une blouse chirurgicale, mais le fort était infesté de toutes sortes de maladies et j'étais prête à tout pour éviter d'en ramener à Jamie. Il était déjà suffisamment exposé en plein air.

Je me débarbouillai avec l'eau restante puis m'assis sur la paillasse près de Jamie, poussant un petit gémissement en sentant mon genou craquer.

Il me frotta doucement les mains avec la serviette.

— Mon Dieu, dans quel état elles sont ! murmura-t-il. Et tu as un coup de soleil sur le bout de ton petit nez.

— Tu as vu les tiennes ?

Déjà calleuses en temps normal, ses mains n'étaient qu'une masse de bosses, d'écorchures, d'échardes et d'ampoules. Il haussa les épaules avec un soupir et se recoucha en s'étirant avec un grognement de plaisir. Me voyant me masser le genou, il me demanda :

— Il te fait encore mal, *Sassenach* ?

L'articulation ne s'était jamais tout à fait remise de la violente torsion qu'elle avait subie quand j'étais tombée sur le pont du *Pitt*, et monter l'escalier ravivait la douleur.

— Bah, ce n'est qu'une facette de mon déclin général, plaisantai-je.

Je fléchis lentement mon bras droit, sentant un tiraillement dans le coude.

— Beaucoup de choses ne se plient plus aussi facilement qu'avant. D'autres sont douloureuses. Parfois, j'ai l'impression de tomber en morceaux.

Jamie ferma un œil et me contempla de l'autre.

— J'ai cette impression depuis que j'ai vingt ans. On s'y fait.

Il s'étira, ses articulations émettant des petits craquements, puis me tendit une main.

— Viens te coucher, *a nighean*. Quand tu me fais l'amour, plus rien ne me fait mal.

Il avait raison. Toutes mes douleurs s'envolèrent.

*

Je m'endormis rapidement mais me réveillai d'instinct quelques heures plus tard pour aller vérifier l'état des quelques patients nécessitant un suivi médical. Ces derniers incluaient le capitaine Stebbings qui, non content de s'obstiner à survivre, refusait d'être soigné par quiconque autre que moi. Cela n'avait guère plu au lieutenant Stactoe et aux autres médecins mais, les caprices du capitaine Stebbings étant appuyés par l'intimidante omniprésence de Guinea Dick – avec ses tatouages et ses dents limées –, je restais son médecin attitré.

Le capitaine était légèrement fiévreux et respirait laborieusement, mais il dormait. En m'entendant approcher, Guinea Dick se leva de sa paillasse telle une apparition cauchemardesque.

— Il a mangé ? demandai-je à voix basse.

Je posai doucement une main sur le poignet de Stebbings. Il avait considérablement maigri. Même dans la pénombre, je distinguais ses côtes, qu'il m'avait fallu chercher il n'y avait pas si longtemps.

— Il a mangé un peu de soupe, m'ame, chuchota l'Africain.

Il me montra un bol couvert d'un mouchoir pour empêcher les cafards d'y grimper.

— Comme vous m'avez dit, je lui en donne un peu chaque fois qu'il se réveille pour pisser.

— Très bien.

Le pouls de Stebbings était rapide mais pas alarmant. Je me penchai sur lui en inhalant mais ne sentis aucune odeur de gangrène. J'avais pu lui retirer le tube de sa poitrine deux jours plus tôt et, s'il y avait une légère exsudation purulente au niveau de l'incision, cela ne me paraissait être qu'une infection locale qui disparaîtrait sans doute d'elle-même. De toute manière, il le faudrait bien, puisque je n'avais rien pour la soigner.

Il n'y avait pratiquement aucune lumière dans la salle d'hôpital, à part celle d'une chandelle à mèche de jonc et le reflet des feux dans la cour. Je ne pouvais pas voir le teint de Stebbings mais aperçus un éclat blanc quand il entrouvrit les yeux. Il grogna en me reconnaissant et les referma.

— Très bien, répétai-je.

Je me relevai et le laissai aux tendres soins de M. Dick.

On avait proposé au Guinéen de s'enrôler dans l'armée continentale, mais il avait refusé, préférant être prisonnier de guerre aux côtés du capitaine Stebbings, de M. Ormiston et de quelques autres marins du *Pitt*.

Il avait expliqué simplement :

— Je suis Anglais, homme libre. Prisonnier peut-être un moment mais libre. Marin, mais libre. Américain, peut-être pas libre.

Il n'avait pas tout à fait tort.

Je sortis de l'hôpital et me rendis chez les Wellman pour vérifier mon cas d'oreillons. Douloureux mais pas dangereux. Puis je traversai lentement la cour illuminée par la lune naissante. La brise du soir s'était calmée, mais l'air était encore frais. Je grimpai sur la batterie en demi-lune qui donnait sur l'étroit goulot du lac Champlain et, en face, sur le mont Defiance.

Il y avait deux sentinelles, toutes deux endormies et empestant la vinasse. Cela n'avait rien d'inhabituel. Le moral dans le fort n'était pas au plus haut tandis que l'alcool était facilement disponible.

Je me tins devant le parapet, une main sur un canon, son métal encore tiède de la chaleur de la journée. Pourrions-nous partir avant que les combats n'éclatent ? Il nous restait trente-deux jours à tirer, et je trépignai déjà d'impatience. Outre la menace représentée par l'armée anglaise, le fort suppurait et puait. C'était comme de vivre dans un cloaque, et je ne pouvais qu'espérer que Jamie, Ian et moi parviendrions à partir avant d'avoir contracté une affreuse maladie ou d'avoir été agressé par un soudard.

J'entendis de légers pas derrière moi et, me tournant, vis la silhouette grande et élancée se détacher sur la lueur des feux de la cour en contrebas.

— Je peux vous parler, tante Claire ?

— Oui, bien sûr.

Surprise par cet accès de formalité, je me poussai pour lui laisser de la place près de moi. Ian indiqua du menton le pont à demi construit à nos pieds.

— Cousine Brianna aurait un ou deux mots à dire au sujet de ce chantier. Oncle Jamie aussi.

— Je sais.

Jamie se tuait à les répéter depuis deux semaines au nouveau commandant du fort, Arthur St. Clair, aux autres colonels de milices, aux ingénieurs, à tous ceux qui voulaient bien l'entendre, et même à ceux qui ne le voulaient pas. L'absurdité de gaspiller autant d'énergie humaine et de matériaux pour construire un ouvrage qui pouvait être si facilement détruit par quelques coups de canon tirés du mont Defiance n'échappait à personne, sauf à ceux qui étaient aux commandes.

Ce n'était pas la première fois que j'étais témoin de l'aveuglement militaire. Ce ne serait certainement pas la dernière.

— De quoi voulais-tu me parler, Ian ?

— Vous vous souvenez des Hurons qui sont venus au fort il y a quelque temps ?

Effectivement, deux semaines plus tôt, un groupe de Hurons s'était présenté au fort. Ian avait passé une soirée à fumer avec eux et à écouter leurs histoires. Certains lui avaient parlé du général anglais Burgoyne, qui les avait accueillis un peu plus tôt.

D'après eux, Burgoyne sollicitait activement les Indiens de la ligue des Iroquois, consacrant beaucoup de temps et d'argent pour les attirer dans son camp.

L'un des Hurons avait déclaré en riant :

— Il dit que ses Indiens sont son arme secrète. Qu'il les lâchera sur les Américains. Qu'ils leur tomberont dessus comme l'orage et les foudroieront jusqu'au dernier.

Compte tenu de ce que je savais des Indiens en général, je trouvais Burgoyne un tantinet trop optimiste. Toutefois, je préférais ne pas penser à ce qui pourrait arriver s'il parvenait effectivement à persuader un grand nombre d'entre eux de se battre pour lui.

Perdu dans ses pensées, Ian regardait au loin la masse sombre du mont Defiance.

— Pourquoi viens-tu me raconter ça, Ian ? Ça concerne plutôt Jamie et St. Clair.

— Je le leur ai déjà dit.

Un huard cria de l'autre côté du lac, émettant un son étonnamment puissant et sinistre. Quand ils s'y mettaient à plusieurs, on aurait dit des fantômes faisant des tyroliennes. M'impatientant légèrement, j'insistai :

— Alors, de quoi voulais-tu me parler ?

Il se tourna vers moi.

— De bébés.

— De quoi ?

Depuis le passage des Hurons, il m'avait paru sombre et silencieux. Je m'étais doutée qu'il y avait un rapport avec leurs conversations mais ne voyais pas trop ce que venaient faire les bébés là-dedans.

— De la manière dont on les fait, dit-il maladroitement.

Je laissai passer un temps, puis déclarai :

— Ian, je refuse de croire que tu ignores comment on fait les enfants. Que veux-tu savoir exactement ?

Il pinça les lèvres, gêné, puis lâcha enfin :

— Je veux savoir pourquoi je ne peux pas en avoir.

Je me passai un doigt sur les lèvres, déconcertée. Je savais… Brianna m'avait raconté qu'Emily, son épouse mohawk, avait donné le jour à une enfant mort-née et avait fait ensuite deux fausses couches. Je savais aussi que cet échec avait contraint Ian à quitter la communauté mohawk de Snaketown et à revenir parmi nous.

— Qu'est-ce qui te fais penser que c'était de ta faute ? demandai-je. En cas de fausse couche ou d'enfant mort-né, l'homme tient toujours la femme pour responsable. La plupart des femmes aussi, d'ailleurs.

J'en avais voulu autant à Jamie qu'à moi-même.

Il émit un petit bruit de gorge impatient.

— Pas les Mohawks. Ils disent que, quand un homme couche avec une femme, leurs deux esprits se combattent. S'il la vainc, l'enfant est planté. Sinon, il ne se passe rien.

— Hmmm… c'est une manière de voir les choses. Ils n'ont peut-être pas tout à fait tort non plus. Le problème peut venir de l'homme, de la femme, mais aussi d'une incompatibilité entre les deux.

— Dans le groupe de Hurons, il y avait une femme, Kanien'kehaka. Elle vient de Snaketown et m'a connu là-bas. Elle m'a dit qu'après mon départ Emily a eu un enfant. Un enfant qui a vécu.

Il remuait nerveusement tout en parlant, se balançant d'un pied sur l'autre en faisant craquer les articulations de ses doigts. La lune illuminait son visage, creusant ses cernes.

— Je pense souvent à elle, tante Claire. À Emily. Et à Yeksa'a… notre petite.

Il s'interrompit, serrant fort un de ses poings dans son autre main, puis il se ressaisit et reprit, plus calmement :

— Récemment, il m'est venu une autre idée. Si nous arrivons… *Quand* (il lança un regard par-dessus son épaule, comme s'il s'attendait à ce que Jamie surgisse d'une trappe) nous serons en Écosse… on voudra peut-être me marier à nouveau…

Il releva vers moi des traits tirés par le chagrin mais également habités par un espoir et des doutes qui me fendirent le cœur.

— Je ne pourrais pas reprendre une femme en sachant que je ne peux pas lui donner d'enfants.

Il baissa à nouveau la tête.

— Vous ne pourriez pas… euh, peut-être… examiner mes parties, tante Claire ? Pour voir si j'ai quelque chose qui cloche ?

Il baissa la main vers sa braguette, mais je l'arrêtai précipitamment.

— Cela peut attendre, Ian. Donne-moi d'abord plus de détails, nous verrons ensuite si tu as besoin d'un examen.

— Vous êtes sûre, tante Claire ? Oncle Jamie m'a parlé des petits têtards que vous lui avez montrés dans sa semence. Je me suis dit que la mienne n'était peut-être pas tout à fait normale.

— Pour le vérifier, il me faudrait un microscope. En outre, le plus souvent, quand les spermatozoïdes sont anormaux, la conception n'a pas lieu. Or, si j'ai bien compris, ce n'était pas votre cas. Dis-moi...

J'hésitai à lui poser la question mais ne pouvais faire autrement.

— As-tu vu ta fille ?

Les religieuses à Paris m'avaient montré la mienne, insistant doucement : « Il est préférable que vous la voyiez. »

— Pas vraiment, répondit-il. C'est-à-dire que... j'ai vu le petit paquet qu'ils en avaient fait. Ils l'ont enveloppée dans une peau de lapin et l'ont accrochée haut dans la fourche d'un cèdre rouge. J'y allais la nuit pour la regarder. J'ai souvent songé à la descendre et à la démailloter rien que pour voir son visage. Mais cela aurait perturbé Emily, alors je ne l'ai pas fait.

— Tu as sûrement bien fait, mais... comment dire... Est-ce qu'Emily ou une des femmes qui l'ont aidée à accoucher t'ont parlé d'un défaut quelconque du bébé ? Était-elle... déformée d'une manière ou d'une autre ?

Il me lança un regard choqué et ses lèvres remuèrent en silence quelques instants.

— Non, répondit-il enfin.

Il y avait à la fois de la peine et du soulagement dans sa voix.

— Non, j'ai posé la question à Emily. Elle ne voulait pas parler d'Iseabaìl – c'est comme ça que je l'aurais baptisée –, mais j'ai insisté jusqu'à ce qu'elle accepte de me dire à quoi elle avait ressemblé. Elle était parfaite.

Il baissa les yeux vers le pont en construction et répéta doucement :

— Parfaite.

Comme Faith. Elle aussi avait été parfaite.

Je posai une main sur son avant-bras noueux.

— C'est bon signe, dis-je. Très bon signe. Maintenant, parle-moi de la grossesse. Tâche de te souvenir de tout ce qui s'est passé durant cette période. Ta femme a-t-elle eu des saignements entre le moment où elle a compris qu'elle était enceinte et l'accouchement ?

Lentement, je le guidai à travers l'espoir et la peur, la désolation de chaque perte, les symptômes dont il se souvenait et ce qu'il savait de la famille d'Emily. Y avait-il eu d'autres mort-nés parmi ses proches ? D'autres fausses couches ?

La lune traversa le ciel et entama sa descente. Je m'étirai enfin et conclus :

— Je ne peux pas en être sûre, mais il se peut que le problème vienne d'une incompatibilité de rhésus.

— D'une quoi ?

Je me voyais mal lui faire un exposé sur les groupes sanguins, les antigènes et les anticorps. En outre, ce n'était pas si différent de l'explication des Mohawks.

— Cela vient du sang de chacun. Si une femme possède un rhésus négatif et son mari un rhésus positif, l'enfant sera positif, car c'est un gène dominant ; peu importe ce que cela signifie, mais l'enfant sera positif comme son père. Parfois, tout se passe bien lors de la première grossesse, et les complications n'apparaissent qu'à la seconde. Parfois, cela se produit dès la première. Le corps de la mère produit une substance qui tue l'enfant. Si une femme au rhésus négatif fait un enfant avec un homme négatif également, l'enfant naît négatif et tout se passe bien. Puisque tu me dis qu'Emily a mis au monde un enfant qui a survécu, ce doit être que son nouveau mari est négatif lui aussi.

J'ignorais tout de la prévalence du rhésus négatif chez les Amérindiens, mais ma théorie tenait la route.

— Si c'est le cas, repris-je, tu ne devrais pas avoir de problème avec une autre femme. La plupart des Européennes ont un rhésus positif, à quelques exceptions près.

Il me dévisagea si longtemps sans rien dire que je me demandai s'il avait compris quelque chose.

— Disons que c'est le destin, dis-je doucement. Ou la malchance. Mais ce n'était pas ta faute. Ni la sienne.

Ni la mienne, ni celle de Jamie.

Il acquiesça lentement, puis il se pencha en avant et posa sa tête contre mon épaule quelques instants.

— Merci, ma tante, murmura-t-il.

Il releva la tête et déposa un baiser sur ma joue.

Le lendemain, il était parti.

———◄o►———

36

Le grand marais

21 juin 1777

William ne cessait de s'émerveiller de la route. Certes, elle ne s'étirait que sur quelques kilomètres, mais de pouvoir pénétrer droit dans le grand marais là où, des années plus tôt, il se souvenait d'avoir dû faire nager son cheval à plusieurs reprises tout en évitant les tortues carnivores et les serpents venimeux... le progrès tenait du miracle. Sa monture semblait être du même avis ; elle avançait d'un pas léger, dépassant les nuages de minuscules taons jaunes qui tentaient de les suivre, les yeux des insectes luisant comme de minuscules arcs-en-ciel quand ils s'approchaient.

— Profites-en autant que tu peux, déclara William à son hongre en tapotant son encolure. Ça ne durera pas. La bourbe nous attend plus loin.

Bien que dégagée des jeunes pousses de copalme et de pins qui encombraient ses bords, la route était boueuse, mais ce n'était rien à côté des tourbières traîtresses et des mares cachées qui les guettaient de l'autre côté des rangées d'arbres. Il se hissa légèrement dans ses étriers, regardant devant lui. Était-ce encore loin ? Dismal Town se trouvait au bord du lac Drummond, celui-ci étant au cœur du grand marais. Il ne s'était encore jamais aventuré aussi loin dans le Great Dismal et n'avait aucune idée de sa taille réelle.

Il savait que la route n'allait pas jusqu'au lac. Mais il y avait sûrement des pistes. Les habitants de Dismal Town devaient bien entrer et sortir de leur ville de temps à autre.

Il répéta lentement :

— Washington, Cartwright, Harrington, Carver.

C'était les noms des loyalistes de Dismal Town que lui avait indiqués le capitaine Richardson. Il les avait mémorisés avant de brûler le morceau de papier sur lequel ils étaient écrits. À présent, pris de panique à l'idée de les oublier, il se les répétait à intervalles réguliers depuis le début de la matinée.

Il était midi passé. Les nuages clairsemés du matin s'étaient rassemblés en tissant un plafond bas couleur de laine sale. Il inspira profondément mais ne perçut pas encore les odeurs piquantes d'un déluge imminent. Outre la puanteur du marais, avec ses remugles de vase et de végétaux en décomposition, il sentait sa propre peau, salée et fétide. Il s'était lavé les mains et la tête quand il avait pu, mais il ne s'était pas changé depuis deux semaines. Sa chemise de chasse rêche et ses culottes en homespun commençaient à le démanger sérieusement.

Ce n'était peut-être que la transpiration séchée et la poussière. Il se gratta furieusement l'entrejambe, sentant quelque chose lui courir sur la peau. Il avait dû attraper un pou dans la dernière taverne.

Le pou, si c'en était bien un, eut la sagesse de se montrer plus discret, et le picotement cessa. William remarqua que les odeurs autour de lui s'étaient faites plus âcres ; la sève des arbres résineux montant avec l'approche de la pluie. L'air avait soudain acquis cette qualité statique qui étouffait tous les bruits. Les oiseaux ne chantaient plus. C'était comme si son cheval et lui avançaient seuls dans un monde ouaté.

William n'avait rien contre la solitude. Il avait grandi seul, sans frères ni sœurs, et savait se satisfaire de sa propre compagnie. En outre, la solitude lui permettait de réfléchir.

— Washington, Cartwright, Harrington et Carver, fredonna-t-il.

En réalité, mis à part cette liste de noms, sa mission n'offrait guère de quoi s'occuper l'esprit, et ses pensées se tournèrent rapidement vers un sujet plus divertissant.

Quand il était sur la route, c'était surtout aux femmes qu'il pensait. Il toucha la poche intérieure de sa veste et sentit le petit livre qu'il avait emporté pour le voyage. Il avait dû choisir entre le Nouveau Testament offert par sa grand-mère et son précieux exemplaire d'*Une liste des dames de Covent Garden*. Il n'avait pas hésité longtemps

Quand il avait seize ans, il avait été surpris par son père en train de compulser avec un ami le célèbre annuaire de M. Harris, qui dressait l'inventaire des charmes des femmes de petite vertu de Londres. Lord John avait lentement feuilleté l'ouvrage, s'arrêtant parfois sur une page en écarquillant les yeux, puis l'avait refermé avec un soupir. Puis, après avoir brièvement sermonné les deux adolescents sur le respect dû au sexe faible, il leur avait ordonné d'aller chercher leurs chapeaux.

Dans une maison discrète et élégante au fond de Brydges Street, ils avaient pris le thé en compagnie d'une dame écossaise portant une très belle robe, Mme McNab. Cette dernière semblait entretenir des liens très amicaux avec son père. Une fois leur tasse vidée, elle avait agité une clochette en bronze et…

William s'agita sur sa selle avec un soupir. Elle s'appelait Margery et, éperdu d'amour pour elle, il lui avait écrit un panégyrique enflammé.

Après une semaine passée à faire ses comptes fébrilement, il était revenu dans l'intention de la demander en mariage. Mme McNab l'avait accueilli avec beaucoup de prévenance, l'avait patiemment écouté balbutier sa déclaration, puis lui avait déclaré que Margery serait sans doute très flattée de la haute estime dans laquelle il la tenait, mais qu'elle se trouvait actuellement occupée. Une charmante jeune fille, Peggy, venait de débarquer du Devonshire. Elle semblait bien seule et serait ravie qu'il lui fasse un brin de causette en attendant que Margery se libérât.

Quand il avait compris que l'élue de son cœur était en train de faire avec un autre ce qu'elle avait fait avec lui, le choc fut tel qu'il était resté planté bouche bée devant Mme McNab. Puis Peggy était entrée, fraîche comme un bouton de rose, blonde, souriante et avec une remarquable...

— Aïe !

William se donna une claque sur la nuque là où un taon venait de le piquer. Il lâcha un juron. Son cheval avait ralenti sans qu'il s'en aperçoive. Il jura à nouveau, plus fort. La route avait disparu.

— Comment est-ce possible ? s'exclama-t-il.

Sa voix lui parut toute faible, absorbée par la végétation. Les mouches l'avaient suivi. L'une d'elles piqua son cheval, qui agita violemment la tête.

— Allons, allons, dit William plus doucement. On ne peut pas être bien loin.

Il fit tourner son cheval, décrivant lentement ce qu'il espérait être un grand demi-cercle afin de croiser à nouveau la route. Le sol était humide, parsemé de hautes touffes d'herbe, mais non bourbeux. Les sabots du hongre laissaient de profondes empreintes rondes et soulevaient des mottes d'une terre argileuse qui adhérait à ses jarrets, à ses flancs et aux bottes de William.

Il avait pris la direction du nord-ouest. Il lança un regard vers le ciel qui ne lui fut guère utile. La grisaille uniforme était en train de changer avec, ici et là, un nuage plus ventru et plus sombre perçant le plafond bas. Un lointain grondement retentit, le faisant jurer à nouveau.

Le carillon étouffé de sa montre de gousset le rassura légèrement. Ne voulant pas risquer de la faire tomber dans la boue, il arrêta son cheval avant de la sortir de sa poche. Il était trois heures de l'après-midi. Il annonça à sa monture sur un ton encourageant :

— Ce n'est pas si mal, il nous reste plein de lumière du jour.

Naturellement, c'était une estimation très relative compte tenu des conditions atmosphériques.

Il examina le rassemblement de nuages tout en faisant des calculs. Pas de doute : il allait pleuvoir sous peu. Ce ne serait pas la première fois que son cheval et lui recevraient une belle saucée. Il mit pied à terre, déplia la toile du sac de couchage qui faisait partie de son équipement militaire, la drapa autour de ses épaules, en rabattit un pan par-dessus sa tête, puis remonta en selle et reprit sa recherche de la route disparue.

Avec les premières gouttes, une puissante odeur s'éleva de la terre, riche, verte et féconde… comme si le marais s'étirait après un long sommeil, ouvrant voluptueusement son corps au ciel telle une putain de luxe déployant sa chevelure parfumée.

William porta machinalement la main à sa poche, désireux de consigner cette image poétique dans la marge de son livre, puis y renonça en marmonnant : « Idiot ! »

Il n'était pas vraiment inquiet. Comme il l'avait dit au capitaine Richardson, il était entré et sorti du Great Dismal à de nombreuses reprises. Certes, il n'y était jamais venu seul ; mais il avait toujours été accompagné de son père, d'un groupe de chasseurs ou des amis indiens de lord John. Et c'était il y avait quelques années de cela. Mais…

— Merde !

Il avait engagé son cheval dans ce qu'il avait cru être un des fourrés qui avaient bordé la route, sauf que ce prétendu fourré ne finissait pas ; il formait plutôt un dense réseau inextricable de troncs de genévriers bruns et velus, aussi aromatiques qu'un verre de gin hollandais sous la pluie. Il n'y avait même pas assez de place pour faire demi-tour. Les empreintes des sabots de sa monture se remplissaient lentement d'eau, ce qui était mauvais signe. Ce n'était pas de l'eau de pluie. Le sol était mouillé, très mouillé. Il entendait le bruit de ventouse chaque fois que les pattes arrière du cheval s'enfonçaient dans la tourbe et, par réflexe, se penchait en avant en enfonçant ses genoux dans les flancs du hongre.

Ces signes contradictoires désorientèrent le cheval, qui trébucha, se redressa ; son arrière-train s'affaissa brusquement alors qu'il glissait dans la boue. Il se cabra avec un hennissement de surprise. Tout aussi surpris, William bascula par-dessus son encolure, fit la culbute et atterrit dans la boue.

Il se releva aussitôt d'un bond, terrifié à l'idée d'être aspiré dans une de ces fondrières tremblantes qui parsemaient le grand marais. Il avait vu un jour le squelette d'un cerf pris dans l'une d'elles. On n'en voyait plus que le crâne surmonté de bois, penché d'un côté, ses longues dents jaunes exposées dans un rictus évoquant un long cri d'agonie.

Il pataugea à toute vitesse vers un monticule couvert d'herbes, s'y percha et resta accroupi un instant tel un crapaud, le cœur battant. Son cheval... était-il pris au piège ?

Le hongre affolé se débattait dans la boue, projetant de grandes gerbes d'eau brune autour de lui, hennissant de panique.

William se retint à un bouquet d'ajonc et entra prudemment un pied dans l'eau. Était-ce une tourbière ou une simple mare ? Sa botte s'enfonça, s'enfonça... Il retira son pied, qui se détacha facilement avec un *plop*. Il tenta à nouveau. Oui, il y avait bien un fond. Il entra l'autre pied et se tint un instant les bras écartés, cherchant son équilibre.

Il avança jusqu'au cheval et récupéra la toile du sac de couchage qui s'était libérée dans sa chute. Il la jeta sur la tête du hongre en lui cachant les yeux. C'était ce qu'il fallait faire lorsqu'un cheval était trop effrayé pour sortir d'un bâtiment en flammes. Son père le lui avait montré au mont Josiah un jour que la foudre était tombée sur la grange.

L'opération semblait fonctionner. Le cheval agitait la tête d'avant en arrière mais avait cessé de se débattre dans la vase. William attrapa sa bride et lui souffla dans les naseaux, lui répétant des paroles apaisantes.

Le hongre s'ébroua, mais plus calmement. Il leva haut la tête, l'abaissa sur son poitrail et, dans le même mouvement, se hissa hors de la mare. Il se secoua de la crinière au bout de la queue, projetant de la boue à plusieurs mètres à la ronde.

William était trop soulagé pour s'en soucier. Il saisit un coin de la toile et l'écarta, puis il reprit la bride.

— Parfait, sortons d'ici.

Le cheval ne l'écoutait pas. Il venait de redresser brusquement la tête, la tournant d'un côté.

— Qu'est-ce que…

Les grands naseaux se dilatèrent et, avec un grognement explosif, le cheval partit soudain au grand galop, lui arrachant les rênes des mains et le faisant à nouveau tomber à la renverse dans la mare.

— Saloperie de canasson ! Qu'est-ce qui lui prend…

William s'interrompit brusquement et s'accroupit dans la boue. Une forme longue et grise venait de filer quelques mètres devant lui.

Il tenta de la suivre du regard, mais elle avait déjà disparu, poursuivant en silence le cheval affolé dont il entendait le galop au loin, ponctué du fracas de buissons écrasés ou d'une pièce de son équipement tombant à terre.

William resta immobile. Il avait entendu dire que les couguars chassaient parfois en couple.

Il tourna lentement la tête d'un côté puis de l'autre, osant à peine respirer de peur d'attirer l'attention de tout ce qui pouvait être tapi dans l'étroit enchevêtrement de noyers et de buissons derrière lui. Aucun bruit, hormis le clapotis croissant de la pluie dans le marais.

Une aigrette blanche s'envola brusquement de l'autre côté de la mare, et son cœur manqua de s'arrêter. Il retint son souffle et tendit l'oreille puis, comme il ne se passait rien, il se releva lentement, les pans de sa veste collant à ses cuisses et dégoulinant.

Il se tenait dans une tourbière. Il sentait une végétation spongieuse sous ses semelles. L'eau lui arrivait au-dessus du genou ; il ne s'enfonçait pas mais ne pouvait soulever les jambes. Il dut sortir un pied de sa botte, puis l'autre, puis tirer sur ses bottes pour les arracher au bourbier et patauger dans ses bas jusqu'à un morceau de terrain surélevé.

Ayant pris refuge sur un tronc couché à moitié pourri, il s'assit pour vider l'eau de ses bottes avant de les renfiler et de faire le point.

Il était perdu. Dans un marécage connu pour avoir englouti bon nombre de personnes, tant des Indiens que des Blancs. À pied, sans nourriture, sans feu, sans autre abri que la mince toile de son sac de couchage militaire : une simple grande poche avec une fente qu'il était censé bourrer de paille ou d'herbes sèches, deux matériaux qu'il n'avait aucune chance de trouver dans les parages. Il ne possédait que le contenu de ses poches : un couteau pliant, un crayon de bois, des morceaux de pain et de fromage imbibés, un mouchoir crasseux, quelques pièces, sa montre et son livre, ce dernier sans doute également trempé. Il plongea une main dans sa poche et découvrit que la montre s'était arrêtée et que le livre avait disparu.

Il jura plusieurs fois de suite, ce qui le soulagea un peu. La pluie s'était accentuée, mais cela n'avait guère d'importance vu son état. Le pou dans ses culottes, découvrant son habitat inondé, s'était mis en quête de quartiers plus secs.

Marmonnant un torrent de blasphèmes, le sac en toile sur la tête, il partit dans la direction qu'avait prise son cheval en boitillant et en se grattant.

✳

Il ne retrouva jamais sa monture. Soit le couguar l'avait tuée, soit elle s'en était sortie et errait librement dans le maré-cage. Il retrouva néanmoins deux objets tombés de sa selle : du tabac emballé en un petit paquet paraffiné et une poêle à frire. Ni l'un ni l'autre ne lui étaient utiles dans l'immédiat, mais il répugnait à se départir de ces derniers vestiges de civilisation.

Trempé jusqu'aux os et grelottant, il s'accroupit entre les racines d'un noyer et observa l'orage déchirer le ciel noc-turne. Chaque éclair était aveuglant, même au travers de ses paupières lorsqu'il fermait les yeux, chaque grondement de tonnerre faisant trembler l'air, devenu âcre comme s'il ne charroyait plus que des particules calcinées.

William s'était habitué à la canonnade quand une terrible déflagration le projeta à plat ventre dans la boue et l'humus.

Hagard, il se redressa et essuya la terre sur son visage tout en se demandant ce qu'il lui était arrivé. Une douleur vive transperça sa confusion et, baissant les yeux, il aperçut à la lueur de l'éclair suivant un éclat de bois d'une quinzaine de centimètres planté dans son avant-bras.

Lançant des regards ahuris autour de lui, il constata que le marais était parsemé de fragments de bois frais, une odeur de sève et de duramen s'élevant au-dessus des émanations chaudes d'électricité.

Il le vit lors de l'éclair suivant. À une centaine de mètres, il avait remarqué plus tôt un immense cyprès chauve dont il comptait se servir comme repère à l'aube. C'était de loin l'arbre le plus haut à la ronde. Ou plutôt, il l'avait été, car il n'en restait qu'un morceau de tronc déchiqueté.

À demi assourdi par le tonnerre, William arracha l'écharde de son bras et pressa le tissu de sa chemise sur la plaie pour arrêter le saignement. L'entaille n'était pas profonde, mais le choc de l'explosion faisait trembler ses mains. Il resserra la toile autour de ses épaules et se recroquevilla à nouveau entre les racines du noyer.

À un moment de la nuit, l'orage s'éloigna, et William sombra dans un demi-sommeil troublé, se réveillant plus tard plongé dans le néant blanc d'un épais brouillard.

Il fut envahi par un froid plus tranchant que le frisson de l'aube. Il avait grandi en Angleterre dans le Lake District et avait appris dès ses plus jeunes années que l'arrivée du brouillard était synonyme de danger. Les moutons se perdaient souvent, tombaient dans des précipices, se séparaient du troupeau, se faisaient égorger par des chiens ou des renards, gelaient ou disparaissaient simplement. Les hommes aussi, parfois.

Mlle Elspeth, sa gouvernante, avait dit que les morts descendaient sur terre avec le brouillard. Il la voyait encore, une vieille dame sèche, raide et courageuse, se tenant devant la fenêtre de la nourricerie, regardant la blancheur mouvante au-dehors. Elle l'avait dit doucement, comme si elle se parlait à elle-même. Elle ne s'était probablement pas rendu compte de sa présence. Quand elle l'avait aperçu, elle avait refermé brusquement les rideaux et était partie lui préparer son thé.

Une bonne tasse de thé chaud était justement ce dont il avait besoin en ce moment, si possible arrosé de beaucoup de whisky. Avec des toasts beurrés, des sandwichs à la confiture, du gâteau…

Il se souvint soudain du pain et du fromage trempés dans sa poche et les sortit précautionneusement. Il les mangea lentement, savourant la masse fade comme s'il s'agissait d'une pêche melba. Il se sentit nettement mieux, cela en dépit de la moiteur du brouillard sur son visage, de ses cheveux ruisselants et du fait qu'il était toujours trempé jusqu'aux os. Ses muscles étaient endoloris comme il avait grelotté toute la nuit.

Il avait eu la présence d'esprit de poser sa poêle à frire sous la pluie la veille et avait donc de l'eau fraîche à boire, laquelle sentait délicieusement le gras de lard.

— Ce n'est pas si mal, dit-il à voix haute. Pour le moment…

Sa voix résonnait étrangement. C'était généralement le cas dans le brouillard.

Il s'était déjà perdu par deux fois dans une purée de pois et ne tenait pas à revivre cette expérience ; cela lui arrivait parfois dans ses cauchemars. Il avançait alors à tâtons dans une nappe si épaisse qu'il ne voyait plus ses pieds mais entendait les voix des morts.

Il ferma les yeux, préférant le noir à la blancheur tourbillonnante dont il pouvait toujours sentir les doigts glacés sur son visage. Il s'efforça de ne pas écouter, de ne rien entendre.

Puis il se releva, déterminé. Il devait bouger. D'un autre côté, errer à l'aveuglette dans le marais serait de la folie.

Il attacha la poêle à sa ceinture, balança sa toile de couchage par-dessus une épaule et commença à marcher lentement, une main en avant. Le bois de genévrier ne ferait pas l'affaire : il tombait en lambeaux sous la lame du couteau. En outre, ses branches étaient trop tordues. Un noyer ou un tupelo conviendraient mieux mais l'idéal serait un aulne.

Il trouva un petit taillis de jeunes aulnes après une éternité d'errance, avançant précautionneusement en crabe, posant un pied, attendant de voir s'il se passait quelque chose, puis posant l'autre, s'arrêtant chaque fois qu'il rencontrait un arbre, pressant ses feuilles contre sa bouche et son nez pour l'identifier.

Palpant les troncs minces, il en choisit un qui faisait entre deux et trois centimètres de diamètre. Plantant solidement ses talons dans le sol, il le saisit des deux mains et l'arracha de terre. L'arbre se détacha en faisant retomber sur lui une pluie de feuilles mouillées ainsi qu'un corps lourd qui rampa sur sa botte. Il poussa un cri et frappa les racines contre le sol, mais le serpent avait déjà fui.

Il détacha la poêle et tapota la terre autour de lui. Ne percevant aucun mouvement suspect et trouvant la surface relativement ferme, il retourna son ustensile et s'assit dessus.

En approchant le bois à quelques centimètres de son visage, il voyait suffisamment ce qu'il faisait pour ne pas se blesser et, au prix d'un travail considérable, parvint à écorcer le tronc pour s'en faire une lance d'environ deux mètres. Il s'attela ensuite à tailler l'une des extrémités en une pointe effilée.

Le Great Dismal était dangereux, mais il regorgeait de gibier. C'était ce qui attirait les chasseurs dans ses profondeurs mystérieuses. William n'avait pas l'intention de s'en prendre à un ours ni à un cerf avec sa lance de fortune, mais il était raisonnablement doué – ou l'avait été – pour la chasse à la grenouille. Un palefrenier sur le domaine de son grand-père lui avait appris comment faire, et il l'avait souvent pratiquée avec son père en Virginie. Certes, il n'avait guère eu l'occasion de s'entraîner au cours de ses dernières années à Londres, mais il était raisonnablement sûr de ne pas avoir perdu la main.

Il entendait les grenouilles autour de lui, croassant gaiement et indifférentes au brouillard.

— *Brekekekex coax coax! Brekekekex coax coax! Filles marécageuses des eaux…*

Les grenouilles ne semblèrent guère impressionnées par sa citation d'Aristophane.

Il testa la pointe de sa lance du bout du doigt. Dans l'idéal, elle aurait dû se terminer par un trident... Qu'à cela ne tienne. Il avait tout son temps.

Se mordant la langue dans sa concentration, il confectionna deux autres petites pointes. Il envisagea un instant de les fixer sur sa lance avec des bandes taillées dans de l'écorce de genévrier, puis opta pour une solution plus simple et déchira plutôt une bande du bas de sa chemise.

Il avait perdu son briquet à amadou mais, compte tenu de l'état du sol après l'orage, même une foudre telle qu'il en avait vu tomber la veille n'aurait pu allumer un feu. D'un autre côté, le temps que le soleil fasse enfin son apparition et qu'il ait pêché une grenouille, il serait sans doute suffisamment affamé pour la manger crue.

Il trouva cette pensée paradoxalement réconfortante. Il ne mourrait pas de faim ni de soif. Être dans ce marécage était comme de vivre dans une éponge.

Il n'avait pas vraiment de plan, uniquement la conscience que le marécage était immense, mais non infini. Une fois qu'il aurait le soleil pour le guider – ce qui lui éviterait de tourner en rond – il marcherait en suivant une ligne droite jusqu'à rencontrer un terrain ferme ou le lac. Et s'il trouvait le lac, Dismal Town se dressant sur son bord, il lui suffirait de suivre le rivage pour y arriver tôt ou tard.

Donc, à condition de ne pas tomber dans une fondrière tremblante, de ne pas se faire dévorer par une grosse bête féroce, de ne pas être mordu par un serpent venimeux, de ne pas être contaminé par les eaux putrides et les miasmes du marécage... tout se passerait bien.

Il vérifia les attaches de son trident, les testa en plantant sa lance dans le sol et constata avec satisfaction qu'elles étaient solides. Il ne lui restait plus qu'à attendre que le brouillard se lève.

Il ne semblait guère disposé à le faire. Il semblait même avoir épaissi. William voyait à peine ses propres doigts en les tenant à quelques centimètres de son visage. Avec un soupir, il resserra la toile autour de son cou, posa sa lance à ses côtés et s'adossa tant bien que mal aux troncs des jeunes aulnes. Il serra ses genoux contre son torse afin de se réchauffer et ferma les yeux pour ne plus voir cette blancheur.

Les grenouilles continuaient de s'en donner à cœur joie. Maintenant qu'il n'avait plus rien à faire, il entendait les autres bruits du marécage. La plupart des oiseaux étaient silencieux, attendant comme lui la fin du brouillard, mais, de temps à autre, le mugissement grave et surprenant d'un butor résonnait au-dessus de l'eau. Il entendait également des bruits de pas furtifs et d'éclaboussures. Des rats musqués, peut-être ?

Un gros *plouf* lui indiqua qu'une tortue venait de se laisser tomber dans l'eau depuis un tronc couché. Il préférait ces sons-là, car ils étaient identifiables. Les autres, les bruissements vagues, étaient plus inquiétants. Était-ce un frottement de branches ? Il n'y avait pas un poil de vent. Un animal chassant ? Il perçut un petit cri aigu subitement interrompu. Puis il y eut les craquements et les gémissements du marais lui-même.

Dans les montagnes autour de Helwater, le domaine de ses grands-parents dans le Lake District, il avait entendu les rochers se parler dans le brouillard. Il ne l'avait raconté à personne.

Il bougea légèrement et sentit quelque chose sous son menton. Il posa la main sur une sangsue accrochée dans son cou, l'arracha avec dégoût et la lança le plus loin possible. Il se palpa tout le corps de ses mains tremblantes puis reprit sa position recroquevillée, essayant de repousser les souvenirs qui affluaient. Il avait également entendu sa mère, sa vraie mère, chuchoter.

C'était la raison pour laquelle il s'était aventuré dans le brouillard la toute première fois. Ils étaient en train de pique-niquer dans la montagne, ses grands-parents, maman Isobel, quelques amis et des domestiques, quand le brouillard était subitement descendu sur eux comme cela arrivait souvent en altitude. Pendant que les adultes s'étaient précipités pour rassembler les affaires du déjeuner, il avait été livré à lui-même, observant le grand mur blanc avancer en silence vers lui.

Il avait alors entendu une femme chuchoter, trop bas pour qu'il distinguât ce qu'elle disait mais d'une voix chargée de nostalgie. Il avait été certain qu'elle s'adressait à lui.

Il était entré dans le brouillard. En un premier temps, il avait été fasciné par le mouvement de la vapeur d'eau près du sol, par la manière dont elle oscillait, chatoyait et semblait vivante. Puis le brouillard s'était épaissi et, quelques instants plus tard, il avait compris qu'il était perdu.

Il avait appelé. D'abord la femme qu'il pensait être sa mère. *Les morts descendent avec le brouillard.* C'était à peu près tout ce qu'il savait d'elle… qu'elle était morte. Il avait vu trois portraits d'elle. On disait qu'il avait sa chevelure et son talent pour amadouer les chevaux.

Elle lui avait répondu, il l'aurait juré. Mais d'une voix sans paroles. Il avait senti la caresse de doigts froids sur son visage et avait continué d'avancer, captivé.

Puis il était tombé, trébuchant contre des pierres et roulant dans une petite dépression du sol. Il était resté étourdi et le souffle coupé quelques instants tandis que le brouillard roulait au-dessus de lui, puis avait entendu les rochers murmurer tout autour de lui. Il s'était relevé et s'était mis à courir à toutes jambes en hurlant. Il était tombé à nouveau, s'était relevé, avait repris sa course, était retombé puis, incapable d'aller plus loin, s'était roulé en boule, terrifié et aveuglé, cerné par le néant. Puis il avait entendu son nom, crié cette fois par des voix connues. Il avait tenté de répondre, mais sa gorge à vif d'avoir tant hurlé n'émettait que des râles désespérés. Il avait couru dans la direction des voix. Hélas, dans le brouillard, les sons se déplacent et rien n'est là où on l'attend : ni le bruit, ni le temps, ni le lieu.

Encore et encore, il avait couru dans une direction puis dans une autre, jusqu'à ce qu'il tombât à nouveau. Il avait roulé en bas d'une pente, rebondi sur des affleurements et s'était retrouvé cramponné au bord d'un escarpement, les voix à présent derrière lui, s'éloignant, l'abandonnant.

C'était Mac qui l'avait trouvé. Une grande main avait soudain surgi, l'avait hissé et, l'instant suivant, il était blotti, contusionné, égratigné et saignant contre la chemise rêche du palefrenier écossais, des bras puissants le serrant comme s'ils ne le lâcheraient plus jamais.

Dans les années qui avaient suivi, le brouillard était souvent revenu hanter ses cauchemars. Parfois, il s'était réveillé dans les bras de Mac. Quand l'Écossais n'était pas là, il se retrouvait en nage, incapable de se rendormir de peur de replonger dans la blancheur et d'entendre les voix qui l'y attendaient.

Il se raidit soudain, entendant des pas. Il huma l'air et sentit la fétidité caractéristique des crottes de porc. Il ne bougea pas. Les cochons sauvages pouvaient être dangereux s'ils étaient effrayés.

Il y eut des grognements, encore des pas, le bruissement de corps lourds contre les branches de houx. Ils étaient plusieurs et avançaient lentement. William se redressa le dos, tournant la tête d'un côté et de l'autre, essayant de localiser l'origine exacte des bruits. Aucune créature ne se déplacerait dans un tel brouillard… à moins de suivre un chemin précis.

Le marais était sillonné de pistes de gibier tracées par des cerfs et empruntées par toutes sortes d'animaux, des opossums aux ours bruns. Ces pistes suivaient des trajectoires complexes et aléatoires. On ne pouvait être sûr que de deux choses : elles menaient à un point d'eau potable ; elles ne menaient pas à une fondrière tremblante. Pour William, cela suffisait amplement.

Ils avaient dit autre chose au sujet de sa mère : qu'elle était téméraire. Il revoyait sa grand-mère secouant tristement la tête et déclarant en le dévisageant : « Elle était toujours si imprudente, si impulsive ! Tu es exactement comme elle. Que Dieu nous aide ! »

Il saisit sa lance, se leva et déclara à voix haute :

— Téméraire, peut-être, mais je ne suis pas mort. Pas encore.

Il avait également appris très tôt que de rester sur place quand on était perdu n'était une bonne idée que si quelqu'un vous cherchait.

37

Purgatoire

Il trouva le lac trois jours plus tard aux alentours de midi.

Il venait de traverser une cathédrale de cyprès chauves, leurs troncs immenses se dressant du sol inondé telles des colonnes. Affamé, fiévreux, il avançait dans l'eau jusqu'à mi-mollet.

L'air était immobile, l'eau également. Le seul mouvement était la lente traction de ses pas et les nuées d'insectes autour de lui. Ses paupières étaient enflées par les piqûres de moustiques, et le pou dans ses culottes avait été rejoint par des chiques et des puces. Les libellules qui allaient et venaient ne piquaient pas, à la différence des myriades de petites mouches, mais le tourmentaient à leur façon, attirant sans cesse son regard avec les étourdissants éclats d'or, de bleu et de rouge projetés par leurs ailes diaphanes et leurs corps brillants.

La surface lisse du marais reflétait si parfaitement les troncs qu'il avait la sensation d'être en équilibre précaire entre deux mondes miroitants, ne sachant plus où étaient le bas ni le haut. Le soleil filtrait à travers les hautes branches de cyprès au-dessus et en dessous de lui. Les nuages qui filaient lentement au-delà des cimes lui donnaient la sensation constante d'être sur le point de tomber.

Il avait extirpé le gros de l'écharde fichée dans son avant-bras et fait de son mieux pour étancher la plaie, mais il restait des éclats de bois sous la peau. Son bras l'élançait, ainsi que sa tête. La fraîcheur et le brouillard avaient disparu comme par enchantement, et il marchait lentement dans une étuve où rien ne bougeait. Ses globes oculaires étaient cuisants.

S'il gardait les yeux fixés sur les remous provoqués par ses bottes, l'effet de miroir se dissipait et il retrouvait son équilibre. Mais dès qu'il regardait les libellules, il vacillait. Elles lui faisaient perdre ses repères, car elles semblaient n'appartenir ni à l'air ni à l'eau, mais aux deux en même temps.

Une étrange dépression apparut dans l'eau à quelques centimètres de son mollet droit. William cligna des yeux puis distingua l'ombre ondulant sous la surface. Une tête pointait, triangulaire, maléfique.

Il s'arrêta net, retenant son souffle. Heureusement, le serpent, lui, poursuivit sa route.

Il l'observa s'éloigner et se demanda s'il était comestible. De toute manière, il n'avait plus de lance. Il avait quand même attrapé trois grenouilles avant de briser son trident. Petites mais pas si mauvaises que ça en dépit de la consistance caoutchouteuse de leur chair crue. Son estomac vide gronda, et il lutta contre l'impulsion démente de plonger derrière le serpent, de le rattraper et de le mordre à pleines dents.

Il pourrait peut-être attraper un poisson.

Quelque temps plus tard, la surface commença à remuer. D'innombrables petites vaguelettes clapotaient contre les troncs gris-brun, dissipant le reflet des arbres et des nuages. William releva la tête et vit le lac.

Il était beaucoup plus grand qu'il ne l'avait imaginé. Des cyprès géants s'avançaient dans l'eau parmi des souches et des carcasses décolorées par le soleil. La rive était bordée d'une dense ligne sombre de tupelos, d'aulnes et de viornes. L'eau brune elle-même semblait s'étirer sur des kilomètres devant lui.

Il se lécha les lèvres, puis saisit un peu d'eau dans sa main en coupe et la but, prudemment d'abord, plus avidement ensuite. Elle était fraîche et légèrement amère.

Il passa sa main mouillée sur son visage ; la fraîcheur soudaine le fit frissonner. Il rassembla ses forces et continua d'avancer, sentant le sol s'incliner progressivement sous ses pieds. Il s'arrêta une fois la végétation dense du marais derrière lui.

Le lac Drummond devait son nom à l'un des premiers gouverneurs de la Caroline du Nord, William Drummond. Ce dernier était parti chasser dans le marais avec un groupe d'amis. Il avait réapparu une semaine plus tard, unique survivant de l'expédition, à moitié mort de faim et de fièvre, mais avec la nouvelle qu'il se trouvait un lac immense au cœur du Great Dismal.

William examina le paysage autour de lui. Il devait sans doute s'estimer heureux : il ne s'était pas encore fait dévorer par une bête féroce et était parvenu jusqu'au lac. De quel côté se trouvait Dismal Town ?

Il scruta le rivage à la recherche une fumée de cheminée ou d'une ouverture dans la végétation indiquant une présence humaine. Rien.

Il fouilla dans sa poche et en sortit une pièce de six pence. Il l'envoya en l'air et la rattrapa maladroitement, la pièce rebondissant sur ses doigts engourdis. Pile. À gauche, donc. Il se remit en route d'un pas plus résolu.

Son pied heurta un objet sous l'eau, et il baissa les yeux juste à temps pour voir la gueule blanche du serpent transpercer la surface en direction de sa cuisse. Par pur réflexe, il leva le genou, et les crocs du serpent se plantèrent dans le cuir de sa botte. Il poussa un cri et agita violemment la jambe jusqu'à décrocher le reptile, qui alla voler un peu plus loin.

Il atterrit en projetant une gerbe d'eau et, presque aussitôt, tourna sur lui-même et revint à la charge telle une flèche.

William arracha la poêle à frire de sa ceinture, cueillit le serpent et le projeta au loin de toutes ses forces. Sans attendre de voir où il retombait, il courut vers la berge à grands bonds.

Il se réfugia dans un taillis de rhododendrons et de genévriers et attendit, hors d'haleine. Son soulagement fut de courte durée. Le serpent ondula vers la berge et rampa dans sa direction sur le sol moussu, ses écailles brunes lançant des reflets cuivrés.

William prit ses jambes à son cou.

Il courut à l'aveuglette, s'enfonçant dans la boue, se cognant aux troncs d'arbres, son visage giflé par les branches, se prenant les jambes dans les buissons de houx et les viornes. Il ne lançait pas de regards en arrière mais pas vraiment devant lui non plus, si bien qu'il percuta de plein fouet l'homme qui se trouvait sur son chemin.

L'homme poussa un cri et tomba à la renverse ; William atterrit à plat ventre sur lui. En se redressant, il découvrit le visage abasourdi d'un Indien. Il n'eut pas le temps de s'excuser : une main lui agrippa le bras et le hissa sur ses deux pieds.

C'était un autre Indien, visiblement en colère ; il lui posa une question qui fut inintelligible pour William.

Celui-ci chercha désespérément un terme approprié dans son maigre vocabulaire iroquois, mais il ne trouva rien. Puis il pointa le doigt vers le lac et haleta simplement : « Serpent ! » Les Indiens le comprirent, car ils se tournèrent dans la direction qu'il indiquait avec un air méfiant. Comme pour corroborer son affirmation, le serpent tenace apparut au même moment, rampant entre les racines d'un copalme.

Les Indiens lâchèrent une exclamation à l'unisson. L'un d'eux saisit un gourdin dans sa bandoulière, tenta de frapper le reptile et le rata. Le serpent se dressa aussitôt et fonça vers lui. Il le rata également, mais de très peu. L'Indien fit un bond en arrière en lâchant son arme.

Avec un grognement agacé, son compagnon sortit son propre gourdin et décrivit un cercle prudent autour du serpent. Celui-ci, enragé par cette persécution, pivota sur ses anneaux en sifflant puis se jeta telle une lance sur le pied de l'intrus, qui sauta de côté avec un cri sans toutefois lâcher son arme.

Entre-temps, soulagé de ne plus être la cible de la mauvaise humeur du reptile, William s'était légèrement reculé. En le voyant momentanément déséquilibré, si tant est qu'un serpent puisse l'être, il décrocha sa poêle et l'abattit de toutes ses forces sur le sol.

Il frappa encore et encore, sa peur décuplant sa force, puis il s'arrêta, essoufflé, la sueur ruisselant sur son visage et son corps. Il souleva doucement la poêle, s'attendant à découvrir le serpent réduit en bouillie sur la terre humide.

Il n'y avait rien. Il sentait l'odeur du reptile, un vague effluve fétide comme du concombre pourri, mais n'en voyait aucune trace dans la boue retournée et les feuilles déchiquetées. Il leva des yeux interrogateurs vers les Indiens.

L'un d'eux haussa les épaules et l'autre lui montra le lac. Apparemment, comprenant qu'il ne faisait pas le poids face à ses adversaires, le serpent avait jugé plus prudent de battre en retraite.

William se releva, l'air un peu gauche. Les trois hommes échangèrent des sourires nerveux.

D'ordinaire, William était à l'aise avec les Indiens. Ils étaient nombreux à traverser ses terres, et son père mettait un point d'honneur à les faire se sentir bienvenus, fumant avec eux sur la véranda, les invitant à partager leur dîner. Il n'aurait su dire à quel peuple appartenaient ces deux hommes. Leurs hautes pommettes saillantes lui rappelaient certaines tribus algonquines, mais le marais se trouvait très au sud de leur territoire de chasse.

Les Indiens l'examinaient, eux aussi, puis échangèrent un regard qui accentua son malaise. L'un d'eux dit quelque chose à son compagnon, observant William de biais pour voir s'il comprenait. L'autre sourit, révélant des dents brunies, puis tendit une main, la paume vers le ciel, et demanda :

— Tabac ?

William acquiesça. En s'efforçant de respirer lentement, il glissa une main sous sa veste sans lâcher la poêle de l'autre. Ces deux hommes savaient probablement comment sortir du marais. Il pouvait faire ami-ami avec eux puis... Il essayait de réfléchir avec logique, mais son instinct ne cessait d'interférer. Or, cet instinct lui disait qu'il ferait mieux de leur fausser compagnie, et vite.

Il sortit le petit paquet paraffiné, le lança de toutes ses forces vers l'Indien qui se trouvait le plus proche puis tourna les talons et courut.

Il y eut une exclamation de surprise derrière lui, suivie d'un bruit de course. Son instinct, conforté dans son jugement, lui donna des ailes, mais il savait qu'il ne pourrait tenir à ce rythme très longtemps. Sa fuite devant le serpent avait épuisé le peu de forces qu'il lui restait, et de courir en tenant une poêle en fonte à bout de bras n'arrangeait rien.

Sa meilleure chance était de les semer suffisamment longtemps pour trouver une cachette. Avec cette idée en tête, il redoubla d'ardeur, traversa un terrain découvert, s'enfonça sous un groupe de copalmes, tourna brusquement dans un taillis de genévriers puis déboucha sur une piste de gibier. Il hésita un instant… Se cacher dans le taillis ? Toutefois, l'envie de courir était plus forte, et il s'élança sur la piste, les lianes et les branches fouettant ses habits.

Il entendit les cochons sauvages juste à temps. Des grognements surpris, des bruits de ventouse et un grand remue-ménage dans les buissons. Il sentit une odeur de boue chaude mêlée à la puanteur des animaux. Il devait y avoir une mare bourbeuse juste après la courbe de la piste. William s'écarta de celle-ci, bondissant dans la broussaille. Que faire à présent ? Grimper à un arbre ? Il pantelait ; la sueur lui piquait les yeux. Tout autour de lui, il n'y avait que des genévriers, certains très gros, mais denses et tordus. Impossible de s'y réfugier. Il en contourna un et s'accroupit derrière le tronc, essayant de calmer sa respiration.

Son cœur battait si fort qu'il ne pouvait entendre s'il était poursuivi ou non. Quelque chose effleura sa main ; par réflexe, William bondit sur ses pieds en abattant sa poêle.

Le chien poussa un glapissement de surprise en sentant l'ustensile le frôler, puis montra les dents et gronda.

— Mais… d'où sors-tu, toi ? murmura William.

Sapristi ! La créature était aussi haute qu'un petit cheval !

Les poils du cou du chien se hérissèrent, lui donnant l'allure d'un loup. Non, ce ne pouvait pas être un loup... ou si ? Puis il aboya.

— Chut, veux-tu te taire, bon sang !

Trop tard. William entendit les Indiens parler tout près. Il recula lentement en chuchotant :

— Assis ! Assis, gentil chien.

Le chien décida plutôt de le suivre sans cesser de gronder ni d'aboyer, ce qui acheva de perturber les cochons. Il y eut un tonnerre de sabots sur la piste et un cri de surprise de l'un des Indiens.

William perçut un mouvement du coin de l'œil et pivota, brandissant sa poêle. Un grand Indien le dévisageait d'un air intrigué. Fichtre, combien étaient-ils ?

— Ça suffit, le chien, dit l'Indien en anglais avec un fort accent écossais.

William était interloqué. Le chien cessa d'aboyer mais continua à décrire des cercles autour de lui tout en grondant.

— Que... commença William.

Il fut interrompu par l'apparition des deux premiers Indiens surgissant soudain hors des broussailles. Ils s'arrêtèrent net en apercevant le nouveau venu et lancèrent un regard méfiant vers le chien. Celui-ci tourna son attention vers eux, fronçant le museau et exhibant une impressionnante rangée de crocs luisants.

L'un des premiers Indiens s'adressa sèchement au nouveau. Dieu merci, ils n'étaient donc pas ensemble. Le grand Indien lui répondit sur un ton aussi peu amène. William ne comprenait pas, mais cela sembla déplaire fortement aux deux autres. Leurs visages s'obscurcirent, et l'un d'eux porta la main à son gourdin. Le chien émit un son menaçant du fond de la gorge, et l'Indien laissa aussitôt retomber son bras.

Les deux premiers semblaient prêts à débattre, mais le troisième les interrompit sur un ton péremptoire et agita une main d'un geste qui ne pouvait que signifier qu'ils devaient se retirer. Les deux hommes échangèrent un regard indécis. William se redressa et alla se poster aux côtés du grand

Indien, d'où il les toisa. L'un d'eux lui retourna son regard mauvais, mais son compagnon examina d'un air méditatif le grand Indien puis son chien et agita la tête presque imperceptiblement. Sans un autre mot, les deux hommes tournèrent les talons et partirent.

Les jambes de William tremblaient, et il sentait la fièvre le parcourir par vagues. En dépit de sa réticence à se retrouver à portée de la gueule du chien, il se laissa tomber sur le sol. Il avait tellement serré le manche de sa poêle que ses doigts étaient raides. Il les écarta péniblement et déposa son ustensile dans l'herbe. Il essuya son menton dégoulinant de sueur sur sa manche puis déclara :

— Merci... Vous... vous parlez anglais ?

— J'ai rencontré des Anglais qui vous assureraient du contraire, mais oui, en effet, assez en tout cas pour me faire comprendre de vous, je crois.

L'Indien s'assit à ses côtés et l'observa d'un air intrigué.

— Ah... vous n'êtes pas Indien ! réalisa subitement William.

Effectivement, son visage n'avait rien d'algonquin. Maintenant qu'il le distinguait clairement, il paraissait plus jeune qu'il ne l'avait cru tout d'abord. Il devait avoir tout juste quelques années de plus que lui et avait des traits européens en dépit de son teint hâlé et de la double ligne de pointillés tatouée sur ses pommettes. Il portait des guêtres et une chemise en peau en travers de laquelle était drapé un incongru plaid écossais à carreaux rouges et noirs.

— Si, je le suis, répliqua sèchement l'inconnu.

Il pointa le menton dans la direction qu'avaient prise les deux hommes.

— Où avez-vous rencontré ces deux lascars ?

— Près du lac. Ils m'ont demandé du tabac. Je leur en ai donné, puis ils m'ont pourchassé. J'ignore pourquoi.

— Ils voulaient vous emmener à l'ouest et vous vendre comme esclave aux Shawnees.

Il sourit brièvement avant d'ajouter :

— Ils m'ont offert la moitié de votre valeur.

William resta un instant interdit.

— Dans ce cas, je suis votre obligé. Je… je suppose que vous n'avez pas l'intention de me vendre, vous…

L'homme ne rit pas ouvertement mais parut amusé.

— Non, je ne vais pas vers l'ouest.

William se détendit légèrement en dépit des frissons qui le parcouraient à nouveau, l'excitation provoquée par les derniers événements s'étant dissipée. La douleur dans son bras était également de retour.

— Vous… vous ne pensez pas qu'ils reviendront ?

— Non, répondit calmement l'inconnu. Je leur ai dit de partir.

— Qu'est-ce qui vous fait croire qu'ils vous obéiront ?

— Ce sont des Mingos, répondit l'autre patiemment. Je suis Kanien'kehaka… un Mohawk. Ils me craignent.

William lui lança un regard de biais en se demandant s'il était en train de se payer sa tête, mais l'autre paraissait sérieux. Il était presque aussi grand que lui, mais il était fin comme une liane, ses cheveux bruns lissés en arrière avec de la graisse d'ours. Il avait l'air sûr de lui mais n'était pas particulièrement effrayant.

L'inconnu l'étudiait également avec curiosité. William toussota, s'éclaircit la gorge puis tendit la main.

— Votre serviteur, monsieur. Je m'appelle William Ransom.

— Oh, je sais qui vous êtes, répondit l'autre en serrant sa main. Je suis Ian Murray. Nous nous sommes déjà rencontrés.

Son regard se promena sur ses vêtements déchirés, son visage écorché, ses bottes et ses culottes maculées de boue.

— La dernière fois que nous nous sommes vus, vous étiez à peine en meilleur état.

✳

Murray écarta la bouilloire du feu et la déposa sur le sol. Il posa le couteau sur les braises un moment puis plongea la lame dans la poêle remplie d'eau bouillante. Le métal siffla en dégageant un petit nuage de vapeur.

— Prêt ?

— Oui.

William s'agenouilla devant le grand tronc couché d'un peuplier et posa son bras blessé sur le bois. Il était enflé ; un long fragment d'écorce de cyprès formait une ombre sombre dans la chair, la peau tout autour étirée et gonflée de pus.

Le Mohawk (il ne parvenait toujours pas à le considérer autrement en dépit de son nom et de son accent) s'accroupit en face de lui et lui demanda en saisissant son poignet :

— C'est vous qui avez hurlé, plus tôt ?

William se raidit.

— Oui, en effet, j'ai crié quand un serpent a failli me mordre.

Murray pinça légèrement les lèvres.

— Ah, fit-il. Vous criez comme une fille.

Il pressa sa lame brûlante sur la chair, et William poussa un cri rauque.

— Oui, c'est mieux, opina Murray avec un petit sourire.

Le tenant fermement, il incisa son avant-bras sur une quinzaine de centimètres le long de l'écharde. Il retourna adroitement la peau du bout de sa lame, fit sauter le long fragment, puis extirpa délicatement les autres petits éclats de bois. Après avoir retiré tout ce qu'il pouvait, il enroula un bout de son plaid autour de l'anse de la bouilloire et déversa l'eau encore fumante sur la plaie ouverte.

William hurla, un son qui semblait provenir du fond de ses entrailles et qui était, cette fois, accompagné de mots.

Murray secoua la tête et fit claquer sa langue d'un air réprobateur.

— À présent, je vais devoir tout faire pour vous garder en vie parce que, avec un langage pareil, vous iriez droit en enfer.

— Je n'ai pas l'intention de mourir, répliqua sèchement William.

Il épongea son front moite avec la manche de sa chemise puis leva doucement son bras blessé et secoua le poignet pour faire tomber les gouttelettes sanglantes au bout de ses doigts. La douleur fulgurante lui fit tourner la tête, et il se laissa retomber sur le tronc.

— Si vous avez un vertige, mettez votre tête entre vos genoux, lui conseilla Murray.

— Je n'ai pas de vertige.

Un bruit de mastication lui répondit. Murray avait remis de l'eau à bouillir sur le feu puis était entré dans l'eau et avait arraché plusieurs poignées d'une herbe très odorante poussant sur le bord. Il était occupé à la mâcher, recrachant des boulettes vertes dans un carré de tissu. Il extirpa un oignon flétri de sa musette et en découpa une grosse tranche. Il l'examina d'un œil critique, sembla décider qu'elle n'avait pas besoin d'être mastiquée et l'ajouta à sa préparation, repliant les coins du tissu par-dessus.

Il plaça le petit paquet sur la plaie et le maintint en place à l'aide de bandes déchirées dans la chemise de William. Puis il déclara :

— Vous êtes très têtu, n'est-ce pas ?

William tiqua. Ses amis, ses parents et ses supérieurs militaires lui avaient dit maintes fois que son intransigeance signerait un jour sa perte, mais ce n'était tout de même pas écrit sur sa figure !

— Où voulez-vous en venir ?

— Ce n'était pas une insulte.

Murray se pencha pour serrer le nœud de son bandage improvisé avec ses dents. Puis il se redressa et recracha quelques fils avant de reprendre :

— J'espère que vous l'êtes parce qu'il nous faudra parcourir un long chemin avant de trouver de l'aide, et il serait bon que vous soyez assez têtu pour ne pas me claquer dans les bras.

— Je vous ai déjà dit que je n'avais aucune intention de mourir. De plus, je n'ai pas besoin d'aide. Où… Ne sommes-nous pas près de Dismal Town ?

Murray parut surpris.

— Non. C'est là-bas que vous vous rendiez ?

William hésita un instant puis, ne voyant pas pourquoi il le lui cacherait, acquiesça.

— Pourquoi ? demanda Murray.

— Je dois… y rencontrer certaines personnes.

Tout en disant cela, William se souvint avec horreur qu'il avait perdu son livre. Désemparé par l'enchaînement de ses mésaventures, il n'avait pas encore mesuré la véritable portée de cette perte.

Outre sa valeur purement récréative et son utilité en tant que palimpseste pour ses propres méditations, le livre était vital à sa mission. Il contenait plusieurs passages codés lui indiquant le nom et le lieu des différentes personnes qu'il devait contacter et, plus important encore, ce qu'il devait leur dire. Il se souvenait de la plupart des noms mais, pour le reste…

Sa consternation était si grande qu'il en oublia la douleur dans son bras et se leva abruptement, saisi de l'envie de se précipiter dans le marais et de le passer au peigne fin jusqu'à retrouver l'ouvrage perdu.

— Vous ne vous sentez pas bien ?

Murray s'était levé lui aussi et l'examinait avec un mélange d'inquiétude et de curiosité.

— Hein ? Oh, si, si. Je viens juste de penser à quelque chose.

— Vous feriez mieux de réfléchir assis. Vous allez tomber dans le feu.

De fait, William voyait des points de lumière danser devant ses yeux.

— Je… oui, vous avez raison.

Il se rassit encore plus soudainement qu'il s'était levé, une sueur froide perlant soudain sur son visage. Une main sur son épaule l'incita à s'allonger, ce qu'il fit, sentant vaguement que, sinon, il risquait de perdre connaissance.

Murray marmonna quelque chose d'incompréhensible suivi d'un grognement de consternation très écossais. William le sentait penché sur lui, hésitant.

— Je vais bien, dit-il sans rouvrir les yeux. J'ai juste… besoin de me reposer un peu.

— Mmphm.

Murray s'éloigna et revint quelques instants plus tard avec une couverture, qu'il étendit sur lui. William le remercia d'un léger signe de tête.

Ses membres étaient douloureux depuis un certain temps mais, pressé par le besoin d'avancer, il n'y avait pas prêté attention. À présent, la fièvre qu'il avait refoulée s'abattait sur lui avec toute sa force, le faisant claquer des dents. Il attendit que la première vague de frissons passât avant de demander à Murray, dont il devinait l'ombre accroupie devant le feu :

— Vous connaissez Dismal Town ?

— J'y suis déjà allé quelques fois. Une petite ville lugubre.

— Ah. Et vous n'auriez pas rencontré un M. Washington, par hasard ?

— J'en ai bien rencontré cinq ou six. C'est que le général a de nombreux cousins, voyez-vous.

— Le gé… gé…

— Le général Washington. Vous avez sans doute déjà entendu parler de lui.

Il y avait une note d'amusement dans sa voix.

— Oui, en effet, mais…

Cela n'avait aucun sens. William se concentra, s'efforçant de rassembler ses pensées erratiques.

— Je dois retrouver un M. Henry Washington. C'est un parent du général, lui aussi ?

— Pour autant que je sache, tous ceux qui s'appellent Washington et vivent dans un rayon de trois cents milles lui sont apparentés.

Murray se pencha au-dessus de son sac et en sortit une longue masse velue se terminant par une queue sans poil.

— Pourquoi ? demanda-t-il.

— Je… non, rien.

William inspira une grande goulée d'air, les muscles de son ventre se dénouant. Entre sa perplexité et l'emprise montante de la fièvre, ses derniers remparts de méfiance étaient en train de s'effriter. Il reprit :

— On m'a dit que ce M. Henry Washington était un important loyaliste.

Murray se tourna vers lui, ahuri.

— Qui vous a raconté une ânerie pareille ?

— Quelqu'un qui, visiblement, se trompait.

William pressa le talon de ses mains contre ses orbites brûlantes.

— Qu'est-ce que c'est que cette bestiole, un opossum ?

— Un rat musqué. Ne vous en faites pas, il est tout frais. Je l'ai tué juste avant qu'on se rencontre.

— Ah, tant mieux.

William se sentait étrangement réconforté sans vraiment comprendre pourquoi. Il avait déjà mangé du rat musqué et savait sa chair savoureuse. Mais bien que la faim l'ait vidé de ses forces, la fièvre lui avait volé son appétit. Non, son réconfort venait plutôt de la voix et de l'accent de Murray. Il avait cette intonation douce et détachée qui lui rappelait Mac le palefrenier. Il lui parlait souvent sur ce ton pour le consoler ou lui redonner du courage, qu'il soit tombé de son poney ou qu'il n'ait pas eu le droit d'accompagner son grand-père en ville.

— Vous avez la barbe rousse, observa soudain Murray.

— Vous ne le remarquez qu'à présent ? rétorqua William, piqué.

Il avait toujours eu honte de sa barbe. Alors que ses cheveux et la toison sur son torse et ses membres étaient d'un châtain sombre acceptable, son menton et ses parties intimes étaient couverts de poils d'un roux vif mortifiant. Il se rasait toujours minutieusement, même quand il était sur la route ou à bord d'un navire mais, naturellement, son rasoir avait disparu avec son cheval.

— Je devais être distrait plus tôt, répondit simplement Murray.

Il se tut, se concentrant sur sa tâche pendant que William tentait de se détendre, espérant pouvoir dormir un peu. Il était épuisé, mais des images du marais défilaient derrière ses paupières closes, des visions qu'il ne pouvait ignorer ni repousser.

Des racines décrivant des boucles qui ressemblaient à des collets, de la boue, des amas bruns de déjections de cochons – si semblables à des excréments humains – des feuilles mortes déchiquetées…

Des feuilles mortes flottant sur l'eau tels des éclats de verre brun, des reflets se dissolvant autour de ses tibias... des mots dans l'eau, les pages de son livre, s'effaçant, le narguant en s'enfonçant sous la surface.

Il releva les yeux. Le ciel, aussi vertigineux que le lac, lui donna encore une fois l'impression qu'il pourrait tomber vers le haut et se noyer dans cet air saturé d'humidité... se noyer dans sa transpiration... Une jeune femme léchait la sueur sur ses joues, le chatouillant ; son corps était lourd, chaud, écœurant... Il se tourna et se tortilla, mais ne pouvait échapper à ses oppressantes attentions...

La sueur se rassemblait derrière ses oreilles, épaisse et grasse dans ses cheveux ; elle perlait lentement dans le chaume de sa barbe... glacée sur sa peau ; ses vêtements n'étaient plus qu'un linceul dégoulinant... La femme était toujours là, morte à présent, un poids inerte sur sa poitrine, le clouant contre le sol froid...

Le brouillard froid qui s'infiltrait partout... ses yeux blancs s'enfonçant dans ses orbites, ses oreilles. Il devait garder la bouche fermée, autrement il entrerait en lui... Rien que du blanc.

Il se roula en boule, tremblotant.

Il finit par sombrer dans un sommeil plus profond et paisible dont il se réveilla quelque temps plus tard en sentant le fumet riche du rat musqué grillé. L'énorme chien était couché contre lui et ronflait.

Des souvenirs déconcertants de la jeune femme de son rêve lui revinrent, et il repoussa faiblement le chien.

— Qu'est-ce que cet animal fiche ici ?

— Cet animal s'appelle Rollo, répondit Murray sur un ton de reproche. Je lui ai demandé de se coucher contre vous pour vous tenir au chaud. Vous grelottez de fièvre, au cas où vous ne l'auriez pas remarqué.

— Merci, je m'en étais rendu compte.

William se leva péniblement et se força à manger. Il se recoucha ensuite avec soulagement, à une distance raisonnable du chien, qui dormait à présent sur le dos, les pattes en l'air, tel un gigantesque insecte mort. William passa une main sur son visage moite, essayant d'effacer cette vision troublante avant qu'elle ne se frayât un chemin dans ses rêves troubles.

Le ciel nocturne était dégagé, vaste et sans lune mais rempli d'étoiles. William songea au père de son père, un astronome amateur, disparu longtemps avant sa propre naissance. Lord John l'avait souvent conduit, parfois avec sa mère, sur les pelouses d'Helwater où, étendus dans l'herbe, ils avaient contemplé la voûte céleste et nommé les constellations. Cette immensité bleu-noir offrait un spectacle froid qui agitait son sang fiévreux, mais la vision des étoiles était toujours réconfortante.

Murray fixait le ciel, lui aussi, perdu dans ses pensées.

William, à demi adossé au tronc d'arbre, essaya de réfléchir. Que devait-il faire à présent? Il avait encore du mal à admettre qu'Henry Washington était un rebelle (ainsi donc que le reste de ses contacts à Dismal Town, sans doute). Cet étrange Mohawk écossais avait-il dit vrai? Ne cherchait-il pas simplement à le fourvoyer?

Pour quelles raisons agirait-il ainsi? Murray ne pouvait savoir qui il était réellement. Il ne connaissait que son nom et celui de son père. Quand ils s'étaient rencontrés des années plus tôt, sur Fraser's Ridge, lord John était un simple civil. Il ne pouvait avoir deviné qu'il était devenu soldat, et encore moins un officier agissant pour les services de renseignements.

Mais s'il n'avait pas cherché à le tromper et avait dit vrai... William déglutit, sentant sa gorge visqueuse. Il l'avait échappé belle. Que lui serait-il arrivé s'il avait débarqué dans un nid de rebelles, dans une petite ville au milieu de nulle part, et avait dévoilé son identité et sa mission? Ils l'auraient probablement pendu à l'arbre le plus proche avant de jeter son cadavre dans le marais.

Ce qui soulevait une autre question troublante: comment le capitaine Richardson avait-il pu se tromper à ce point?

Il secoua violemment la tête dans l'espoir de remettre ses pensées en place mais ne parvint qu'à s'étourdir à nouveau.

Son mouvement attira l'attention de Murray, qui se tourna vers lui, surpris.

— Vous avez bien dit que vous étiez un Mohawk? lui demanda soudain William.

— Oui.

— Comment est-ce possible?

Murray hésita un instant puis répondit:

— J'ai épousé une femme de la tribu des Kanien'kehakas. J'ai été adopté par le clan des Loups du peuple de Snaketown.

— Ah... Votre femme est...

— Nous ne sommes plus ensemble.

Il avait parlé sans aucune hostilité, mais son ton laissait clairement entendre que ce sujet était clos.

— Je suis navré, dit William.

Le silence retomba. Les frissons étaient de retour et, malgré sa réticence, il se rallongea, tira la couverture sous son menton et se lova contre le chien. Ce dernier poussa un profond soupir et lâcha un pet mais ne bougea pas.

Quand l'accès de fièvre s'estompa, il fut à nouveau visité par des rêves, cette fois violents et horribles. Les Indiens avaient marqué son esprit, et il se retrouva pourchassé par des Sauvages qui se transformèrent en serpents, ces derniers devenant des racines d'arbres qui s'insinuaient dans les crevasses de son cerveau, faisant éclater son crâne, libérant d'autres nids de serpents qui s'enroulaient en nœuds coulants...

Il se réveilla trempé de sueur et courbatu. Il tenta de se redresser, mais ses bras refusaient de le soutenir. Quelqu'un était agenouillé près de lui... C'était l'Écossais, le Mohawk... Murray. Il retrouva le nom avec un certain soulagement et fut encore plus soulagé en se rendant compte que Murray pressait une gourde contre ses lèvres.

C'était de l'eau fraîche du lac. Il reconnut son étrange amertume et but goulûment.

— Merci, murmura-t-il une fois la gourde vide.

L'eau lui avait donné suffisamment de force pour s'asseoir. Sa peau était toujours brûlante, mais les rêves s'étaient éloignés, du moins pour le moment. Il les imaginait tapis juste au-delà du cercle de lumière projeté par le feu, attendant. Il se résolut à ne pas se rendormir... pas tout de suite.

La douleur dans son bras avait empiré. L'élancement allait du bout des ongles à l'épaule. Cherchant à l'oublier ainsi qu'à tenir la nuit à distance, il tenta à nouveau d'engager la conversation :

— J'ai entendu dire que, pour les Mohawks, il est indigne d'afficher sa peur et que, si l'on est capturé et torturé, on ne doit montrer aucun signe de détresse. Est-ce vrai ?

— On essaie de ne pas se retrouver dans cette situation, répondit Murray. Mais si cela vous arrive... il faut simplement faire preuve de courage. On chante son chant de mort et on espère mourir dignement. C'est si différent, pour un soldat britannique ? Vous ne voulez pas mourir en lâche, tout de même !

Derrière ses paupières closes, William contemplait les motifs dansants créés par les flammes.

— Non, admit-il. Ce n'est pas si différent... sauf que, quand on est soldat, on court plus de risques d'être tué par une balle ou d'un coup sur le crâne que d'être torturé lentement jusqu'à ce que mort s'ensuive. À moins de tomber sur des Sauvages. Vous... vous avez déjà vu un homme mourir de cette façon ?

Murray ne répondit pas tout de suite, tendant le bras pour tourner la broche. Le feu illuminait ses traits impassibles.

— Oui, dit-il enfin.

— Que lui a-t-on fait ?

Il ne savait pas trop ce qui l'avait incité à poser la question. Peut-être était-ce uniquement pour ne pas penser à sa propre douleur.

— Vous ne voulez pas le savoir.

Le ton était ferme. Murray ne cherchait pas à se faire prier. Il n'en fallait pas plus pour piquer la curiosité de William.

— Si, justement.

Murray pinça les lèvres. Depuis ses débuts dans le renseignement, William avait retenu quelques leçons sur la manière de soutirer des informations. Il se garda donc d'insister et riva plutôt les yeux sur l'homme, attendant.

— Ils l'ont dépecé, dit enfin Murray. Par endroits. Puis ils ont enfoncé des échardes de pin brûlantes dans ses plaies. Ils lui ont tranché le sexe. Ensuite, ils ont construit un feu autour de ses pieds pour le brûler vif avant qu'il ne meure du choc. Cela… a pris du temps.

— Je veux bien le croire !

William essaya de visualiser la scène et n'y parvint que trop bien. Il détourna les yeux de la carcasse du rat musqué qui noircissait au-dessus du feu.

Il ferma les paupières. Son bras continuait de l'élancer à chaque battement de cœur ; il s'efforça de ne pas imaginer la sensation d'échardes incandescentes s'enfonçant dans sa chair.

Murray était silencieux. William ne l'entendait même pas respirer, mais il savait que lui aussi voyait la scène dans son esprit. Dans son cas, il n'avait pas besoin de faire preuve d'imagination ; il revivait simplement ce qu'il avait déjà vécu.

— Vous êtes-vous demandé comment vous vous seriez comporté à sa place ? demanda William. Combien de temps vous auriez tenu ?

— Tous les hommes se posent la question.

Murray se leva brusquement et marcha vers la lisière de la clairière. William l'entendit se soulager contre un arbre, mais plusieurs minutes s'écoulèrent avant qu'il ne revienne.

Le chien se réveilla, redressa la tête et agita lentement la queue en apercevant son maître. Murray rit doucement et lui dit quelque chose dans une langue inconnue… de l'iroquois ? De l'erse ? Puis il arracha une patte arrière de la carcasse du rat musqué et la lança au chien. L'animal se leva d'un bond, happa au vol le morceau de viande puis s'éloigna en trottant joyeusement pour aller déguster son festin de l'autre côté du feu.

Privé de son compagnon de lit, William se rallongea précautionneusement, reposant sa nuque sur le coude de son bras indemne. Il observa Murray nettoyer son couteau, grattant la graisse et le sang avec une poignée d'herbes.

— Vous avez parlé tout à l'heure d'un chant de mort. De quoi s'agit-il ?

Murray le regarda d'un air perplexe.

— Je voulais dire… que raconte-t-on dans son chant de mort ?

— Ah.

L'Écossais fixa ses mains, ses longs doigts noueux allant et venant le long de la lame.

— Je n'en ai entendu qu'un. Les deux autres que j'ai vus mourir de cette façon étaient des Blancs et n'avaient pas vraiment de chant de mort. L'Indien – c'était un Onondaga – a commencé par chanter qui il était : un guerrier, puis il a parlé de sa famille, de son clan, de sa tribu. Ensuite, il s'est longuement épanché sur le mépris qu'il avait pour n… pour ceux qui s'apprêtaient à le tuer.

Murray s'éclaircit la gorge avant de poursuivre :

— Il a chanté ses accomplissements : ses victoires, les valeureux guerriers qu'il avait tués, la façon dont ils l'accueilleraient dans la mort, comment il allait traverser le… le…

Il hésita, cherchant le mot adéquat.

— … l'espace vide qui se trouve entre ici et l'au-delà… Le mot qu'ils emploient pour le décrire ressemble à « abîme ».

Il se tut un instant, mais il n'avait pas terminé. Il semblait fouiller sa mémoire. Puis il se redressa brusquement, prit une profonde inspiration et, les yeux clos, entonna un monologue dans ce qui devait être une langue iroquoise. Elle était fascinante : un enchaînement de « r », de « n » et de « t » dans un rythme aussi régulier qu'un roulement de tambour.

Il s'interrompit brusquement pour expliquer :

— Là, il y a eu un passage sur des créatures horribles qu'il rencontrerait en route vers le paradis. Des sortes de monstres ressemblant à des têtes volantes avec des dents.

— Beurk ! fit William.

— En effet, dit Murray en riant. Je n'aimerais pas en croiser un non plus.

— Vous composez votre chant de mort à l'avance, afin d'être toujours prêts, ou vous vous fiez simplement à l'inspiration du moment?

— C'est que… on en parle rarement entre nous, voyez-vous. Mais en effet, un ou deux de mes amis m'ont confié qu'ils avaient réfléchi à ce qu'ils chanteraient, le moment venu.

— Vous ne le chantez que si vous êtes torturés à mort? Et si vous êtes malades et que vous pensez être sur le point de mourir?

Murray se tourna vers lui d'un air suspicieux.

— Quoi, vous n'êtes pas en train de passer l'arme à gauche, hein?

— Non, je me posais juste la question, le rassura William.

— Mmphm, grogna l'Écossais. Non, en réalité, on chante son chant de mort quand on sait qu'on va mourir. Peu importe la raison.

— Mais c'est encore plus honorable si on le fait pendant qu'on vous enfonce des échardes brûlantes dans la peau?

L'Écossais s'esclaffa. Il paraissait soudain beaucoup moins indien. Il déclara brusquement:

— Pour être vraiment honnête… je n'ai pas trouvé que l'Onondaga s'en était si bien sorti. Je sais, je ne devrais pas critiquer. Je ne sais pas si je pourrais faire mieux… dans de telles circonstances.

Ce fut au tour de William de rire. Puis le silence retomba entre eux. William supposa que, comme lui, Murray s'imaginait ligoté à un poteau, sur le point d'être supplicié. Il fixa le néant au-dessus de lui et s'efforça de composer quelques vers: *Je suis William Clarence Henry George Ranson, comte d'Elle…* Non, il n'avait jamais aimé cette litanie de noms. *Je suis William… William James…* James était son prénom secret. Il n'y avait pas repensé depuis des années. C'était toujours mieux que Clarence. *Je suis William…* Qu'y avait-il d'autre à dire? Pas grand-chose. Il n'avait pas intérêt à mourir maintenant, pas avant d'avoir de quoi composer un chant de mort convenable.

Murray était silencieux ; le feu se reflétait dans ses yeux sombres. En l'observant, William se dit que le Mohawk écossais devait avoir préparé son chant de mort depuis un certain temps déjà. Bientôt, bercé par le crépitement des flammes et les craquements d'os broyés, il s'endormit, brûlant mais brave.

✳

Il errait dans une suite de cauchemars atroces où il était pourchassé par des serpents noirs sur des passerelles tremblantes au-dessus de gouffres sans fond. Des essaims de têtes volantes jaunes aux yeux arc-en-ciel l'assaillaient de toutes parts, leurs petites dents acérées arrachant sa chair par lambeaux. Il agita un bras pour les chasser et une douleur fulgurante le réveilla en sursaut.

Il faisait encore nuit, mais l'air frais et vif annonçait l'arrivée de l'aurore. Sa caresse sur son visage le fit frissonner.

Il entendit une phrase qu'il ne comprit pas et, encore à moitié empêtré dans ses rêves fiévreux, crut qu'elle avait été prononcée par l'un des serpents qui le pourchassaient.

Une main se posa sur son front et un large pouce souleva une de ses paupières. Un visage d'Indien flotta dans sa vision encore floue.

Il émit un grognement irrité et détourna la tête en clignant des yeux. L'Indien posa une question et une voix familière lui répondit. Qui... Murray ! Il se souvint vaguement que Murray avait été dans son rêve, lui aussi, réprimandant les serpents avec son grasseyement typiquement écossais.

Cette fois, il ne parlait pas en anglais ni dans une de ces langues des Highlands. Bien que son corps tout entier fût agité de convulsions, William se força à tourner la tête.

Il y avait plusieurs Indiens accroupis autour du feu. Un, deux, trois... Ils étaient six. Murray était assis sur le tronc couché avec l'un d'eux, discutant.

Non, sept. Il y avait également celui qui l'avait touché et qui était toujours penché sur lui, scrutant son visage. Il lui demanda en anglais avec un air vaguement intrigué :

— Tu crois que tu vas mourir ?

— Non, répondit William entre ses dents. Et puis qui êtes-vous, d'abord ?

L'Indien sembla trouver sa question amusante et, se tournant vers ses compagnons, la leur répéta. Ils éclatèrent de rire. Constatant qu'il était réveillé, Murray se leva.

L'homme penché sur William sourit et répondit :

— Kanien'kehaka. Et puis qui êtes-*vous*, d'abord ?

— C'est un de mes parents, répondit Murray pour lui.

Il s'accroupit près de William, poussant l'Indien du coude.

— Toujours en vie à ce que je vois.

— Apparemment. Cela vous ennuierait de me présenter vos… amis ?

Cette phrase fit se tordre de rire le premier Indien. Il la traduisit à ses compagnons, dont plusieurs s'étaient approchés pour observer le malade, hilares.

Murray, lui, paraissait moins amusé.

— Des membres de ma famille, répondit-il sèchement. Du moins, quelques-uns d'entre eux. Vous voulez un peu d'eau ?

— Vous avez beaucoup de parents… cousin. Oui, je veux bien, merci.

Il se redressa péniblement sur un bras, navré d'abandonner le confort de sa couverture baignée de rosée mais obéissant à un instinct lui dictant de se tenir sur ses deux jambes. Murray semblait bien connaître ces Indiens mais, que ceux-ci fussent apparentés ou pas, il y avait une tension notable dans ses lèvres et ses épaules. En outre, il était évident qu'il avait présenté William comme son parent afin de le protéger…

« Kanien'kehaka », avait répondu l'homme quand il lui avait demandé qui il était. William comprit soudain que ce n'était pas son nom mais ce qu'il était. Murray avait utilisé le même mot la veille après avoir chassé les deux Mingos. « Je suis Kanien'kehaka… un Mohawk. Ils me craignent. » Compte tenu des circonstances, William n'avait pas demandé plus d'explications. Voyant à présent plusieurs Mohawks réunis, il comprenait mieux la prudence des Mingos. Ces hommes dégageaient une sauvagerie cordiale ainsi qu'une assurance tranquille comme ne pouvaient en posséder que ceux qui étaient prêts à chanter, même faux, pendant qu'on les émasculait et les brûlait vivants.

Murray lui tendit une gourde. Il but avidement puis s'aspergea le visage. Se sentant un peu mieux, il alla se soulager puis vint s'accroupir devant le feu entre deux braves. Ces derniers l'observaient sans cacher leur curiosité.

Celui qui lui avait ouvert la paupière semblait être le seul à parler l'anglais. Les autres se contentaient de hocher la tête dans sa direction, réservés mais amicaux. William lança un regard de l'autre côté du feu et eut un mouvement de recul, manquant de tomber en arrière sur les fesses. Une longue forme fauve était couchée dans l'herbe.

— Il est mort, précisa Murray en voyant sa stupéfaction.

Tous les Mohawks riaient.

Se remettant du choc, William répondit :

— Bien fait pour lui, si c'est celui qui m'a pris mon cheval.

En regardant plus attentivement, il remarqua que la dépouille du couguar n'était pas seule. Il y avait également un daguet, un cochon sauvage, un petit félin tacheté et plusieurs aigrettes formant de petites taches blanches dans l'herbe noire. Voilà qui expliquait la présence des Mohawks dans le marais : comme tout le monde, ils étaient venus chasser.

L'aube pointait. Une faible brise souleva les cheveux moites de sa nuque, lui apportant l'odeur piquante et musquée du gibier mort. Son esprit tout autant que sa langue semblaient épais et lents, mais il parvint à prononcer poliment quelques mots d'éloge aux chasseurs. Murray, qui les traduisit, parut à la fois surpris et ravi de constater qu'il avait des manières. William n'était pas en état de s'en offusquer.

La conversation prit ensuite une tournure générale et se déroula principalement en iroquois. Les Indiens cessèrent de s'intéresser à William ; néanmoins, l'homme à ses côtés lui tendit aimablement un morceau de viande froide. William le remercia d'un signe de tête et s'efforça de l'avaler. Il se sentait faible. Une fois qu'il eut fini de manger, il salua poliment son voisin et alla s'allonger à nouveau en espérant ne pas vomir.

Murray le suivit du regard puis posa une question en iroquois à ses amis. Celui qui parlait anglais, un petit homme râblé portant une chemise à carreaux en laine et des pantalons en daim, se leva et s'approcha à nouveau de William.

— Montre-moi ton bras.

Sans attendre qu'il s'exécute, il lui saisit le poignet et retroussa sa manche. William manqua de tourner de l'œil.

Une fois que les points noirs eurent cessé de danser devant ses yeux, il constata que Murray et deux autres Indiens les avaient rejoints. Tous examinaient son bras dénudé d'un air consterné. Lui-même ne voulait pas regarder mais osa quand même baisser les yeux. Son avant-bras avait presque doublé de volume, et des marbrures rouge sombre striaient sa peau du bandage jusqu'au poignet.

L'anglophone (comment Murray l'avait-il appelé? Glouton?) sortit son couteau et trancha le bandage. Ce ne fut qu'en sentant la pression se relâcher que William se rendit compte à quel point cela avait été inconfortable. Il réprima l'envie de se frotter le bras, sentant le fourmillement provoqué par le retour de la circulation. « Fourmillement » était faible. Il avait l'impression d'avoir plongé son bras dans un nid de fourmis rouges.

— Merde! lâcha-t-il entre ses dents.

Les Indiens devaient connaître ce mot, car ils se mirent à rire, hormis Glouton et Murray, qui examinaient toujours son bras.

Glouton (pourquoi l'appelaient-ils ainsi? Il n'était pas gras) tapota délicatement son bras, secoua la tête, déclara quelque chose à Murray en pointant le doigt vers l'ouest.

Murray se frotta le visage d'un air las. Puis il se redressa et demanda quelque chose à l'ensemble du groupe. Il y eut des hochements de tête, des haussements d'épaules, puis plusieurs d'entre deux disparurent entre les arbres.

Plusieurs questions tournoyaient lentement dans la tête de William, rondes et lumineuses comme les globes métalliques du planétaire de son grand-père dans la bibliothèque de leur maison de Jermyn Street.

Que font-ils ?

Que se passe-t-il ?

Suis-je en train de mourir ?

Suis-je en train de mourir comme un soldat britannique ?

Pourquoi a-t-il...

L'engrenage s'arrêta sur cette avant-dernière question. *Soldat britannique...* qui avait dit ça ? La réponse apparut lentement : Murray, lors de leur conversation de la veille.

« C'est si différent, pour un soldat britannique ? Vous ne voulez pas mourir en lâche, tout de même ! »

— Je n'ai pas l'intention de mourir du tout, marmonna-t-il.

Son esprit, soudain obsédé par ce petit mystère, ne s'arrêta pas là. Qu'avait voulu dire Murray ? Parlait-il théoriquement ou avait-il compris qu'il avait affaire à un soldat britannique ?

Que lui avait-il répondu ? « Non, ce n'est pas si différent... sauf que, quand on est soldat, on court plus de risques d'être tué par une balle ou d'un coup sur le crâne... » Il avait pratiquement avoué être ce soldat.

Le soleil se levait, ses premières lueurs déjà suffisamment puissantes pour lui faire mal aux yeux. Au même moment, Rollo réapparut à ses côtés. Il renifla son bras en émettant de petits gémissements du fond de la gorge puis se mit à lécher sa plaie. C'était une sensation singulière, douloureuse mais étrangement apaisante, et il ne repoussa pas le chien.

Où en était-il ? Ah oui, il avait simplement répondu à la question sans réfléchir. Mais si Murray avait déjà su qui ou ce qu'il était ? L'avait-il suivi ? Il pouvait l'avoir vu parler au fermier peu avant qu'il ne pénètre dans le marais, puis l'avoir suivi à distance, attendant le bon moment pour l'intercepter. Mais, dans ce cas...

Ce que Murray lui avait dit au sujet d'Henry Washington était-il un mensonge ?

L'Indien râblé s'agenouilla à ses côtés et repoussa le chien. William ne pouvait lui poser aucune des questions qui lui embourbaient l'esprit et demanda plutôt à travers un brouillard de douleur :

— Pourquoi vous appelle-t-on Glouton ?

L'homme sourit et ouvrit le col de sa chemise pour exhiber un dense réseau de cicatrices sur son cou et son torse.

— C'est un animal. On l'appelle aussi carcajou. J'en ai tué un. À mains nues. À présent, c'est mon totem. Tu n'en as pas un ?

— Non.

L'Indien fit une grimace réprobatrice.

— Il t'en faut un si tu veux survivre à ta blessure. Prends-en un. Choisis-le puissant.

Docile, William fit défiler des images d'animaux au hasard dans sa tête : cochon... serpent... cerf... couguar... Non, il sentait trop mauvais.

— L'ours, annonça-t-il avec résolution.

On ne pouvait pas faire plus fort et puissant, n'est-ce pas ?

— Ours, répéta l'Indien satisfait. Oui, c'est un bon choix.

Il fendit en deux la manche de William d'un coup de couteau, son bras ayant trop enflé pour qu'il fût capable de la retrousser. Un rayon de lumière tomba soudain sur lui, et sa lame projeta des éclats d'argent. Il dévisagea William et se mit à rire :

— Tu as la barbe rousse, Ourson, tu le savais ?

— Oui, je le sais, répondit William en fermant les yeux.

✳

Glouton voulait la peau du couguar, mais Murray, alarmé par l'état de William, refusa d'attendre qu'il l'ait dépecé. Après la dispute qui s'ensuivit, William se retrouva sur un travois bâti à la hâte, à côté du cadavre du félin et traîné par le cheval de Murray sur le terrain accidenté. Ils se rendaient dans une petite communauté située à une quinzaine de kilomètres et qui pouvait se targuer de la présence d'un médecin.

Glouton et deux autres Mohawks les accompagnaient afin de leur montrer la route. Le reste du groupe avait repris la chasse.

Le couguar avait été éviscéré, ce qui n'était pas plus mal, car la chaleur montait de ses entrailles. Malgré cela, l'odeur de sang attirait des nuées de mouches, qui s'en donnaient à cœur joie, le cheval étant trop chargé pour pouvoir les semer. Les insectes bourdonnaient autour des oreilles de William, lui mettant les nerfs à vif et, si la plupart s'intéressaient à la dépouille, il en restait suffisamment tournant autour de lui pour le distraire de son bras.

Quand les Indiens s'arrêtèrent pour uriner et boire, ils le hissèrent debout : ce fut un grand soulagement, en dépit de ses jambes molles. Remarquant ses traits brûlés par le soleil et piqués par les insectes, Murray sortit une boîte en fer-blanc du sac de cuir qu'il portait en bandoulière. Elle contenait un onguent nauséabond dont il l'enduisit copieusement.

Bien que William ne lui ait rien demandé, il annonça :

— Nous ne sommes plus qu'à huit ou neuf kilomètres.

— Ah, tant mieux ! Je ne suis donc pas en enfer, après tout, juste au purgatoire. Qu'est-ce que mille ans de plus ?

Glouton lui lança un regard perplexe, mais cela fit rire Murray, qui lui donna une tape sur l'épaule.

— Vous tiendrez le coup. Vous voulez marcher un peu ?

— Oh que oui !

Sa tête lui tournait, ses pieds refusaient de pointer en avant et ses genoux semblaient se fléchir dans des directions opposées, mais tout valait mieux que de partager une heure de plus sa couche infestée de mouches avec le couguar aux yeux vitreux et à la langue pendante. Équipé d'une canne robuste taillée dans un jeune chêne, il se traîna donc derrière le cheval, tantôt ruisselant de transpiration, tantôt grelottant de fièvre, mais déterminé à marcher jusqu'à ce qu'il tombe.

L'onguent refoulait effectivement les mouches (tous les Indiens en étaient enduits également) et, quand il ne luttait pas contre les frissons, il sombrait dans une sorte de transe, ne pensant plus qu'à mettre un pied devant l'autre.

Les Indiens et Murray le surveillèrent du coin de l'œil pendant un temps puis, constatant qu'il continuait à tenir debout, reprirent leur conversation. William ne pouvait comprendre ce que disaient les deux Iroquois, mais il entendit Glouton interroger Murray sur la nature du purgatoire.

Murray avait quelque mal à lui expliquer le concept, apparemment parce que les Mohawks ne connaissaient ni la notion du péché ni celle d'un dieu se souciant de la méchanceté de l'homme.

— Tu as de la chance d'être devenu Kanien'kehaka, déclara enfin Glouton en hochant la tête. Un esprit qui, une fois le méchant tombé, continue de le torturer après sa mort ? Dire que les Chrétiens nous trouvent cruels !

— Oui, mais imagine qu'un homme se soit montré lâche et ait connu une mort indigne. Le purgatoire lui permet de montrer enfin son courage, non ? Puis, une fois qu'il aura fait ses preuves, le pont s'ouvrira à lui, et il pourra traverser indemne les nuages de choses horribles pour arriver au paradis.

— Mmm... fit Glouton peu convaincu. Je suppose que si un homme peut supporter la torture pendant des siècles... mais comment peut-on le torturer s'il n'a plus de corps ?

— Tu crois qu'on a besoin d'un corps pour être mis au supplice ?

Glouton émit un grognement d'assentiment ou d'amusement puis laissa tomber le sujet.

Ils marchèrent en silence un long moment, entourés par les chants d'oiseaux et les bourdonnements d'insectes. Concentré sur l'effort pour ne pas s'effondrer, William fixait la nuque de Murray devant lui afin de ne pas s'écarter du chemin. Il le remarqua donc tout de suite quand l'Écossais ralentit le pas.

Il crut d'abord que c'était pour lui et allait protester qu'il pouvait parfaitement suivre le rythme quand il vit Murray lancer un bref regard aux autres Mohawks, qui les devançaient légèrement, puis glisser quelque chose à voix basse à l'oreille de Glouton.

L'Indien parut rechigner puis poussa un soupir résigné.

— Je comprends, dit-il. C'est elle, ton purgatoire, c'est ça ?

— Qu'est-ce que ça change ? se défendit Murray. Je t'ai juste demandé si elle allait bien.

— Elle a un fils. Une fille aussi, je crois. Son mari...

— Quoi ? demanda Murray plus sèchement.

— Tu connais Thayendanegea ?

— Oui.

À présent, Murray paraissait intrigué. William l'était aussi, d'une manière vague et confuse. Il attendait de savoir qui était Thayendanegea et ce qu'il avait à voir avec la femme qui était – avait été – la maîtresse de Murray. Oh non. *Nous ne sommes plus ensemble.* Sa femme, donc. William ressentit une pointe de compassion, songeant à Margery. Au cours des quatre dernières années, il avait rarement pensé à elle mais, soudain, sa trahison lui apparut comme une tragédie. Des images d'elle flottèrent autour de lui, déformées par le chagrin. Il sentit un liquide couler sur son visage, sans savoir s'il s'agissait de larmes ou de sa transpiration. Il lui vint à l'esprit, lentement, comme de très loin, qu'il avait perdu la raison.

Les insectes ne le piquaient pas mais continuaient à lui bourdonner dans l'oreille. Il les écouta avec une grande attention, convaincu qu'ils tentaient de lui dire quelque chose. Mais il avait beau se concentrer, il ne distinguait que des syllabes incompréhensibles : *shosha... nik... osonni...* Non, ce dernier était un vrai mot, il le connaissait. Il voulait dire « l'homme blanc ». Étaient-ils en train de parler de lui ?

Il chassa les mouches d'un geste gauche et entendit à nouveau « purgatoire ».

L'espace d'un instant, il chercha le sens du mot : il était suspendu devant lui, couvert de mouches. Il distingua vaguement l'arrière-train du cheval, luisant au soleil, et les deux lignes parallèles tracées dans la poussière par... Qu'est-ce que c'était ? Un objet en bois... non, en toile. C'était son sac de couchage, enroulé autour de deux minces troncs d'arbre, traînant par terre... un « travois », voilà le mot qu'il cherchait !

Et le grand chat… un félin était étendu sur le travois, le regardant de ses grands yeux comme de l'ambre brut, sa bouche ouverte dévoilant ses crocs.

Le grand chat lui parlait, lui aussi.

— Tu es fou, tu le sais?

— Oui, je sais, murmura-t-il.

Il ne comprit pas ce que lui dit ensuite le félin, qui grondait avec un fort accent écossais.

Il s'approcha pour mieux l'entendre. Il se sentit flotter vers cette gueule ouverte dans un air aussi épais que de l'eau. Toute sensation d'effort disparut. Il ne bougeait plus mais semblait soutenu. Il ne voyait plus le grand chat… Ah, sans doute était-ce parce qu'il était étendu à plat ventre dans l'herbe et la poussière.

La voix du couguar retentit à nouveau, énervée mais résignée.

— Ce purgatoire, tu crois que tu peux en ressortir à reculons?

Non, pensa William paisiblement. Décidément, plus rien n'avait de sens.

◀○▶

38

Le parler simple

Songeuse, la jeune femme fit claquer les branches de ses ciseaux.

— Tu es sûr, ami William ? Quel dommage, une si belle couleur !

— J'aurais cru que vous la jugeriez inconvenante, mademoiselle Hunter. J'ai toujours entendu dire que les quakers considéraient les couleurs vives comme indécentes.

Elle-même ne portait que des tons de beige, la seule touche de couleur sur elle étant une petite broche aux reflets cuivrés qui retenait son fichu autour de ses épaules. Il ne l'en trouvait pas moins ravissante. Elle le dévisagea d'un air réprobateur.

— Les ornements immodestes sont une chose, accepter avec gratitude les dons que Dieu t'a faits en est une autre. Les oiseaux bleus s'arrachent-ils les plumes ? Les roses se débarrassent-elles de leurs pétales ?

Il se gratta le menton.

— Les roses, elles, ne souffrent pas de démangeaisons.

L'idée de sa barbe comme un don du ciel était certes une nouveauté, mais elle n'était pas assez convaincante pour le persuader de la garder. Outre d'être d'une couleur fâcheuse, elle poussait drue et clairsemée. Il s'inspecta dans le modeste carré de miroir qu'il tenait. Il ne pouvait rien pour son nez et son front pelés par le soleil, ni pour les croûtes et les égratignures laissées par ses aventures dans le marais. En revanche, la question des hideuses boucles cuivrées qui pendaient sous son menton et se répandaient telle une mousse malsaine le long de ses mâchoires pouvait être réglée en un tour de main.

— Quand vous voudrez, annonça-t-il.

Mlle Hunter se mordit la lèvre puis s'agenouilla près de son tabouret. Elle lui tourna la tête pour orienter son visage dans la lumière et posa ses ciseaux frais contre sa joue.

— Je demanderai à mon frère Denny de te raser de près. Je pourrais sans doute le faire sans te couper, mais… (elle plissa les yeux et se pencha plus près, négociant prudemment la courbe de son menton)… jusqu'à présent, je n'ai jamais rasé qu'un cochon mort.

Il fredonna en s'efforçant de ne pas remuer les lèvres :

— *Barbier, barbier, rase un cochon jusqu'à la…*

Elle lui ferma la bouche d'une pression des doigts sous le menton tout en émettant un petit gloussement amusé. *Clic, clic, clic.* Les lames chatouillaient agréablement la peau. Les poils frisés frôlaient ses mains avant de tomber dans la vieille serviette en lin qu'elle avait étalée sur ses genoux. Il n'avait pas encore eu l'occasion d'étudier son visage d'aussi près. Ses yeux étaient presque noisette, pas tout à fait verts. Il eut soudain envie de déposer un baiser sur le bout de son nez et ferma les yeux. Il inspira profondément. Elle venait de traire une chèvre ; il le sentait.

Quand elle abaissa ses ciseaux, il déclara :

— Je peux me raser tout seul.

Elle lança un regard vers son bras.

— Tu n'es même pas encore en état de te nourrir par toi-même ; comment voudrais-tu te raser ?

Le fait était : il pouvait à peine soulever son bras droit. Elle le nourrissait à la cuillère depuis deux jours. Cela étant, il s'était bien gardé de lui avouer qu'il était gaucher.

— Je cicatrise bien.

Il se tourna pour lui montrer son bras à la lumière. En lui ôtant son bandage ce matin, le docteur Hunter s'était montré satisfait. La plaie était encore rouge et froncée, la peau tout autour blême et humide, mais elle était indubitablement en train de cicatriser.

Mlle Hunter l'examina d'un œil critique.

— Oui, elle est bien ressoudée et plutôt jolie.

— Jolie ?

Sceptique, William contempla son bras. Il avait déjà entendu des hommes parler d'une « belle cicatrice », entendant par là qu'elle était droite et ne défigurait par son porteur. La sienne était irrégulière et longue, s'étirant vers son poignet. On lui avait appris après l'opération qu'il avait été à deux doigts d'être amputé. Le docteur Hunter lui avait immobilisé le bras et avait placé sa scie juste au-dessus de la plaie quand l'abcès sous-jacent lui avait éclaté sous les doigts. Il avait alors aussitôt drainé la plaie, l'avait remplie d'ail et de camphre, et avait prié…

— On dirait une grande étoile, poursuivit Rachel Hunter. Ou peut-être une comète. Ou encore l'étoile de Bethléem, celle qui guida les rois mages jusqu'à la crèche de l'enfant Jésus.

Aux yeux de William, elle ressemblait plus à un éclat de mortier, mais il se contenta d'émettre un « hmm » dubitatif. Il voulait poursuivre cette conversation. Elle s'attardait rarement quand elle venait le nourrir ; elle avait tant à faire ! Il pointa le menton vers sa broche.

— Quel bijou ravissant ! Ce n'est pas un ornement superflu ?

— Non, répondit-elle, acerbe. Il a été confectionné avec les cheveux de ma mère. Elle est morte à ma naissance.

— Je suis désolé.

Après une seconde d'hésitation, il ajouta :

— La mienne aussi.

Elle s'arrêta et le dévisagea. L'espace d'un instant, il lut dans son regard une lueur qui était plus que l'attention neutre qu'elle aurait accordée à une vache vêlant ou à un chien souffrant d'indigestion.

— Moi aussi, je suis désolée, dit-elle avant de tourner les talons. Je vais chercher mon frère.

Ses pas légers et rapides retentirent dans l'étroit couloir. Il saisit les coins de la serviette et la secoua hors de la fenêtre, éparpillant ses poils roux aux quatre vents. *Bon débarras !* Si encore sa barbe avait été d'un brun sobre, elle aurait pu lui servir de déguisement, mais il n'avait aucune chance de passer inaperçu avec cette masse flamboyante au milieu du visage.

Que faire à présent ? Il serait sans doute en état de reprendre la route dès le lendemain.

Ses vêtements, bien que sérieusement défraîchis, étaient toujours portables. Rachel Hunter avait rapiécé ses culottes et sa veste. Toutefois, il n'avait pas de monture, ne possédait que six pence au fond de sa poche et avait perdu le livre contenant ses contacts et les messages à transmettre. Il se souvenait de quelques noms mais, sans les codes et les signes…

Il songea soudain à Henry Washington et à la conversation enfiévrée qu'il avait eue avec Ian Murray près du feu. Washington, Cartwright, Harrington et Carver… La série de noms lui revint facilement, ainsi que le commentaire de Murray sur Washington et Dismal Town.

Il ne voyait pas pourquoi Murray lui aurait menti mais, s'il avait dit vrai, le capitaine Richardson pouvait-il s'être trompé à ce point ? C'était possible. Il n'était pas dans les colonies depuis longtemps mais avait déjà constaté avec quelle rapidité les loyautés pouvaient changer au gré des menaces et de l'opportunité.

Mais si le capitaine Richardson ne s'est pas trompé… cela signifie qu'il voulait m'entraîner dans un piège… droit à la mort ou à la prison.

L'énormité de cette hypothèse lui laissa la gorge sèche. Il saisit la tasse d'infusion que Mlle Hunter lui avait apportée un peu plus tôt et en but le contenu. C'était infect, mais il le remarqua à peine, serrant la tasse contre lui comme un talisman qui l'aurait protégé des perspectives qu'il entrevoyait.

Non, c'était inconcevable. Son père connaissait Richardson. S'il avait été un traître…

— Non, répéta-t-il à voix haute. Impossible, ou très improbable. C'est le rasoir d'Occam.

Cette idée le calma un peu. Il avait appris les principes de base de la logique très tôt, et Guillaume d'Occam lui avait toujours paru un bon guide. Quelle était l'hypothèse la plus plausible : que le capitaine Richardson soit un traître infiltré qui l'avait délibérément mis en danger, que le capitaine ait été mal informé ou qu'il ait simplement commis une erreur ?

William ne se faisait pas d'illusion sur son importance. Quel aurait été l'intérêt, pour Richardson ou n'importe qui d'autre, d'éliminer un jeune officier engagé dans des missions de renseignements sans grande portée ?

Il se détendit légèrement et but une grande gorgée de l'immonde infusion. Il s'étrangla et la recracha, arrosant tout autour de lui. Il était encore en train d'essuyer les dégâts quand il entendit le docteur Hunter monter l'escalier d'un pas guilleret. Denzell Hunter devait avoir une dizaine d'années de plus que sa sœur ; il approchait sûrement de la trentaine. Il était menu et toujours joyeux comme un pinson. Lorsqu'il aperçut William, son visage s'illumina. Il était sincèrement ravi de la convalescence de son patient. William lui sourit chaleureusement.

Le médecin déposa le blaireau et le pot de savon qu'il avait apportés.

— Ma sœur m'informe que je dois te raser. Si tu envisages un retour dans le monde, c'est que tu te sens mieux. La première chose qu'un homme fait quand il est libéré des contraintes sociales, c'est se laisser pousser la barbe. Es-tu allé à la selle ?

— Non, mais je compte bien y aller très prochainement, l'assura William. Cependant, je ne peux pas me montrer en public ayant l'air d'un bandit, même pour aller aux latrines. Je ne voudrais pas scandaliser vos voisins.

Le docteur Hunter se mit à rire. Il sortit un rasoir d'une poche et des lunettes à monture argentée d'une autre. Il chaussa ces dernières et plongea le blaireau dans le pot à savon.

— Ne t'inquiète pas, ma sœur et moi sommes déjà un sujet de fable et de risée pour les gens. De voir des bandits émergeant de nos latrines ne fera que les conforter dans leur opinion.

— Vraiment ? s'étonna William.

Il dut tordre la bouche pour éviter qu'elle soit remplie de savon. En reprenant ses esprits deux jours plus tôt, il avait appris qu'il se trouvait à Oak Grove, une petite colonie de quakers. Il avait toujours cru les quakers très unis par leurs sentiments religieux mais, d'un autre côté, il n'en avait encore jamais rencontré.

Hunter déposa son blaireau et saisit son rasoir.

— Que voulez-vous, la politique ! soupira-t-il. Dis-moi, ami William, y a-t-il quelqu'un que je devrais prévenir de tes mésaventures ?

Il interrompit son rasage pour laisser William répondre.

— Non, merci, docteur. Je préviendrai mes proches moi-même. Je pense pouvoir reprendre la route dès demain, mais soyez assuré que je n'oublierai pas votre bonté et votre hospitalité une fois que j'aurai rejoint mes… amis.

Denzell Hunter plissa le front d'un air concentré et reprit son travail. Quelques instants plus tard, il demanda :

— Pardonne mon indiscrétion, ami William, mais où comptes-tu te rendre ?

William hésita. En réalité, compte tenu de l'état déplorable de ses finances, il n'avait pas encore pris de décision. Pour le moment, sa meilleure idée était de se rendre au mont Josiah, sa propre plantation. Il n'en était pas certain mais estimait qu'elle se trouvait à plus ou moins soixante-dix kilomètres. Si les Hunter lui donnaient quelques provisions, il pourrait sans doute y parvenir en quelques jours, une semaine tout au plus. Une fois là-bas, il pourrait retrouver des vêtements, un bon cheval, des armes, de l'argent, puis reprendre son voyage.

C'était tentant. Toutefois, cela l'obligerait à révéler sa présence en Virginie… et à susciter bon nombre de commentaires, car tout le monde dans le comté le connaissait et savait qu'il était soldat. En le voyant débarquer dans cette tenue…

— Il y a quelques catholiques à Rosemount, observa timidement Hunter en essuyant sa lame sur une serviette élimée.

William lui lança un regard surpris. Pourquoi lui parlait-il soudain de catholiques ? Constatant sa réaction, le docteur s'excusa :

— Pardonne-moi, ami. Comme tu as parlé de tes amis, j'ai pensé...

— Vous avez pensé que j'étais...

William comprit soudain et porta une main à son cou, n'y trouvant rien.

— Le voici.

Hunter ouvrit le coffre au pied du lit et se redressa avec le rosaire en bois pendant au bout de sa main.

— Nous te l'avons ôté quand nous t'avons déshabillé, mais ma sœur l'a mis à l'abri pour toi.

— « Nous » ? Vous et... Mlle Hunter... m'avez déshabillé ?

— Il n'y avait personne d'autre, répondit le médecin d'un air contrit. Nous avons dû t'étendre nu dans le ruisseau pour faire baisser ta fièvre. Tu ne t'en souviens pas ?

Effectivement, il avait un vague souvenir d'une sensation de froid extrême et de noyade qu'il avait attribuée à un de ses rêves fébriles. La présence de Mlle Hunter n'en faisait pas partie.

— Je ne pouvais pas te porter seul, expliqua le médecin. Quant aux voisins... j'avais préservé ta pudeur sous une serviette.

William prit son rosaire et demanda, intrigué :

— Quelle querelle vous oppose à vos voisins ? Je ne suis pas papiste, ce rosaire est un souvenir... offert par un ami.

— Ah, fit Hunter, déconcerté.

Il se passa un doigt sur la lèvre.

— Je vois. J'avais cru que...

— Les voisins ? l'interrompit William.

Mal à l'aise, il glissa le rosaire autour de son cou. Peut-être l'animosité de ses voisins était-elle liée à sa méprise sur sa religion...

— Ils m'auraient sûrement aidé à te transporter, admit Hunter. Mais encore eût-il fallu avoir le temps d'aller les chercher. Ton état était urgent, et la première maison est à une bonne distance.

William comprit qu'il n'en saurait pas plus sur l'attitude des voisins quant aux Hunter. Insister aurait été impoli. Il se contenta donc de hocher la tête et se leva.

Le sol oscilla soudain sous ses pieds et des éclairs blancs clignotèrent devant ses yeux. Il se rattrapa de justesse au rebord de la fenêtre et revint à lui quelques instants plus tard, en nage et retenu par la poigne étonnamment puissante du docteur Hunter, qui lui avait évité de basculer la tête la première dans la cour en contrebas.

— Pas si vite, ami Ransom, lui dit-il en l'aidant à retourner vers le lit. Il te faudra attendre au moins une journée avant de pouvoir tenir seul debout. Tu n'es pas encore aussi remis que tu le crois.

Légèrement nauséeux, William s'assit sur le lit pendant que Hunter lui essuyait le visage avec une serviette. De toute évidence, il avait encore largement le temps de décider où aller ensuite.

— À votre avis, docteur, combien de temps avant que je puisse marcher toute une journée ?

Hunter l'examina attentivement.

— Quatre jours au moins, peut-être cinq. Tu es jeune et vigoureux, autrement j'aurais dit une bonne semaine.

Se sentant faible et pâle, William s'allongea. Le médecin resta un moment à côté du lit, l'air soucieux.

— Ton voyage… te mènera-t-il loin d'ici ? demanda-t-il en choisissant minutieusement ses mots.

— Assez, oui, répondit William, prudent. Je vais… vers le Canada.

En dire plus risquait de dévoiler les raisons de son voyage. Certes, un homme pouvait se rendre au Canada pour affaires sans nécessairement traiter avec l'armée britannique, qui occupait Québec, mais le docteur ayant lui-même parlé de politique… autant se montrer prudent. En outre, il n'était pas question de mentionner le mont Josiah. Quelles que soient les relations des Hunter avec leurs voisins, les nouvelles concernant un visiteur se propageaient vite.

— Le Canada... répéta Hunter, songeur. Oui, effectivement, c'est une distance considérable. Fort heureusement, j'ai tué une chèvre ce matin. Nous aurons de la viande ; elle te donnera des forces. Demain, je te saignerai afin d'éliminer l'excès de flegme et de restaurer l'équilibre de tes humeurs, puis nous verrons. En attendant...

Il lui sourit et lui tendit la main.

— Viens. Je vais t'aider à aller jusqu'au cabinet d'aisance.

———◄O►———

39

Un cas de conscience

Un orage se préparait. William le sentait dans le mouvement de l'air, le devinait aux ombres des nuages qui filaient sur le plancher usé. La chaleur oppressante de la journée d'été s'était atténuée, et il sentait l'électricité ambiante se propager en lui. Ne pouvant plus rester allongé, il parvint à se lever et se retint à la vanité jusqu'à ce que passe le premier vertige.

Il marcha d'un côté de la chambre à l'autre, une distance de trois mètres, en se tenant au mur. L'effort l'étourdissait, et il était obligé de s'asseoir sur le plancher de temps à autre, la tête entre les genoux, jusqu'à ce que les points lumineux cessent de danser devant ses yeux.

À l'une de ces occasions, alors qu'il était assis sous la fenêtre, il entendit des voix dans la cour. Celle de Mlle Hunter, surprise et interrogative, et la réponse d'un homme, plus grave et rauque. Une voix familière... Ian Murray !

Il bondit sur ses pieds et retomba aussitôt sur le sol, pris de tournis. Il serra les poings et inspira profondément en attendant que le sang remonte dans son cerveau.

— Il vivra, donc ?

Les voix étaient lointaines, à demi étouffées par le murmure des châtaigniers qui entouraient la maison. William se redressa péniblement sur les genoux et s'accrocha au rebord de fenêtre.

Il apercevait la haute silhouette de Murray près de la porte de la cour, le grand chien à ses côtés. Il ne vit pas Glouton ni les autres Indiens, mais deux chevaux paissaient dans l'herbe derrière l'Écossais, leurs rênes pendantes. Rachel Hunter tendait la main vers la maison, l'invitant sans doute à entrer, mais Murray fit non de la tête. Il fouilla dans un sac accroché à sa taille et en sortit un petit paquet, qu'il lui tendit.

— Hé! tenta de crier William.

Il n'avait plus de souffle, alors il agita un bras. Le mouvement attira le regard de Murray. Apercevant William à la fenêtre, il lui sourit et le salua d'un geste de la main.

William crut qu'il allait entrer, mais l'Écossais saisit les rênes de l'un des chevaux et les plaça dans les mains de la jeune fille. Puis, avec un dernier salut vers la fenêtre, il sauta d'un bond sur la selle de l'autre monture.

En le voyant disparaître entre les arbres, William ressentit une profonde déception. Puis il se souvint que Murray avait laissé un cheval. Rachel Hunter était en train de le conduire derrière la maison, son tablier et ses jupons battant au vent, une main plaquée sur son crâne pour retenir son bonnet.

La monture devait être pour lui! Murray comptait-il revenir le chercher? Devait-il le suivre? Le cœur battant, il enfila ses culottes rapiécées et les nouveaux bas que Rachel lui avait donnés, puis il enfonça tant bien que mal les pieds dans ses bottes raidies par leur séjour dans l'eau. L'effort lui fit tourner la tête mais, déterminé, il descendit l'escalier, vacillant et manquant de glisser à chaque marche.

Il arriva dans la cuisine juste au moment où la porte s'ouvrait. Un courant d'air la fit se refermer en claquant. Rachel se tourna, l'aperçut et poussa un cri.

— Doux Jésus! Que fais-tu en bas?

— Pardonnez-moi, je n'ai pas voulu vous faire peur. Je... j'ai vu M. Murray repartir et je pensais le rattraper. Vous a-t-il dit où je devais le rejoindre?

— Non. Pour l'amour de Dieu, assieds-toi avant de tomber.

L'envie de sortir était irrésistible, mais ses genoux tremblaient, manquant de lâcher d'un instant à l'autre, et il s'exécuta à contrecœur.

— S'il vous plaît, qu'a-t-il dit?

Se rendant soudain compte qu'il était assis alors qu'elle était toujours debout, il lui indiqua l'autre tabouret.

— Je vous en prie, asseyez-vous et racontez-moi ce qu'il vous a dit.

Rachel s'assit en lissant ses jupes. Les nuages noirs étaient à présent presque sur eux, projetant des ombres fuyantes sur le sol et son visage comme si la pièce se trouvait sous l'eau.

— Il s'est enquis de ta santé et, quand je lui ai dit que tu allais mieux, il m'a confié un cheval pour toi.

Elle hésita un instant et William l'encouragea :

— Il vous a donné autre chose, n'est-ce pas ? Je l'ai vu vous remettre un petit paquet.

Elle pinça les lèvres puis acquiesça et sortit de la poche un objet lâchement enveloppé de tissu.

Il avait hâte de voir ce qu'il contenait, mais pas au point de ne pas remarquer les sillons dans le tissu, là où une ficelle avait été très récemment nouée autour du paquet. Il leva les yeux vers Rachel, qui détourna les siens, le menton haut mais les joues rosissant.

Le paquet contenait une liasse de billets en devise continentale, une bourse élimée renfermant une guinée, trois shillings et deux pence, une lettre qui, visiblement, avait été maintes fois pliée, dépliée et repliée, et un paquet plus petit, celui-ci encore ficelé. Il mit de côté les objets et l'argent et ouvrit la lettre.

Cousin,

J'espère que cette lettre vous trouvera en meilleure santé que la dernière fois que je vous ai vu. Si c'est le cas, je laisserai un cheval et un peu d'argent afin que vous puissiez reprendre votre route. Dans le cas contraire, je ne laisserai que l'argent afin de payer pour vos remèdes ou votre enterrement. L'autre petit paquet est un présent d'un ami que les Indiens appellent « Tueur d'ours ». Il espère qu'il vous protégera. Je vous souhaite bonne chance dans la poursuite de vos projets.

Votre dévoué,
Ian Murray

— Hmm… ! fit William, perplexe.

De toute évidence, Murray avait à faire ailleurs et ne pouvait ou ne voulait attendre que William se soit suffisamment rétabli pour voyager. Bien que déçu, car il aurait beaucoup aimé discuter plus en détail avec lui maintenant qu'il avait l'esprit clair, il se dit qu'en effet il était sans doute aussi bien qu'ils ne fassent pas la route ensemble.

Son problème le plus immédiat était résolu : il avait désormais les moyens de poursuivre sa mission ou, du moins, de rejoindre le quartier général du général Howe, de faire son rapport et d'obtenir de nouvelles instructions.

C'était incroyablement généreux de la part de Murray. Le cheval lui avait paru solide, et la somme d'argent était amplement suffisante pour qu'il se nourrisse et se loge convenablement jusqu'à New York. D'où l'avait-il sortie ? À première vue, Murray ne semblait pas avoir le sou, bien qu'il possédât un bon fusil et eût de l'éducation, comme en attestait sa lettre. Qu'avait pu pousser cet étrange Indien écossais à s'intéresser à lui ?

Il ouvrit le second petit paquet. Il contenait une griffe d'ours percée et traversée d'une lanière en cuir. Elle était vieille. Les bords étaient érodés, et le nœud dans le cuir s'était durci au point de devenir inextricable. Il la caressa du bout du pouce et tâta la pointe. Jusqu'à présent, l'esprit de l'ours l'avait bien servi. Souriant en lui-même, il passa la lanière autour de son cou, laissant la griffe pendre sur le devant de sa chemise. Rachel Hunter la contempla, ses traits indéchiffrables.

William prit un air désapprobateur.

— Vous avez lu ma lettre, mademoiselle Hunter. Ce n'est pas bien !

Elle rougit encore un peu plus mais soutint son regard avec une franchise qu'il avait encore rarement observée chez une femme, exception faite de lady Benedicta, sa grand-mère paternelle.

— La manière dont tu t'exprimes est bien supérieure à ta mise, ami William. Bien que tu aies retrouvé tes esprits depuis plusieurs jours à présent, tu ne nous as toujours pas expliqué ce que tu faisais dans le Great Dismal, un lieu que ne fréquentent guère les gentlemen.

— Vous vous trompez, mademoiselle Hunter. Bon nombre de mes connaissances s'y rendent pour la chasse, qui y est sans pareil. Or, on ne met pas ses plus beaux habits pour traquer le cochon sauvage ou le couguar.

— On n'y chasse pas non plus armé d'une simple poêle à frire, ami William, riposta-t-elle. Si tu es vraiment un gentleman, puis-je savoir d'où tu viens ?

Il fouilla dans sa tête un instant puis choisit la première ville qui lui vint à l'esprit :

— Euh… de Savannah. Dans les Carolines.

— Oui, je sais où se trouve Savannah. Et j'ai déjà entendu l'accent des gens de là-bas. Tu ne l'as pas.

— Vous me traitez de menteur ?

— Oui.

— Ah.

Ils se dévisagèrent un moment dans la pénombre, chacun calculant. Un moment, il eut l'impression d'être en train de jouer aux échecs avec sa grand-mère Benedicta. Puis Rachel déclara soudain :

— Je suis désolée d'avoir lu ta lettre. Ce n'était pas par vulgaire curiosité, je te l'assure.

— Pourquoi alors ?

Il lui sourit pour lui montrer qu'il ne lui tenait pas rigueur de son indiscrétion. Elle ne sourit pas en retour ; elle le fixa plutôt en plissant des yeux comme si elle le jaugeait. Puis elle soupira, et ses épaules s'affaissèrent.

— Je voulais en savoir un peu plus long sur toi et ta personnalité. Tes amis qui t'ont conduit jusqu'à nous semblent être des hommes dangereux. Et ton cousin ? Si tu es l'un d'eux, alors…

Elle se mordit brièvement la lèvre supérieure, hésita encore quelques secondes, puis reprit plus fermement :

— Nous devons quitter cette communauté, mon frère et moi, d'ici quelques jours. Tu as dit à Denny que tu partais vers le nord. J'aurais aimé que nous fassions la route ensemble, du moins pendant un temps.

Il s'était attendu à tout sauf à cela. Il cilla et dit la première chose qui lui vint à l'esprit :

— Quitter ici ? Pourquoi ? Les... euh... les voisins ?

— Pardon ?

— Votre frère m'a laissé entendre que vos rapports avec les gens du coin étaient... un peu tendus...

La commissure des lèvres de Rachel frémit, mais William n'aurait su dire si c'était de désarroi ou par amusement. Elle pianota sur la table, songeuse.

— Je vois, fit-elle enfin. Oui, c'est vrai, bien que ce ne soit pas ce à quoi je voulais... même si... Je crois que je vais devoir tout t'expliquer. Que sais-tu au sujet de la Société des Amis ?

Il ne connaissait qu'une famille de quakers, les Unwin. Le père, un riche marchand, était une relation de lord John. Il avait lui-même rencontré ses deux filles lors d'une soirée musicale. Toutefois, leur conversation n'avait porté ni sur la philosophie ni sur la religion.

— Ils... vous... n'aimez pas les conflits ? se risqua-t-il prudemment.

Elle se mit à rire, et il fut soulagé d'avoir fait disparaître, ne fût-ce que provisoirement, cette petite fronce entre ses sourcils.

— La violence, corrigea-t-elle. Nous adorons le conflit, tant qu'il n'est que verbal. Denny m'a dit que tu n'étais pas papiste. Je suppose que tu n'as jamais assisté à un culte quaker ?

— L'occasion ne s'en est pas encore présentée.

— C'est ce qu'il me semblait. Lors de nos réunions, des pasteurs prononcent parfois un sermon, mais chacun et chacune peut prendre la parole, sur n'importe quel sujet, si l'esprit l'inspire.

— Chacune ? Les femmes parlent en public ?

Elle lui lança un regard torve.

— J'ai une langue, tout comme toi.

— J'avais remarqué, dit-il en souriant. S'il vous plaît, continuez.

Elle ouvrit la bouche quand un volet claqua contre le mur de la maison ; la pluie se mit à crépiter contre la fenêtre. Rachel se leva d'un bond.

— Il faut que je rentre les poules ! Ferme les volets, ordonna-t-elle avant de sortir en courant.

Surpris et amusé, il obéit. Arrivé en haut de l'escalier, il dut faire une pause en se tenant à la rampe le temps que le vertige soit passé. Il y avait deux pièces à l'étage : la chambre donnant sur le devant de la maison, où ils l'avaient installé, et une autre plus petite à l'arrière, que le frère et la sœur partageaient à présent. Elle était dépouillée à l'extrême, ne contenant qu'un lit gigogne, une vanité sur laquelle était posé un bougeoir, quelques patères où étaient accrochés la culotte et la chemise de rechange du docteur, un châle en laine et ce qu'il devina être la robe que portait Rachel pour se rendre au culte : un vêtement sobre teinté à l'indigo.

Avec le vent et la pluie étouffés par les volets, la chambre sombre semblait paisible, un refuge contre l'orage. Il y resta un moment immobile, goûtant l'agréable sensation de la transgression. Il n'y avait aucun bruit au rez-de-chaussée : Rachel devait être encore en train de courir après ses poules.

Cette chambre dégageait une atmosphère étrange, et il ne lui fallut qu'un moment pour comprendre pourquoi. Son dépouillement et la vétusté des biens matériels témoignaient de la pauvreté des Hunter mais contrastaient avec la discrète prospérité que trahissaient les objets : le bougeoir était en argent massif, et non en étain ; l'aiguière et la bassine sur la vanité étaient en porcelaine de qualité, peinte de chrysanthèmes bleus.

William souleva la jupe de la robe bleue suspendue à la patère, l'examinant attentivement. L'ourlet était usé jusqu'à la trame et l'indigo s'était fané au soleil, si bien que les plis de la robe formaient un motif en éventail de tons clairs et foncés. Ici, la modestie avait été poussée à l'extrême. Les filles Unwin étaient vêtues sobrement, mais leurs vêtements avaient été de première qualité.

Pris d'une impulsion, il pressa le tissu contre son visage. Il sentait encore vaguement l'indigo, les herbes et, très perceptiblement, le corps de femme. Son parfum le pénétra comme l'agréable bouquet d'un bon vin.

Le bruit de la porte en bas le fit lâcher la robe comme si elle lui avait brûlé les doigts, et il descendit lentement l'escalier, le cœur battant.

Rachel Hunter était en train de secouer son tablier devant le feu. Son bonnet était trempé. N'ayant pas vu William, elle l'ôta, l'essora en maugréant, puis le suspendit à un clou planté dans le manteau de cheminée.

Ses cheveux retombèrent dans son dos, mouillés et brillants, formant une masse noire sur la toile pâle de sa veste.

De la regarder ainsi à son insu, surtout avec son odeur encore en mémoire, parut soudain à William d'une intimité trop troublante, et il brisa le silence.

— Vos poules sont en sécurité ?

Elle se retourna, méfiante, mais ne chercha pas à couvrir ses cheveux.

— Toutes sauf celle que mon frère appelle la Grande Putain de Babylone. Les poules n'ont rien qui ressemble de loin ou de près à de l'intelligence, mais celle-ci est d'une perversité sans borne.

— Perversité ?

Elle devina qu'il s'amusait en imaginant les possibilités que cette description impliquait et émit un son agacé tout en ouvrant le bahut.

— Elle est perchée à vingt pieds du sol dans un sapin en plein orage. J'appelle ça de la perversité.

Elle sortit une serviette en lin et essuya ses cheveux. Le bruit à l'extérieur changea soudain, la pluie cédant le pas à une grêle qui crépitait comme si l'on projetait des poignées de gravier contre les volets.

— Hmmph, fit-elle. Elle sera probablement assommée par la grêle et dévorée par le premier renard qui passera par là. Elle l'aura cherché, cette sotte ! En tout cas, je serai ravie de ne plus voir aucune de ces poules.

Le voyant toujours debout, elle s'assit et lui fit signe d'en faire autant.

— Vous disiez tout à l'heure que votre frère et vous comptiez quitter cet endroit et vous rendre plus au nord, lui rappela-t-il. Dois-je comprendre que vos poules ne vous accompagneront pas ?

— Non, et j'en remercie le Seigneur. Elles sont déjà vendues, comme la maison.

Elle déposa la serviette et sortit de sa poche un petit peigne en corne.

— J'ai promis de t'expliquer pourquoi nous partons.

— Il me semble que vous étiez en train de me dire que cela avait un rapport avec votre culte…

— J'ai dit que lorsque quelqu'un est inspiré par l'esprit, il prend la parole. Or, l'esprit a inspiré mon frère, c'est pourquoi nous avons dû quitter Philadelphie.

Elle expliqua que leurs réunions pouvaient avoir lieu chaque fois que des Amis se trouvaient en nombre suffisant. Outre ces petites rencontres informelles, il y avait de plus grands rassemblements, trimestriels et annuels, où d'importantes questions de principes étaient débattues et des mesures étaient prises concernant la vie des quakers en général.

— L'assemblée annuelle de Philadelphie est la plus grande et la plus influente. Tu as raison : les quakers rejettent la violence et cherchent à l'éviter ou à y mettre un terme. Quand il a fallu discuter de la rébellion, nous avons tous prié et réfléchi ensemble. Il a été décidé que le chemin de la sagesse et de la paix résidait dans la réconciliation avec la mère patrie.

— Je vois, dit William. Donc, tous les quakers des colonies sont loyalistes ?

Elle pinça les lèvres.

— C'est le conseil de l'assemblée annuelle. Mais comme je te l'ai dit, les Amis sont guidés par l'esprit, et chacun doit agir selon sa voix intérieure.

— Et votre frère a pris position en faveur de la rébellion ?

William était amusé mais prudent. En apparence, le docteur Hunter n'avait rien d'un fauteur de troubles.

Rachel baissa la tête.

— En faveur de l'indépendance, rectifia-t-elle.

— Il y a là un rouage logique qui m'échappe. Comment peut-on espérer accéder à l'indépendance sans recourir à la violence ?

— Si tu penses que l'esprit de Dieu est nécessairement logique, c'est que tu le connais mieux que moi.

Elle passa une main dans ses cheveux encore humides avant de les rejeter en arrière d'un geste impatient.

— Denny a déclaré que, pour lui, il était clair que la liberté, celle de l'individu comme celle d'un pays, était un don de Dieu, et qu'il se sentait appelé à rejoindre le combat pour la gagner et la préserver. C'est pour ça que nous avons été exclus du culte.

Il faisait sombre dans la pièce, avec les volets fermés, mais il pouvait distinguer son visage à la lueur de l'âtre. Sa dernière déclaration l'avait émue. Ses traits étaient tirés et ses yeux brillaient comme si elle était sur le point de pleurer, mais elle semblait résolue à ne pas le faire.

Il demanda doucement :

— Je suppose que c'est grave d'être exclu du culte, n'est-ce pas ?

Elle acquiesça, détourna les yeux, ramassa la serviette froissée et la lissa lentement avant de la replier. Puis elle reprit, choisissant minutieusement ses mots :

— Je t'ai dit que ma mère était morte à ma naissance. Mon père nous a quittés trois ans plus tard, noyé au cours d'une inondation. Mon frère et moi nous sommes retrouvés seuls et à la rue. La congrégation locale a veillé à ce que nous ne mourions pas de faim et a mis un toit au-dessus de notre tête – il fuyait, mais tout de même... Puis, au cours d'une réunion, il a été question de mettre Denny en apprentissage. Mon frère craignait d'être obligé de devenir conducteur de bestiaux ou cordonnier. Il n'a pas la carrure nécessaire pour faire un forgeron. (Elle sourit légèrement.) Mais il aurait tout fait pour que je mange à ma faim.

Toutefois, la chance était intervenue. L'un des Amis avait fait des recherches pour tenter de retrouver des parents des orphelins. Après de nombreuses lettres, il avait découvert un cousin éloigné, originaire d'Écosse mais vivant à Londres.

— John Hunter, que son nom soit béni ! C'est un célèbre médecin, comme son frère, qui est l'*accoucheur*[13] de la reine.

En dépit de ses principes égalitaires, Mlle Hunter semblait impressionnée. William hocha poliment la tête.

— Il s'est enquis des aptitudes de Denny et, apprenant qu'elles étaient bonnes, a fait le nécessaire pour l'envoyer à Philadelphie, en pension chez une famille quaker, où il est entré au Nouveau Collège de médecine. Ensuite, il l'a même fait venir à Londres pour qu'il parachève ses études à ses côtés.

— Quelle chance, en effet ! Et vous, où étiez-vous pendant ce temps-là ?

— Une femme du village m'a recueillie chez elle.

Elle avait répondu avec un détachement qui ne le trompa pas. Elle ajouta rapidement :

— Mais Denzell est rentré et, naturellement, je suis venue tenir sa maison jusqu'à ce qu'il se marie.

Elle plissait la serviette entre ses doigts, les yeux baissés vers ses genoux. Le feu dans l'âtre projetait de petits éclats de lumière dans sa chevelure, des reflets bronze dans les boucles brunes.

— Cette femme... elle a été bonne avec moi. Elle a veillé à ce que j'apprenne à entretenir une maison, à cuisiner, à coudre... tout ce qu'il est utile à une femme de connaître, à ce que je sache.

Elle releva les yeux vers lui, toujours avec cette même franchise déroutante.

— Je ne crois pas que tu puisses comprendre ce que signifie d'être exclu du culte.

— C'est un peu comme d'être expulsé de son régiment, je suppose. C'est à la fois déshonorant et désemparant.

---

13. En français dans le texte (*N.d.T.*).

— Une réunion d'Amis n'est pas seulement un groupe de prière, c'est... une communauté d'esprit, de cœur. Une grande famille, en somme.

Surtout pour une jeune femme qui n'avait pas eu de famille?

— Oui, je comprends, dit-il à voix basse.

Il y eut un bref silence dans la pièce, interrompu uniquement par le bruit de la pluie. Il lui sembla entendre chanter un coq quelque part au loin. Rachel reprit:

— Tu as dit que ta mère était morte. Ton père vit toujours?

Il fit non de la tête.

— Vous allez me trouver exagérément dramatique mais, mon père est lui aussi mort le jour de ma naissance. Je vous assure!

Elle écarquilla les yeux.

— C'est vrai qu'il avait une cinquantaine d'années de plus que ma mère. En apprenant qu'elle était morte en c-c-couches, il a été terrassé par une apoplexie.

Il était agacé. Cela faisait longtemps qu'il n'avait pas bégayé. Heureusement, elle ne semblait pas l'avoir remarqué.

— Tu es donc orphelin, toi aussi. Je suis désolée pour toi.

Il haussa les épaules, gêné.

— Je n'ai connu aucun de mes deux géniteurs, mais j'ai eu des parents. Ma tante maternelle est devenue ma mère, dans tous les sens du terme; elle est décédée aujourd'hui. Quant à son mari... je l'ai toujours considéré comme mon père, bien que nous n'ayons pas de lien de sang.

Il lui vint à l'esprit qu'il s'aventurait sur un terrain glissant en parlant trop de lui. Il s'éclaircit la gorge et tenta de ramener la conversation vers des questions moins personnelles.

— Votre frère... comment projette-t-il de mettre en pratique sa révélation?

Rachel soupira.

— Cette maison appartenait à un cousin de ma mère. Il était veuf et sans enfant. Il l'avait léguée à Denzell mais, après avoir appris que nous avions été exclus du culte, il a écrit pour annoncer qu'il voulait modifier son testament. Le hasard a voulu qu'il attrape une mauvaise fièvre et en meure avant de pouvoir le faire. Toutefois, tous ses voisins connaissaient son intention, et c'est pourquoi...

— Je vois.

William trouvait que Dieu n'était peut-être pas très logique, mais il semblait s'intéresser de près à Denzell Hunter. Il n'aurait sans doute pas été convenable de le dire à voix haute, aussi l'hôte posa-t-il une autre question :

— Vous avez dit que la maison était en vente. Votre frère est-il donc...

— Il est parti en ville, faire signer l'acte de vente au tribunal, puis organiser les derniers détails pour les chèvres, les cochons et les poules. Dès que ce sera fait, nous partirons.

Elle marqua un temps d'arrêt avant de conclure :

— Denny compte rejoindre l'armée continentale en tant que médecin.

— Et vous l'accompagnerez ?

Son ton était légèrement réprobateur. De nombreuses épouses (ou concubines) de soldats « suivaient le tambour », ce qui revenait pratiquement à s'enrôler dans l'armée avec leurs époux. Il n'en avait jamais vu lui-même, car elles avaient été absentes de la campagne du Long Island, mais il avait parfois entendu son père en parler, généralement avec pitié. Ce n'était pas une vie pour une femme.

Elle perçut sa désapprobation et releva le menton.

— Certainement !

Une longue épingle en bois était posée sur la table. Elle avait dû la retirer en ôtant son bonnet. Elle tordit sa chevelure humide en un chignon et planta l'épingle dedans d'un geste décidé.

— Alors ? demanda-t-elle. Voyageras-tu avec nous ?

Elle ajouta rapidement :

— Jusque là où il sera plus prudent de ne pas être vus ensemble, bien sûr.

Il avait retourné cette idée dans sa tête tout au long de leur conversation. Un tel arrangement serait utile aux Hunter : il était toujours moins dangereux de voyager à plusieurs et, en dépit de sa révélation, le médecin n'avait rien d'un guerrier. Cela présentait des avantages pour lui aussi. Les Hunter connaissaient les environs, ce qui n'était pas son cas, et un homme voyageant avec un groupe, notamment un groupe incluant une femme, attirait moins l'attention et les soupçons qu'un voyageur solitaire.

Il lui vint également à l'esprit que si Hunter rejoignait l'armée continentale, il pourrait peut-être approcher suffisamment des forces de Washington pour glaner des informations utiles, ce qui compenserait largement la perte de son livre de contacts.

— Absolument ! répondit-il avec un large sourire. C'est une idée admirable.

Un éclair transperça soudain les fentes sous les volets, suivi presque aussitôt d'un coup de tonnerre retentissant. Ils sursautèrent tous les deux. Quand ses oreilles eurent cessé de résonner, William déclara sur un ton léger :

— J'espère que c'était un signe d'approbation.

Cela ne la fit pas rire.

———◄O►———

40

La bénédiction de sainte Bride et de saint Michel

Les Mohawks le connaissaient sous le nom de Thayendanegea, « fait deux paris ». Pour les Anglais, il était Joseph Brant. Ian en avait beaucoup entendu parler – sous ses deux noms – quand il vivait parmi les Indiens. Il s'était toujours demandé comment Thayendenagea parvenait à évoluer sur le terrain dangereux entre ces deux univers. Était-ce comme le pont ? Cette mince passerelle qui reliait ce monde et le suivant, l'air autour rempli de têtes ailées aux dents acérées ? Il aurait beaucoup aimé être assis autour d'un feu avec Joseph Brant et l'interroger.

Il se rendait justement à la maison de Brant, mais non pour discuter avec lui. Glouton lui avait dit que Sun Elk avait quitté Snaketown pour rejoindre Brant et que sa femme l'accompagnait.

— Ils sont à Unadilla, avait déclaré Glouton. Thayendanegea se bat du côté des Anglais, tu sais. Il discute avec les loyalistes, là-bas, essayant de les convaincre de se joindre à lui et à ses hommes. Il les appelle « les Volontaires de Brant ».

Il avait parlé sur un ton neutre. Glouton ne s'intéressait pas à la politique, même s'il lui arrivait de participer à des combats, quand l'esprit l'y incitait.

Ian savait qu'Unadilla se trouvait dans la colonie de New York, mais guère plus. Il s'était mis en route dès le lendemain matin, prenant la direction du nord.

La plupart du temps, il n'avait d'autre compagnie que celle de son chien et de ses pensées. Un jour, il tomba sur un camp d'été de Mohawks, où il fut accueilli chaleureusement. Il s'assit avec les hommes et discuta. Au bout d'un moment, une jeune femme lui apporta un bol de ragoût. Il le mangea sans y prêter attention, même si son ventre, appréciant un repas chaud, avait cessé de le tourmenter.

Il n'aurait su dire ce qui avait attiré son attention, mais il leva la tête et aperçut la jeune femme assise dans l'ombre, juste en lisière du halo projeté par le feu. Elle le regardait en souriant, juste un peu.

Ian mastiqua plus lentement, le goût du ragoût emplissant soudain sa bouche. Il était délicieux. De la viande d'ours, bien grasse. Du maïs et des haricots épicés d'oignons et d'ail. Elle inclina la tête d'un côté et arqua un sourcil élégant. Puis elle se leva comme si elle avait été hissée par sa propre interrogation.

Ian reposa son bol, rota courtoisement, puis se leva et s'éloigna sans prêter attention aux regards entendus des hommes avec qui il avait dîné.

Elle l'attendait, une forme pâle dans l'ombre d'un bouleau. Ils parlèrent. Il sentait sa bouche former des mots, entendait le doux gargouillis de la voix de la jeune femme mais n'avait pas vraiment conscience de ce qu'ils se disaient. Il tenait sa colère rougeoyante comme un charbon ardent dans le creux de sa main, une braise fumante dans son cœur. Il ne voyait pas en elle l'eau qui apaiserait son ardeur, ni ne songeait à l'attiser. Il avait des flammes derrière les yeux et était aussi insouciant que le feu, dévorant ce qui était inflammable, mourant quand il n'y avait plus rien à consumer.

Il l'embrassa. Elle sentait la cuisine, les peaux tannées, la terre chauffée par le soleil. Pas de trace de bois, ni de sang. Elle était grande. Il sentit ses seins doux le pousser et laissa retomber ses mains sur la courbe de ses hanches.

Elle se frotta contre lui, solide, prête. Elle recula, laissa l'air frais toucher sa peau là où elle s'était pressée contre lui. Puis elle le prit par la main et le guida vers sa maison longue.

Personne ne leur prêta attention quand elle l'entraîna sur sa couche et, dans la pénombre chaude, se tourna vers lui, nue.

Il avait pensé qu'il valait mieux ne pas regarder son visage. Anonyme, rapide ; peut-être un peu de plaisir pour elle, un répit pour lui. Au moins ce bref moment où il pourrait se perdre, enfin.

Mais, dans l'obscurité, elle était Emily, et il fuit son lit honteux et furieux, laissant derrière lui la stupéfaction.

✳

Les douze jours suivants, il marcha, le chien à ses côtés, sans parler à personne.

✳

La maison de Thayendanegea se trouvait en retrait sur un grand terrain, mais suffisamment proche du village pour en faire encore partie. Ce dernier ressemblait à n'importe quel autre village, si ce n'était que bon nombre de maisons possédaient deux ou trois meules près de leur perron. Les femmes moulaient leur propre farine plutôt que d'apporter leur blé à un moulin.

Des chiens dormaient dans l'ombre des carrioles et des murs. Tous se redressèrent, surpris, en flairant Rollo. Quelques-uns grondèrent ou aboyèrent, mais aucun ne le défia.

Les hommes étaient différents. Plusieurs étaient accoudés à une clôture. Tous le fixèrent, mi-curieux, mi-méfiants. Il ignorait l'identité de la plupart d'entre eux mais reconnut Eats Turtles, une vieille connaissance de Snaketown. Parmi eux se trouvait également Sun Elk.

Ce dernier cligna des yeux, aussi surpris que les chiens, puis s'avança à sa rencontre sur la route.

— Que fais-tu ici ?

Une fraction de seconde, Ian envisagea de lui répondre la vérité, mais ce n'était pas une vérité qui pouvait être dite rapidement, et encore moins devant des inconnus. Il répondit calmement :

— Ça ne te regarde pas.

Sun Elk s'était adressé à lui en iroquois, et Ian avait répondu dans la même langue. Il vit des sourcils se lever. Eats Turtles mit un point d'honneur à le saluer, espérant sans doute dissiper l'orage qui couvait en faisant clairement comprendre à ses compagnons que Ian était lui aussi un Kanien'kehaka. Ian lui retourna son salut. Les autres hommes se détendirent légèrement, perplexes, intrigués, mais non hostiles.

Ce qui n'était pas le cas de Sun Elk mais, après tout, Ian ne s'était pas attendu à ce qu'il lui tombe dans les bras. En vérité, il avait espéré qu'il ne serait pas là. Il sourit en lui-même, songeant à la vieille Mme Wilson, qui avait un jour dit de son gendre, Hiram, qu'il « ne céderait pas le passage à un ours ».

— Que veux-tu ? demanda Sun Elk.

— Rien qui t'appartienne, répondit Ian le plus doucement possible.

Sun Elk serra la mâchoire, mais Turtles intervint avant qu'il n'ait pu répliquer, invitant Ian chez lui pour boire et manger.

Il aurait dû accepter. Il était impoli de refuser. En outre, il aurait pu en profiter pour demander discrètement où était Emily. Mais le besoin impérieux qui lui avait fait parcourir cinq cents kilomètres dans la nature sauvage ne pouvait se plier à des exigences de courtoisie ni ne pouvait attendre.

— Je souhaite parler avec celle qui fut ma femme. Où est-elle ?

Plusieurs hommes écarquillèrent les yeux, mais Ian surprit le bref regard de Turtles vers la grande maison au bout de la route.

Sun Elk bomba le torse et se planta encore plus fermement en travers de son chemin, prêt à défier *deux* ours si nécessaire. Cela ne plut pas à Rollo, qui gronda en montrant ses crocs. Les hommes reculèrent, sauf Sun Elk, qui avait pourtant de bonnes raisons de savoir ce dont Rollo était capable.

— Tu comptes lâcher ton démon sur moi ?

— Bien sûr que non. *Sheas, a cù.*

Le chien continua à gronder quelques instants, histoire de montrer que c'était son idée, puis se coucha sans pour autant lâcher Sun Elk de son regard jaune.

— Je ne suis pas venu te la prendre, déclara Ian.

Il avait eu l'intention de se montrer conciliant tout en sachant qu'il ne serait pas compris. Il avait vu juste.

— Parce que tu crois que tu le pourrais ?

— Puisque ce n'est pas mon intention, quelle importance ?

— Elle ne te suivrait pas, même si tu me tuais !

— Combien de fois dois-je te répéter que je ne veux pas te la prendre ?

Sun Elk le dévisagea longuement d'un regard noir avant de répondre en serrant les poings :

— Jusqu'à ce que ton visage me dise la même chose.

Il y eut un murmure parmi les hommes. Toutefois, Ian savait qu'ils n'interviendraient pas dans une bagarre au sujet d'une femme. *C'est une bonne chose,* se dit-il en observant les mains de Sun Elk. Il se souvenait qu'il était droitier. Il portait un couteau à sa ceinture mais ne semblait pas se préparer à le dégainer.

— Je souhaite juste parler avec elle.

— Pourquoi ? aboya Sun Elk.

Il était suffisamment proche pour postillonner sur le visage de Ian. Ce dernier ne s'essuya pas. Il ne recula pas non plus.

— Cela ne regarde qu'elle et moi. Elle te racontera probablement quand je serai reparti.

Cette idée lui serra le cœur. Mais elle ne sembla pas rassurer Sun Elk qui, soudain, lui envoya son poing dans la figure.

Le coup l'atteignit en plein nez avec un craquement qui résonna dans toute sa mâchoire. L'autre poing de Sun Elk s'écrasa presque simultanément sur sa pommette. Ian secoua la tête pour retrouver ses esprits, distingua un mouvement à travers sa vue brouillée par les larmes et, plus par chance que par adresse, envoya un coup de genoux dans les parties de Sun Elk.

Il pantela, saignant dans la poussière. Six paires d'yeux allèrent de lui à Sun Elk qui, recroquevillé sur le sol, gémissait de douleur. Rollo se releva, s'approcha de l'homme à terre et le renifla avec intérêt. Tous les regards revinrent sur Ian.

Ce dernier rappela Rollo d'un léger signe de la main puis se dirigea vers la maison de Brant au bout de la route, six paires d'yeux fixées sur son dos.

✷

La porte s'ouvrit et la jeune femme blanche le dévisagea avec des yeux ronds. Il était en train d'essuyer son nez avec un pan de sa chemise. Il inclina poliment la tête.

— Auriez-vous l'amabilité de dire à Wakyo'teyehsnonsha que Ian Murray aimerait lui parler ?

Elle battit des paupières, puis acquiesça et referma la porte, marquant une pause à mi-chemin pour s'assurer qu'elle avait bien vu.

Ian redescendit les marches du perron pour attendre dans le jardin. C'était un jardin formel à l'anglaise, avec des rosiers, de la lavande et des allées dallées. Ses parfums lui rappelèrent tante Claire, et il se demanda si Thayendanegea avait amené un jardinier anglais de Londres.

Deux femmes travaillaient au fond du jardin. L'une était une Blanche d'âge moyen, à en juger à la couleur de ses cheveux sous son bonnet et à ses épaules affaissées... La femme de Brant, peut-être ? La jeune femme qui lui avait ouvert la porte était-elle leur fille ? L'autre femme était indienne. Sa longue natte était striée d'argent. Ni l'une ni l'autre ne lui adressa un regard.

Quand il entendit le loquet cliqueter derrière lui, il attendit un instant avant de se retourner, se préparant à la déception d'apprendre qu'elle n'était pas à la maison ou, pire, qu'elle refusait de le voir.

C'était elle. Emily. Petite et droite ; sa poitrine ronde étirant le décolleté d'une robe en calicot bleu ; ses longs cheveux retenus en arrière mais non couverts ; son visage craintif mais ardent. Son regard s'illumina quand elle l'aperçut, et elle fit un pas vers lui.

Si elle était venue jusqu'à lui ou l'avait invitée à approcher, il l'aurait étreinte jusqu'à l'étouffement. *Et ensuite ?* Toutefois, après ce premier mouvement impulsif, elle s'arrêta, ses mains hésitant un instant comme si elles voulaient façonner l'air qui les séparait, puis retombant et se cachant dans les plis de sa jupe. Elle déclara doucement, en iroquois :

— Frère du loup, mon cœur se réchauffe de te voir.

— Le mien aussi.

Elle inclina la tête vers la maison.

— Es-tu venu parler avec Thayendanegea ?

— Peut-être plus tard.

Elle ne fit aucune allusion à son nez qui, pourtant, devait avoir doublé de volume. Tout le devant de sa chemise était taché de sang. Il lança un regard autour d'eux et lui indiqua une allée qui s'éloignait de la maison.

— Tu veux bien marcher un peu avec moi ?

Elle hésita. La flamme dans ses yeux ne s'était pas éteinte mais avait faibli, cédant la place à d'autres choses… de la prudence, du désarroi et ce qu'il pensa être de la fierté. Il était surpris de lire ses émotions aussi clairement, comme si elle était en verre.

— Je… les enfants, balbutia-t-elle.

— Peu importe, la rassura-t-il. Je voulais simplement…

Il s'interrompit pour essuyer un filet de sang sous une narine. Puis il avança de deux pas, s'approchant juste assez pour pouvoir la toucher même s'il ne s'y hasarda pas.

— Je voulais te dire que je suis désolé de ne pas t'avoir donné d'enfants. Et que je suis heureux que tu en aies eu.

Une jolie teinte rosée envahit ses joues, et il put voir la fierté l'emporter sur le désarroi.

— Je pourrais les voir ? demanda-t-il, se surprenant lui-même.

Elle réfléchit un instant, puis rentra dans la maison tandis qu'il allait l'attendre assis sur un muret. Elle revint quelques instants plus tard avec un garçonnet et une petite fille. Il devait avoir environ cinq ans et elle, trois. Elle portait de courtes nattes et le dévisageait gravement en suçant son pouce.

Au cours de son voyage, il avait longuement réfléchi à l'explication que lui avait donnée tante Claire. Non pas qu'il eût l'intention de la partager avec Emily – elle n'aurait rien signifié pour elle ; lui-même la comprenait à peine. Mais peut-être était-ce pour se protéger contre ce moment précis : quand il la verrait avec les enfants qu'il n'avait pu lui donner.

Appelle ça le destin, avait dit Claire en le fixant de son regard de faucon, celui qui voit de très haut, de si haut qu'il passe pour implacable, alors qu'il cache en fait une vraie compassion. *Ou appelle ça la malchance. Mais ce n'était pas de ta faute. Ni de la sienne.*

Il tendit la main vers le garçon.

— Viens me voir.

L'enfant lança un regard interrogateur à sa mère puis approcha, le dévisageant avec curiosité.

Ian dit en anglais à Emily :

— Je peux te voir dans ses yeux et dans ses mains.

Il prit les mains du garçon, si incroyablement petites dans les siennes. Elles étaient souples et fines, comme celles d'Emily. Elles se recroquevillèrent telles des souris endormies dans ses paumes. Il écarta les doigts et les agita comme des pattes d'araignée, faisant glousser l'enfant de rire. Il rit également, puis referma ses mains sur les siennes tel un ours avalant une paire de truites. Cela provoqua chez le garçon un petit cri de surprise. Il le lâcha et se redressa, demandant à Emily :

— Tu es heureuse ?

— Oui, répondit-elle doucement.

Elle baissait les yeux, et il sut qu'elle était sincère mais ne voulait pas voir que sa réponse le blessait. Il glissa une main sous son menton (*Que sa peau est douce !*) et lui fit lever la tête.

— Tu es heureuse ? répéta-t-il.

— Oui.

Elle leva la main et toucha enfin son visage, ses doigts légers comme des ailes de papillon.

— Mais parfois, tu me manques, Ian.

Il sentit sa gorge se nouer et se força à continuer de sourire.

— Tu ne me demandes pas si je suis heureux, moi aussi ?

— J'ai des yeux, répondit-elle simplement.

Le silence retomba entre eux. Il détourna la tête mais pouvait toujours la sentir. Douce. Épanouie. Elle s'adoucit encore, s'ouvrant à lui. Elle avait été sage de ne pas le suivre dans le jardin. Ici, avec son fils jouant dans la poussière à ses pieds, elle était en sécurité.

— Tu comptes rester ici ? demanda-t-elle enfin.

— Non, je pars pour l'Écosse.

— Tu prendras une femme parmi ton propre peuple.

Il y avait un soulagement dans sa voix, mais également un regret.

— Pourquoi, ton peuple n'est plus le mien ? demanda-t-il avec une certaine véhémence. Ils ont lavé mon sang blanc dans la rivière ; tu y étais.

— Oui, j'y étais.

Elle le dévisagea longuement, sondant ses traits. Ils ne se reverraient probablement jamais. Voulait-elle se souvenir de lui ou cherchait-elle autre chose dans son visage ?

Elle lui fit signe d'attendre, tourna brusquement les talons et disparut à nouveau dans la maison. La fillette courut derrière elle, ne voulant pas rester seule avec un inconnu, mais le garçon resta sur place, intrigué.

— Tu es Frère du loup ?

— Oui. Et toi, comment t'appelles-tu ?

— Creuseur.

C'était un nom provisoire d'enfant, donné pour des raisons pratiques dans l'attente que son vrai nom se révèle de lui-même d'une manière ou d'une autre. Ian hocha la tête, et ils s'étudièrent quelques minutes en silence sans la moindre gêne. Puis Creuseur déclara soudain :

— Celle qui est la mère de la mère de ma mère m'a parlé de toi.

— Vraiment ?

Ce devait être Tewaktenyonh. Une grande dame, chef du Conseil des femmes de Snaketown... et celle qui l'avait chassé du clan.

— Tewaktenyonh vit toujours ? demanda-t-il.

— Oh oui ! Elle est plus vieille que les montagnes. Il ne lui reste plus que deux dents, mais elle mange quand même.

Ian sourit.

— Tant mieux. Et que t'a-t-elle dit sur moi ?

Le garçon plissa le front, fouillant sa mémoire.

— Elle a dit que j'étais l'enfant de ton esprit, mais que je ne devais pas le dire à mon père.

Le coup que reçut Ian fut bien plus violent que ceux que lui avait assénés le père du garçon, et il resta un instant sans pouvoir parler. Quand il se fut ressaisi, il répondit :

— Oui, je crois moi aussi que tu ne devrais pas le lui dire.

— Est-ce que je serai avec toi, un jour ? demanda Creuseur.

Il ne semblait que vaguement intéressé par sa réponse, étant occupé par un lézard qui s'était avancé sur le muret pour se dorer au soleil. Ian s'efforça d'adopter un ton neutre :

— Si je vis.

L'enfant observait toujours le petit reptile, l'air concentré. Sa main droite remua, se préparant. Toutefois, il était trop loin et le savait. Il lança un regard à Ian, qui se trouvait plus près. Ni l'un ni l'autre ne bougèrent, mais un accord tacite passa entre eux. Le garçon retint son souffle.

Dans ce type de situations, il ne fallait pas réfléchir. Le bras de Ian fusa et, l'instant suivant, le lézard gigotait dans sa main.

L'enfant poussa des cris de joie en sautillant sur place. Il tendit les mains et Ian lui remit le reptile, qu'il reçut avec le plus grand soin.

— Que vas-tu faire de lui ? demanda Ian.

Creuseur approcha le lézard de son visage, le contemplant attentivement.

— Je vais lui donner un nom. Ainsi, il sera à moi et me bénira la prochaine fois que nous nous rencontrerons.

Il approcha encore le lézard de son œil, et les deux se fixèrent sans ciller.

— Ton nom est Bob, dit enfin le garçon.

Il déposa cérémonieusement le reptile sur le sol. Bob bondit de sa paume et disparut aussitôt sous une bûche.

— C'est un excellent nom, dit gravement Ian.

Il se retenait de rire, ce qui accentuait encore la douleur dans ses côtes contusionnées, mais l'envie lui passa l'instant suivant, quand la porte de la maison s'ouvrit et qu'Emily réapparut, un paquet dans les bras.

Elle s'avança et lui tendit un enfant emmailloté et attaché sur une planche porte-bébé, un peu comme il avait lui-même présenté le lézard à Creuseur quelques instants plus tôt.

— Voici ma seconde fille, déclara-t-elle avec une fierté timide. Veux-tu bien choisir son nom?

Ému, il effleura la main d'Emily avant de prendre le porte-bébé et de le poser sur ses genoux, examinant le petit visage. Elle n'aurait pu lui faire un plus grand honneur. Elle lui demandait de laisser une marque permanente des sentiments qu'elle avait eus autrefois pour lui, qu'elle avait peut-être encore.

Le nourrisson le dévisageait avec des yeux ronds et graves, absorbant cette nouvelle manifestation de son paysage personnel. En le contemplant, Ian sentit une conviction s'enraciner en lui. Il ne la questionna pas: elle était simplement là, indéniable.

Il adressa à Emily un sourire chargé d'une profonde affection, puis posa sa grande main calleuse sur le petit crâne duveteux.

— Merci. Je bénis tous tes enfants et implore pour eux la protection de sainte Bride et de saint Michel.

Puis il tendit la main vers Creuseur et l'attira à lui en ajoutant:

— Mais c'est lui que je dois nommer.

Emily écarquilla les yeux, son regard allant de son fils à Ian, indécise… Peu importait: lui, il ne doutait pas.

— Tu t'appelleras « Le plus rapide des lézards », dit-il.

Le plus rapide des lézards réfléchit un instant, puis acquiesça d'un air ravi, éclata de rire et fila comme une flèche.

41

Un abri contre la tempête

Une fois de plus, William était stupéfait de constater l'étendue des relations de lord John. Alors qu'ils discutaient de choses et d'autres tout en chevauchant, il déclara à Denzell que son père avait connu autrefois un docteur John Hunter. De fait, leur rencontre, associée à une anguille électrique, à un duel impromptu et à une affaire de vol de cadavre, avait participé à la conjoncture ayant entraîné le départ de lord John pour le Canada et les plaines d'Abraham. Se pouvait-il que ce John Hunter soit ce parent bienveillant dont Mlle Rachel lui avait parlé ?

Le visage de Denny Hunter s'illumina.

— C'est extraordinaire ! Oui, ce doit être lui. Surtout si tu mentionnes des vols de cadavres.

Il toussota dans son poing, légèrement embarrassé.

— C'était une activité… très pédagogique, bien que parfois troublante.

Il lança un regard par-dessus son épaule pour s'assurer que sa sœur ne les entendait pas, mais elle était loin derrière, à demi endormie sur la selle de sa mule, sa tête se balançant comme une fleur de tournesol. Il reprit en baisant la voix :

— Tu comprendras, ami William, que pour maîtriser l'art de la chirurgie, il est indispensable d'apprendre comment le corps humain est construit et fonctionne. Il y a des limites à ce que les textes peuvent nous enseigner, et les manuels d'anatomie sur lesquels se reposent la plupart des hommes de médecine sont, disons-le sans ambages, erronés.

— Vraiment?

William ne l'écoutait que d'une oreille, l'autre moitié de son cerveau étant occupée, à parts égales, par l'évaluation de l'état de la route, l'espoir qu'ils atteindraient un lieu habité à temps pour pouvoir se procurer un dîner convenable et l'appréciation du cou gracieux de Rachel Hunter en ces rares occasions où elle chevauchait devant eux. Il avait envie de se retourner pour la regarder à nouveau, mais c'était trop tôt, cela eût été inconvenant. Dans quelques minutes…

— … Galien et Esculape. Depuis très longtemps, on tient pour acquis que les Grecs de l'Antiquité ont écrit tout ce que l'on sait sur le corps humain, qu'il n'y a aucune raison de douter de ces textes ni de créer du mystère là où il n'y en a pas.

— Vous devriez entendre mon oncle déblatérer sur les anciens traités militaires! grommela William. Il adore Jules César, qu'il considère comme un excellent général, mais affirme qu'Hérodote n'a probablement jamais mis les pieds sur un champ de bataille.

Hunter lui lança un regard surpris.

— C'est exactement ce que disait John Hunter, en des termes différents, sur Avicenne! « Cet homme n'a jamais vu un utérus gravide de sa vie. »

Il tapa du poing sur le pommeau de sa selle pour imiter son parent indigné et, ce faisant, effraya son cheval, qui redressa brusquement la tête.

— Oh la! Oh!

Alarmé, Hunter tira trop fort sur ses rênes, ce qui eut pour effet de faire se cabrer et piaffer sa monture. William se pencha vers lui, lui prit les rênes et leur donna du mou.

Il n'était pas mécontent de cette brève distraction qui avait interrompu le discours de Hunter. Il n'était pas sûr de savoir ce qu'était un utérus mais connaissait le sens de « gravide » appliqué aux juments et supposait donc que cela avait un rapport avec les parties intimes féminines. Ce n'était pas un thème dont il souhaitait discuter à portée d'ouïe de Mlle Hunter. Il lui rendit ses rênes et se hâta de changer de sujet avant qu'il ne fasse d'autres déclarations embarrassantes.

— Vous parliez des activités troublantes du docteur John Hunter ?

— C'est-à-dire que nous… ses étudiants… avons appris les mystères du corps humain grâce à l'observation du… corps humain.

— Quoi, vous voulez parler de dissection ?

— Oui, je sais, cette perspective peut rebuter, et pourtant, de voir la manière merveilleuse dont Dieu a agencé notre organisme… les complexités d'un rein, l'extraordinaire intérieur d'un poumon… William, je ne peux te décrire quelle révélation c'est !

— Euh… oui, je vous crois sur parole.

Il était à nouveau possible de se retourner, ce qu'il fit. Rachel s'était redressée et étirait son dos, renversant sa tête en arrière. Son chapeau de paille glissa sur sa nuque et le soleil illumina son visage. William sourit.

— Où trouviez-vous les corps à disséquer ?

Denny Hunter soupira.

— C'était là l'aspect troublant. Bon nombre étaient des indigents provenant de l'hospice ou de la rue morts dans des conditions pitoyables. Mais il y avait également beaucoup de criminels exécutés. Même si je devais me réjouir du fait que leur décès ait contribué à rétablir l'ordre social, je ne pouvais qu'être atterré par leur sort.

— Pourquoi ?

Hunter le regarda d'un air surpris puis sembla comprendre.

— Pardonne-moi, ami William, j'oublie que tu n'es pas l'un des nôtres. Nous rejetons la violence, et encore plus le meurtre.

— Même celui de criminels ? D'assassins ?

Denzell agita tristement la tête.

— On peut les emprisonner ou les condamner à effectuer un labeur utile. Mais que l'État commette un meurtre à son tour est une terrible violation des commandements de Dieu, et cela nous rend tous complices de son péché. Ne le vois-tu pas ?

— Je vois surtout que l'État a la responsabilité de ses sujets. Vous attendez des agents de police et des juges qu'ils veillent sur votre sécurité et celle de vos biens, n'est-ce pas ? Pour que l'État puisse assumer cette responsabilité, il faut qu'il en ait les moyens.

— Je ne le conteste pas. Comme je l'ai dit, il peut emprisonner les criminels, si nécessaire. Mais il n'a pas le droit de tuer des hommes en mon nom !

— Ah non ? Avez-vous une petite idée de la nature de certains des criminels que l'on exécute ? Et de leurs crimes ?

Hunter le regarda en arquant un sourcil.

— Parce que toi, si ?

— Oui. Je connais le gouverneur de la prison de Newgate, c'est un ami de mon père ; encore un. J'ai dîné plusieurs fois avec lui et il m'a raconté des histoires qui défriseraient les boucles de votre perruque... si vous en portiez une, docteur.

Hunter sourit à peine.

— Appelle-moi par mon prénom, ami William. Tu sais que nous ne reconnaissons pas les titres. Je comprends ce que tu dis. J'ai entendu et vu des choses encore plus terribles que ce que tu as pu entendre à la table de ton père. Mais la justice repose entre les mains de Dieu. Exercer la violence et prendre la vie d'autrui, c'est transgresser le commandement du Seigneur et commettre un péché mortel.

— Si vous êtes attaqué, blessé, vous ne ripostez pas ? Vous n'avez pas le droit de vous défendre, de défendre votre famille ?

— Nous nous en remettons à la bonté et à la miséricorde de Dieu. Et, si nous sommes tués, nous mourons dans la ferme espérance de la résurrection.

William médita sur la question quelques instants puis déclara sur un ton léger :

— Ou vous espérez que quelqu'un acceptera d'être violent à votre place.

Denzell se raidit puis ravala ce qu'il s'apprêtait à rétorquer. Ils chevauchèrent en silence un bon moment puis, quand la conversation reprit, elle ne porta plus que sur le chant des oiseaux.

✳

Quand ils se réveillèrent le lendemain, il pleuvait. Ce n'était pas une averse orageuse mais un déluge implacable qui semblait bien parti pour durer toute la journée. Ils ne pouvaient rester là où ils étaient. La corniche rocheuse qui les avait abrités pour la nuit était exposée en plein vent, et le bois ramassé la veille était si humide que le feu qu'ils allumèrent pour leur petit déjeuner générait plus de fumée que de chaleur.

William et Denny chargèrent la mule pendant que Rachel triait les branches les plus sèches et les enveloppaient dans de la toile. S'ils trouvaient un abri à la tombée de la nuit, ils auraient au moins de quoi allumer un feu pour cuire leur dîner. Ils ne parlèrent pas beaucoup. Quand bien même ils auraient été d'humeur bavarde, le vacarme de la pluie sur le feuillage, le sol et leurs chapeaux les aurait obligés à crier.

Trempés jusqu'aux os mais déterminés, ils chevauchèrent lentement vers le nord quart nord-est. Lorsqu'ils arrivèrent à un croisement de routes, Denny consulta sa boussole d'un air anxieux. Il ôta ses lunettes et les essuya sur un pan de sa veste.

— Que penses-tu, ami William ? Aucune de ces routes ne se dirige précisément dans la direction que nous voulons, et l'ami Lockett n'a pas mentionné ce carrefour dans ses instructions. Celle sur laquelle nous sommes va vers l'est tandis que celle-ci semble mener vers le nord.

Un fermier nommé Lockett et son épouse avaient été leur dernier contact avec l'humanité trois jours plus tôt. La femme leur avait servi un dîner et vendu du pain, des œufs et du fromage tandis que son mari leur avait indiqué la route pour Albany. Selon lui, ils devraient rencontrer des signes de l'armée continentale quelque part en chemin. Pas un mot de ce carrefour, toutefois.

William regarda autour d'eux, mais le terrain formait une dépression que la pluie avait transformée en vaste mare. Impossible de déceler la moindre trace de passage. Néanmoins, la route par laquelle ils étaient venus était nettement plus large que celle qui la croisait.

— On reste sur la même, déclara-t-il en éperonnant son cheval.

Vers la fin de l'après-midi, il commença à s'inquiéter et à se demander s'il avait pris la bonne décision. Selon M. Lockett, ils devaient arriver dans un hameau appelé Johnson's Ford en fin de journée. Naturellement, ils avaient été ralentis par le mauvais temps et, si le paysage autour d'eux paraissait toujours désert et verdoyant, les fermes et les villages avaient cette propension à apparaître aussi soudainement que les champignons après la pluie. Johnson's Ford surgirait peut-être après le prochain virage. Rachel se pencha en avant sur sa selle et lui lança :

— Le hameau a peut-être été dissous !

Elle paraissait elle-même sur le point de se désagréger sous la pluie. Les bords trempés de son chapeau de paille retombaient comme un vieux chiffon autour de sa tête, et elle devait en soulever un pan pour voir devant elle. Ses nombreuses couches de vêtements étaient totalement imbibées, si bien qu'elle ressemblait à un gros paquet de linge dégoulinant hissé au bout d'une fourche hors d'une marmite bouillante.

William allait lui répondre quand son frère se dressa brusquement dans ses étriers en pointant un doigt devant eux.

— Regardez !

William crut qu'il avait aperçu leur destination, mais il s'agissait uniquement d'un homme marchant dans leur direction d'un pas leste, un grand sac en toile fendu abritant sa tête et ses épaules. Dans leur état d'abattement, tout ce qui semblait vaguement humain leur paraissait être une bénédiction, et William pressa sa monture pour aller à la rencontre de l'inconnu.

Ce dernier le salua cordialement de sous son sac en toile.

— Où allez-vous par une journée pareille ? demanda-t-il.

Il souleva un coin des lèvres d'un air dégoûté, révélant une canine brisée et tachée par le tabac.

— À Johnson's Ford. Sommes-nous bien dans la bonne direction ?

L'homme sursauta.

— Johnson's Ford, vous dites ?

— Oui, c'est bien ce que je dis, répliqua William, légèrement irrité.

Il comprenait que l'absence de compagnie dans ces régions rurales incitait souvent leurs habitants à vouloir retenir les voyageurs le plus longtemps possible, mais ce n'était pas le bon jour.

— C'est encore loin ?

L'homme secoua lentement la tête.

— J'ai bien peur que vous vous soyez trompé de route, monsieur. Fallait tourner à gauche au carrefour.

Rachel émit un gémissement pitoyable. La lumière baissait déjà. Revenir au croisement leur prendrait plusieurs heures ; ils ne pouvaient espérer le rejoindre avant la tombée du soir.

L'inconnu s'en rendit compte lui aussi et adressa un large sourire à William, lui montrant ses gencives brunes.

— Si vous aviez la bonté de m'aider à rattraper ma vache et à la ramener à la maison, ma femme sera ravie de vous offrir un dîner et un lit.

Faute d'une autre solution, William accepta son offre avec autant de grâce que possible. Ils laissèrent Rachel abritée sous un arbre avec les animaux, puis Denny et lui se lancèrent à la recherche de la vache.

Cette dernière, un animal décharné et velu au regard fou, s'avéra à la fois fuyante et obstinée. Il fallut les talents combinés des trois hommes pour l'attraper et la traîner jusque sur la route. Trempés jusqu'aux os et couverts de boue, les piteux voyageurs suivirent ensuite M. Antioch Johnson (car ainsi leur hôte s'était-il présenté) jusqu'à une petite ferme délabrée.

Néanmoins, le toit, fuyant ou pas, était une nette amélioration par rapport à la pluie battante.

Mme Johnson était une souillon d'un âge indéfinissable, au caractère maussade et à qui il restait encore moins de dents qu'à son mari. Elle lança un regard hargneux vers le groupe dégoulinant sur le seuil et lui tourna le dos sans un mot. Elle daigna néanmoins leur servir un bol d'un ragoût infect et figé. Heureusement, la vache avait fourni du lait frais. William vit Rachel prendre une petite cuillerée de ragoût, pâlir puis recracher discrètement dans sa main. Elle reposa sa cuillère et se contenta ensuite de lait.

William était si affamé qu'il ne se souciait pas de ce que contenait le ragoût. Fort heureusement, il faisait trop sombre dans la pièce pour voir ce qu'on mangeait.

Denny faisait des efforts pour se montrer sociable, bien qu'il oscillât de fatigue sur son tabouret, répondant aux questions de M. Johnson, qui voulait tout savoir sur leurs origines, leur voyage, leur destination, leurs relations, les détails de la route, leurs opinions sur la guerre et les nouveaux développements dans ce domaine. Rachel s'efforçait de sourire de temps à autre, mais son regard inquiet ne cessait de se promener dans la pièce, revenant toujours sur leur hôtesse assise dans un coin, la tête baissée, une pipe en terre pendant mollement au bout de ses lèvres.

Le ventre plein et chaussé de bas secs, William sentit les épreuves de la journée le rattraper. Les flammes de l'âtre le bercèrent dans une sorte de transe, les voix de Denny et de M. Johnson se fondant en un agréable murmure. Il se serait sans doute endormi sur place si le bruit de Rachel se levant pour aller aux latrines ne l'avait extirpé de sa torpeur, lui rappelant qu'il devait vérifier si les bêtes étaient bien installées. Il les avait essuyées tant bien que mal et avait acheté du foin à M. Johnson, mais il n'y avait pas de grange pour les héberger, juste un abri fait d'un toit de feuillage sur quatre hauts pieux. Il ne voulait pas qu'elles restent toute la nuit les pattes dans la gadoue si leur refuge venait à être inondé.

Il pleuvait toujours, mais l'air au-dehors était frais et pur. Les parfums nocturnes de sève et d'herbe lui montèrent à la tête. Il courut vers l'abri en s'efforçant de protéger la petite torche qu'il avait emportée.

L'abri n'était pas inondé. Les chevaux, les mules et la vache au regard fou se tenaient sur de la paille humide mais propre. La porte des latrines grinça, et William vit la silhouette fine de Rachel en sortir. En apercevant la lueur de sa torche, elle vint le rejoindre, resserrant son châle autour de ses épaules.

— Les animaux vont bien ? demanda-t-elle.

Des gouttes de pluie étincelaient dans ses cheveux.

— Je pense qu'ils ont mieux dîné que nous.

Elle frissonna au souvenir de leur repas.

— J'aurais mille fois préféré manger du foin ! Vous avez vu ce qu'il y avait dans ce...

— Non, l'interrompit-il, et je préférerais ne pas le savoir.

Elle rit puis s'attarda, caressant les oreilles tombantes de sa mule. Elle semblait avoir aussi peu envie que William de retourner dans l'atmosphère fétide de la maison.

— Je n'aime pas la façon dont cette femme nous regarde, déclara-t-elle soudain. Elle fixe mes souliers comme si elle se demandait s'ils lui iraient.

William baissa les yeux vers les pieds de Rachel. Ses bottines usées et crottées n'avaient rien de luxueux, mais elles étaient solides et de bonne facture. Elle lança un regard nerveux vers la maison.

— Je serai soulagée de partir d'ici demain, même s'il pleut toujours.

— Nous partirons, l'assura-t-il. Même sans attendre le petit déjeuner si vous préférez.

Il s'adossa à l'un des piliers, sentant la fraîcheur et l'humidité du soir lui caresser le cou. Bien que toujours épuisé, il ne sentait plus la torpeur et se rendait compte qu'il partageait son malaise.

M. Johnson s'était montré prévenant en dépit de sa rudesse, mais il y avait quelque chose de presque trop empressé dans ses manières. Il conversait penché en avant, les yeux brillants, ses mains sales constamment en mouvement sur ses genoux. Peut-être était-ce le simple effet d'un manque de compagnie (celle de Mme Johnson ne devait pas être bien folichonne !). Toutefois, lord John avait appris à William à se fier à son instinct. Il fouilla dans sa sacoche accrochée à l'un des pieux et en sortit la petite dague qu'il portait dans sa botte lorsqu'il était en selle.

Rachel l'observa la glisser sous sa ceinture et rabattre sa chemise par-dessus. Elle parut inquiète mais ne protesta pas.

La flamme de sa torche commençait à crachoter et menaçait de s'éteindre. Il tendit son bras et Rachel l'accepta volontiers. Il aurait aimé la prendre par la taille, mais il dut se contenter de sentir sa chaleur à une distance convenable.

La masse de la ferme était plus sombre que la nuit, l'arrière ne comportant ni porte ni fenêtre. Ils contournèrent le bâtiment en silence, leurs semelles s'enfonçant dans la terre détrempée. Un mince filet de lumière perçait sous les volets de la façade, seule indication d'une occupation humaine. William entendit Rachel déglutir et effleura sa main avant de lui ouvrir la porte.

— Dormez bien, chuchota-t-il. Demain sera là en un rien de temps.

✳

Ce fut le ragoût qui lui sauva la vie. Il s'endormit presque aussitôt, écrasé par la fatigue, mais son sommeil fut perturbé par d'éprouvants cauchemars. Il avançait dans un long couloir quand il s'aperçut que les entrelacs ouvragés du tapis turc à ses pieds étaient des serpents. Ceux-ci se dressèrent en sifflant à son approche. Comme ils étaient lents, il parvint à sauter par-dessus, mais ses bonds d'un côté et de l'autre le projetaient contre les murs, qui semblaient se refermer sur lui.

Le couloir se rétrécit bientôt au point qu'il dut avancer de biais, le mur d'en face si proche de son visage qu'il ne pouvait baisser la tête. Il s'inquiétait de la présence des serpents mais ne pouvait les voir et devait faire de grands mouvements des pieds, accrochant un corps lourd de temps à autre. Pris de panique, il en sentit un s'enrouler autour de sa jambe, remonter lentement, glisser sous sa chemise, lui ceindre la taille et lui donner de violents et douloureux coups de tête dans le ventre, cherchant un point à mordre.

Il se réveilla en sursaut, haletant et en nage, et se rendit compte que la douleur dans son abdomen était bien réelle. Pris d'une crampe aiguë, il fléchit les genoux et roula sur le côté juste une fraction de seconde avant que la hache ne s'abatte là où sa tête s'était trouvée.

Il lâcha un pet retentissant puis se jeta sans réfléchir vers la silhouette sombre qui tentait de dégager la hache plantée dans les lattes du plancher. Il attrapa une des jambes de Johnson et tira. L'homme tomba sur lui en jurant et lui attrapa le cou. William se débattit comme un diable, mais les mains se refermèrent sur sa gorge, et sa vision s'obscurcit.

Quelque part, quelqu'un criait. Plus par réflexe que par calcul, William envoya un coup de tête en plein visage de Johnson. Cela fit mal, mais l'étau qui lui écrasait la trachée se desserra. Il se dégagea d'un mouvement brusque, roula sur le côté et se releva.

Les braises mourantes dans la cheminée ne projetaient qu'une faible lueur dans la pièce. Les cris provenaient d'une masse de corps s'agitant dans un coin, mais il ne pouvait rien y faire pour le moment.

Johnson avait libéré sa hache d'un coup de pied. William aperçut l'éclat terne de sa lame juste au moment où l'autre l'abattait vers son crâne. Il l'évita et parvint à agripper le poignet de son assaillant. Un des côtés de la lame heurta son genou et il tomba, entraînant Johnson avec lui. Heureusement, il leva l'autre genou à temps pour éviter d'être écrasé sous le poids du fermier.

Il se jeta sur le côté, sentit une forte chaleur dans son dos et comprit qu'ils avaient roulé au bord de l'âtre. Il tendit un bras en arrière, saisit une poignée de charbons ardents et les écrasa sur le visage de Johnson, ignorant la brûlure cuisante dans sa paume.

Johnson retomba en arrière en se tenant la face d'une main et en émettant de brefs « ah ! » étranglés comme s'il n'avait plus assez de souffle pour hurler. Il tenait toujours sa hache et, sentant William se relever, l'agita à l'aveuglette devant lui. William attrapa le manche, le lui arracha, le saisit fermement des deux mains et l'abattit sur le crâne de Johnson avec un bruit sourd de potiron fendu. L'impact se répercuta dans ses mains et ses bras. Il lâcha la hache et recula en chancelant.

Sa bouche était remplie de bile et de salive. Il s'essuya sur sa manche. Il haletait mais ne semblait pas parvenir à faire entrer de l'air dans ses poumons.

Johnson tituba vers lui, les bras tendus en avant, la hache plantée dans son crâne. Son manche pointait de droite à gauche telle une antenne d'insecte. Lentement, comme une vision d'horreur, il leva les mains pour le saisir.

William aurait voulu hurler mais n'avait plus de souffle. En reculant précipitamment, il effleura ses culottes de la main et sentit l'étoffe mouillée. Au moment même où il baissait les yeux vers la tache sombre, il sentit la sensation cuisante en haut de sa cuisse.

— Eh... merde ! marmonna-t-il.

Il était parvenu à se planter la dague dans la jambe. Il palpa sa ceinture ; elle était toujours là. Il la dégaina sans cesser de reculer. Johnson avançait vers lui en poussant un étrange hurlement et en tirant sur le manche de la hache.

Celle-ci se dégagea, et un jet de sang éclaboussa le visage et le torse de William. Johnson abaissa son arme en grognant sous l'effort, mais ses gestes étaient maladroits et lents. William l'esquiva en bondissant de côté, le mouvement lui faisant lâcher un autre vent sonore.

Il serra le manche de sa dague, cherchant un bon endroit où la planter. Johnson se passait un bras sur le visage, essayant d'essuyer le sang qui ruisselait. De son autre main, il agitait sa hache en balayant l'espace devant lui.

— William !

Surpris par la voix, William lança un regard sur le côté et manqua d'être atteint par la lame.

— Taisez-vous, je suis occupé ! lança-t-il.

— Oui, je sais, répondit Denny Hunter. Laisse-moi t'aider.

Il était blême et tremblait presque autant que Johnson, mais il s'avança d'un pas ferme et, plongeant soudain en avant, saisit le manche de la hache et l'arracha des mains de Johnson. Puis il recula et la laissa tomber sur le plancher dans un bruit sourd. Il paraissait sur le point de rendre ses tripes d'un instant à l'autre.

— Merci, dit William.

Ce dernier s'avança d'un pas et plongea sa dague sous les côtes de Johnson, la lame remontant vers le haut jusqu'au cœur. Johnson écarquilla les yeux et William les fixa. Ils étaient gris-bleu avec une pluie de paillettes d'or tout autour d'un iris noir. William resta transfiguré quelques instants, n'ayant jamais rien vu d'aussi beau. Puis le sang chaud ruisselant sur sa main le rappela à la réalité. Il retira sa dague et recula, laissant le corps s'effondrer sur le sol. Il tremblait des pieds à la tête et était sur le point de se déféquer dessus. Il fonça vers la porte, passant devant Denny, qui lui dit quelque chose qu'il ne comprit pas.

Quelques instants plus tard, accroupi frissonnant et pantelant dans les latrines, il lui sembla néanmoins que le médecin lui avait dit : « Tu n'avais pas besoin de faire ça. »

Si, il le fallait, pensa-t-il.

Il posa le front sur ses genoux et attendit que s'apaise le feu dans ses entrailles.

✳

Lorsqu'il émergea enfin des latrines, moite et flageolant mais les intestins moins instables, Denny Hunter courut prendre sa place. Sitôt la porte refermée, il y eut un concert d'explosions et de grognements. William s'éloigna rapidement.

L'aube était encore loin, mais l'air commençait à bouger et la ferme noire se détachait sur un ciel gris sombre. En entrant, William découvrit Rachel montant la garde avec un balai devant Mme Johnson, qui était enroulée dans un drap sale. Elle gigotait encore un peu en sifflant et en crachant.

Le cadavre de son mari gisait toujours face contre terre dans une mare de sang devant la cheminée. Il ne voulait pas le regarder mais sentait néanmoins qu'il aurait été incorrect de ne pas le faire. Il s'en approcha donc et le contempla un moment. L'un des Hunter avait ravivé le feu et ajouté du bois. Il faisait chaud dans la pièce, mais il ne le sentait pas.

— Il est mort, dit Rachel d'une voix monocorde.

— Oui.

Il ne savait pas trop ce qu'il était censé ressentir ni, à vrai dire, ce qu'il ressentait réellement. Il se détourna avec un certain soulagement et s'approcha de la prisonnière.

— A-t-elle…

— Elle voulait égorger Denny, mais elle m'a marché sur la main et m'a réveillée. Quand j'ai vu son couteau, j'ai crié. Il s'est jeté sur elle et…

Elle se passa une main dans les cheveux. Comme elle avait perdu son bonnet dans la lutte, ils étaient libres et emmêlés.

— Je me suis assise sur elle et Denny l'a enroulée dans ce drap, expliqua-t-elle. Je ne crois pas qu'elle puisse parler ; elle a la langue fendue en deux.

En l'entendant, Mme Johnson lui tira la langue avec hargne, les deux moitiés s'agitant indépendamment. Se souvenant des serpents de son cauchemar, William, révulsé, eut un mouvement de recul. Puis il aperçut la lueur de satisfaction dans son regard.

— Si elle peut faire ça avec son horrible langue, elle peut parler, déclara-t-il.

Se penchant, il saisit le cou maigrelet de la femme.

— Donnez-moi une bonne raison de ne pas vous tuer vous aussi !

— Sssse n'est pas ma faute ! Il m'oblisssse à le faire !

Son sifflement était tellement impressionnant que, sous le choc, il faillit la lâcher. Il lança un regard vers le mort et répondit :

— Plus maintenant.

Il resserra ses doigts, sentant un pouls battre sous son pouce.

— Combien de voyageurs avez-vous trucidés ainsi ?

Elle ne répondit pas mais se lécha lascivement les lèvres avec sa langue bifide, d'abord avec une moitié puis avec l'autre. Il lâcha sa gorge et la gifla. Rachel se raidit derrière lui.

— Tu ne dois pas…

— Oh que si, je le dois !

Il frotta sa main contre sa culotte, voulant se débarrasser de l'horrible sensation de la sueur de cette femme, de sa peau lâche, de sa gorge noueuse. Son autre main commençait à l'élancer douloureusement. Il eut soudain envie de ramasser la hache et de l'abattre sur le visage de cette sorcière, encore et encore, de lui fracasser le crâne, de la découper en morceaux. Son corps tout entier tremblait de rage. Elle le lut dans son regard et le nargua de ses yeux noirs et brillants. Il se tourna vers Rachel.

— Vous ne voulez vraiment pas que je la tue ?

— Tu ne dois pas, chuchota-t-elle.

Très lentement, elle tendit la main vers sa paume brûlée et, voyant qu'il ne s'écartait pas, la saisit délicatement.

— Tu es blessé, dit-elle doucement. Viens dehors avec moi, je vais te soigner.

Elle l'entraîna à l'extérieur, à demi aveugle et titubant. Elle le fit s'asseoir sur le billot puis alla remplir un seau d'eau dans l'abreuvoir. Il avait cessé de pleuvoir, mais le paysage autour d'eux gouttait encore.

Rachel lava sa main dans l'eau froide, ce qui apaisa un peu la brûlure. Elle toucha sa cuisse là où le sang séché avait laissé une traînée, mais il fit non de la tête et elle n'insista pas.

— Je vais t'apporter du whisky. Il y en a dans la sacoche de Denny.

Elle se releva, mais il la retint par le poignet.

— Rachel…

Sa voix lui paraissait étrange, comme si un autre parlait à sa place.

— … Je n'avais encore jamais tué personne. Je ne… je ne sais pas quoi faire…

Il scruta son visage, cherchant une explication.

— Je… je pensais que… que cela m'arriverait à la guerre. Là… oui, je crois que j'aurais su. Je veux dire, su quoi ressentir.

Elle le regarda dans les yeux, l'air songeur et soucieux. La lumière effleurait son visage, d'un rose plus doux que le lustre de la nacre. Au bout d'un long moment, elle caressa doucement sa joue et répondit :

— Non, tu ne l'aurais pas su non plus.

———◄o►———

Cinquième partie

VERS LE PRÉCIPICE

42

La croisée des chemins

William prit congé des Hunter à un carrefour anonyme quelque part dans la colonie du New Jersey. Il était préférable de ne pas les accompagner au-delà. Leurs questions sur la position des forces continentales étaient accueillies avec de plus en plus d'hostilité, ce qui signifiait qu'ils n'en étaient plus très loin. Ni les sympathisants des rebelles ni les loyalistes craignant les représailles d'une armée à leur porte ne souhaitaient renseigner de mystérieux voyageurs qui pouvaient bien être des espions, ou pire.

Les quakers s'en sortiraient mieux sans lui. Ils étaient si exactement ce qu'ils paraissaient être, et la détermination de Denzell à servir comme médecin était à la fois si simple et admirable que, s'ils étaient seuls, les gens les aideraient plus volontiers. Du moins, ils répondraient plus facilement à leurs questions. En revanche, avec William…

Au début de leur voyage, il lui avait suffi de déclarer qu'il était un ami des Hunter. Les gens étaient intrigués par le petit groupe, mais pas suspicieux. Cependant, à mesure qu'ils s'enfonçaient dans le New Jersey, l'agitation devenait tangible. Des fermes avaient été pillées par des expéditions de ravitaillement. Celles-ci pouvaient être organisées par des Hessiens de l'armée de Howe, voulant attirer Washington hors de sa cachette dans les montagnes de Watchung, comme par des troupes continentales cherchant désespérément de la nourriture.

Les fermiers, qui en temps normal auraient chaleureusement accueilli des voyageurs inconnus pour les nouvelles qu'ils pouvaient transmettre, les repoussaient désormais avec leurs mousquets et leurs insultes. Il était de plus en plus difficile de s'approvisionner. La présence de Rachel leur permettait parfois d'approcher suffisamment les autochtones pour leur offrir de l'argent. La petite réserve de pièces de William leur fut fort utile. Denzell avait placé le gros du produit de la vente de leur maison dans une banque à Philadelphie afin d'assurer l'avenir de sa sœur. Quant aux billets émis par le Congrès américain, personne n'en voulait.

William pouvait difficilement se faire passer pour un quaker. Sa taille et son allure mettaient les gens mal à l'aise tout autant que son silence car, se souvenant du triste sort du capitaine Nathan Hale, il refusait de prétendre vouloir s'enrôler dans l'armée continentale ou de poser des questions qui pourraient plus tard permettre de l'accuser d'espionnage.

Il n'avait pas discuté de leur séparation avec les Hunter, et ces derniers avaient soigneusement évité de l'interroger sur ses projets. Néanmoins, tous savaient que le moment était venu. Il le perçut dans l'air à son réveil. Quand Rachel lui tendit un morceau de pain pour le petit déjeuner, sa main effleura la sienne, et il se retint de justesse de s'y attarder. Elle le sentit et releva des yeux surpris vers lui. Ce matin-là, ils étaient plus verts que marron. Il aurait volontiers envoyé la sagesse au diable pour l'embrasser (il pensait qu'elle ne s'y objecterait pas) si son frère n'avait surgi au même moment d'entre les buissons, reboutonnant sa braguette.

Il choisit le lieu, tout à coup. Repousser l'échéance ne servait à rien et mieux valait ne pas trop réfléchir. Il arrêta son cheval au milieu d'un carrefour, surprenant Denzell, qui tira trop brusquement sur ses rênes et fit regimber sa jument.

— C'est ici que je vous abandonne, annonça William plus sèchement qu'il ne l'avait voulu. Je continue vers le nord alors que vous devriez vous diriger vers l'est, où vous rencontrerez tôt ou tard des représentants de l'armée de Washington…

Il hésita, mais ils devaient être mis en garde. D'après ce que leur avaient dit des fermiers, Howe avait envoyé des troupes dans la région.

— ... Si vous tombez sur des troupes britanniques ou des mercenaires hessiens... Vous parlez allemand?

— Non, répondit Denzell, juste un peu de français.

— C'est parfait. La plupart des officiers hessiens le parlent couramment. Si ce n'est pas le cas et que les Hessiens vous donnent du fil à retordre, dites-leur : *Ich verlange, euren Vorgesetzten zu sehen; ich bin mit seinem Freund bekannt.* Cela veut dire : « Je demande à voir votre officier. Je connais son ami. » Dites la même chose si vous rencontrez des troupes britanniques.

Il ajouta un peu sottement :

— En anglais, bien sûr.

Cela fit sourire Denzell.

— Je te remercie, mais s'ils nous conduisent à leur officier et que celui-ci nous demande le nom de cet ami théorique?

— Cela n'aura guère d'importance. Une fois devant un officier, vous serez en sécurité, mais vous pouvez répondre Harold Grey, duc de Pardloe, colonel du quarante-sixième régiment d'infanterie.

Contrairement à père, oncle Hal ne connaissait pas tout le monde, mais tout le monde dans l'armée le connaissait, ne fût-ce que de réputation.

William vit Denzell remuer les lèvres, mémorisant le nom.

Rachel l'observait attentivement sous le bord affaissé de son chapeau. Elle redressa ce dernier pour le regarder dans le blanc des yeux.

— Et qui est cet Harold pour toi, ami William?

Il hésita à nouveau mais, après tout, cela n'avait plus d'importance. Il ne reverrait jamais les Hunter. Même s'il savait que les quakers ne se laissaient pas impressionner par les rangs et les titres, il se redressa fièrement sur sa selle.

— Un parent.

Il fouilla dans sa poche et en extirpa la petite bourse que lui avait donnée Murray.

— Prenez ça, vous en aurez besoin.

Denzell la repoussa d'un geste de la main.

— Nous avons ce qu'il faut.

— Moi aussi, insista William.

Il la lança à Rachel, qui la saisit au vol par réflexe. Elle paraissait aussi surprise par sa propre réaction que par le geste de William. Ce dernier lui sourit, le cœur gros.

— Bonne chance, lança-t-il sur un ton bourru.

Il fit tourner son cheval et s'éloigna au petit trot sans se retourner.

※

Denzell le regarda s'éloigner et glissa à sa sœur :

— Tu sais que c'est un soldat britannique ? Probablement un déserteur.

— Et alors ?

— La violence accompagne ce genre d'homme. Tu le sais. Rester trop longtemps en sa compagnie est dangereux, non seulement physiquement mais aussi pour ton âme.

Rachel resta silencieuse un long moment, contemplant la route déserte. Les arbres résonnaient du bourdonnement des insectes. Puis elle fit tourner sa mule et déclara sur un ton calme :

— Denzell Hunter, tu ne serais pas un hypocrite ? Il a sauvé ma vie et la tienne. Tu aurais préféré lui tenir la main devant mon cadavre coupé en morceaux dans cet endroit affreux ?

— Non, répondit son frère aussi calmement. Je remercie Dieu qu'il ait été là pour te sauver. Je pèche peut-être en préférant ta vie au salut de l'âme de ce jeune homme, mais je ne suis pas assez hypocrite pour ne pas le reconnaître.

Elle fit une moue narquoise, ôta son chapeau et l'agita devant elle pour chasser un nuage d'insectes.

— Je suis honorée. Mais pour ce qui est du danger de fréquenter des hommes violents… n'es-tu pas en train de me conduire auprès d'une armée pour nous enrôler ?

Il émit un petit rire contrit.

— Bien vu. Tu as peut-être raison et je suis un hypocrite. Mais, Rachel… (il se pencha et saisit la bride de sa mule pour l'empêcher de se détourner)… tu sais que je ferai tout pour qu'il ne t'arrive aucun mal. Tu n'as qu'un mot à dire et je trouverai une famille d'Amis pour t'accueillir. Tu seras à l'abri. Je sais que le Seigneur m'a parlé, et je dois obéir à ma conscience.

Elle le dévisagea longuement.

— Qui te dit que le Seigneur ne m'a pas parlé, à moi aussi?

Les yeux de Denzell s'illuminèrent derrière ses lunettes.

— Vraiment? J'en suis très heureux pour toi. Que t'a-t-il dit?

— Il m'a dit: « Empêche ta tête de lard de frère de commettre un suicide où tu auras des comptes à me rendre. »

Elle lui tapa sur les doigts pour lui faire lâcher sa bride.

— Si nous devons rejoindre l'armée, Denny, ne perdons plus de temps. Allons-y.

Elle donna un violent coup de talons dans les côtes de sa mule, qui sursauta et partit à fond de train sur la route, arrachant un cri de surprise à sa cavalière.

✳

William chevaucha quelques minutes le dos bien droit, exhibant l'élégance de sa monte. Une fois que la route eut décrit un virage et qu'il fut hors de vue, il ralentit et se détendit légèrement. Il était navré de quitter les Hunter, mais ses pensées le portaient déjà vers l'avenir.

Burgoyne. Il l'avait déjà rencontré une fois, dans un théâtre où il avait assisté à une pièce écrite par le général en personne. Il ne se souvenait pas de la trame narrative, car il avait été trop occupé à flirter du regard avec une jeune fille occupant la loge voisine, mais il était ensuite allé avec son père féliciter le fringant dramaturge grisé par le triomphe et le champagne.

À Londres, ils le surnommaient « Gentleman Johnny ». La haute société londonienne se l'arrachait en dépit du fait que sa femme avait dû fuir en France quelques années plus tôt pour échapper à une arrestation pour dettes. Cela étant, c'était un délit tellement courant que personne ne vous en tenait rigueur.

Ce qui surprenait le plus William, c'était que son oncle Hal semblait apprécier John Burgoyne. Oncle Hal n'avait guère de patience pour le théâtre, et encore moins pour les dramaturges, même si, chose surprenante, il possédait dans sa bibliothèque les œuvres complètes d'Aphra Behn. Lord John lui avait confié un jour, dans le plus grand secret, que son frère Hal avait été autrefois passionnément attaché à Mme Behn après la mort de sa première épouse et avant son mariage avec tante Minnie.

Son père lui avait expliqué :

— C'est que, vois-tu, Mme Behn étant morte, il ne risquait rien.

Ne voulant pas paraître ignare, William avait hoché la tête d'un air entendu, même s'il ne voyait pas du tout ce que son père entendait par là.

Il avait depuis longtemps cessé de chercher à comprendre son oncle. Sa grand-mère Benedicta était sans doute la seule à pouvoir le faire. Le fait de penser à oncle Hal lui rappela soudain son cousin Henry, et sa gorge se noua.

Adam avait dû apprendre la nouvelle, lui aussi, mais il ne pouvait rien faire pour son frère. Pas plus que lui, que le devoir appelait au nord. Cependant, son père et oncle Hal avaient sûrement un plan...

Son cheval redressa brusquement la tête et s'ébroua. Un homme se tenait sur le bord de la route, lui faisant signe en levant le bras.

William ralentit et scruta le sous-bois au cas où il aurait des complices tapis derrière les arbres, prêts à détrousser l'innocent voyageur. Le bas-côté était assez dégagé, et la première ligne de troncs était trop dense et touffue pour que quelqu'un s'y cache. Il s'arrêta à une distance respectueuse de l'inconnu, un vieil homme au visage sillonné de rides et aux cheveux d'un blanc pur tressés dans la nuque. Il s'appuyait sur un grand bâton.

— Je vous souhaite le bonjour, monsieur, déclara William.

— Moi pareillement, jeune homme.

Ce devait être un gentleman, car il avait fière allure ; ses vêtements étaient de qualité et il avait un bon cheval, que William apercevait à présent, entravé et paissant non loin de là. Il se détendit légèrement.

— Où allez-vous ainsi, monsieur ? demanda-t-il poliment.

Le vieillard haussa les épaules.

— Cela dépend un peu de ce que vous m'apprendrez, jeune homme.

À son accent, William sut qu'il était écossais.

— Je suis à la recherche d'un homme nommé Ian Murray. Il me semble que vous le connaissez.

William fut déconcerté. Comment le savait-il ? S'il connaissait Murray, peut-être ce dernier lui avait-il parlé de lui... Il répondit prudemment :

— Je le connais en effet, mais je ne sais pas où il se trouve.

— Ah non ?

L'homme le dévisageait avec une insistance déplacée. Ce vieux bouc le prenait-il pour un menteur ?

— Non, répéta-t-il fermement. Je l'ai rencontré dans le Great Dismal il y a de cela quelques semaines, en compagnie de Mohawks. J'ignore où il est parti depuis.

— Des Mohawks... répéta l'homme, songeur.

William vit son regard s'arrêter sur la griffe d'ours accrochée à son cou.

— C'est un Mohawk qui vous a donné cette babiole ?

William se raidit, n'appréciant guère la connotation péjorative du terme.

— M. Murray me l'a apportée, de la part d'un ami.

— Un ami... répéta le vieil homme.

La manière dont il étudiait son visage commençait à mettre William sérieusement mal à l'aise.

— Comment vous appelez-vous, jeune homme ?

— Je ne vois pas en quoi cela vous concerne, monsieur. Bonne journée !

Lorsque l'homme vit William rassembler ses rênes, ses traits se durcirent et sa main se crispa sur le pommeau de sa canne. Juste avant de lui tourner le dos, William eut le temps de remarquer qu'il lui manquait deux doigts. Il crut un instant qu'il allait monter en selle à son tour et tenter de le rattraper mais, quand il se retourna, le vieillard était toujours debout sur le bas-côté, l'observant s'éloigner.

Cela ne changeait plus grand-chose mais, afin d'attirer le moins d'attention possible, William jugea préférable de glisser la griffe d'ours sous sa chemise, où elle se balança à l'abri des regards aux côtés de son rosaire.

———◀◉▶———

Cet ouvrage a été composé en ITC Berkeley Oldstyle 11,25/13,25
et achevé d'imprimer en octobre 2010 sur les presses
de Imprimerie Lebonfon, Val-d'Or, Canada.